3%

디딤돌 초등수학
올림피아드

3과정

디딤돌

디딤돌 초등수학 3%올림피아드 3과정

펴낸날 [초판 2쇄] 2012년 1월 3일 [개정판 2쇄] 2021년 1월 20일

펴낸이 이기열

대표저자 피원아

펴낸곳 (주)디딤돌 교육

주소 (03972) 서울특별시 마포구 월드컵북로 122 청원선와이즈타워

대표전화 02-3142-9000

구입문의 02-322-8451

팩시밀리 02-338-3231

홈페이지 www.didimdol.co.kr

등록번호 제10-718호 │ 구입한 후에는 철회되지 않으며 잘못 인쇄된 책은 바꾸어 드립니다.

3%

디딤돌 초등수학
올림피아드
3 과정

디딤돌

:: 책 머리에

피원아 선생님
이화여자대학교 수학교육과 졸업
수학을 사랑하는 아이들을 위한 올림이(olymee) 선생님
30년 이상 수학경시 고입 · 대입 지도

초등수학 경시 영역은 수업하기에 적절한 교재가 없어 나 자신도 곤란을 많이 겪었었다. 결국 컴퓨터 앞에 매달려 직접 만들어 사용하던 교재가 이 책의 초고가 된 셈이다.

우리나라 교과 과정에는 채택되지 않았지만 초등학생이 수학을 깊이 있게 공부한다면 이러한 내용 정도는 그 현상을 탐구하여 결론을 유도하고 그것을 이용하여 문제를 풀 수 있다고 여겨지는 영역들에서 경시 문제가 출제되고 있는데 이 영역들을 모아 정리해 놓은 교재가 없다는 것이 큰 어려움이었다.

또, 같은 이론이 적용되는 문제들을 모아서 집중적으로 풀어봄으로써 그 개념이 형성되었는지, 적용 연습이 되었는지를 확인해야 하는데 여러 가지 문제들이 뒤섞여 있어서 교재로 사용할 수가 없었다. 뿐만 아니라 쉽게 이해할 수 있는 것과 이해하기 어렵고 적용에서도 까다로운 부분들을 순차적으로 교육시켜야 하는데, 이 또한 체계적으로 구성된 교재를 찾기 힘들다.

더욱 문제가 되는 것은 일부이기는 하지만 초등학생용 문제집에 중등 과정을 배우고 익혀야만 이 이해할 수 있는 방식으로 풀이를 해놓았다는 점이다. 결국 이런 책들을 접한 이들은 초등학생이라 해도 어서 빨리 중등과정을 모두 마쳐야만이 수학을 잘 하는 초등학생이 된다고 생각하기까지 한다. 이 생각은 아주 잘못된 생각이다.

작은 손에 작은 도구를 가지고도 작품을 만들 수 있다.

수학 학습은 이 어설픈 작품을 만들어가는 과정에서 재료의 특성을 파악하고 그것을 이용하여, 때로는 기발하게 활용하며 작업 계획을 세우고 그에 따라 작업을 추진해서 완성시키는 능력을 기르는 것이다. 만약 손이 커지고, 기본 동작에 숙달되고 사용하는 도구가 기능이 많고 제대로 된 도구가 되기까지 기본 동작과 도구 사용 훈련을 하며 기다렸다가는 그 동안 발전시켜야 할 재료를 활용하고 계획을 세우고 작업을 추진하는 능력은 사장되고 결국 작품을 만들 수 없게 된다.

만약 어느 학생이 교과 과정의 속진 수업으로만 수학 영재로 평가 받았다면 그것은 그 학생이 교육받지 않고도 작품을 만들 능력을 타고 난 덕분이다. 작은 손에 작은 도구! 이 때는 여러 재료를 관찰하는 일이 즐겁고, 작품을 만들 궁리가 많고, 만들고 싶고, 만든 후 내려지는 평가에 찌들지 않았을 때이다. 이 때를 다 놓쳐 버린다면 그것은 분명히 불행이다.

나처럼 이런 곤란을 느끼는 선생님과 학부모들이 많다는 디딤돌의 귀띔이 내가 수업할 때 사용하던 나의 교재를 책으로 출판하게 된 동기가 되었다. 수업을 통해 나름대로 확인한 것이 용기가 되었지만 '책'이라는 모양새를 갖추어 내놓기에는 아이들이 배울 것이어서 걱정이 크다. 지난 그 때에 좀 더 빠짐 없이 준비해 두지 않은 것을 후회하는 마음에 이르면 그만 감추고 싶어지기도 한다. 그러나 지금은 부족한 이 책이 다음 어느 때에 더 좋은 교재가 나오는 밑바탕이 될 것이라는 믿음으로 잠시의 걱정은 접기로 했다.

게다가 이 책의 전과정에 실린 총 2304문제의 풀이를 작은 손과 작은 도구에 알맞도록 써 준 김기주 선생님과 한지철 선생님이 계셔서 아이들과의 수업을 중단하지 않고도 책 펴내는 일을 무사히 할 수 있었다.

이 책으로 공부한 아이들이 수학 공부하는 즐거움을 한껏 느끼기를 바란다.

이 책의 특징과 사용법

⠿ 3% 올림피아드는 초등학생들이 공부하기에 적합하다고 판단되는 '교과 과정 밖의 영역', '중, 고등 과정에서 배우는 것이지만 초등학생이 현상을 관찰하고 이론을 이해할 수 있는 영역', 그리고 '교과 과정에서 배우는 개념이지만 높은 수준의 문제 해결을 요구하는 영역'들을 144개의 작은 주제들로 분류하여 학습할 수 있도록 구성된 책입니다. 144개의 작은 주제는 학생들이 받아들이기 쉬운 기준으로 분류된 것이고, 초등학생들이기에 한 주제의 크기를 비교적 작게 분류하였습니다.

⠿ 3% 올림피아드는 실제로 수업하기에 적합한 호흡으로 나열하였습니다. 총 4개의 과정으로 분류되었고, 1개 과정마다 36개의 주제를 실었습니다. 36개의 주제는 일주일에 두 번 두 시간씩 학습하여 매달 6개의 주제씩 6개월 동안 학습할 분량입니다. 따라서 모든 과정을 마치는 데 2년이 걸립니다. 주 2회 한 시간씩의 초등 교과 과정 수업과 병행하고 경우에 따라 주 1회의 경시대회 실전대비 특강을 더 한다면 이것만으로도 경시 준비를 훌륭히 할 수 있게 됩니다.

⠿ 3% 올림피아드는 초등학생에게 설명하는 것이 가능하도록 풀이 하였습니다. 1과정은 초등 4학년 교과 과정을 이수했다면 이해할 수 있도록 주제를 선정하고 풀이하였습니다. 마찬가지로, 2과정은 5학년 교과를 마친 상태, 3, 4과정은 6학년 교과를 마친 상태라면 학습이 가능합니다. 물론 3, 4권에서는 중등 과정을 예습하기도 하므로 중등방식의 풀이도 병행하여 실었습니다. 선생님의 도움을 받아야 제대로 깊이 있게 이해할 수 있지만 혼자서도 공부할 수 있도록 자세한 해설을 실었습니다.

⠿ 3% 올림피아드는 초등 5, 6학년 학생이라 할지라도 '올림피아드 1과정' 부터 차례로 '올림피아드 4과정' 까지 마쳐야 가장 큰 학습 효과를 얻을 수 있는 프로그램입니다.
'2과정' 의 주제들은 사고하는 방법을 터득하기 위한 과정으로 3, 4과정의 기초가 되기 때문입니다.

이렇게 구성하였습니다.

이론과 핵심문제

주제에 따른 이론을 정리했습니다.

「핵심문제」로 이론을 적용하는 방법을 배웁니다.
「생각하기」는 초등학생의 창의적 사고를 유도하는 생각의
방향을 제시하고 있습니다.

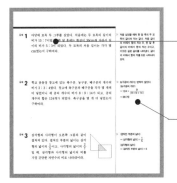

유제

경시 이론을 응용한 다양한 유제 문제를 통해 스스로 깊이
있게 생각하고 적용시키는 연습을 해 봄으로써 이론을 확실
히 이해해야 합니다.

스스로 해결하도록 노력하되, 생각이 떠오르지 않으면 생각
의 방향을 참고하세요.

특강탐구문제

경시대회에 완전한 준비가 될 수 있도록 최고 수준의 문제
까지 대부분의 유형을 담아 경시 주제별로 10문항씩 탐구
문제를 실었습니다. 10문항 모두 빠짐없이 풀어보고, 이해
해야 합니다.

정답과 풀이

주제별로 구성되어 있으며, 문제마다 강의를 듣듯이 서술하
여 이해하는 데 부족함이 없도록 하였습니다. 간결한 설명
을 위해 용어는 간략하게 줄여 사용하였습니다.

CONTENTS

이 책의 차례

> • 변하지 않는 것이 무엇인지 생각해 보면 문제를 쉽게 해결할 수 있다.
> • 기준이 되는 양을 정하여 비교하면 문제를 쉽게 해결할 수 있다.

핵·심·문·제 **1** 선규와 선영이는 함께 가지고 놀 공을 사려고 한다. 선규가 가진 돈으로 공을 사면 공을 사고 난 후 선규와 선영이의 돈의 비는 5 : 6이 되고, 선영이가 가진 돈으로 공을 사면 선규와 선영이의 돈의 비는 7 : 5가 된다고 한다. 선규와 선영이가 처음에 가지고 있던 돈의 비를 구하여라.

┃생각하기┃ 선규와 선영이 중 누구의 돈으로 공을 사더라도 공을 사고 난 후 선규와 선영이가 가지고 있는 돈의 합은 서로 같다. 선규나 선영이가 가진 돈으로 공을 사고 난 후 남은 돈의 비에서 각 항의 합은 각각 11, 12이고, 이것은 같은 액수를 나타낸다. 남은 돈의 비에서 항의 합을 11과 12의 최소공배수인 132로 나타내어 보자.

┃풀이┃ 선규와 선영이가 공을 산 후 남은 돈의 비는

	선규 : 선영		선규 : 선영
선규가 공을 산 경우	5 : 6(합 11)	→	60 : 72(합 132)
선영이가 공을 산 경우	7 : 5(합 12)	→	77 : 55(합 132)

$77-60=72-55=17$은 공의 가격을 나타낸다.

즉, 선규와 선영이가 처음에 가지고 있던 돈의 비는 77 : 72이다.　　　　　답 77 : 72

핵·심·문·제 **2** 홍기, 만철, 승윤이는 서점에서 만나 똑같은 영어책을 한 권씩 샀다. 영어책을 사고 난 후 남은 돈을 알아보니, 홍기는 처음에 가지고 있던 돈의 $\frac{9}{16}$, 만철이는 $\frac{1}{8}$, 승윤이는 $\frac{5}{12}$였다. 세 사람이 처음에 가지고 있던 돈의 합이 54000원이었다면, 영어책 한 권의 값은 얼마인지 구하여라.

┃생각하기┃ 영어책 한 권의 값은 홍기가 처음에 가지고 있던 돈의 $\frac{7}{16}$, 만철이가 처음에 가지고 있던 돈의 $\frac{7}{8}$, 승윤이가 처음에 가지고 있던 돈의 $\frac{7}{12}$이다. 따라서 홍기, 만철, 승윤이가 처음 가지고 있던 돈은 각각 영어책 한 권의 값의 $\frac{16}{7}$, $\frac{8}{7}$, $\frac{12}{7}$이다.

┃풀이┃ (영어책의 값)=(홍기가 처음에 가지고 있던 돈)$\times\frac{7}{16}$=(만철이가 처음에 가지고 있던 돈)$\times\frac{7}{8}$

　　　　　　　=(승윤이가 처음에 가지고 있던 돈)$\times\frac{7}{12}$

홍기, 만철, 승윤이가 처음에 가지고 있던 돈의 비는

$\left((\text{영어책의 값})\times\frac{16}{7}\right):\left((\text{영어책의 값})\times\frac{8}{7}\right):\left((\text{영어책의 값})\times\frac{12}{7}\right)=\frac{16}{7}:\frac{8}{7}:\frac{12}{7}$

$=16:8:12=4:2:3$

(홍기가 처음에 가지고 있던 돈)$=54000\times\frac{4}{(4+2+3)}=24000$(원)

따라서, (영어책의 값)$=24000\times\frac{7}{16}=10500$(원)　　　　　답 10500원

유제 **1** 마당에 묘목 두 그루를 심었다. 처음에는 두 묘목의 길이의 비가 15 : 7이었고, 한 달 후에는 똑같이 30cm씩 자라서 길이의 비가 5 : 3이 되었다. 두 묘목의 처음 길이는 각각 몇 cm였는지 구하여라.

처음 심었을 때와 한 달 후의 두 묘목의 길이의 차는 같다. 처음 길이의 비에서 항의 차는 8, 한 달 후 길이의 비에서 항의 차는 2이고, 이것은 같은 길이를 나타낸다. 길이의 비에서 항의 차를 8로 나타내어 보자.

유제 **2** 학교 운동장 창고에 있는 축구공, 농구공, 배구공의 개수의 비가 2 : 3 : 4였다. 창고에 축구공과 배구공을 각각 몇 개씩 더 넣었더니 세 공의 개수의 비가 8 : 9 : 14가 되고, 공의 개수의 합은 124개가 되었다. 축구공을 몇 개 더 넣었는지 구하여라.

농구공의 개수는 변하지 않았다.
(농구공의 개수)
$$=124 \times \frac{9}{(8+9+14)}$$
$$=36(개)$$

유제 **3** 삼각형과 사각형이 오른쪽 그림과 같이 겹쳐져 있다. 겹쳐진 부분의 넓이는 삼각형의 넓이의 $\frac{1}{5}$이고, 사각형의 넓이의 $\frac{2}{7}$일 때, 삼각형과 사각형의 넓이의 비를 가장 간단한 자연수의 비로 나타내어라.

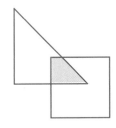

(겹쳐진 부분의 넓이)
$$=(삼각형의 넓이) \times \frac{1}{5}$$
(삼각형의 넓이)
$$=(겹쳐진 부분의 넓이) \times 5$$

유제 **4** 작년에는 국어 사전과 영어 사전을 한 권씩 사는 데 모두 53000원이 필요했다. 올해는 국어 사전과 영어 사전의 값이 작년에 비해 각각 10%, 15%씩 올라 국어 사전과 영어 사전을 한 권씩 사는 데 59700원이 필요하다고 한다. 작년에는 국어 사전의 값이 얼마였는지 구하여라.

국어 사전과 영어 사전의 값이 모두 15%씩 올랐다고 생각하면 올해 두 사전의 값의 합은 53000×1.15=60950(원)이 되어야 한다.

1 어느 디딤돌 수학 교실에 다니고 있는 4, 5, 6학년 학생은 모두 239명이다. 4학년 학생과 5학년 학생 수의 비는 2 : 5이고, 6학년 학생 수는 4학년 학생 수의 2배보다 8명 더 많다고 한다. 6학년 학생 수를 구하여라.

2 어느 학교 5학년의 남학생과 여학생 수의 비는 8 : 7이었다. 그런데 여학생 몇 명이 전학을 가서 남학생과 여학생 수의 비가 6 : 5가 되고, 전체 학생 수는 264명이 되었다. 전학을 간 여학생은 몇 명인가?

3 무게가 5kg이고, 수분의 무게가 수박 무게의 99%인 수박이 있었다. 이 수박을 며칠 동안 햇볕에 놓아 두었더니, 수분이 증발하여 수분의 무게가 수박 무게의 95%가 되었다. 수분이 증발하고 난 후의 수박의 무게는 몇 g인지 구하여라.

4 700원짜리 아이스크림을 성원이가 가진 돈으로 사면 성원이와 영훈이의 남은 돈의 비는 1 : 1이 되고, 영훈이가 가진 돈으로 사면 남은 돈의 비가 11 : 7이 된다. 성원이와 영훈이가 각각 처음에 가지고 있던 돈은 얼마인지 구하여라.

5 지난 해 어느 놀이공원의 어린이와 어른의 입장료의 비는 3 : 7이었다. 올해는 입장료가 각각 400원씩 올라 어린이와 어른의 입장료의 비가 4 : 9가 되었다. 이 놀이공원의 지난 해 어린이 입장료를 구하여라.

6 미혜와 지현이는 13 : 17의 비로 돈을 내어 공책 몇 권을 사고, 낸 돈의 비만큼 공책을 나누어 가지기로 하였다. 그러나 공책을 1 : 3의 비로 나누어 가지게 되어 지현이가 미혜에게 2200원을 주었다. 공책 한 권이 300원이라면, 미혜가 가진 공책은 몇 권인가?

7 삼각형, 사각형, 원이 오른쪽 그림과 같이 겹쳐져 있다. 겹쳐진 부분 ㉠의 넓이는 삼각형의 넓이의 $\frac{2}{5}$이고, 사각형의 넓이의 $\frac{2}{9}$이다. 겹쳐진 부분 ㉡의 넓이는 사각형의 넓이의 $\frac{1}{7}$이고, 원의 넓이의 $\frac{1}{4}$이다. 삼각형, 사각형, 원의 넓이의 비를 가장 간단한 자연수의 연비로 나타내어라.

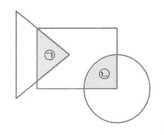

8 4가지 색깔의 색종이가 있다. 노란색, 빨간색, 초록색 색종이의 수의 비는 4 : 7 : 13이고, 파란색 색종이 수는 40장이다. 그런데 4가지 색깔의 색종이를 똑같이 몇 장씩 쓰고 나니 노란색, 빨간색, 파란색 색종이의 수의 비가 3 : 7 : 11이 되었다. 처음에 있었던 노란색, 빨간색, 초록색, 파란색 색종이 수의 합을 구하여라.

9 갑, 을, 병 세 사람이 가지고 있던 돈의 금액의 비는 5 : 7 : 9이다. 그런데 병이 을에게 450원을 주고, 을이 갑에게 얼마를 주었더니 갑, 을, 병 세 사람이 가진 돈의 금액의 비가 9 : 8 : 11이 되었다. 을이 갑에게 준 돈은 얼마인가?

10 경인이네 학교 6학년 학생 308명이 운동장에 모였다. 이 중 체육복을 입은 남학생의 수는 체육복을 입은 여학생의 수 보다 40%만큼 더 많았고, 체육복을 입지 않은 남학생의 수는 체육복을 입지 않은 여학생의 수 보다 30%만큼 더 적었다. 남학생과 여학생 수의 비가 6 : 5일 때, 남학생 중 체육복을 입지 않은 학생 수를 구하여라.

- 두 삼각형에서, 한 삼각형을 일정한 비율로 확대 또는 축소할 때, 다른 삼각형과 합동이 되면 두 삼각형을 서로 닮음이라고 한다.
- 두 삼각형이 닮음이려면 다음 조건 중 한 가지를 만족해야 한다.
  ① 대응하는 세 변의 길이의 비가 같다.
  ② 대응하는 두 변의 길이의 비가 같고, 그 끼인각의 크기가 같다.
  ③ 대응하는 두 각의 크기가 같다.
- 두 삼각형이 닮음이면 대응하는 변의 길이의 비가 같고 대응하는 각의 크기가 서로 같다.

핵·심·문·제 **1** 오른쪽 그림에서 사각형 ㄱㄴㄷㄹ은 평행사변형이다. 삼각형 ㄱㄴㅁ의 넓이는 평행사변형 ㄱㄴㄷㄹ의 넓이의 몇 분의 몇인지 구하여라.

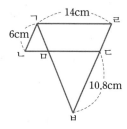

┃생각하기┃ 삼각형 ㄱㄴㅁ과 삼각형 ㅂㄷㅁ은 두 쌍의 각의 크기가 같으므로 서로 닮음이고, 닮음비는 $6 : 10.8 = 5 : 9$이다.
따라서 (선분 ㄴㅁ의 길이) : (선분 ㄷㅁ의 길이)$= 5 : 9$이다.

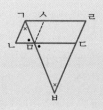

┃풀이┃ 평행사변형 ㄱㄴㅁㅅ의 넓이는 평행사변형 ㄱㄴㄷㄹ의 넓이의 $\frac{5}{14}$이고, 삼각형 ㄱㄴㅁ의 넓이는 평행사변형 ㄱㄴㅁㅅ의 넓이의 $\frac{1}{2}$이므로 평행사변형 ㄱㄴㄷㄹ의 넓이의 $\frac{5}{14} \times \frac{1}{2} = \frac{5}{28}$이다. 답 $\frac{5}{28}$

핵·심·문·제 **2** 오른쪽 사다리꼴 ㄱㄴㄷㄹ에서 점 ㅁ은 변 ㄴㄷ의 중점이다. 선분 ㄱㄷ과 선분 ㄹㅁ이 만나는 점을 점 ㅂ이라 할 때, 삼각형 ㅂㅁㄷ의 넓이를 구하여라.

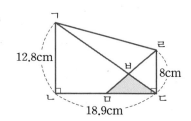

┃생각하기┃ 점 ㅁ에서 변 ㄹㄷ과 평행인 선을 그으면 삼각형 ㅂㅅㅁ과 삼각형 ㅂㄷㄹ은 두 쌍의 각의 크기가 같으므로 서로 닮음이다. 또, 삼각형 ㄷㅅㅁ과 삼각형 ㄷㄱㄴ도 두 쌍의 각의 크기가 같으므로 서로 닮음이다.

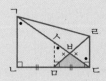

┃풀이┃ 삼각형 ㅅㅁㄷ과 삼각형 ㄱㄴㄷ의 닮음비가 $1 : 2$이므로 선분 ㅅㅁ의 길이는 $12.8 \times \frac{1}{2} = 6.4$(cm)이다.
따라서 닮음인 두 삼각형 ㅂㅅㅁ과 ㅂㄷㄹ의 닮음비는 $6.4 : 8 = 4 : 5$이다.
(선분 ㅁㅂ의 길이) : (선분 ㄹㅂ의 길이)$= 4 : 5$, (삼각형 ㄹㅁㄷ의 넓이)$= (18.9 \div 2) \times 8 \div 2 = 37.8$(cm²)
삼각형 ㅂㅁㄷ과 삼각형 ㅂㄷㄹ은 높이가 같고 밑변의 길이의 비가 $4 : 5$이므로
(삼각형 ㅂㅁㄷ의 넓이)$= 37.8 \times \frac{4}{9} = 16.8$(cm²) 답 16.8cm²

유제 **1** 오른쪽 평행사변형 ㄱㄴㄷㄹ에서 선분 ㄱㅁ의 길이는 변 ㄱㄹ의 길이의 $\frac{1}{3}$이다. 삼각형 ㅁㅂㄹ의 넓이는 평행사변형 ㄱㄴㄷㄹ의 넓이의 몇 분의 몇인가?

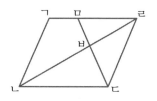

▶ 삼각형 ㅁㅂㄹ과 삼각형 ㄷㅂㄴ은 서로 닮음이다.

유제 **2** 오른쪽 그림에서 사각형 ㄱㄴㄷㄹ은 한 변의 길이가 8cm인 정사각형이다. 삼각형 ㄱㅂㄹ의 넓이가 삼각형 ㅂㄴㅁ의 넓이보다 12cm² 더 넓을 때, 선분 ㄱㅂ의 길이를 구하시오.

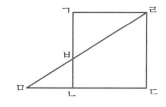

▶ 삼각형 ㄱㅂㄹ의 넓이가 삼각형 ㅂㄴㅁ의 넓이보다 12cm² 더 넓으므로 사각형 ㄱㄴㄷㄹ의 넓이가 삼각형 ㄹㅁㄷ의 넓이보다 12cm² 더 넓다.

유제 **3** 오른쪽 그림에서 삼각형 ㄹㅁㄷ의 넓이는 12cm²이다. 변 ㄴㄷ의 길이를 구하여라.

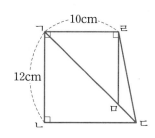

▶ 삼각형 ㄱㄹㅁ과 삼각형 ㄷㄴㄱ은 서로 닮음이다.

유제 **4** 오른쪽 그림과 같이 한 변의 길이가 10cm인 정사각형 ㄱㄴㄷㄹ의 각 변의 중점과 꼭짓점을 이어 색칠한 부분과 같은 팔각형을 만들었다. 이 팔각형의 넓이를 구하여라.

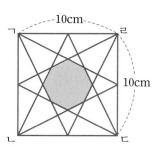

▶ 정사각형의 두 대각선을 그은 후, 두 대각선이 만나는 점과 정사각형의 각 변의 중점을 이어 보자.

1 오른쪽 삼각형 ㄱㄴㄷ에서 선분 ㄱㄹ과 선분 ㄴㄷ은 서로 수직이다. 또 직각삼각형 ㄱㄹㄷ은 이등변삼각형이고, 선분 ㄹㅁ은 각 ㄱㄹㄴ을 이등분한다. 삼각형 ㄱㅁㄹ의 넓이를 구하여라.

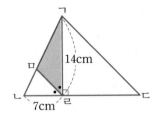

2 오른쪽 그림에서 사각형 ㄱㄴㄷㄹ은 정사각형이고, 삼각형 ㅁㄱㄹ은 직각이등변삼각형이다. 점 ㅂ은 선분 ㅁㄹ의 중점이고, 선분 ㅁㄴ의 길이가 42cm일 때, 선분 ㅅㄹ의 길이를 구하여라.

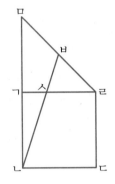

3 오른쪽 그림과 같이 삼각형 ㄱㄴㄷ의 내부에 직사각형 ㄹㅁㅂㅅ을 그려 넣었다. 삼각형 ㄱㄹㅅ의 넓이를 구하여라.

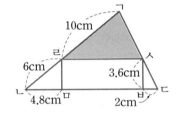

4 오른쪽 그림은 직사각형 ㄱㄴㄷㄹ의 내부에 서로 닮음인 두 이등변삼각형 ㅁㄴㅅ과 ㅂㄷㄹ을 그려 넣은 것이다. 삼각형 ㅁㅂㄹ과 삼각형 ㅂㅅㄷ의 넓이의 비를 구하여라.

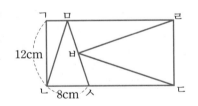

5 오른쪽 삼각형 ㄱㄴㄷ에서 선분 ㄱㅂ과 선분 ㅂㄷ의 길이는 서로 같고, 선분 ㄹㄷ의 길이는 선분 ㄴㄹ의 길이의 2배이다. 삼각형 ㅁㄹㄷ의 넓이가 6cm²일 때, 삼각형 ㄱㄴㄷ의 넓이를 구하여라.

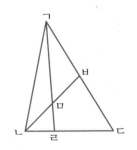

6 오른쪽 그림에서 사각형 ㄱㄴㄷㄹ은 높이가 13.3cm
인 사다리꼴이다. 선분 ㅁㅂ의 길이를 구하여라.

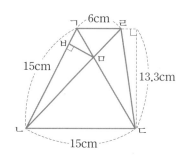

7 오른쪽 그림에서 사각형 ㄱㄴㄷㄹ은 사다리꼴이다. 삼각
형 ㄱㄴㅁ의 넓이가 24cm²일 때, 사다리꼴 ㄱㄴㄷㄹ의
넓이를 구하여라.

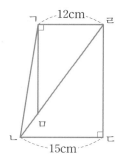

8 오른쪽 그림에서 사각형 ㄱㄴㄷㄹ은 변 ㄱㄹ과 변 ㄴㄷ이
평행인 사다리꼴이다. 사각형 ㄱㅂㄷㄹ과 삼각형 ㅂㄴㄷ
의 넓이가 서로 같을 때, 선분 ㅁㄱ의 길이를 구하여라.

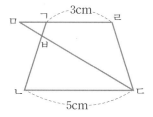

9 오른쪽 그림에서 삼각형 ㅁㄴㄷ은 변 ㅁㄴ과 변 ㅁㄷ의
길이가 같은 이등변삼각형이고, 직사각형 ㄱㄴㄷㄹ과 넓
이가 같다. 삼각형 ㄱㅂㅅ의 넓이가 3cm²일 때, 삼각형
ㅁㄴㄷ의 넓이를 구하여라.

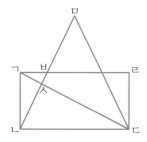

10 오른쪽 사각형 ㄱㄴㄷㄹ은 한 변의 길이가 12cm인 정사
각형이고, 점 ㅁ, 점 ㅂ, 점 ㅅ, 점 ㅇ은 각각 변 ㄱㄴ, 변
ㄴㄷ, 변 ㄷㄹ, 변 ㄹㄱ의 중점이다. 색칠한 부분의 넓이
를 구하여라.

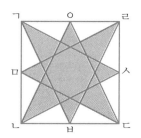

- 속력, 거리, 시간과의 관계
- $(속력) = \dfrac{(거리)}{(시간)}$, $(시간) = \dfrac{(거리)}{(속력)}$, $(거리) = (속력) \times (시간)$
- 속력의 비가 $a : b : c$이면 같은 시간에 가는 거리의 비는 $a : b : c$이고, 같은 거리를 갈 때 걸리는 시간의 비는 $\dfrac{1}{a} : \dfrac{1}{b} : \dfrac{1}{c}$이다.

핵·심·문·제 **1** 민정이는 두 지점 A, B 사이를 세 번 달렸다. 처음 A에서 B로 갈 때에는 1초에 6m의 속력으로 가고, B에서 A로 돌아올 때는 1초에 5m의 속력으로, 다시 A에서 B로 갈 때는 1초에 4m의 속력으로 달려 모두 55.5초 걸렸다. A, B 사이의 거리를 구하여라.

▌생각하기▌ 속력의 비가 6 : 5 : 4이므로, 같은 거리를 가는 데 걸리는 시간의 비는 $\dfrac{1}{6} : \dfrac{1}{5} : \dfrac{1}{4} = 10 : 12 : 15$이다.

▌풀이▌ 처음 A에서 B로 갈 때 걸린 시간은 $55.5 \times \dfrac{10}{37} = 15$(초)

이 때 1초에 6m의 속력으로 갔으므로, A, B 사이의 거리는 $6 \times 15 = 90$(m)   답 90m

핵·심·문·제 **2** 어느 기차가 길이가 450m인 철교 위에 들어서는 순간부터 완전히 건너는 때까지 20초가 걸린다. 또, 이 기차가 길이가 1800m인 터널에 완전히 들어간 순간부터 벗어나기 시작하는 때까지 55초가 걸린다. 이 기차의 속력이 일정하다고 할 때, 기차의 길이를 구하여라.

▌생각하기▌ 기차가 철교 위에 들어서는 순간부터 완전히 건너는 때까지 간 거리는 철교의 길이와 기차의 길이의 합이다. 또, 터널에 완전히 들어간 순간부터 벗어나기 시작하는 순간까지 간 거리는 터널의 길이와 기차의 길이의 차이다.

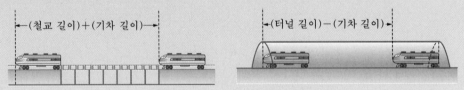

▌풀이▌ 기차의 속력이 일정하므로, 기차가 움직인 거리의 비는 걸린 시간의 비와 같다. 기차의 길이를 xm라 하면, $(450 + x) : (1800 - x) = 20 : 55 = 4 : 11$에서 $4 + 11 = 15$는 $(450 + x) + (1800 - x) = 2250$(m)를 나타낸다.

즉, 1은 $2250 \div 15 = 150$(m)를 나타낸다. 20초 동안 4만큼 갔으므로, 이 때 움직인 거리는 600m이다.

따라서, 기차의 길이는 $600 - 450 = 150$(m)이다.   답 150m

참고* $(450 + x) : (1800 - x) = 4 : 11$에서 비례식의 성질을 이용하여 x를 구하여도 된다.

$(450 + x) \times 11 = (1800 - x) \times 4$, $4950 + 11 \times x = 7200 - 4 \times x$

양변에 $4 \times x$를 더하면 $4950 + 15 \times x = 7200$

양변에서 4950을 빼면 $15 \times x = 2250$, $x = 2250 \div 15$, $x = 150$(m)

유제 1 두 지점 A, B 사이를 속력이 일정한 자동차로 왕복하였다. 갈 때에는 시속 72km, 올 때에는 시속 56km로 달려서 왕복하는 데 5시간 20분이 걸렸다. A, B 사이의 거리를 구하여라.

▶ 갈 때와 올 때의 속력의 비는
$72 : 56 = 9 : 7$이므로
걸리는 시간의 비는
$\frac{1}{9} : \frac{1}{7} = 7 : 9$이다.

유제 2 A가 4걸음 걷는 동안 B는 3걸음 걷고, A가 9걸음에 갈 수 있는 거리를 B는 5걸음에 간다. A, B의 속력의 비를 가장 간단한 자연수의 비로 나타내어라.

▶ A가 9걸음에 갈 수 있는 거리를 B는 5걸음에 가야하므로 A와 B의 보폭의 비는
$\frac{1}{9} : \frac{1}{5} = 5 : 9$이다.

유제 3 속력이 각각 일정한 2대의 버스 A, B가 각각 두 마을 ㉮, ㉯에서 마주 보고 출발하였다. A가 ㉮에서 ㉯까지 가는 데에는 1시간 20분 걸리고, B가 ㉯에서 ㉮까지 가는 데에는 1시간 50분 걸린다고 한다. 두 버스가 두 마을 ㉮, ㉯의 중간 지점에서 11.4km 떨어진 지점에서 서로 지나치기 시작하였다면, 버스 A는 한 시간에 몇 km를 갔는지 구하여라.(단, 버스 A, B의 노선은 같다.)

▶ 두 버스 A, B가 같은 거리를 가는 데 걸리는 시간의 비는
$1\frac{1}{3} : 1\frac{5}{6} = \frac{4}{3} : \frac{11}{6} = 8 : 11$
따라서, 같은 시간에 갈 수 있는 거리의 비는 $\frac{1}{8} : \frac{1}{11} = 11 : 8$이다.

유제 4 갑과 을이 자전거를 타는 속력의 비가 13 : 9일 때, 갑과 을이 각각 일정한 속력으로 자전거를 타고 학교와 공원에서 동시에 마주 보고 출발하면 40분 후에 만난다. 갑과 을이 각각 학교와 공원에서 동시에 출발하여 같은 방향으로 갑이 을을 뒤따라 가면, 갑과 을은 몇 시간 몇 분 후에 서로 만나게 되는지 구하여라.

▶ 속력의 비가 13 : 9이므로 같은 시간 동안 달린 거리의 비도 13 : 9이다. 학교와 공원 사이의 거리를 $13+9=22$라 하면 갑이 을을 22만큼 따라 잡아야 만난다. 갑은 40분에 $13-9=4$만큼씩 을을 따라 잡는다.

1 350km 떨어진 고속 도로 위의 두 지점에서 각각 승용차와 버스가 동시에 마주 보고 출발하였다. 승용차의 속력은 버스의 속력의 $\frac{4}{3}$배이고, 출발한 지 1시간 40분만에 승용차와 버스가 서로 지나치기 시작하였다고 한다. 버스의 시속을 구하여라.

2 한준이는 집에서 자전거를 타고 할머니댁에 가는 데 3시간이 걸렸다. 돌아올 때에는 갈 때의 속력의 $\frac{1}{9}$만큼 더 빨리 달렸다면, 돌아올 때에 걸린 시간은 갈 때보다 몇 분 더 적게 걸렸겠는가?

3 어느 기차가 길이가 80m인 철교를 들어서면서부터 완전히 지나는 데 10초가 걸렸다. 또, 이 기차가 속력을 2배 빠르게 하여 길이가 520m인 터널을 들어서면서부터 완전히 통과하는 데 16초가 걸렸다. 처음 이 기차의 속력은 시속 몇 km이였는지 구하여라.

4 혜림이가 5걸음 걸을 때 누리는 4걸음을 걷고, 혜림이가 7걸음에 갈 수 있는 거리를 누리는 8걸음에 간다. 지금 누리가 혜림이보다 혜림이의 걸음으로 27걸음 앞에 있고, 두 사람이 동시에 같은 방향으로 걷기 시작할 때 혜림이는 몇 걸음을 더 가야 누리를 만날 수 있는가?

5 상민이가 20걸음에 갈 수 있는 거리를 상윤이는 14걸음에 가고, 1분 동안 상민이는 28걸음, 상윤이는 21걸음을 걷는다. 상민이와 상윤이가 같은 방향으로 1시간 20분을 걸었더니 상윤이가 상민이보다 57.6m 앞서게 되었다. 상민이의 보폭은 몇 cm인지 구하여라.

6 2대의 배 A, B가 있다. A가 ㉮ 항구를 떠난 지 얼마 후 배 B가 ㉮ 항구를 떠나 각각 일정한 속도로 항해하여 ㉯ 항구로 가고 있다. A가 두 항구의 가운데 지점에 도달했을 때 B는 ㉮ 항구에서부터 두 항구 사이의 거리의 $\frac{1}{6}$만큼 되는 지점에 도달했고, A가 ㉯ 항구에 도착했을 때 B는 ㉮ 항구에서부터 두 항구 사이의 거리의 $\frac{3}{5}$만큼 되는 지점에 도달했다. 2대의 배 A, B의 속력의 비를 구하여라.

7 11km 떨어진 두 지점 A, B 사이에 A로부터 B쪽으로 7km 떨어진 곳에 C 지점이 있다. C 지점에서 갑은 A 방향으로, 을은 B 방향으로 동시에 출발하여 동시에 각각 A, B 지점에 도착하였다. 다시 두 지점 A, B에서 두 사람이 마주 보고 동시에 출발하였는데, 이 때 갑은 처음 속력을 유지했고, 을은 처음보다 속력을 2배로 높였다고 한다. 두 사람 사이의 거리가 500m가 되었을 때, 갑은 C 지점으로부터 몇 km 떨어진 곳에 있는지 구하여라.

8 경민이와 해웅이는 각각 자신의 집에서 동시에 서로 상대방의 집을 향해 출발하였다. 처음 경민이와 해웅이의 속력의 비는 3 : 4였고, 서로 만난 후에 경민이는 속력을 30% 높이고, 해웅이는 속력을 10% 줄여서 가던 방향으로 계속 갔다. 해웅이가 경민이네 집에 도착했을 때 경민이는 해웅이네 집까지 0.3km 남은 지점에 있었다. 경민이네와 해웅이네 집은 몇 km 떨어져 있는지 구하여라.

9 A, B, C 세 사람이 80m 달리기 경주를 하였다. A가 결승선에 도착했을 때 B는 A보다 4m 뒤에, C는 A보다 10m 뒤에 있었다. 또, A가 결승선에 도착한 후 0.6초 후에 B가 도착하였다. A, B, C가 140m를 달린다면, 각각 몇 초씩 걸릴지 구하여라.(단, 80m와 140m를 달렸을 때의 세 사람 각각의 속력은 일정하다.)

10 길이가 1.6km인 공원 둘레를 관희가 3바퀴 도는 동안 강인이는 2바퀴 반을 돌고, 관희가 공원을 한 바퀴 도는 데는 5분이 걸린다. 강인이가 출발한 지 2분 후에, 관희가 같은 방향으로 달리기 시작하였다면, 관희는 몇 분 후에 강인이를 따라 잡을 수 있는가?

· 어떤 수로 나눈 나머지에 따라 수를 배열해 놓은 표에서 어떤 수로 나눈 몫과 나머지를 관찰
하면 수의 위치를 알아낼 수 있다.

핵·심·문·제 **1** 오른쪽 표는 일정한 규칙에 따라 자연수를 1부터 차례로 배열한 것이다. 이 표에서 16의 위치는 위에서부터 4째 번, 왼쪽에서부터 6째 번에 있고, 이것을 (④, ⑥)으로 나타내기로 한다. 200의 위치를 이와 같은 방법으로 나타내어라.

	①	②	③	④	⑤	⑥	⑦	⑧	⑨
①	1		2		3		4		5
②		9		8		7		6	
③	10		11		12		13		14
④		18		17		16		15	
⑤	19		20		21		22		23
⋮									

┃생각하기┃ 200은 9로 나누어 나머지가 2인 수이므로 왼쪽에서부터 셋째 번에 있다. 왼쪽에서부터 셋째 번에 있는 수는 2, 11, 20, …이므로 각각 9로 나누어 몫이 0, 1, 2, …인 수이다. 200은 9로 나누어 몫이 22이므로 23째 번 홀수이다.

┃풀이┃ 23째 번 홀수는 23×2−1=45이므로 200의 위치는 (㊺, ③)으로 나타낼 수 있다.   답 (㊺, ③)

핵·심·문·제 **2** 오른쪽과 같이 자연수가 나열되어 있다. ⟨ㄱ⟩을 ㄱ과 ㄱ을 둘러싸고 있는 수들의 합으로 약속하면

⟨1⟩=1+2+7+8
⟨15⟩=8+9+10+14+15+16+20+21+22
⟨24⟩=17+18+23+24+29+30과 같다.
이 때, 다음 값을 구하여라.
        ⟨97⟩+⟨104⟩+⟨113⟩+⟨114⟩

1	2	3	4	5	6
7	8	9	10	11	12
13	14	15	16	17	18
19	20	21	22	23	24
25	26	27	28	29	30

⋮

┃생각하기┃ ㄱ이 6으로 나누어떨어지는 수일 때 (단, ㄱ>6)
⟨ㄱ⟩=(ㄱ−7)+(ㄱ−6)+(ㄱ−1)+ㄱ+(ㄱ+5)+(ㄱ+6)=ㄱ×6−3
ㄱ이 6으로 나누었을 때 나머지가 1인 경우 (단, ㄱ>6)
⟨ㄱ⟩=(ㄱ−6)+(ㄱ−5)+ㄱ+(ㄱ+1)+(ㄱ+6)+(ㄱ+7)＝ㄱ×6+3
ㄱ이 6으로 나누었을 때 나머지가 2, 3, 4, 5인 경우 (단, ㄱ>6)
⟨ㄱ⟩=(ㄱ−7)+(ㄱ−6)+(ㄱ−5)+(ㄱ−1)+ㄱ+(ㄱ+1)+(ㄱ+5)+(ㄱ+6)+(ㄱ+7)
    ＝ㄱ×9

┃풀이┃ 97은 6으로 나누어 나머지가 1인 수이므로 ⟨97⟩=97×6+3=585
104는 6으로 나누어 나머지가 2인 수이므로 ⟨104⟩=104×9=936
113은 6으로 나누어 나머지가 5인 수이므로 ⟨113⟩=113×9=1017
114는 6으로 나누어떨어지는 수이므로 ⟨114⟩=114×6−3=681
따라서, ⟨97⟩+⟨104⟩+⟨113⟩+⟨114⟩=585+936+1017+681=3219   답 3219

자연수를 오른쪽 표와 같이 가열에서 마열까지 5열로 배열하였다. 라열의 75째 번 수를 구하여라.

	가	나	다	라	마
1	1	2	3	4	
2		8	7	6	5
3	9	10	11	12	
4		16	15	14	13
5	17	18	19	20	
6		24	23	22	21
⋮					

▶ 라 열에는 8로 나누어 나머지가 4인 수와 6인 수가 번갈아 놓여 있다. 75째 번 수이므로 8로 나누어 나머지가 4인 수이다.

오른쪽과 같이 수를 나열하고 어떤 수의 위, 아래, 오른쪽, 왼쪽의 4개의 수의 합을 구하였더니 328이 되었다. 어떤 수를 구하여라.

```
 1  2  3  4  5  6  7
 8  9 10 11 12 13 14
15 16 17 18 19 20 21
22 23 24 25 26 27 28
29 30 31 …
```

▶ 어떤 수의 위에 있는 수는 (어떤 수)−7이고, 아래에 있는 수는 (어떤 수)+7이다.

오른쪽과 같이 수를 나열하고 왼쪽에서부터 ㉮째 번, 위에서부터 ㉯째 번에 있는 수를 (㉮, ㉯)로 나타내기로 하였다. (□−8, 2×□+5)가 172를 나타낼 때 □에 알맞은 수를 구하여라.

```
 0  0  0  0  0  1  2  3
 4  5  6  7  8  9 10 11
12 13 14 15 16 17 18 19
20 21 22 23 24 25 26 27
28 29 30 31 32 33 34 35
36 37 …
```

▶ 172는 8로 나누어 몫이 21이고 나머지가 4인 수이다.

오른쪽 표와 같이 자연수를 차례대로 늘어놓았다. 19를 (5, 2)로 나타낼 때, 아래 식을 참이 되게 하는 ㉮, ㉯에 대하여 ㉮+㉯의 값을 구하여라.

$$(㉮, 2) + (80, 4) = (114, ㉯)$$

	1	2	3	4	5
1				1	2
2	3	4	5	6	7
3	8	9	10	11	12
4	13	14	15	16	17
5	18	19	20	21	22
6	23	24	25	26	27
⋮					

▶ (㉮, 2)=5×(㉮−2)+4로 나타낼 수 있다.
또, (㉮, 2)는 5로 나누어 나머지가 4인 수이고, (80, 4)는 5로 나누어 나머지가 1인 수이므로 (114, ㉯)는 5로 나누어떨어지는 수가 된다.

특강탐구문제

1 오른쪽 그림은 어느 소극장의 좌석 배치도이다. 한준이는 좌석 번호가 148인 표를 가지고 있다. 출입구로 들어가 가장 빨리 자리에 앉으려면 몇 번 통로로 들어가야 하는가?

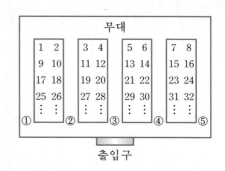

2 오른쪽 그림은 오각형 ㄱㄴㄷㄹㅁ의 각 꼭짓점에 자연수를 3부터 차례대로 써 놓은 것이다. 472는 어느 꼭짓점의 몇째 번 수인지 구하여라.

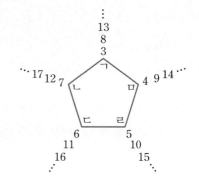

3 오른쪽 표와 같이 자연수를 늘어놓았다. 22를 (마−4)로 나타내면, 123은 어떻게 나타내는가?

	가	나	다	라	마	바	사
1					1	2	3
2	4	5	6	7	8	9	10
3	11	12	13	14	15	16	17
4	18	19	20	21	22	23	24
⋮							

4 오른쪽 표는 자연수를 일정한 규칙에 따라 늘어놓은 것이다. 14를 (4, 2)로 나타내면, (37, 3)으로 나타내어지는 수는 무엇인가?

	1	2	3	4	5	6	7
1	1		2		3		4
2		7		6		5	
3	8		9		10		11
4		14		13		12	
5	15		16		17		18
⋮							

5 오른쪽 표에서 17은 (③−⑰)로 나타낸다. 1111을 이와 같이 나타내어라.

	①	②	③	④	⑤	⑥	⑦	⑧	⋯
㉮	1		13		25		37		
㉯		11		23		35		47	
㉰	3		15		27		39		
㉱		9		21		33		45	
㉲	5		17		29		41		
㉳		7		19		31		43	

6 오른쪽과 같이 자연수를 나열하고 4개의 수의 합이 68이 되도록 삼각형으로 묶었더니 맨 위의 꼭짓점에 있는 ○ 안의 수는 11이 되었다. 이와 같은 방법으로 어떤 4개의 수를 삼각형으로 묶었더니 그 합이 392가 되었다면 ○ 안의 수는 어떤 수인지 구하여라.

```
 1  2  3  4  5  6  7  8
 9 10 ⑪ 12 13 14 15 16
17 18 19 20 21 22 23 24
25 26 27 28 29 30 31 32
33 …
```

7 어떤 수 ㉮를 8로 나누었을 때의 나머지를 [㉮]로 나타내기로 하였다. 다음 식의 값이 처음으로 200보다 크게 될 때의 수 ㉮를 구하여라.

$$[20]+[21]+[22]+ \cdots +[㉮]$$

8 오른쪽 표는 자연수를 일정한 규칙에 따라 늘어 놓은 것이다. 위에서부터 6째 번 줄, 왼쪽에서 부터 3째 번 줄에 있는 수 9를 (6, 3)으로 나타 낼 때, 480은 (3, 4×㉠+2)로 나타낸다고 한 다. ㉠에 알맞은 수를 구하여라.

	1	2	3	4	5	6	7	8	···
1		3		10		17		24	
2			7		14		21		
3		4		11		18		25	
4	1		8		15		22		
5		5		12		19		26	
6	2		9		16		23		
7		6		13		20		27	

9 오른쪽 표는 자연수를 차례대로 늘어놓은 것이다. 위에서부터 2째 번, 왼쪽에서부터 5째 번에 있는 수 24를 (2, 5)로 나타낼 때, 다음 등식을 만족시키는 ㉮, ㉯에 알맞은 수를 각각 구하여라.

$$(㉮, 250)+(5, 431)=(4, ㉯)$$

	1	2	3	4	5	6	···
1		5	11	17	23	29	
2		6	12	18	24	30	
3	1	7	13	19	25	31	
4	2	8	14	20	26	32	
5	3	9	15	21	27	33	
6	4	10	16	22	28	34	

10 오른쪽 표와 같이 0부터 시작하여 차례로 수를 써넣은 표가 있다. 31을 (4, 5)로 나타낼 때, 다음 등식을 만족시키는 ㉢ 중 가장 큰 수를 구하여라.

$$(6, 1003)-2 \times (㉠, 500)=(㉡, ㉢)$$

	1	2	3	4	5	6	7
1	0	1	2	3	4	5	6
2	7	8	9	10	11	12	13
3	14	15	16	17	18	19	20
⋮							

- 분배법칙 **가** × (**나** + **다**) = (**가** × **나**) + (**가** × **다**) 를 이용하여 간단하게 계산할 수 있다.
- 계산식에서 반복되는 특정한 부분을 문자로 바꾸어 간단하게 계산할 수 있다.
- 반복되는 모양의 수는 다음과 같이 생각하여 간단하게 계산할 수 있다.

$ababab = ab \times 10101, \quad abcabc = abc \times 1001$

핵·심·문·제 **1** 다음을 계산하여라.

$$\frac{474 \times 476 + 475}{475 \times 476 - 1} + \frac{475 \times 477 + 476}{476 \times 477 - 1}$$

▌생각하기▐ 두 분수의 덧셈이므로 통분하여 계산해야 하지만 통분하기가 어려우므로 분배법칙을 이용하여 변형하여 생각해 본다. 첫째 번 분수의 분모는 분배법칙을 이용하여 다음과 같이 변형된다.

$475 \times 476 - 1 = (474 + 1) \times 476 - 1 = 474 \times 476 + 476 - 1 = 474 \times 476 + 475$

▌풀이▐ $\dfrac{474 \times 476 + 475}{475 \times 476 - 1} = \dfrac{474 \times 476 + 475}{(474+1) \times 476 - 1} = \dfrac{474 \times 476 + 475}{474 \times 476 + 476 - 1} = \dfrac{474 \times 476 + 475}{474 \times 476 + 475} = 1$

$\dfrac{475 \times 477 + 476}{476 \times 477 - 1} = \dfrac{475 \times 477 + 476}{(475+1) \times 477 - 1} = \dfrac{475 \times 477 + 476}{475 \times 477 + 477 - 1} = \dfrac{475 \times 477 + 476}{475 \times 477 + 476} = 1$

따라서 $\dfrac{474 \times 476 + 475}{475 \times 476 - 1} + \dfrac{475 \times 477 + 476}{476 \times 477 - 1} = 1 + 1 = 2$ 답 2

핵·심·문·제 **2** 다음을 계산하여라.

$$\left(\frac{2002}{2003} + \frac{2003}{2004} + \frac{2004}{2005} \right) \times \left(\frac{2002}{2003} + \frac{2003}{2004} + \frac{5}{6} \right)$$

$$- \left(\frac{2002}{2003} + \frac{2003}{2004} \right) \times \left(\frac{2002}{2003} + \frac{2003}{2004} + \frac{2004}{2005} + \frac{5}{6} \right)$$

▌생각하기▐ 분수를 통분하여 더하기가 매우 어려우므로 다음과 같은 방법을 생각해 보자.

$\dfrac{2002}{2003} + \dfrac{2003}{2004} + \dfrac{2004}{2005}$ 와 $\dfrac{2002}{2003} + \dfrac{2003}{2004}$ 이 두 번씩 반복되므로

$\dfrac{2002}{2003} + \dfrac{2003}{2004} + \dfrac{2004}{2005} = A,\ \dfrac{2002}{2003} + \dfrac{2003}{2004} = B$ 라 하자.

▌풀이▐ (준식) $= A \times \left(B + \dfrac{5}{6} \right) - B \times \left(A + \dfrac{5}{6} \right)$

$= A \times B + A \times \dfrac{5}{6} - A \times B - B \times \dfrac{5}{6}$

$= A \times \dfrac{5}{6} - B \times \dfrac{5}{6}$

$= (A - B) \times \dfrac{5}{6}$

$= \dfrac{2004}{2005} \times \dfrac{5}{6} = \dfrac{334}{401}$ 답 $\dfrac{334}{401}$

유제 **1** 다음을 계산하여라.

$$\frac{1\times2\times3+2\times4\times6+3\times6\times9+\cdots+50\times100\times150}{2\times3\times4+4\times6\times8+6\times9\times12+\cdots+100\times150\times200}$$

▶ 다음과 같이 생각해 본다.
$$2\times4\times6=(2\times1)\times(2\times2)\times(2\times3)$$
$$=(2\times2\times2)\times(1\times2\times3)$$
$$=(1\times2\times3)\times2^3$$
$$3\times6\times9=(3\times1)\times(3\times2)\times(3\times3)$$
$$=(3\times3\times3)\times(1\times2\times3)$$
$$=(1\times2\times3)\times3^3$$

유제 **2** 다음을 계산하여라.

$$\frac{5}{234}+\frac{5005}{234234}+\frac{55055055}{234234234}$$

▶ 반복되는 모양의 수이다.
$$234234=234\times1001$$

유제 **3** $1\times2+2\times3+3\times4+\cdots+99\times100$의 값을 구하여라.

▶ 다음과 같이 생각해 본다.
$$1\times2=1\times2\times\frac{3}{3}=\frac{1\times2\times3}{3}$$
$$2\times3=2\times3\times\frac{3}{3}$$
$$=2\times3\times\frac{(4-1)}{3}$$
$$=\frac{2\times3\times4-1\times2\times3}{3}$$

유제 **4** 오른쪽 그림과 같이 한 변의 길이가 5cm인 정사각형의 각 변의 중점을 네 꼭짓점으로 하는 정사각형을 그리고, 새로 만들어진 정사각형의 각 변의 중점을 네 꼭짓점으로 하는 정사각형을 또 다시 그린다. 이와 같은 방법으로 계속 반복하여 정사각형을 한없이 그려 나갈 때, 모든 정사각형의 넓이의 합을 구하여라.

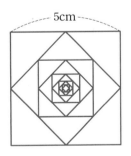

5cm

▶ 정사각형의 각 변의 중점을 네 꼭짓점으로 하는 정사각형의 넓이는 처음 정사각형 넓이의 $\frac{1}{2}$이다.
$$\Rightarrow \text{(구하려는 넓이의 합)}$$
$$=25+\frac{25}{2}+\frac{25}{4}+\frac{25}{8}+\cdots$$

1 다음을 계산하여라.

$$2004 \times 20052005 - 2005 \times 20042004$$

2 다음을 계산하여라.

$$9997 \div 9997\frac{9997}{9998} - \frac{9999 \times 9998 + 8642}{9999 \times 9999 - 1357} + \frac{1}{9999}$$

3 다음을 계산하여라.

$$\left(1 + \frac{1}{5} + \frac{1}{11} + \frac{1}{19}\right) \times \left(\frac{1}{5} + \frac{1}{11} + \frac{1}{19} + \frac{1}{23}\right) - \left(1 + \frac{1}{5} + \frac{1}{11} + \frac{1}{19} + \frac{1}{23}\right) \times \left(\frac{1}{5} + \frac{1}{11} + \frac{1}{19}\right)$$

4 다음을 계산하여라.

$$\frac{123456789}{(123456789)^2 - 123456780 \times 123456789}$$

5 다음을 계산하여라.

$$\left(1 - \frac{4}{2 \times 5}\right) \times \left(1 - \frac{4}{3 \times 6}\right) \times \left(1 - \frac{4}{4 \times 7}\right) \times \cdots \times \left(1 - \frac{4}{12 \times 15}\right)$$

6 다음 식을 계산하여 소수로 나타낼 때 자연수 부분을 구하여라.

$$\frac{7 \times 60 + 8 \times 62 + 9 \times 64 + 10 \times 66 + 11 \times 68}{7 \times 29 + 8 \times 30 + 9 \times 31 + 10 \times 32 + 11 \times 33} \times 100$$

7 다음을 계산하여라.

$$\underbrace{999 \cdots 95}_{499 \text{개의 } 9} \times \underbrace{999 \cdots 95}_{499 \text{개의 } 9} + \underbrace{1999 \cdots 95}_{499 \text{개의 } 9} \times 5$$

8 $1 + (1+2) + (1+2+3) + \cdots + (1+2+3+\cdots+50)$의 값을 구하여라.

9 다음을 계산하여라.

(1) $1^2 + 2^2 + 3^2 + \cdots + 20^2$

(2) $4^2 + 8^2 + 12^2 + \cdots + 80^2$

(3) $1 \times 3 + 2 \times 4 + 3 \times 5 + \cdots + 20 \times 22$

10 다음을 계산하여라.

$$2 + 0.8 + 0.32 + 0.128 + \cdots$$

• 물건을 양팔 저울에 놓았을 때 양팔 저울이 수평이 되었다면 양쪽 접시에 놓인 물건의 무게
가 서로 같음을 이용하여 문제를 쉽게 해결할 수 있다.

핵·심·문·제 **1** 다음 그림과 같이 세 개의 저울은 모두 수평을 이루고 있다. ㉮, ㉯, ㉰, ㉱의 무게의
비를 가장 간단한 자연수의 비로 나타내어라.

 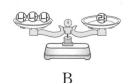 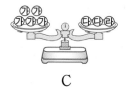

A   B   C

┃생각하기┃ A 저울에서 ㉰=㉮㉯, B 저울에서 ㉱=㉯㉯㉯ 임을 알 수 있다.
즉, C 저울의 오른쪽 접시에 있는 ㉰㉰㉱는 ㉮㉯ ㉮㉯ ㉯㉯㉯와 같다.
따라서 C 저울은 ㉮㉮㉮㉮=㉮㉮㉯㉯㉯㉯㉯ 가 된다.

┃풀이┃ A 저울에서 ㉰=㉮ ㉯, B 저울에서 ㉱=㉯㉯㉯이므로 C 저울에서
㉮㉮㉮㉮=㉮㉮㉯㉯㉯㉯㉯, ㉮㉮㉮=㉯㉯㉯㉯㉯, ㉮ : ㉯=5 : 3
또한, B 저울에서 ㉯ : ㉱=1 : 3이고, A 저울의 각 접시에 있는 추의 수를 3배 하면
$\left(\begin{matrix}㉮㉮㉮\\㉯㉯㉯\end{matrix}\right)=(㉰㉰㉰)$, $\left(\begin{matrix}㉯㉯㉯㉯㉯\\㉯㉯㉯\end{matrix}\right)=(㉰㉰㉰)$, ㉯ : ㉰=3 : 8
따라서 무게의 비는 ㉮ : ㉯ : ㉰ : ㉱=5 : 3 : 8 : 9   답 5 : 3 : 8 : 9

핵·심·문·제 **2** 양팔 저울로 물건의 무게를 재려고 한다. 1g, 4g, 12g짜리 추가 각각 한 개씩 있
고, 추는 양팔 저울의 양쪽 접시 어디에나 올려놓을 수 있다면 잴 수 있는 무게는
모두 몇 가지인지 구하여라.

┃생각하기┃ 다음 그림과 같이 1g, 4g짜리 추를 사용하여 잴 수 있는 무게는 1g, 4g 이외에도 5g,
3g 두 가지가 더 있다.

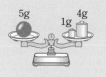 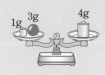

┃풀이┃ 추를 1개만 사용할 때 ➡   1g,   4g,   12g : 3가지
추를 2개 사용할 때 ➡   5g,   3g,   13g,   11g,   16g,   8g   : 6가지
                            (=4+1)   (=4−1)   (=12+1)   (=12−1)   (=12+4)   (=12−4)
추를 3개 사용할 때 ➡   17g,   7g,   15g,   9g   : 4가지
                         (=12+4+1)   (=12−4−1)   (=12+4−1)   (=12+1−4)
따라서 잴 수 있는 무게는 모두 13가지이다.   답 13가지

유제 **1** (가), (나) 두 저울은 수평을 이루고 있다. (다) 저울도 수평을 이루려면 (다) 저울의 오른쪽 접시에 ◯를 몇 개 놓아야 하는가?

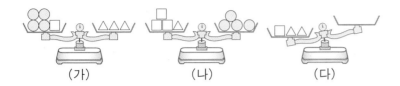

(가)   (나)   (다)

(나) 저울의 양쪽 접시에 □를 한 개씩 올려놓고 (가) 저울과 비교하면 □ 4개가 △ 2개와 같음을 알 수 있다.

유제 **2** 초콜릿 5개와 사탕 18개의 무게가 304g이라고 한다. 초콜릿 1개와 사탕 1개의 무게를 각각 알아보려고 양팔 저울의 왼쪽 접시에 초콜릿 5개를 올려놓고 오른쪽 접시에는 사탕 18개를 올려놓았더니 오른쪽 접시가 위로 올라갔다. 그래서 왼쪽 접시에 있는 초콜릿 1개를 오른쪽 접시로 옮겨 놓았더니 왼쪽 접시가 위로 올라갔다. 이번에는 오른쪽 접시에 있는 사탕 3개를 왼쪽 접시로 옮겨 놓았더니 수평이 되었다. 초콜릿 1개와 사탕 1개의 무게를 각각 구하여라.

(초콜릿 5개)+(사탕 18개)
=304(g)
(초콜릿 5개)>(사탕 18개)
(초콜릿 4개)<(사탕 18개)+(초콜릿 1개)
(초콜릿 4개)+(사탕 3개)=(사탕 15개)+(초콜릿 1개)

유제 **3** 모양이 같은 8개의 구슬이 있다. 이 중 6개는 무게가 같고, 나머지 2개도 서로 무게가 같지만 다른 6개의 구슬보다는 무겁다고 한다. 8개의 구슬에 ①, ②, …, ⑧의 번호를 붙여 양팔 저울에 달아 보니 다음과 같았다. 무게가 무거운 2개의 구슬의 번호를 구하여라.

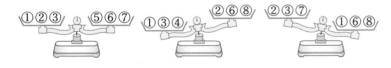

첫째 번 저울을 살펴보면 무게가 무거운 구슬 2개는 ④와 ⑧이거나 ①, ②, ③ 중 하나와 ⑤, ⑥, ⑦ 중 하나임을 알 수 있다.

유제 **4** 오른쪽 그림과 같이 양팔의 길이가 다른 저울이 있다. 두 접시 (가), (나)에 ㉠, ㉡ 두 개의 추를 각각 차례로 올려놓았더니 수평이 되었다. 다시 두 접시 (가), (나)에 ㉡, ㉢ 두 개의 추를 각각 차례로 올려놓았더니 또 수평이 되었다. 추 ㉢의 무게가 360g이라면 추 ㉠의 무게는 몇 g인가?

(가) 9cm 6cm (나)

추의 무게와 저울 팔 길이의 곱은 같다.

1 다음 (가), (나) 2개의 양팔 저울은 모두 수평을 이루고 있다. (다) 저울이 수평을 이루려면 (다)의 오른쪽 접시에 □가 몇 개 놓여야 하는지 구하여라.

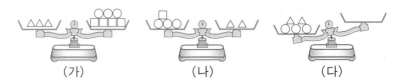

(가)　　　　(나)　　　　(다)

2 다음 두 양팔 저울은 모두 수평을 이루고 있다. 셋째 번 양팔 저울의 오른쪽 접시에는 ㉢구슬을 2개 올려놓고 왼쪽 접시에는 ㉡구슬을 1개 올려놓았더니 한쪽으로 기울어졌다. 한 쪽 접시에만 구슬을 올려놓아서 수평을 이루게 하려면 어느 쪽 접시에 어떤 구슬을 몇 개 더 올려놓아야 하는가?

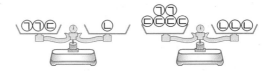

3 1g부터 31g까지 자연수로 표시되는 31가지의 무게를 무게가 서로 다른 저울 추 5개를 사용하여 양팔 저울로 재려고 한다. 저울추는 반드시 한쪽 접시에만 올려놓도록 할 때, 필요한 서로 다른 저울추 5개의 무게를 모두 구하여라.

4 1g부터 13g까지 자연수로 표시되는 13가지의 무게를 양팔 저울로 재려고 한다. 무게가 서로 다른 저울추가 최소한 3개 필요하다고 할 때, 3개의 저울추의 무게는 각각 몇 g인지 구하여라.(단, 저울추는 양쪽 접시에 모두 올릴 수 있다.)

5 ㉮, ㉯, ㉰, ㉱ 네 가지 물건의 무게를 다음과 같이 양팔 저울로 비교해 보았다. 3개의 저울이 모두 수평을 이루고 있다면, ㉰의 무게는 ㉱의 무게의 몇 배인가?

6 네 가지 색깔의 지우개가 있다. 양팔 저울로 무게를 비교해 보았더니 흰색 지우개 1 개는 노란색 지우개 3개의 무게와 같고, 노란색 지우개 4개는 파란색 지우개 5개의 무게와 같았다. 또, 노란색 지우개 5개와 빨간색 지우개 2개의 무게도 같았다. 흰색 지우개 1개와 빨간색 지우개 2개를 양팔 저울의 오른쪽 접시에 올려놓았을 때, 저울이 수평을 이루려면 왼쪽 접시에는 파란색 지우개 몇 개를 올려놓아야 하는가?

7 다음 저울은 모두 수평을 이루고 있다. △ 모양의 추의 무게가 52g일 때, □ 모양의 추의 무게를 구하여라.

8 모양이 같은 구슬 10개가 있는데 9개는 무게가 같고 1개의 무게만 다르다. 이 10개의 구슬에 ①, ②, ③, …, ⑨, ⑩의 번호를 붙여 양팔 저울에 달아 보니 다음과 같았다. 무게가 다른 구슬의 번호와 그 구슬이 다른 구슬보다 무거운지 가벼운지를 구하여라.

9 양팔의 길이의 비가 3 : 4인 저울이 있다. 이 저울의 두 접시에 각각 ㉠, ㉡ 두 개의 추를 올려놓았더니 수평이 되었다. 또, ㉠, ㉡ 두 추를 팔의 길이가 짧은 쪽 접시에 올려 놓고 다른 쪽 접시에 추 ㉢을 올려놓았더니 역시 수평이 되었다. 세 개이 추 ㉠, ㉡, ㉢의 무게의 합이 49g일 때, ㉠, ㉡, ㉢의 무게를 각각 구하여라.

10 오른쪽 그림과 같이 양팔의 길이가 다른 저울이 있다. 또, 500g짜리 추 4개와 충분한 양의 쌀이 있다. 이때, 쌀 1kg을 정확히 덜어내려고 한다. 그 방법을 써라.

참말 족과 거짓말 족

마법사 건달프가 절대반지를 얻기 위해 마법의 성을 찾아 길을 떠났다. 말을 타고 긴 여행끝에 마침내 마법의 성으로 향하는 입구에 도착했다. 그런데 길은 두 갈래로 나뉘어져 있었고, 커다란 표지판에 안내문이 잔뜩 쓰여진 밑에는 한 사람이 서서 건달프를 바라보고 있었다.

안내문을 옮기면 다음과 같다.

> 이 곳은 마법의 성으로 가는 입구이다.
> 한쪽 길은 마법의 성으로 통하는 길이지만 다른 쪽 길은 지뢰밭으로 향한다.
> 이곳에는 A 마을과 B 마을 사람들이 살고 있고, 하루에 한 명씩 번갈아가며 입구를 지킨다.
> 당신이 이곳을 통과하여 마법의 성으로 가고 싶다면, 반드시 하나의 길만을 택해야 하고,
> 갔던 길을 되돌아 나온다면 목숨을 잃을 것이다.
> 자, 이제 길을 선택하라.
> 잠깐, 결정하기 전에 당신에게 질문할 기회를 주겠다.
> 〈주의〉 A 마을 사람들은 참말만 하고, B 마을 사람들은 거짓말만 한다!

건달프에게 질문할 기회가 2번 있다면, 마법의 성으로 가기 위해 어떤 질문을 해야 할까?

만약 질문 기회가 1번 뿐이라면 건달프는 마법의 성을 무사히 찾아갈 수 있을까?

먼저 질문 기회가 2번인 경우부터 생각해 보자.

"당신은 어느 마을 사람입니까?" ― 이 질문은 절대로 하지 말아야 할 질문이다. 이 질문에 대한 대답은 A, B 마을 사람 모두 "A"라고 대답하기 때문이다. 만약 A 마을 사람이 서 있었다면 참말만 하므로 "A"라고 했을 것이고, B 마을 사람이 서 있었다면 거짓말만하므로 역시 "A"라고 했을 것이다. 그렇다면 어떻게 질문해야 할까? 다음과 같은 예를 들 수 있다.

첫번째 질문 : (건달프가 나무를 가리키며 묻는다.) "이것은 나무입니까?"

　　　　　　(혹은 타고 있는 말을 가리키며 물을 수도 있겠다.) "이것은 말입니까?"

두 번째 질문 : "어느 길로 가야 합니까?"

만약 첫번째 질문으로 갈림길에 서 있는 사람이 참말족임을 알게 되었다면 두 번째 질문에 대한 대답을 듣고서 그대로 가면 되고, 첫번째 질문으로 갈림길에 서 있는 사람이 거짓말족임을 알게 되었다면 두 번째 질문에 대한 대답과 반대의 길로 가면 된다.

그런데, 질문 기회가 1번 뿐이라면?

아래를 보고 답을 바로 찾지 말고 스스로 깊이 생각해 보기 바란다.

"당신의 옆 마을 사람은 마법의 성으로 가는 길이 어디라고 생각합니까?"

거짓말만 하는 B마을 사람이었다면 거짓말만 하니까 역시 반대편 길을 말해 줄 것이다.

즉, 갈림길에 서 있는 사람이 A 마을 사람이든 B 마을 사람이든, 건달프는 위 질문에 대한 대답을 듣고 반대편 길로 가야 마법의 성을 찾을 수 있다.

- 십진법의 전개식으로 나타내면 문제를 쉽게 해결할 수 있다.
- 문제에서 알려준 조건을 이용하여 문제를 쉽게 해결할 수 있다.

핵·심·문·제 **1** 네 자리 자연수가 있다. 이 수의 각 자리의 네 숫자를 순서가 반대가 되도록 배열하여 얻은 수에 처음 수를 더하면 8217이 된다. 또 이 수의 백의 자리의 숫자에 1을 더하면 십의 자리의 숫자와 같고, 십의 자리의 숫자의 반이 일의 자리의 숫자와 같다. 이 네 자리 수를 구하여라.

┃생각하기┃ 네 자리 수의 각 자리의 숫자를 ㉠, ㉡, ㉢, ㉣이라 하자.
- 합이 네 자리 수이므로 ㉠+㉣=7이다.
- 합의 일의 자리의 숫자는 7이고 천의 자리의 숫자는 8이므로 ㉡+㉢=11이다.

$$\begin{array}{r} ㉠㉡㉢㉣ \\ +\ ㉣㉢㉡㉠ \\ \hline 8\ 2\ 1\ 7 \end{array}$$

┃풀이┃ ㉠㉡㉢㉣+㉣㉢㉡㉠=8217이므로 ㉠+㉣=7, ㉡+㉢=11이다.
㉡+1=㉢이므로 ㉡=5, ㉢=6이다. 또, ㉢÷2=㉣이므로 ㉣=3, ㉠=4이다.
따라서 네 자리 수 ㉠㉡㉢㉣은 4563이다.

답 4563

핵·심·문·제 **2** 세 자리 수가 있다. 이 수의 십의 자리의 숫자를 없애면 두 자리 수가 되는데 이 두 자리 수를 6배한 후 65를 더하면 처음 세 자리 수가 된다고 한다. 이러한 세 자리 수를 모두 구하여라.

┃생각하기┃ 세 자리 수를 ㉠㉡㉢이라 하면 십의 자리의 숫자를 없앤 두 자리 수는 ㉠㉢이 된다.
㉠㉢에 6배한 후 65를 더하면 처음 ㉠㉡㉢이 되므로 식으로 나타내면 다음과 같다.
(10×㉠+㉢)×6+65=100×㉠+10×㉡+㉢
60×㉠+6×㉢+65=100×㉠+10×㉡+㉢
양변에서 ㉠ 60개와 ㉢ 1개를 없애 주면 5×㉢+65=40×㉠+10×㉡이 된다.
$\frac{1}{5}$로 줄이면 ㉢+13=8×㉠+2×㉡이 된다.

┃풀이┃ (10×㉠+㉢)×6+65=100×㉠+10×㉡+㉢
60×㉠+6×㉢+65=100×㉠+10×㉡+㉢
양변에서 ㉠ 60개와 ㉢ 1개를 없애주면 5×㉢+65=40×㉠+10×㉡
$\frac{1}{5}$로 줄이면 ㉢+13=8×㉠+2×㉡
8×㉠, 2×㉡은 모두 짝수이므로 ㉢은 1, 3, 5, 7, 9가 될 수 있다.
- ㉢=1일 때   14=8×㉠+2×㉡에서 ㉠=1, ㉡=3 → 131
- ㉢=3일 때   16=8×㉠+2×㉡에서 ㉠=1, ㉡=4 → 143
  ㉠=2, ㉡=0 → 203
- ㉢=5일 때   18=8×㉠+2×㉡에서 ㉠=1, ㉡=5 → 155
  ㉠=2, ㉡=1 → 215
- ㉢=7일 때   20=8×㉠+2×㉡에서 ㉠=1, ㉡=6 → 167
  ㉠=2, ㉡=2 → 227
- ㉢=9일 때   22=8×㉠+2×㉡에서 ㉠=1, ㉡=7 → 179
  ㉠=2, ㉡=3 → 239

답 131, 143, 155, 167, 179, 203, 215, 227, 239

유제 **1** 어떤 세 자리 수의 백의 자리의 숫자 앞에 숫자 6을 써서 네 자리 수를 만들었다. 이 수에 900을 더한 수는 처음 세 자리 수의 61배라고 할 때, 처음 세 자리 수를 구하여라.

> 세 자리 수를 ㉠㉡㉢이라 하면
> $6000+100×㉠+10×㉡+㉢$
> $+900$
> $=61×(100×㉠+10×㉡+㉢)$

유제 **2** 어떤 네 자리 수의 일의 자리의 숫자와 천의 자리의 숫자의 합은 8이고 일의 자리의 숫자는 소수이다. 이 네 자리 수는 36의 배수이고, 백의 자리의 숫자와 십의 자리의 숫자만 남겨 만든 두 자리 수는 소수이다. 이 네 자리 수를 모두 구하여라.

> 36의 배수이므로 짝수이다.
> 일의 자리의 숫자가 소수이므로 일의 자리의 숫자는 2이다.

유제 **3** 어떤 다섯 자리 수가 있다. 이 수의 각 자리의 다섯 숫자를 순서가 반대가 되도록 배열하여 새로운 다섯 자리 수를 만들었더니 처음 수와의 합이 93528이 되었다. 처음 다섯 자리 수의 앞의 세 자리 숫자로 만들어진 세 자리 수와 뒤의 세 자리 숫자로 만들어진 세 자리 수가 모두 7의 배수일 때 처음 다섯 자리 수를 구하여라.

> ㉠㉡㉢㉣㉤
> $+$㉤㉣㉢㉡㉠
> —————
>   9 3 5 2 8
> ㉤$+$㉠$=8$
> ㉣$+$㉡$=12$
> ㉢$+$㉢$=14$이다.

유제 **4** 어떤 수의 제곱수인 네 자리 수가 있다. 천의 자리의 숫자와 백의 자리의 숫자가 같고, 십의 자리의 숫자와 일의 자리의 숫자가 같을 때 이 네 자리 자연수를 구하여라.

> 네 자리 수를 ㉠㉠㉡㉡이라 하면
> $1000×㉠+100×㉠+10×㉡$
> $+㉡$
> $=1100×㉠+11×㉡$
> $=11×(100×㉠+㉡)$이 된다.

1 어떤 두 자리 수가 있는데 그 수의 십의 자리의 숫자와 일의 자리의 숫자를 서로 바꾸어 만든 두 자리 수는 처음 수보다 36이 작다. 이러한 두 자리 수는 모두 몇 개인가?

2 다음 조건에 알맞은 수를 구하여라.

> • 각 자리의 숫자가 서로 다른 네 자리 수이다.
> • 일의 자리의 숫자와 십의 자리의 숫자의 합은 백의 자리의 숫자와 같다.
> • 천의 자리의 숫자의 2배는 일의 자리의 숫자의 제곱이다.
> • 일의 자리의 숫자와 십의 자리의 숫자의 곱은 6의 배수이다.

3 다음 조건에 알맞은 수를 구하여라.

> • 세 자리 수이다.
> • 각 자리의 숫자는 모두 3의 배수가 아니다.
> • 백의 자리의 숫자와 십의 자리의 숫자의 차는 3이다.
> • 일의 자리의 숫자와 십의 자리의 숫자는 모두 짝수이다.
> • 17의 배수이다.

4 네 자리 자연수가 있다. 천의 자리의 숫자와 일의 자리의 숫자의 차는 2이고, 백의 자리의 숫자는 천의 자리의 숫자보다 3이 크다. 또, 백의 자리의 숫자와 십의 자리의 숫자의 차는 1, 십의 자리의 숫자와 일의 자리의 숫자의 차는 2이다. 이러한 네 자리 자연수는 모두 몇 개인지 구하여라.

5 맨 앞의 자리의 숫자가 5인 일곱 자리 수가 있다. 이 5를 일의 자리의 숫자의 뒤로 옮겨 놓으면 처음 수는 새로 만든 수의 3배보다 8이 크다고 한다. 처음 일곱 자리 수를 구하여라.

6   한 자리 자연수 중 서로 다른 세 수를 골라 서로 다른 세 자리 자연수 6개를 만들었다. 이 6개의 자연수의 합이 3774, 가장 큰 수와 가장 작은 수의 차는 594가 될 때, 가능한 모든 경우에서 만들 수 있는 가장 작은 세 자리의 자연수를 각각 구하여라.

7   어떤 세 자리 자연수가 있다. 각 자리 숫자의 합은 15이고, 일의 자리와 백의 자리의 숫자의 차는 5이다. 이 수의 백의 자리의 숫자와 일의 자리의 숫자를 바꾸어 새로운 수를 만들면 처음 수의 2배보다 66 커진다고 한다. 처음 세 자리 자연수를 구하여라.

8   각 자리의 숫자가 서로 다른 네 자리 수가 있다. 이 수의 각 자리의 네 숫자를 순서가 반대가 되도록 배열하여 만든 네 자리 수와 처음 네 자리 수의 합이 14663이라고 한다. 처음 네 자리 수가 8의 배수일 때 처음 네 자리 수로 알맞은 수를 모두 구하여라.

9   서로 다른 한 자리 자연수 a, b, c, d를 일렬로 배열하여 만든 네 자리의 자연수는 다음 조건을 만족한다. 만족하는 a, b, c, d의 값을 모두 구하여라.

> - 서로 다른 한 자리 자연수 a, b, c, d를 일렬로 배열하여 만든 네 자리 자연수 중 넷째로 작은 수는 5의 배수이고, 셋째로 큰 수는 4의 배수이다.
> - 서로 다른 한 자리 자연수 a, b, c, d를 일렬로 배열하여 만든 네 자리 자연수 중 8째로 작은 수와 19째로 작은 수의 차는 3000과 4000 사이이다.
> - 서로 다른 한 자리 자연수 a, b, c, d 중 두 개는 짝수, 두 개는 홀수이다.

10   세 자리 자연수 abc가 있다. 백의 자리의 숫자 a의 8배는 십의 자리와 일의 자리의 숫자로 된 두 자리 수 bc보다 5만큼 작다. 또 백의 자리의 숫자를 일의 자리의 숫자의 오른쪽으로 옮긴 수는 처음 수보다 117만큼 작다. 세 자리 자연수 abc를 구하여라.

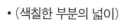
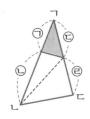

• (색칠한 부분의 넓이)

$= (삼각형 \ ㄱㄴㄷ의 넓이) \times \dfrac{ⓒ}{ⓒ+@} \times \dfrac{⊙}{⊙+ⓛ}$

• 적절한 보조선을 그어 높이가 같은 삼각형을 만들면 문제를 쉽게 해결할 수 있다.

핵·심·문·제 **1** 오른쪽 그림은 사각형 ㄱㄴㄷㄹ의 네 변을 연장하여 사각형 ㅁㅂㅅㅇ을 그린 것이다. 선분 ㄱㅁ, 선분 ㄴㅂ, 선분 ㄷㅅ, 선분 ㄹㅇ의 길이는 각각 선분 ㄱㄴ, 선분 ㄴㄷ, 선분 ㄷㄹ, 선분 ㄹㄱ의 길이의 2배일 때, 사각형 ㅁㅂㅅㅇ의 넓이는 사각형 ㄱㄴㄷㄹ의 넓이의 몇 배인지 구하여라.

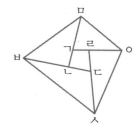

┃생각하기┃

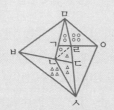 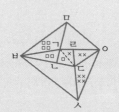

보조선을 긋고 생각해 보면 넓이의 비는 그림과 같다.

┃풀이┃ (삼각형 ㅁㄱㅇ의 넓이)+(삼각형 ㅅㄷㅂ의 넓이)=(사각형 ㄱㄴㄷㄹ의 넓이)×6

(삼각형 ㅁㅂㄴ의 넓이)+(삼각형 ㅅㅇㄹ의 넓이)=(사각형 ㄱㄴㄷㄹ의 넓이)×6

따라서 사각형 ㅁㅂㅅㅇ의 넓이는 사각형 ㄱㄴㄷㄹ의 넓이의 13배이다.

답 13배

핵·심·문·제 **2** 오른쪽 그림에서 삼각형 ㅂㄴㄹ과 삼각형 ㅁㄹㄷ의 넓이의 비는 2 : 1이다. 삼각형 ㅂㄹㅁ의 넓이는 삼각형 ㄱㄴㄷ의 넓이의 몇분의 몇인가?

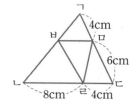

┃생각하기┃ 삼각형 ㅂㄴㄹ과 삼각형 ㅁㄹㄷ의 넓이의 비가 2 : 1이고, 선분 ㄴㄹ과 선분 ㄹㄷ의 길이의 비가 2 : 1이므로 삼각형 ㅂㄴㄹ과 삼각형 ㅁㄹㄷ의 높이는 서로 같다. 따라서 선분 ㅂㅁ과 선분 ㄴㄷ은 서로 평행이다. 그러므로 선분 ㄱㅂ과 선분 ㅂㄴ의 길이의 비도 2 : 3이다.

┃풀이┃ $(삼각형 \ ㄱㅂㅁ의 \ 넓이) = (삼각형 \ ㄱㄴㄷ의 \ 넓이) \times \dfrac{2}{5} \times \dfrac{2}{5} = (삼각형 \ ㄱㄴㄷ의 \ 넓이) \times \dfrac{4}{25}$

$(삼각형 \ ㅂㄴㄹ의 \ 넓이) = (삼각형 \ ㄱㄴㄷ의 \ 넓이) \times \dfrac{3}{5} \times \dfrac{2}{3} = (삼각형 \ ㄱㄴㄷ의 \ 넓이) \times \dfrac{2}{5}$

$(삼각형 \ ㅁㄹㄷ의 \ 넓이) = (삼각형 \ ㄱㄴㄷ의 \ 넓이) \times \dfrac{3}{5} \times \dfrac{1}{3} = (삼각형 \ ㄱㄴㄷ의 \ 넓이) \times \dfrac{1}{5}$

따라서 $(삼각형 \ ㅂㄹㅁ의 \ 넓이) = (삼각형 \ ㄱㄴㄷ의 \ 넓이) \times \left\{ 1 - \left(\dfrac{4}{25} + \dfrac{2}{5} + \dfrac{1}{5} \right) \right\}$

$= (삼각형 \ ㄱㄴㄷ의 \ 넓이) \times \dfrac{6}{25}$

답 $\dfrac{6}{25}$

유제 **1** 삼각형 ㅂㄹㅁ은 삼각형 ㄱㄴㄷ의 세 변을 각각 3등분, 4등분, 5등분 한 점을 연결한 것이다. 삼각형 ㅂ ㄹㅁ의 넓이는 삼각형 ㄱㄴㄷ의 넓 이의 몇분의 몇인지 구하여라.

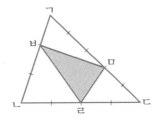

▶ (삼각형 ㄱㅂㅁ의 넓이)
 =(삼각형 ㄱㄴㄷ의 넓이)$\times \dfrac{1}{3} \times \dfrac{3}{5}$

유제 **2** 오른쪽 그림에서
(선분 ㄱㄴ)=(선분 ㄱㅁ),
(선분 ㄱㄷ)=(선분 ㄷㄹ),
(선분 ㄴㄷ)=(선분 ㅂㄴ)$\times \dfrac{1}{2}$
이다. 삼각형 ㄹㅁㅂ의 넓이는 삼 각형 ㄱㄴㄷ의 넓이의 몇 배인가?

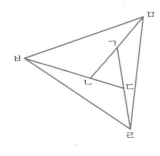

▶ 보조선 선분 ㅂㄱ, 선분 ㄴㄹ, 선분 ㄷㅁ을 긋는다.

유제 **3** 오른쪽 직사각형 ㄱㄴㄷㄹ에서 점 ㅁ, 점 ㅂ은 각각 변 ㄱㄴ과 변 ㄷ ㄹ의 중점이고, 점 ㅅ, 점 ㅇ은 대 각선 ㄴㄹ의 3등분점이다. 삼각형 ㅅㄴㅈ, 사각형 ㅅㅈㅂㅇ, 삼각형 ㅇㅂㄹ의 넓이를 가장 간단한 자 연수의 연비로 나타내어라.

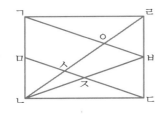

▶ 선분 ㅅㅂ을 긋고 생각해 보면 삼각 형 ㅇㅂㄹ, 삼각형 ㅂㅇㅅ, 삼각형 ㅂㅅㄴ은 넓이가 같다.

유제 **4** 오른쪽 그림은 사각형 ㄱㄴㄷㄹ 의 네 변을 연장하여 각 변의 길 이의 두 배, 세 배, 네 배, 다섯 배가 되도록 네 점 ㅁ, ㅂ, ㅅ, ㅇ 을 잡아 오각형 ㅁㅂㅅㄹㅇ을 그 린 것이다. 오각형 ㅁㅂㅅㄹㅇ은 사각형 ㄱㄴㄷㄹ의 넓이의 몇 배인가?

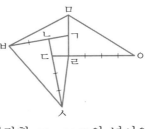

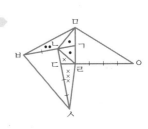

1 오른쪽 그림에서 삼각형 ㄱㄴㅂ의 넓이와 삼각형 ㄴㄷㅁ의 넓이의 비가 4 : 11일 때, 선분 ㄴㅁ의 길이는 선분 ㄴㅂ의 길이의 몇 배인가?

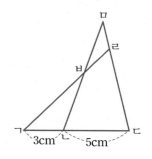

2 오른쪽 사각형 ㄱㄴㄷㄹ은 사다리꼴이다. 점 ㅁ은 선분 ㄱㄴ의 중점이고, 삼각형 ㅁㄴㄷ의 넓이는 24cm²이다. 또, 삼각형 ㅂㄴㄷ의 넓이는 사다리꼴 ㄱㄴㄷㄹ의 넓이의 $\frac{1}{2}$이다. 선분 ㅁㅂ의 길이를 구하여라.

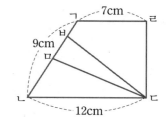

3 오른쪽 그림과 같이 정사각형 ㄱㄴㄷㄹ과 정사각형 ㄱㅁㅂㅅ이 놓여 있다. 점 ㅁ은 대각선 ㄴㄹ 위에 있고 대각선 ㄴㄹ의 길이는 10cm이다. 선분 ㅅㄹ의 길이가 6.4cm일 때, 삼각형 ㄱㅁㄹ의 넓이를 구하여라.

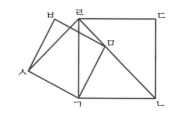

4 오른쪽 그림은 같은 간격으로 36개의 점을 찍어 놓은 것이다. 이웃한 세 점을 연결하여 만든 가장 작은 정삼각형의 넓이가 1cm²일 때, 삼각형 ㄱㄴㄷ의 넓이는 몇 cm²인지 구하여라.

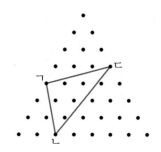

5 오른쪽 그림에서 (선분 ㄱㄹ)×3=(선분 ㄱㄴ), (선분 ㄴㅁ)=(선분 ㅂㄷ)=(선분 ㅁㅂ)×$\frac{1}{2}$ (선분 ㄱㄷ)=(선분 ㄱㅅ)×$\frac{4}{3}$일 때, 사각형 ㄹㅁㅂㅅ은 삼각형 ㄱㄴㄷ의 넓이의 몇분의 몇인지 구하여라.

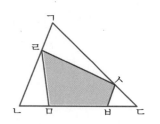

6 오른쪽 그림의 삼각형 ㄱㄴㄷ에서 세 점 ㄹ, ㅁ, ㅂ은 각각 선분 ㄴㄷ, 선분 ㄷㄱ, 선분 ㄱㄴ의 삼등분점이다. 이 때, (선분 ㄱㅅ)=(선분 ㅅㅇ)=3×(선분 ㅇㄹ), (선분 ㄴㅇ)=(선분 ㅇㅈ)=3×(선분 ㅈㅁ), (선분 ㄷㅈ)=(선분 ㅈㅅ)=3×(선분 ㅅㅂ)이다. 삼각형 ㅅㅇㅈ의 넓이는 삼각형 ㄱㄴㄷ의 넓이의 몇분의 몇인지 구하여라.

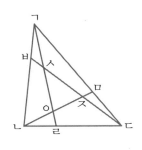

7 오른쪽 그림은 삼각형 ㄱㄴㄷ의 각 변을 5등분하여 삼각형 ㄹㅁㅂ을 만들고, 삼각형 ㄹㅁㅂ의 각 변을 3등분하여 삼각형 ㅅㅇㅈ을 만든 것이다. 삼각형 ㅅㅇㅈ의 넓이가 15cm²일 때, 삼각형 ㄱㄴㄷ의 넓이를 구하여라.

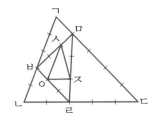

8 오른쪽 그림의 직사각형 ㄱㄴㄷㄹ에서 점 ㅁ, 점 ㅂ은 각각 선분 ㄱㄴ, 선분 ㄷㄹ의 중점이다. 또, 점 ㅅ과 점 ㅇ은 선분 ㄴㄹ의 삼등분점이다. 사각형 ㅁㅅㅇㅈ의 넓이가 34cm²일 때, 사각형 ㄱㄴㄷㄹ의 넓이를 구하여라.

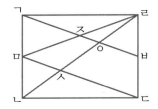

9 오른쪽 그림은 사각형 ㄱㄴㄷㄹ의 각 변을 연장해서 사각형 ㅁㅂㅅㅇ을 그린 것이다. 2×(선분 ㄱㄴ)=(선분 ㄴㅁ), 2×(선분 ㄷㄹ)=(선분 ㄹㅅ), (선분 ㄴㄷ)=(선분 ㄷㅂ), (선분 ㄹㄱ)=(선분 ㄱㅇ)일 때, 사각형 ㅁㅂㅅㅇ의 넓이는 사각형 ㄱㄴㄷㄹ의 넓이의 몇 배인지 구하여라.

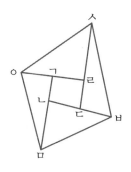

10 오른쪽 삼각형 ABC는 (선분 AB)=(선분 AC) =12cm인 직각이등변삼각형이다. 점 B₁, B₂, B₃ 은 선분 AB를 사등분한 점이고, 점 C₁, C₂, C₃은 선분 AC를 사등분한 점이다. 도형 ㉠, ㉡, ㉢의 넓이를 각각 구하여라.

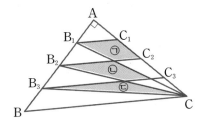

- 평균보다 높은 값에서 평균보다 낮은 값을 채워 주어 전체가 하나의 고른 값이 되는 것을 활용하면 문제를 쉽게 해결할 수 있다.
- 전체가 여러 부분으로 나누어져 있고 부분의 평균값들을 알고 있을 때 각 부분의 평균에 각각의 개수를 곱하여 더하면 총점이 된다. 이를 이용하여 문제를 쉽게 해결할 수 있다.

핵·심·문·제 **1** 경시반 학생 35명이 수학 시험을 보았다. 시험 문제는 3문제이고, 배점은 1번이 20점, 2번이 30점, 3번이 50점이다. 35명의 평균 점수가 58점이라면, 3번 문제를 맞힌 학생은 몇 명인가?

점수(점)	0	20	30	50	70	80	100
학생 수(명)	1	2	4		6		4

〈표 1〉 득점별 학생 수

문제	1번	2번	3번
학생 수(명)		20	

〈표 2〉 문항별 정답 학생 수

┃**생각하기**┃ 35명의 평균 점수가 58점이므로 총점은 $35 \times 58 = 2030$(점)이다.
50점과 80점을 받은 학생 수의 합은 $35 - (1+2+4+6+4) = 18$(명)이고, 그들의 점수의 합은
$2030 - (0 \times 1 + 20 \times 2 + 30 \times 4 + 70 \times 6 + 100 \times 4) = 2030 - 980 = 1050$(점)이다.
18명 모두 50점을 받았다고 하면 점수의 합이 900점이므로
$1050 - 900 = 150$, $150 \div (80 - 50) = 5$
따라서 80점을 받은 학생은 5명, 50점을 받은 학생은 $18 - 5 = 13$(명)이다.

┃**풀이**┃

점수(점)	0	20	30	50	70	80	100
학생 수(명)	1	2	4	13	6	5	4
맞힌 문항 (번호)	×	1	2	1 2	3	1 3	2 3	1 2 3

〈표 1〉을 다시 그려 보면 다음과 같다.
이때, 2번 문제를 맞힌 학생 수가 20명이므로 50점을 받은 13명의 학생 중 $20 - (4+5+4) = 7$(명)이 1번과 2번의 두 문제를 맞혀 50점을 얻었고, $13 - 7 = 6$(명)은 3번 문제를 맞혀 50점을 얻었다. 따라서 3번 문제를 맞힌 학생은 $6+6+5+4 = 21$(명)이다. 답 21명

핵·심·문·제 **2** 지훈이는 학기말 고사에서 평균 91.6점을 받았다. 가장 점수가 낮은 과목을 뺀 나머지 과목의 평균 점수는 93.5점이고, 가장 점수가 높은 과목을 뺀 나머지 과목의 평균 점수는 89.6점이다. 가장 점수가 낮은 과목의 최저 점수를 구하여라. (단, 각 과목의 만점은 100점이다.)

┃**생각하기**┃ 가장 점수가 높은 과목을 뺀 나머지 과목의 평균 점수는 89.6점이고, 전체 평균이 91.6점이므로 91.6점과 89.6점의 점수 차인 2점은 최고 점수의 일부가 옮겨온 것이다. $100 - 91.6 = 8.4$, $8.4 \div 2 = 4.2$이므로 시험 본 과목은 최대 5과목이 될 수 있다.

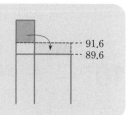

┃**풀이**┃ 가장 점수가 낮은 과목을 뺀 나머지 과목의 평균 점수는 93.5점이고, 전체 평균이 91.6점이므로 93.5점과 91.6점의 점수차인 1.9점은 최저 점수를 평균 점수까지 높이는 데 쓰인다. 따라서 최저 점수가 가장 낮으려면 시험 과목은 5과목이어야 하고, $1.9 \times 4 = 7.6$, $91.6 - 7.6 = 84$(점)이 가장 낮은 최저 점수이다. 답 84점

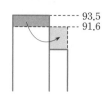

유제 **1** 어느 초등학교 6학년 학생들은 수학시험의 평균 점수가 74점이다. 남학생의 평균 점수는 71점이고, 여학생의 평균 점수는 78.2점이다. 남학생과 여학생 수를 가장 간단한 자연수의 비로 나타내어라.

다음 그림과 같이 생각할 수 있다.

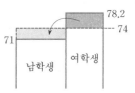

유제 **2** 어느 시험에서 합격자와 불합격자의 비는 2 : 5이다. 최저 합격 점수는 합격자의 평균 점수보다 9.5점 낮고, 불합격자의 평균 점수보다는 11.5점 높다. 응시생 전체의 평균 점수가 52.3점이라고 할 때, 최저 합격 점수를 구하여라.

다음 그림과 같이 생각할 수 있다.

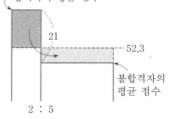

유제 **3** 디딤돌 학원에서 수학 시험을 보았다. 시험 문제는 모두 4문제인데 1번은 모두 풀어야 하고, 2, 3, 4번은 그 중 두 문제만 선택하여 풀도록 하였다. 2, 3, 4번을 선택한 학생 수의 비는 2 : 2 : 3이고, 1, 2, 3, 4번의 평균 점수는 각각 8점, 7.3점, 8.1점, 7.7점이다. 각 문제는 10점 만점에 풀이 정도에 따라 부분 점수를 받을 수 있고, 전체는 30점 만점일 때, 전체 학생의 평균 점수를 구하여라.

2, 3, 4번 중 두 문제만 선택하여 풀었으므로 1, 2, 3, 4번 문제를 푼 학생 수의 비는 3.5 : 2 : 2 : 3이 된다.

유제 **4** 오른쪽 표는 6학년 1반 학생 40명이 지난 일주일 동안 읽은 책의 수와 컴퓨터 게임을 한 시간을 기록한 것이다. 책은 평균 3.25권을 읽었고, 게임은 평균 3.325시간 동안 하였을 때, ㉠, ㉡, ㉢에 알맞은 수를 각각 구하여라.

책 수 (권) 게임(시간)	0	1	2	3	4	5	6
0						2	1
1					1	1	2
2					2	3	
3			㉠	3	㉢		
4			㉡	2	1		
5		2	3	4			
6		1	1				
7	1						

읽은 책의 평균을 이용하여 먼저 ㉠, ㉡의 합과 ㉢에 알맞은 수를 구해본다.

특강탐구문제

1 윤성이네 반 학생의 평균 몸무게는 39.56kg, 명세네 반 학생의 평균 몸무게는 38.37kg이고, 두 반의 전체 학생의 평균 몸무게는 38.93kg이다. 윤성이네 반 학생이 40명이라면, 명세네 반 학생 수는 몇 명인가?

2 어느 학교에서 몇 명의 학생이 학교 대표로 뽑혀 경시대회에 나갔다. 이 중에서 6학년이 아닌 학생 수는 6학년인 학생 수보다 50%가 더 많고, 6학년 학생의 평균 점수는 6학년이 아닌 학생의 평균 점수보다 50%가 더 높다고 한다. 전체 평균 점수는 6학년 학생의 평균 점수보다 몇 % 낮은지 구하여라.

3 어느 학교에서 입학 시험을 실시했는데 전체 지원자의 $\frac{1}{4}$이 합격했다. 합격자와 불합격자의 평균 점수의 차는 38점이고, 전체 평균 점수는 57.2점이다. 최저 합격 점수가 합격자의 평균 점수보다 17.5점이 낮을 때, 최저 합격 점수를 구하여라.

4 다음 표는 주사위를 50번 던져서 각각의 눈이 나온 횟수를 기록한 것이다. 나온 주사위 눈의 평균이 3.02일 때, 3의 배수의 눈이 나온 것은 전체 던진 횟수의 몇 %인지 구하여라.(단, 빈 칸은 숫자가 지워져 알 수 없다.)

눈	1	2	3	4	5	6	계
횟수(번)	12	9	11		6		50

5 오른쪽 표는 이번 주에 실시한 국어, 수학 형성평가에서 우리 반 학생 36명의 점수를 표로 나타낸 것이다. 두 과목 모두 10문제씩이고 한 문제에 10점씩 100점 만점이며, 국어의 평균 점수는 80점이고, 수학의 평균 점수는 75점이다. ㉮, ㉯, ㉰에 알맞은 수를 각각 구하여라.

수학(점) \ 국어(점)	50	60	70	80	90	100
40	1					
50	1	1	2			
60		1	3	1		
70			㉮	1	㉯	
80				4	㉰	
90				2	2	2
100					3	2

6 어느 입학 시험의 합격자 중에서 점수가 가장 낮은 사람부터 순서대로 10명을 불합격 처리하였더니 합격자의 평균 점수는 4점, 불합격자의 평균 점수는 1.5점 높아졌다. 처음에 100명 중 40명을 합격시키려고 하였다면, 처음 합격자의 평균 점수는 불합격자의 평균 점수보다 몇 점 높았는지 구하여라.

7 교내 합창대회가 열렸다. 심사 위원은 학급 담임이 아닌 선생님들께서 맡아 주셨는데 각각 각반에 10점 이하로 점수를 줄 수 있다. 우리 반이 받은 점수의 평균은 9.2점인데 최저 점수를 뺀 평균을 구하면 9.47점이 되고, 최고 점수를 뺀 평균을 구하면 9.08점이 된다. 우리 반이 받은 최저 점수가 가능한 한 낮으려면 심사 위원은 몇명이어야 하며, 이 때 우리 반이 받은 가장 낮은 점수는 몇 점인지 구하여라.

8 30명의 학생들이 4문제가 출제된 시험을 보는데, 반드시 4문제 중 3문제만 풀어야 한다. 각 문제는 10점 만점에 풀이 정도에 따라 부분 점수를 받을 수 있고, 전체는 30점 만점이다. 전체 학생들이 받은 시험점수의 평균은 23.82점이고, 각 문제마다 답한 사람 수와 그 평균 점수를 나타낸 표는 다음과 같을 때, ㉠, ㉡에 알맞은 수를 각각 구하여라.

문제	1번	2번	3번	4번
학생 수(명)	23	25	㉠	19
평균(점)	8.5	㉡	9.1	6.7

9 오른쪽 표는 송아네 반 학생 40명의 쪽지 시험 결과를 나타낸 것이다. 학생들은 모두 3문제씩 풀었고, 배점은 1번이 10점, 2번이 15점, 3번이 25점으로 만점은 50점이다. 한 문제만 맞힌 학생이 16명이고, 전체 평균 점수가 27.75점일 때, 3번 문제를 맞힌 학생은 몇 명인가? (단, 빈 칸은 학생 수가 기록되지 않았다.)

점수(점)	학생 수(명)
0	1
10	3
15	7
25	
35	
40	6
50	2

10 70점 이상 받으면 경시대회에 참가할 수 있는 인증시험이 1년에 2번 실시되었는데 각각을 전기 시험, 후기 시험이라고 부른다. 전기 시험에서 경시대회 참가 자격을 얻은 학생들의 평균 점수는 76.5점, 탈락한 학생들의 평균 점수는 63점이었다. 후기 시험에서는 참가 자격을 얻은 학생들의 평균 점수가 전기 시험보다 2점 올랐고, 두 번의 시험에 응시한 학생 수는 같았다. 전기 시험과 후기 시험에서 경시대회 참가 자격을 얻은 학생 수는 각각 전체의 $\frac{2}{9}$, $\frac{3}{8}$이었으며, 전체 평균 점수는 전기 시험보다 후기 시험이 3.5점 높았다. 후기 시험에서 탈락한 학생들의 평균 점수를 구하여라.

- 수들을 적절히 묶어서 어떤 규칙에 따라 늘어놓은 수열을 묶음 수열이라 한다.
- 묶음 수열은 묶음 번호와 대표 숫자, 묶음 안의 수의 개수 등을 생각하여 푼다.
- 한 묶음에 속하는 분수들의 분모와 분자가 모두 변할 때 어떤 분수의 위치를 구하려면 각 묶음의 첫째 번 분수의 모양대로 변형시켜 그 분수가 속하는 묶음을 찾는다.

핵·심·문·제 1 다음 수열에서 $\dfrac{19}{64}$는 몇째 번 수인지 구하여라.

$$\frac{1}{2}, \ \frac{1}{4}, \ \frac{2}{3}, \ \frac{1}{6}, \ \frac{2}{5}, \ \frac{3}{4}, \ \frac{1}{8}, \ \frac{2}{7}, \ \frac{3}{6}, \ \frac{4}{5}, \ \frac{1}{10}, \ \frac{2}{9}, \ \cdots$$

∥생각하기∥ 다음과 같이 묶어서 생각해 보자.

$$\left(\frac{1}{2}\right), \left(\frac{1}{4}, \frac{2}{3}\right), \left(\frac{1}{6}, \frac{2}{5}, \frac{3}{4}\right), \left(\frac{1}{8}, \frac{2}{7}, \frac{3}{6}, \frac{4}{5}\right), \left(\frac{1}{10}, \frac{2}{9}, \cdots\right), \cdots$$

각 묶음에서 분모가 1씩 줄어들고 분자가 1씩 늘어나므로 $\dfrac{19}{64}$가 속해 있는 묶음의 첫 수는

$\dfrac{19-18}{64+18} = \dfrac{1}{82}$이다. 각 묶음의 첫 수의 분모를 살펴보면 $\dfrac{1}{82}$은 41째 번 묶음의 첫 수임을 알 수

있다. 또, 분자가 19이므로 $\dfrac{19}{64}$는 41째 번 묶음의 19째 번 수이다.

∥풀이∥ $\left(\dfrac{1}{2}\right), \left(\dfrac{1}{4}, \dfrac{2}{3}\right), \left(\dfrac{1}{6}, \dfrac{2}{5}, \dfrac{3}{4}\right), \left(\dfrac{1}{8}, \dfrac{2}{7}, \dfrac{3}{6}, \dfrac{4}{5}\right), \left(\dfrac{1}{10}, \dfrac{2}{9}, \cdots\right), \cdots$ 와 같이 묶어서 생각하면

$\dfrac{19}{64} \to \dfrac{19-18}{64+18} = \dfrac{1}{82}$은 41째 번 묶음의 첫 수이므로 $\dfrac{19}{64}$는 41째 번 묶음의 19째 번 수이다.

40째 번 묶음까지의 수의 개수는 $1+2+3+\cdots+40 = 41 \times 40 \div 2 = 820$(개)이므로

$\dfrac{19}{64}$는 $820+19 = 839$(째 번) 수이다.

답 839째 번

핵·심·문·제 2 다음 수열에서 200째 번 분수는 무엇인가?

$$\frac{1}{1}, \ \frac{1}{2}, \ \frac{2}{2}, \ \frac{1}{2}, \ \frac{1}{3}, \ \frac{2}{3}, \ \frac{3}{3}, \ \frac{2}{3}, \ \frac{1}{3}, \ \frac{1}{4}, \ \frac{2}{4}, \ \frac{3}{4}, \ \frac{4}{4}, \ \frac{3}{4}, \ \frac{2}{4}, \ \frac{1}{4}, \ \frac{1}{5}, \ \frac{2}{5}, \ \frac{3}{5}, \ \cdots$$

∥생각하기∥ 다음과 같이 묶어서 생각해 보자.

$$\left(\frac{1}{1}\right), \left(\frac{1}{2}, \frac{2}{2}, \frac{1}{2}\right), \left(\frac{1}{3}, \frac{2}{3}, \frac{3}{3}, \frac{2}{3}, \frac{1}{3}\right), \left(\frac{1}{4}, \frac{2}{4}, \frac{3}{4}, \frac{4}{4}, \frac{3}{4}, \frac{2}{4}, \frac{1}{4}\right), \left(\frac{1}{5}, \frac{2}{5}, \frac{3}{5}, \cdots\right), \cdots$$

각 묶음 안의 수의 개수가 1개, 3개, 5개, ⋯씩 홀수 개로 늘어나므로

$\underbrace{1+3+5+7+\cdots}_{14개} = 14 \times 14 = 196$ (홀수의 합, 1과정 18장 참고)

처음부터 14째 번 묶음까지는 총 196개이다.

∥풀이∥ 각 묶음에 들어 있는 수의 개수를 더해 보면 1부터 연속되는 홀수의 합이 된다.

$\underbrace{1+3+5+7+\cdots}_{14개} = 14 \times 14 = 196$

따라서 200째 번 수는 15째 번 묶음의 4째 번 수이므로 $\dfrac{1}{15}, \dfrac{2}{15}, \dfrac{3}{15}, \dfrac{4}{15}, \cdots$ 에서 $\dfrac{4}{15}$이다.

답 $\dfrac{4}{15}$

유제 **1** 다음 수열에서 101째 번 분수를 구하여라.

$$\frac{1}{1},\ \frac{2}{1},\ \frac{1}{2},\ \frac{3}{1},\ \frac{2}{2},\ \frac{1}{3},\ \frac{4}{1},\ \frac{3}{2},\ \frac{2}{3},\ \frac{1}{4},\ \frac{5}{1},\ \frac{4}{2},\ \cdots$$

$\left(\frac{1}{1}\right),\left(\frac{2}{1},\frac{1}{2}\right),\left(\frac{3}{1},\frac{2}{2},\frac{1}{3}\right),$
$\left(\frac{4}{1},\frac{3}{2},\frac{2}{3},\frac{1}{4}\right),\left(\frac{5}{1},\frac{4}{2},\cdots\right),$
$\cdots$와 같이 묶어서 생각한다.

유제 **2** 다음 수열에서 127째 번 분수를 구하여라.

$$\frac{1}{2},\ \frac{1}{3},\ \frac{1}{2},\ \frac{1}{4},\ \frac{2}{5},\ \frac{1}{2},\ \frac{1}{5},\ \frac{1}{3},\ \frac{3}{7},\ \frac{1}{2},\ \frac{1}{6},\ \frac{2}{7},\ \frac{3}{8},\ \cdots$$

약분하기 전 분수로 생각해 보면
$\frac{1}{2},\ \frac{1}{3},\ \frac{2}{4},\ \frac{1}{4},\ \frac{2}{5},\ \frac{3}{6},\ \frac{1}{5},$
$\frac{2}{6},\ \frac{3}{7},\ \frac{4}{8},\ \frac{1}{6},\ \frac{2}{7},\ \frac{3}{8},\ \cdots$이
된다.

유제 **3** 다음 수열에서 $\frac{14}{29}$는 몇째 번 수인지 구하여라.

$$\frac{1}{4},\ \frac{2}{3},\ \frac{3}{2},\ \frac{1}{5},\ \frac{2}{4},\ \frac{3}{3},\ \frac{4}{2},\ \frac{1}{6},\ \frac{2}{5},\ \frac{3}{4},\ \frac{4}{3},\ \frac{5}{2},\ \frac{1}{7},\ \frac{2}{6},\ \frac{3}{5},\ \cdots$$

$\left(\frac{1}{4},\frac{2}{3},\frac{3}{2}\right),\left(\frac{1}{5},\frac{2}{4},\frac{3}{3},\frac{4}{2}\right),$
$\left(\frac{1}{6},\frac{2}{5},\frac{3}{4},\frac{4}{3},\frac{5}{2}\right),$
$\left(\frac{1}{7},\frac{2}{6},\frac{3}{5}\cdots\right),\cdots$와 같이 묶어서 생각한다.

유제 **4** 다음 수열에서 63째 번 수를 구하여라.

$$3,\ 7,\ 9,\ 13,\ 15,\ 17,\ 21,\ 23,\ 25,\ 27,\ 31,\ 33,\ 35,\ \cdots$$

(3), (7, 9), (13, 15, 17), (21, 23, 25, 27), (31, 33, 35, …), …와 같이 묶어서 생각한다.
각 묶음의 첫 수는 3, 7, 13, 21, 31, …로 차가 일정하게 늘어나는 수열을 이룬다.

1 오른쪽과 같이 일정한 규칙에 따라 수가 나열되어 있다. 113째 번 수를 구하여라.(단, 수를 세는 순서는 맨 윗층부터 시작하여 각 층의 왼쪽에서 오른쪽 방향이다.)

$$2$$
$$3 \quad 6$$
$$4 \quad 8 \quad 12$$
$$5 \quad 10 \quad 15 \quad 20$$
$$6 \quad 12 \quad 18 \quad 24 \quad 30$$
$$7 \quad 14 \quad 21 \quad 28 \quad 35 \quad 42$$
$$\vdots$$

2 다음 수열에서 $\dfrac{20}{13}$ 은 몇째 번 분수인지 구하여라.

$$\frac{1}{1}, \frac{1}{2}, \frac{2}{1}, \frac{1}{3}, \frac{2}{2}, \frac{3}{1}, \frac{1}{4}, \frac{2}{3}, \frac{3}{2}, \frac{4}{1}, \frac{1}{5}, \frac{2}{4}, \frac{3}{3}, \frac{4}{2}, \frac{5}{1}, \frac{1}{6}, \frac{2}{5}, \cdots$$

3 다음 수열에서 109째 번 분수를 기약분수로 구하여라.

$$2\frac{1}{3}, 2\frac{1}{2}, 3\frac{1}{4}, 3\frac{2}{5}, 3\frac{1}{2}, 4\frac{1}{5}, 4\frac{1}{3}, 4\frac{3}{7}, 4\frac{1}{2}, 5\frac{1}{6}, 5\frac{2}{7}, \cdots$$

4 다음은 일정한 규칙에 따라 분수를 나열한 것이다. 111째 번 분수를 구하여라.

$$\frac{1}{4}, \frac{2}{3}, \frac{1}{6}, \frac{2}{5}, \frac{3}{4}, \frac{1}{8}, \frac{2}{7}, \frac{3}{6}, \frac{4}{5}, \frac{1}{10}, \frac{2}{9}, \frac{3}{8}, \frac{4}{7}, \frac{5}{6}, \frac{1}{12}, \frac{2}{11}, \frac{3}{10}, \cdots$$

5 일정한 규칙에 따라 자연수의 쌍이 나열되어 있다. 83째 번 쌍을 구하여라.

$$(1, 2), (1, 3), (2, 2), (1, 4), (2, 3), (3, 2), (1, 5), (2, 4), (3, 3),$$
$$(4, 2), (1, 6), (2, 5), \cdots$$

6 다음과 같이 일정한 규칙에 따라 분수를 늘어놓았다. $\dfrac{11}{15}$ 은 몇째 번 분수인지 구하여라.

$$\frac{1}{1},\ \frac{1}{4},\ \frac{2}{3},\ \frac{3}{2},\ \frac{4}{1},\ \frac{1}{7},\ \frac{2}{6},\ \frac{3}{5},\ \frac{4}{4},\ \frac{5}{3},\ \frac{6}{2},\ \frac{7}{1},\ \frac{1}{10},\ \frac{2}{9},\ \frac{3}{8},\ \frac{4}{7},\ \frac{5}{6},\ \frac{6}{5},\ \frac{7}{4},\ \frac{8}{3},$$
$$\frac{9}{2},\ \frac{10}{1},\ \frac{1}{13},\ \frac{2}{12},\ \frac{3}{11},\ \frac{4}{10},\ \frac{5}{9},\ \frac{6}{8},\ \frac{7}{7},\ \frac{8}{6},\ \frac{9}{5},\ \frac{10}{4},\ \frac{11}{3},\ \frac{12}{2},\ \frac{13}{1},\ \cdots$$

7 다음과 같이 일정한 규칙에 따라 50개의 분수를 나열할 때, 진분수는 모두 몇 개인지 구하여라.

$$\frac{1}{1},\ \frac{1}{2},\ \frac{2}{1},\ \frac{1}{3},\ \frac{2}{2},\ \frac{3}{1},\ \frac{1}{4},\ \frac{2}{3},\ \frac{3}{2},\ \frac{4}{1},\ \frac{1}{5},\ \frac{2}{4},\ \frac{3}{3},\ \frac{4}{2},\ \frac{5}{1},\ \frac{1}{6},\ \frac{2}{5},\ \cdots$$

8 다음 분수들은 일정한 규칙에 따라 나열된 것이다. 230째 번 분수를 구하여라.

$$\frac{1}{3},\ \frac{2}{2},\ \frac{3}{1},\ \frac{1}{5},\ \frac{2}{4},\ \frac{3}{3},\ \frac{4}{2},\ \frac{5}{1},\ \frac{1}{7},\ \frac{2}{6},\ \frac{3}{5},\ \frac{4}{4},\ \frac{5}{3},\ \frac{6}{2},\ \frac{7}{1},\ \frac{1}{9},\ \frac{2}{8},\ \frac{3}{7},\ \frac{4}{6},\ \cdots$$

9 다음 수열에서 97은 몇째 번 수인가?

$$1,\ 3,\ 4,\ 6,\ 8,\ 10,\ 12,\ 14,\ 16,\ 19,\ 21,\ 23,\ 25,\ 27,\ 31,\ 33,\ \cdots$$

10 다음 수열에서 $\dfrac{23}{32}$ 은 몇째 번 분수인지 구하여라.

$$\frac{1}{2},\ \frac{1}{6},\ \frac{2}{5},\ \frac{3}{4},\ \frac{1}{10},\ \frac{2}{9},\ \frac{3}{8},\ \frac{4}{7},\ \frac{5}{6},\ \frac{1}{14},\ \frac{2}{13},\ \frac{3}{12},\ \frac{4}{11},\ \frac{5}{10},\ \frac{6}{9},\ \frac{7}{8},\ \frac{1}{18},\ \frac{2}{17},\ \cdots$$

• ㉮를 x로 나눈 몫이 ⓐ, 나머지가 ⓡ일 때 ㉮=x×ⓐ+ⓡ이다.

이 때, 나머지 ⓡ의 범위는 0≤ⓡ<x이다.

• 어떤 수로 나누어 나머지가 같은 두 수의 차는 어떤 수로 나누어떨어진다.

두 수 ㉮, ㉯를 x로 나눈 몫이 각각 ⓐ, ⓑ이고 나머지가 ⓡ이라 하면 (㉮>㉯)

㉮=x×ⓐ+ⓡ, ㉯=x×ⓑ+ⓡ이므로

㉮−㉯=(x×ⓐ+ⓡ)−(x×ⓑ+ⓡ)

$\qquad$ =x×ⓐ−x×ⓑ

$\qquad$ =x×(ⓐ−ⓑ)

두 수 ㉮, ㉯의 차는 x로 나누어떨어진다.

따라서, x는 (㉮−㉯)의 약수이다.

핵·심·문·제 **1** 어떤 자연수로 1354, 1858, 2551을 각각 나누었더니 모두 나머지가 같았다. 나머지로 알맞은 수를 모두 구하여라.

┃생각하기┃ 어떤 자연수를 구하면 나머지를 알 수 있다.

어떤 자연수는 1858−1354=504와 2551−1858=693의 공약수 중 하나이다.

504=2×2×2×3×3×7, 693=3×3×7×11이므로 최대공약수는 3×3×7=63이다.

┃풀이┃ 1858−1354=504, 2551−1858=693에서 어떤 자연수는 504와 693의 공약수이다.

504, 693의 최대공약수는 63이므로 어떤 자연수는 1, 3, 7, 9, 21, 63 중 3, 7, 9, 21, 63이다.

따라서 3으로 나누면 나머지는 1이고, 7로 나누면 나머지는 3, 9로 나누면 나머지는 4, 21로 나누면 나머지는 10, 63으로 나누면 나머지는 31이다. $\qquad$ 답 1, 3, 4, 10, 31

핵·심·문·제 **2** 1부터 2005까지 2005개의 자연수 중에서 몇 개의 수를 고른 후, 그 중 세 수를 더할 때 그 합이 항상 18의 배수가 되게 하려고 한다. 최대 몇 개까지 고를 수 있겠는가?

┃생각하기┃ 세 수를 더할 때 항상 18의 배수가 되도록 하려면

• 18의 배수 중에서 세 수를 고르면 합이 항상 18의 배수가 된다.

• 18로 나누어 나머지 6인 수 중에서 세 수를 고르면 합이 항상 18의 배수가 된다.

• 18로 나누어 나머지 12인 수 중에서 세 수를 고르면 합이 항상 18의 배수가 된다.

┃풀이┃ 18의 배수끼리, 18로 나누어 나머지가 6인 수끼리, 18로 나누어 나머지가 12인 수끼리 세 수를 고르면 항상 그 합이 18의 배수가 된다.

2005=18×111+7이므로 18의 배수는 111개, 18로 나누어 나머지가 6인 수는 112개, 18로 나누어 나머지가 12인 수는 111개이다.

$$\left(\begin{array}{l} 18, 36, 54, \cdots, 1980, 1998 \rightarrow 111개 \\ 6, 24, 42, 60, \cdots, 1986, 2004 \rightarrow 112개 \\ 12, 30, 48, 66, \cdots, 1992 \quad\ \rightarrow 111개 \end{array}\right)$$

따라서 18로 나누어 나머지 6인 수 112개를 골라 이 중 세 수를 더하면 항상 18의 배수가 된다. $\qquad$ 답 112개

유제 1 어떤 네 자리 자연수를 81로 나누면 나머지가 56이고, 80으로 나누면 나머지가 71이다. 이 수를 45로 나눈 나머지를 구하여라.

몫을 A라 하면
네 자리 자연수는 81×A+56이고
이 때 A는 12 이상 122 이하이다.

유제 2 어린이날 디딤돌 수학교실의 경시반 선생님께서 4, 5, 6학년 경시반 학생 모두에게 선물을 나누어 주셨다. 연필 268자루와 공책 166권, 사탕 319개를 준비하여 모든 학생에게 똑같이 나누어 주셨는데 같은 개수씩 남았다. 경시반 학생은 최대 몇 명인지 구하여라.

268, 166, 319는 학생 수로 나누었을 때 나머지가 같은 수이다.

유제 3 어떤 자연수로 41, 83, 115를 각각 나누어 얻은 세 나머지의 합이 14이다. 이 자연수를 구하여라.

41+83+115−14=225
225의 약수 중에 '어떤 자연수'가 있다.

유제 4 1부터 1999까지 1999개의 자연수 중에서 몇 개의 자연수를 선택하여 그 중 두 수를 더할 때 그 합이 항상 26의 배수가 되게 하려고 한다. 최대 몇 개까지 고를 수 있겠는가?

26의 배수끼리, 26으로 나누어 나머지가 13인 수끼리 두 수를 고르면 항상 합이 26의 배수가 된다.

1 어떤 두 자연수 ㄱ, ㄴ이 있다. ㄱ을 ㄴ으로 나누면 몫이 23이고 나머지가 70이다. ㄱ을 23으로 나눌 때의 나머지를 구하여라.

2 자연수 A를 75로 나누면 몫이 ㉮이고 나머지가 52이다. 자연수 A를 15로 나눈 몫과 나머지를 각각 구하여라. (단, 몫은 ㉮를 사용한 식으로 나타내어라.)

3 어떤 자연수를 24로 나누어야 할 것을 잘못하여 17로 나누었더니 몫과 나머지가 바뀌었다. 어떤 자연수 중에서 가장 작은 수를 구하여라.

4 어떤 자연수로 839를 나누어야 하는데 잘못하여 893을 나누었더니 몫이 바른 계산보다 9만큼 커졌고 나머지는 같았다. 나머지는 얼마인가?

5 어떤 네 자리 자연수를 152로 나누면 나머지가 43이고, 이 수를 150으로 나누면 나머지가 13이다. 이 수를 53으로 나누면 나머지는 얼마인가?

6   1896, 1526, 786, 268을 어떤 자연수로 각각 나누었더니 나머지가 모두 같았다. 어떤 수를 모두 구하여라. (단, 나머지가 0이 되는 경우는 제외한다.)

7   123412341234 … 1234는 1234를 연속하여 1234개 쓴 수이다. 이 수를 7로 나눈 나머지를 구하여라.

8   어떤 자연수로 67, 89, 133을 각각 나누어 얻은 세 나머지의 합이 25이다. 어떤 자연수로 알맞은 수를 모두 구하여라.

9   1부터 1000까지의 수가 한 쪽면에만 각각 적힌 숫자 카드 1000장을 숫자가 적힌 면이 보이도록 원형으로 늘어놓았다. 숫자 1이 적힌 카드부터 차례로 세어 12째 번 카드마다 뒤집어 놓기를 계속 반복하여 1000이 쓰인 카드가 뒤집혀질 때 멈추었다. 뒤집어진 카드는 다시 뒤집지 않는다면, 숫자가 적힌 면이 보이는 카드는 모두 몇 장인지 구하여라. (단, 카드를 셀 때에는 뒤집어진 카드를 포함하여 센다.)

10   1부터 100까지 100개의 자연수 중에서 몇 개의 수를 골라서 그 중 두 수를 더할 때 그 합이 항상 7의 배수가 되지 않도록 하려고 한다. 골라낼 수 있는 수는 최대 몇 개인가?

• 구하려는 수가 어떤 수의 배수이어야 조건을 만족하는지 생각해 보면 문제를 쉽게 해결할 수 있다.
• 물건의 개수나 사람 수는 자연수인 것을 기억하자.

핵·심·문·제 **1** 수학경시대회에서 최우수상을 받은 민성이는 경시대회에 나가기 전 모의시험을 다섯번 보았다. 이때 받은 점수들을 높은 점수부터 나열하면 181, 175, 170, 154, 140이고 매번 모의시험을 볼 때마다 그때까지의 모의시험 점수의 평균은 모두 자연수라고 한다. 민성이가 경시대회 전에 마지막으로 본 모의고사 시험 점수는 몇 점인지 구하여라.

┃생각하기┃ 매번 모의시험을 볼 때마다 그때까지의 점수의 평균이 자연수가 되었으므로 2회까지의 점수의 합은 2의 배수, 3회까지의 점수의 합은 3의 배수, 4회까지의 점수의 합은 4의 배수, 5회까지의 점수의 합은 5의 배수가 된다.

┃풀이┃ 각 점수들을 3으로 나눈 나머지를 조사해 보면 차례대로 1, 1, 2, 1, 2가 된다.
따라서 3회까지의 점수의 합은 3으로 나누어 나머지가 1인 세 수를 합한 것이 된다. (181+175+154=510)
남은 점수인 170과 140 중 510과 더하여 4의 배수가 되는 수는 170이다. 따라서 마지막 모의고사의 점수는 140점이다.
답 140점

핵·심·문·제 **2** 10부터 시작하여 연속하는 자연수들이 있다. 이 수 중 한 개의 수를 빼고 평균을 계산하였더니 $28\frac{13}{19}$이 되었다. 빠진 수는 무엇인가?

┃생각하기┃ 수 하나를 빠뜨리고 평균을 구한 것이 $28\frac{13}{19}$이므로 그 때의 수는 19의 배수인 19개, 38개, 57개, 76개, … 중 하나이다. 따라서 10부터 시작하여 연속하는 자연수는 20개, 39개, 58개, 77개, …일 수 있다.
연속하는 자연수가 58개라면 10부터 67까지의 수가 되고 이 중 가장 큰 수인 67을 빠뜨리고 평균을 구했다고 해도 $\dfrac{10+11+12+ \cdots +66}{57}=38$이 되어 $28\frac{13}{19}$보다 크게 된다. 마찬가지로 개수가 더 커지면 평균이 가장 작은 경우라도 $28\frac{13}{19}$보다 크게 되어 알맞지 않다.

┃풀이┃ • 19+1=20(개)일 때 : (수 전체의 합)=10+11+12+⋯+29=390
(수 하나를 빠뜨렸을 때의 합)=$28\frac{13}{19} \times 19=\dfrac{28 \times 19+13}{19} \times 19=28 \times 19+13=545$
수 하나를 빠뜨렸을 때의 합이 더 크므로 조건에 맞지 않는다.
• 38+1=39(개)일 때 : (수 전체의 합)=10+11+12+⋯+48=1131
(수 하나를 빠뜨렸을 때의 합)=$28\frac{13}{19} \times 38=\dfrac{28 \times 19+13}{19} \times 38=(28 \times 19+13) \times 2=1090$
따라서, (빠뜨린 수)=1131-1090=41
• 57+1=58(개)일 때 : (수 전체의 합)=10+11+12+⋯+67=2233
(수 하나를 빠뜨렸을 때의 합)=$28\frac{13}{19} \times 57=\dfrac{28 \times 19+13}{19} \times 57=(28 \times 19+13) \times 3=1635$
두 합의 차가 67보다 크므로 조건에 맞지 않는다.
• 수의 개수가 77개 이상일 때에도 마찬가지로 모두 조건에 맞지 않는다.
답 41

유제 **1** 각 교실에 있는 책을 모두 새로 지은 도서관으로 옮기려고 한다. 4, 5, 6학년 학생들이 모두 나르면 한 사람이 8권씩 옮겨야 하고, 4, 5학년 학생들만 나르면 한 사람이 12권씩 옮겨야 한다. 6학년 학생만 나르면 한 사람이 몇 권씩 옮겨야 하는지 구하여라.

> 책은 8과 12의 공배수만큼 있다.

유제 **2** 네 명의 친구들이 노래를 부른다. 한 명이 피아노 반주를 하고, 나머지 세 명은 차례로 노래를 하고, 반주는 번갈아가면서 했다. 노래를 가장 많이 한 친구는 14곡을 불렀고, 노래를 가장 적게 한 친구는 11곡을 불렀다. 네 사람이 부른 노래는 몇 곡인가? (단, 가장 많이 부른 친구와 가장 적게 부른 친구는 한 명씩이다.)

> 각자 부른 노래의 곡 수를 합하면 3의 배수이다.

유제 **3** ㉮, ㉯, ㉰ 세 학교의 학생 수를 비교해 보았다. ㉮학교의 학생 수는 ㉯학교의 학생 수의 $\frac{1}{4}$, $\frac{1}{5}$, $\frac{1}{7}$의 합이고 ㉰학교의 학생 수는 ㉯학교의 학생 수의 $\frac{1}{3}$, $\frac{1}{8}$, $\frac{1}{10}$의 합이다. ㉮와 ㉰학교의 학생 수가 각각 500명 이하일 때 ㉮와 ㉰ 두 학교의 학생 수의 차를 구하여라.

> ㉯학교의 학생 수는
> 4, 5, 7의 공배수이며
> 3, 8, 10의 공배수이기도 하다.

유제 **4** 100개의 사과를 5개의 바구니에 나누어 담았다. 첫째 번 바구니와 둘째 번 바구니에 담긴 사과 수의 합과 셋째 번 바구니에 담긴 사과 수의 비는 7 : 4이고, 넷째 번 바구니와 다섯째 번 바구니에 담긴 사과 수의 합은 첫째 번 바구니에 담긴 사과 수의 3배이며, 넷째 번 바구니와 다섯째 번 바구니에 담긴 사과 수의 비는 4 : 5이다. 둘째 번 바구니에 담긴 사과 수를 구하여라.

> 첫째 번, 둘째 번, 셋째 번 바구니에 담긴 사과 수의 합은 11의 배수이고, 넷째 번, 다섯째 번 바구니에 담긴 사과 수의 합은 9의 배수이다.

1 어느 도시에서 4000명 이상 4200명 미만의 학생이 NMC에 참가하였다. 이 중 전체 학생의 $\frac{1}{16}$에 해당되는 학생이 90점 이상의 점수를 받아 금상을 탔고, 전체 학생의 $\frac{1}{10}$에 해당되는 학생이 80점 이상 90점 미만의 점수를 받아 은상, 전체 학생의 $\frac{1}{6}$에 해당하는 학생이 70점 미만의 점수를 받았다. 70점 이상 80점 미만의 점수를 받아 동상을 받은 학생은 몇 명인가?

2 선생님께서 칠판에 연속하는 자연수 1, 2, 3, 4, …를 쓴 후 그 중 수 1개를 지워버리고 남은 수의 평균을 구하였더니 $26\frac{6}{17}$이 되었다. 선생님께서 지워버린 자연수는 무엇인가?

3 줄넘기대회에 참가한 학생들에게 여러 가지 상품을 나누어 주었다. 9명 중 한 명은 공책을, 6명 중 한 명은 색연필을, 5명 중 한 명은 지우개를, 4명 중 한 명은 연필을 받았다. 모두 524개의 상품을 학생들에게 나누어 주었다면 줄넘기대회에 참가한 학생은 모두 몇 명인가?

4 오른쪽 그림과 같이 점수가 기록된 다트판이 있다. 동훈, 현수, 원석이가 각각 7번씩 던진 후 각자 점수를 계산하였더니 동훈이는 54점, 현수는 42점, 원석이는 39점이었다. 누가 점수를 잘못 계산한 것인지 구하고 그 이유를 설명하여라.(단, 빗나가거나 경계선에 맞은 화살은 없다.)

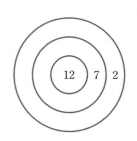

5 구슬이 각각 15, 17, 19, 20, 24, 35개씩 들어 있는 6개의 주머니가 있다. 어느 한 주머니에는 깨진 구슬만 들어 있고, 다른 5개의 주머니에는 깨진 구슬이 없다. 창민이가 3개의 주머니를 갖고, 재완이가 2개의 주머니를 갖았더니, 깨진 구슬이 든 주머니만 남았다. 창민이가 가진 구슬의 개수는 재완이가 가진 구슬의 개수의 2배일 때, 깨진 구슬의 개수를 구하여라.

6 어떤 사람이 태어난 해는 43으로 나누어떨어지고 이 사람은 태어난 해를 43으로 나눈 몫만큼 살았다고 한다. 이 사람이 1965년에는 몇 살이었는지 구하여라. (단, 태어난 해의 나이는 0살, 그 다음 해의 나이는 1살로 계산한다.)

7 A, B, C, D, E 5명의 친구들이 25개의 사탕을 한 명씩 차례로 원하는 개수만큼 먹었다. 누가 몇째 번으로 먹었는지는 알 수 없지만 먹은 개수는 모두 다르다. A는 남은 것의 $\frac{2}{3}$를 먹었고, B와 C는 각각 남은 것의 절반을 먹었고, D는 남은 것을 모두 먹었다. 이 때 A가 먹은 사탕의 개수가 될 수 있는 수를 모두 구하여라.

8 10장의 색종이가 있다. 이 중 몇 장을 각각 8조각으로 자르고 나서 다시 이 조각들을 포함한 모든 색종이 중 몇 장을 각각 8조각으로 잘랐다. 이렇게 몇 장을 각각 8조각으로 자르는 일을 반복할 때, 몇 장을 골라 자르던지 색종이의 장수는 항상 □로 나누었을 때 나머지가 △인 수가 된다. □, △에 알맞은 수를 각각 구하여라.

9 어느 농장에서 농장문이 잠깐 열린 동안에 가축들이 농장을 빠져나갔다. 이 농장에는 500마리의 가축들이 있었는데 농장을 빠져나가고 남은 가축 중 $\frac{1}{3}$이 닭, $\frac{1}{4}$이 오리, $\frac{1}{5}$이 염소, $\frac{1}{7}$이 돼지, $\frac{1}{11}$이 소라고 한다. 이 분수 중 하나가 틀린 수라고 한다면 농장을 빠져나간 가축은 모두 몇 마리인가?

10 어린이들이 산에 올라가서 밤을 주웠다. 첫째 날은 한 어린이만 12개를 줍고 나머지 어린이는 17개씩 주웠고, 둘째 날은 한 어린이만 8개를 줍고 나머지 어린이는 15개씩 주웠다. 첫째 날과 둘째 날에 주운 밤의 수가 같고 밤을 하루에 400개 이상 500개 이하로 주웠다면 이틀 동안 각각 몇 명의 어린이들이 밤을 주웠는지 구하여라.

주민등록번호의비밀

주민등록번호, 그 속에는 어떤 비밀이 숨겨져 있을까?

우리 나라는 지난 1975년부터 생년월일 6자리, 개인정보 7자리로 구성된 지금의 주민등록번호를 쓰기 시작했다. 앞의 6자리는 생년월일을 나타내는데 예를 들어 1993년 10월 5일에 태어났다면 '931005'가 되는 것이다. 그럼 나머지 일곱 숫자들의 의미는 무엇인지 알아보자.

그 중 첫번째는 성별을 나타낸다. 1900년대에 태어난 사람은 남자의 경우 1, 여자는 2였는데 2000년대가 되면서 남자는 3, 여자는 4라는 숫자가 부여되었다. 앞서 1800년대에 태어난 노인들의 성별 코드는 남자는 9, 여자는 0이다.

성별 코드 다음의 4자리는 출생 지역의 조합번호이다. 읍, 면, 동마다 고유한 번호가 행정자치부에서 부여된다. 그리고 그 다음 한 자리는 출생신고 당일, 그 출생신고가 해당 읍, 면, 동 사무소에 몇 번째로 접수된 것인가를 나타낸다.

마지막 끝 번호는 주민등록번호가 진짜인지 아닌지 검증하는 오류검증번호이다.

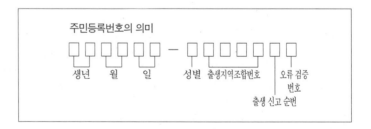

그렇다면 오류는 어떻게 검증할까?

오류 검증에는 더하기, 빼기, 곱하기, 나누기가 모두 활용되는데, 생년월일을 포함한 앞 12개 숫자 모두를 특정한 공식에 대입하여 산출하게 된다. 따라서 앞의 12자리 숫자가 차례로 정해지면, 마지막에 올 수 있는 번호는 한 가지로 결정된다. 컴퓨터 통신 ID를 만들면서 엉터리 주민등록번호를 입력할 경우 컴퓨터가 금방 '그런 번호는 없다'고 거부하는 것은 이 마지막 번호가 공식에 안 맞는 숫자이기 때문이다.

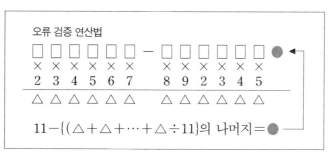

오류 검증 연산법

□ □ □ □ □ □ － □ □ □ □ □ □ ●
× × × × × × × × × × × ×
2 3 4 5 6 7 8 9 2 3 4 5
△ △ △ △ △ △ △ △ △ △ △ △

11 － {(△＋△＋…＋△ ÷ 11}의 나머지 ＝ ●

주민등록번호가 640713－1018433인 경우를 예로 들어 보자.

우선 주민등록번호 마지막 자리수만 제외하고 각각의 자리수마다 2, 3, 4, 5, 6, 7, 8, 9, 2, 3, 4, 5를 곱하여 전체를 더한다.

$(6 \times 2) + (4 \times 3) + (0 \times 4) + (7 \times 5) + (1 \times 6) + (3 \times 7) + (1 \times 8) + (0 \times 9) + (1 \times 2) + (8 \times 3) + (4 \times 4) + (3 \times 5) = 151$

이 151을 11로 나눈 나머지를 11에서 빼 준다.

즉, $151 \div 11 = 13 \cdots 8$, $11 - 8 = 3$이 되고 이 3이 제일 끝의 오류검증번호이다. 만약 나머지가 10이 나온다면 '0'이 오류검증번호가 된다.

자, 그러면 여러분들의 주민등록번호로 한 번 오류 검증을 해 보자!

딱 맞아 떨어질 것이다.

어라..
주민등록번호는
속임수가 안
통하네..

아.. 그건 말야
끝 번호에
오류검증의
비밀이 숨겨져
있기 때문이지..

아하
그렇구나

아니! 잠깐만..
네가 주민등록번호가
필요한 사이트에
왜 들어가?
너 무슨 짓했어?

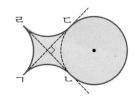

• 오른쪽 그림과 같이 원 위의 두 점 ㄱ, ㄴ에 의하여 나누어지는 원의 일부분을 **호**라고 한다.

호 ㄱㄴ의 길이는 원주의 일부분으로

$(지름) \times 3.14 \times \dfrac{(중심각의 크기)}{360°}$ 로 구한다.

• 위의 그림과 같이 두 반지름 ㄱㅇ, ㄴㅇ과 호 ㄱㄴ으로 이루어진 도형을 **부채꼴**이라고 한다.

부채꼴 ㅇㄱㄴ의 넓이는 원의 넓이의 일부분으로

$(반지름) \times (반지름) \times 3.14 \times \dfrac{(중심각의 크기)}{360°}$ 로 구한다.

핵·심·문·제 1 오른쪽 그림에서 호 ㄱㄴ, 호 ㄴㄷ, 호 ㄷㄹ, 호 ㄱㄹ은 모두 반지름이 10cm인 원주의 일부로 그 길이가 모두 같다. 색칠한 도형의 넓이를 구하여라.

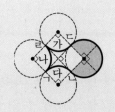

┃생각하기┃ 호 ㄱㄴ, 호 ㄷㄹ, 호 ㄱㄹ을 포함하는 원을 그려 보자.

네 원의 중심을 이으면 각 변이 점 ㄱ, ㄴ, ㄷ, ㄹ을 포함하는 정사각형이 된다. 또, 색칠한 부분의 넓이는 부채꼴 가, 나, 다의 넓이의 합과 같으므로, 주어진 도형의 넓이는 한 변의 길이가 **20cm**인 정사각형의 넓이와 같게 된다.

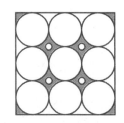

┃풀이┃ 위의 그림과 같이 각 호를 포함하는 원을 그리고 네 원의 중심을 이으면 한 변이 20cm인 정사각형이 된다. 따라서 주어진 도형의 넓이는 20×20＝400(cm²)이다. **답 400cm²**

핵·심·문·제 2 오른쪽 그림은 크기가 같은 큰 원 9개와 크기가 같은 작은 원 4개를 정사각형 속에 그려넣은 것이다. 정사각형의 한 변의 길이는 12cm이고, 작은 원의 반지름은 0.8cm일 때, 색칠한 부분의 둘레의 길이를 구하여라.

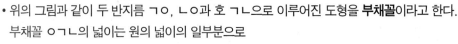

┃생각하기┃ 정사각형의 한 변이 12cm이고 한 변에 큰 원이 3개 접해 있으므로 큰 원의 반지름은 12÷3÷2＝2(cm)이다.

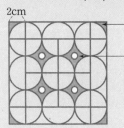

2cm

ⓐ을 4개 모으면 오른쪽 그림과 같이 되어 한 변의 길이가 4cm인 정사각형의 둘레와 큰 원의 둘레의 합이 되고

ⓑ은 큰 원 한 개의 둘레와 작은 원 한 개의 둘레의 합이 된다.

┃풀이┃ 정사각형의 네 꼭짓점에 있는 색칠한 부분을 모으면 둘레는 (4×4)＋(4×3.14)＝28.56(cm)이다.

작은 원을 둘러싼 색칠한 부분의 둘레는 (2×2×3.14＋0.8×2×3.14)×4＝70.336(cm)이다.

따라서 색칠한 부분의 둘레는 28.56＋70.336＝98.896(cm)이다. **답 98.896cm**

유제 **1** 오른쪽 그림은 원과 이등변삼각형을 겹쳐서 놓은 것이다. 이 때, 원과 이등변삼각형의 등변이 만나는 두 점을 이은 선분은 원의 지름이면서 이등변삼각형의 밑변과 평행이다. 색칠한 부분의 넓이를 구하여라.

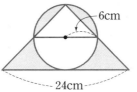

▶ 색칠한 부분의 넓이를 변형시켜 보자.

유제 **2** 오른쪽 그림은 정사각형과 반원을 붙여서 만든 도형이다. 점 ㅁ이 호 ㄱㄹ의 길이를 반으로 나누는 점이고, 점 ㅇ이 반원의 중심일 때, 색칠한 부분의 넓이를 구하여라.

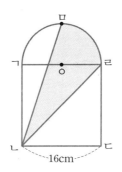

▶ 색칠한 부분을 삼각형과 부채꼴로 나누어 보자.

유제 **3** 가로, 세로에 같은 간격으로 점이 찍힌 종이 위에 다음 그림과 같이 도형을 그렸다. 도형 중 곡선 부분은 모두 원이거나 원의 일부분일 때, 이 도형의 넓이를 구하여라. (단, 눈금 사이의 가로, 세로 간격은 각각 1cm이다.)

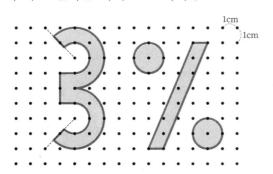

▶ 곡선 부분에 대하여 그 부분을 포함하는 원의 중심을 찾아보자.

유제 **4** 반지름이 10cm인 원 안에 작은 원 3개가 오른쪽 그림과 같이 들어 있다. 작은 원의 중심이 모두 큰 원의 지름 위에 있을 때, 작은 원 3개의 둘레의 길이의 합을 구하여라.

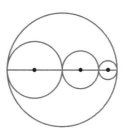

▶ 작은 원의 지름을 각각 a, b, c라 하면 $a+b+c=20$이 된다.

1 다음 그림과 같이 반지름의 길이가 4cm인 원이 직사각형 안에 그려져 있다. 직사각형의 가로의 길이가 50cm일 때 크기가 같은 원을 겹치지 않게 최대한 많이 그린다면 몇 개까지 그릴 수 있는가?

2 한 변의 길이가 12cm인 정사각형이 있다. 삼각형 ㄱㄴㅁ의 넓이가 90cm²일 때 색칠한 부분의 넓이를 구하여라.(단, 호 ㄱㄷ은 반지름이 12cm인 원주의 일부이다.)

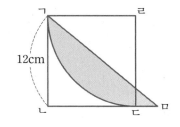

3 오른쪽 도형은 직각이등변삼각형과 반원 그리고 부채꼴을 겹쳐서 놓은 것이다. 색칠한 부분의 넓이를 구하여라.

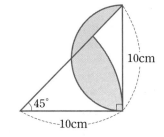

4 오른쪽 도형은 반지름이 8cm인 세 개의 원을 겹쳐서 그린 것이다. 점 ㄱ, ㄴ, ㄷ이 각 원의 중심일 때, 색칠한 부분의 넓이를 구하여라.

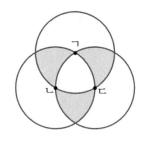

5 오른쪽 그림은 지름이 8cm인 반원을 2cm만큼 아래로 평행이동시켜 그린 것이다. 색칠한 부분의 넓이를 구하여라.

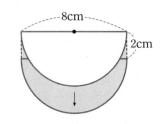

6 오른쪽 그림은 정사각형 ㄱㄴㄷㄹ과 반원 두 개를 맞붙여 그려 놓은 것이다. 점 ㅁ, ㅂ이 각각 호 ㄱㄹ과 호 ㄷㄹ의 중점일 때, 색칠한 부분의 넓이를 구하여라.

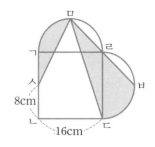

7 오른쪽 그림은 원의 지름 위에 반원들을 그려 넣은 것이다. 선분 ㄱㄴ, 선분 ㄴㄷ, 선분 ㄷㄹ의 길이의 비가 1 : 2 : 3일 때, ㉮, ㉯, ㉰의 넓이의 비를 구하여라.

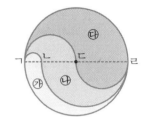

8 오른쪽 그림은 반지름이 5cm인 원 모양의 색종이를 겹쳐놓은 것이다. 색종이가 놓인 가장 바깥 부분들을 연결한 도형을 생각할 때, 이 도형의 둘레의 길이와 넓이를 각각 구하여라.

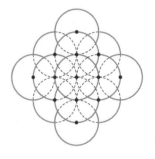

9 오른쪽 그림은 정삼각형과 반원을 겹쳐서 놓은 것이다. 색칠한 부분의 넓이를 구하여라.

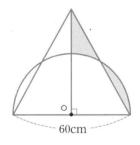

10 오른쪽 그림에서 두 점 ㄴ, ㄷ은 호 ㄱㄹ을 3등분한 점이고, 두 점 ㅁ, ㅂ은 선분 ㅇㄹ을 지름으로 한 반원과 선분 ㄴㅇ, ㄷㅇ과의 교점이다. 색칠한 부분의 넓이를 구하여라.

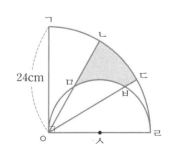

• 두 삼각형이 닮음이면 대응하는 변의 길이의 비가 같고, 대응하는 각의 크기가 서로 같다.
• 삼각형의 닮음을 이용하여 삼각형의 높이를 구하면 문제를 쉽게 해결할 수 있다.

핵·심·문·제 **1** 오른쪽 직사각형 ㄱㄴㄷㄹ에서 점 ㅁ은 선분 ㄱㄴ을 2 : 1 로 나누는 점이다. 삼각형 ㄱㅂㄹ과 사각형 ㄴㄷㅂㅁ의 넓 이의 비를 가장 간단한 자연수의 비로 나타내어라.

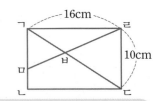

| 생각하기 | 삼각형 ㄱㅂㄹ의 넓이는 삼각형 ㄱㅁㄹ의 넓이에서 삼각형 ㄱㅁㅂ의 넓이를 빼어 구할 수 있고, 사각형 ㄴㄷㅂㅁ의 넓이는 삼각형 ㄱㄴㄷ의 넓이에서 삼각형 ㄱㅁㅂ의 넓이를 빼어 구할 수 있다.

| 풀이 | 삼각형 ㄱㅁㅂ과 삼각형 ㄷㄹㅂ은 세 각의 크기가 같으므로 닮음이고, 닮음비 는 2 : 3이다. 따라서 높이의 비도 닮음비와 같으므로 2 : 3이다.

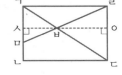

(선분 ㅂㅅ의 길이)$=16 \times \dfrac{2}{5}=\dfrac{32}{5}$(cm), (선분 ㄱㅁ의 길이)$=10 \times \dfrac{2}{3}=\dfrac{20}{3}$(cm)

(삼각형 ㄱㅁㅂ의 넓이)$=\dfrac{20}{3} \times \dfrac{32}{5} \times \dfrac{1}{2}=\dfrac{64}{3}$(cm²)

(삼각형 ㄱㅁㄹ의 넓이)$=\dfrac{20}{3} \times 16 \times \dfrac{1}{2}=\dfrac{160}{3}$(cm²), (삼각형 ㄱㄴㄷ의 넓이)$=10 \times 16 \times \dfrac{1}{2}=80$(cm²)

(삼각형 ㄱㅂㄹ의 넓이)$=\dfrac{160}{3}-\dfrac{64}{3}=\dfrac{96}{3}=32$(cm²), (사각형 ㄴㄷㅂㅁ의 넓이)$=80-\dfrac{64}{3}=\dfrac{176}{3}$(cm²)

따라서 넓이의 비는 $32 : \dfrac{176}{3}=96 : 176=6 : 11$이다. 답 6 : 11

참고* 삼각형 ㄱㅁㅂ의 넓이는 삼각형 ㄱㅁㅂ과 삼각형 ㄱㅂㄹ이 높이가 같은 삼각형임을 이용하여 구할 수도 있 다. 삼각형 ㄱㅁㅂ과 삼각형 ㄷㄹㅂ이 닮음이고 닮음비가 2 : 3이므로 선분 ㅁㅂ과 선분 ㅂㄹ의 길이의 비도 2 : 3 이다. 따라서 삼각형 ㄱㅁㅂ의 넓이는 삼각형 ㄱㅁㄹ의 넓이의 $\dfrac{2}{5}$이다.

핵·심·문·제 **2** 오른쪽 사다리꼴 ㄱㄴㄷㄹ에서 선분 ㄱㅁ의 길이는 선분 ㄱㄴ의 길이의 $\dfrac{3}{5}$이다. 선분 ㄱㄹ의 길이와 선분 ㄴㄷ의 길이가 각각 12cm, 15cm이고, 높이가 10cm일 때, 삼각 형 ㄹㅁㄷ의 넓이를 구하여라.

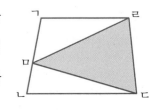

| 생각하기 | 점 ㅁ에서 각각 삼각형 ㅁㄱㄹ과 삼각형 ㅁㄴㄷ의 높이를 그어 보면 삼각형 ㅁㄱㅂ과 삼각형 ㅁㄴㅅ은 세 각의 크기가 같으므로 닮음이고 닮음비는 3 : 2이다.

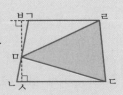

(선분 ㅁㅂ의 길이)$=10 \times \dfrac{3}{5}=6$(cm), (선분 ㅁㅅ의 길이)$=10 \times \dfrac{2}{5}=4$(cm)

| 풀이 | (삼각형 ㅁㄱㄹ의 높이)$=10 \times \dfrac{3}{5}=6$(cm), (삼각형 ㅁㄴㄷ의 높이)$=10 \times \dfrac{2}{5}=4$(cm)이므로

(삼각형 ㅁㄱㄹ의 넓이)$=12 \times 6 \times \dfrac{1}{2}=36$(cm²), (삼각형 ㅁㄴㄷ의 넓이)$=15 \times 4 \times \dfrac{1}{2}=30$(cm²)이다.

(사다리꼴 ㄱㄴㄷㄹ의 넓이)$=(12+15) \times 10 \times \dfrac{1}{2}=135$(cm²)이므로

(삼각형 ㄹㅁㄷ의 넓이)$=135-36-30=69$(cm²)이다. 답 69cm²

유제 **1** 오른쪽 사다리꼴 ㄱㄴㄷㄹ의 넓이가 80cm²일 때, 색칠한 부분의 넓이를 구하여라.

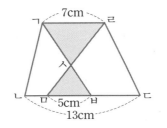

⟫ 삼각형 ㄱㄹㅅ과 삼각형 ㅂㅁㅅ은 닮음이고 닮음비가 7 : 5이다.

유제 **2** 오른쪽 그림은 반원과 직사각형을 맞닿게 그린 것이다. 직사각형의 가로, 세로는 각각 6cm, 8cm이고 점 ㅁ은 호 ㄱㄴ의 중점이다. 색칠한 부분의 넓이를 구하여라.

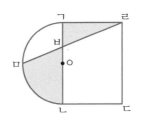

⟫ 삼각형 ㄱㄹㅂ과 삼각형 ㅇㅁㅂ은 닮음이다.

유제 **3** 오른쪽 그림은 한 변의 길이가 12cm인 정사각형이고 점 ㅁ, 점 ㅂ은 각각 선분 ㄱㄴ, 선분 ㄴㄷ의 중점이다. 사각형 ㅁㅅㅇㄴ의 넓이를 구하여라.

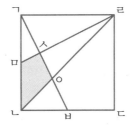

⟫ 사각형 ㅁㅅㅇㄴ의 넓이는 삼각형 ㄱㄴㅂ의 넓이에서 삼각형 ㄱㅁㅅ의 넓이와 삼각형 ㅇㄴㅂ의 넓이를 빼어 구할 수 있다.

유제 **4** 오른쪽 그림에서 선분 ㄱㄹ의 길이를 구하여라.

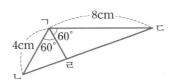

⟫ 점 ㄴ, 점 ㄷ에서 변 ㄱㄹ의 연장선에 각각 수선을 그어 보면 각각의 삼각형은 정삼각형의 반쪽임을 알수 있다.

1 오른쪽 그림의 사다리꼴 ㄱㄴㄷㄹ에서 점 ㅁ은 변 ㄴㄷ의 중점이다. 색칠한 부분의 넓이를 구하여라.

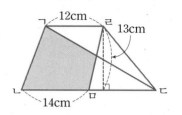

2 오른쪽 그림에서 점 ㄹ, ㅁ은 각각 변 ㄱㄷ, ㄴㄷ의 중점일 때, 색칠한 부분의 넓이를 구하여라.

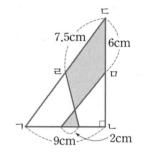

3 오른쪽 직사각형 ㄱㄴㄷㄹ에서 색칠한 부분의 넓이를 구하여라.

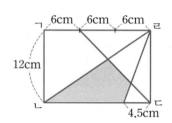

4 오른쪽 직사각형 ABCD에서 색칠한 부분의 넓이를 구하여라.

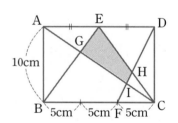

5 오른쪽 사각형 ABCD는 한 변이 12cm인 정사각형이다. 점 E와 F가 변 CD의 삼등분점이고, 점 G가 변 BC의 중점일 때, 색칠한 부분의 넓이를 구하여라.

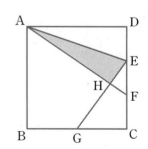

6 오른쪽 사각형 ABCD는 한 변의 길이가 10cm인 정사각형이다. 점 E는 변 AB의 중점, 점 F, G는 변 BC의 삼등분점일 때, 색칠한 부분의 넓이를 구하여라.

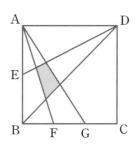

7 오른쪽 사다리꼴 ㄱㄴㄷㄹ에서 삼각형 ㅁㄱㄹ과 삼각형 ㅁㄴㄷ의 넓이의 비는 2 : 5이다. 선분 ㅂㄷ의 길이를 구하여라.

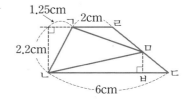

8 오른쪽 그림은 사다리꼴 ㄱㄴㄷㄹ을 ㈎, ㈏, ㈐ 세 부분으로 나눈 것이다. ㈎, ㈏, ㈐의 넓이를 가장 간단한 자연수의 연비로 나타내어라.

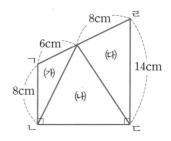

9 오른쪽 그림에서 점 ㄹ은 선분 ㄴㄷ을 5 : 2로 나누는 점이다. 삼각형 ㄱㄴㅁ과 삼각형 ㄱㄷㅁ의 넓이의 비를 가장 간단한 자연수의 비로 나타내어라.

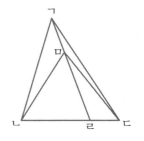

10 오른쪽 그림에서 색칠한 부분의 넓이를 구하여라.

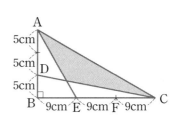

15 강물에서 배의 속력 문제 ①

- (강물을 따라 내려갈 때의 속력)=(흐르지 않는 물에서의 배의 속력)+(강물의 속력)
  (강물을 거슬러 올라갈 때의 속력)=(흐르지 않는 물에서의 배의 속력)−(강물의 속력)
- (강물의 속력)={(강물을 따라 내려갈 때의 속력)−(강물을 거슬러 올라갈 때의 속력)}×$\frac{1}{2}$

핵·심·문·제 **1** 흐르지 않는 물에서의 속력이 시속 30km인 배가 있다. 이 배가 강물의 흐름에 따라 180km를 내려가는 데 5시간이 걸렸다. 이 배가 같은 거리를 거슬러 올라가는 데 걸리는 시간을 구하여라.

┃생각하기┃ 강물의 흐름에 따라 180km를 내려가는 데 5시간이 걸렸으므로 1시간에 180÷5=36(km)를 간 것이다. 흐르지 않는 물에서의 배의 속력이 30km/시이므로 강물의 속력은 36−30=6(km/시)이다. 따라서 강물을 거슬러 올라갈 때의 속력은 30−6=24(km/시)이다.

┃풀이┃ (강물을 따라 내려갈 때의 속력)=180÷5=36(km/시)
흐르지 않는 물에서의 배의 속력이 30km/시이므로 (강물의 속력)=36−30=6(km/시)
따라서 강물을 거슬러 올라갈 때의 속력은 30−6=24(km/시)이므로 180km를 거슬러 올라가는 데 걸리는 시간은 180÷24=7.5(시간), 즉 7시간 30분이다. 답 7시간 30분

핵·심·문·제 **2** 강의 상류에 있는 A지점에서 하류에 있는 B지점까지 배가 왕복하는데, 강물을 따라 내려갈 때의 속력은 올라갈 때의 속력의 $1\frac{2}{3}$배라고 한다. 강물은 시속 3km로 흐르고, 이 배가 A, B 사이를 왕복하는 데 2시간 40분이 걸렸다면 A, B 사이의 거리는 몇 km인가?

┃생각하기┃ 내려갈 때와 올라갈 때의 속력의 비가 5 : 3이므로 강물의 속력은 (5−3)÷2=1에 해당된다. 강물의 속력은 3km/시이므로 내려갈 때의 속력은 5×3=15(km/시), 올라갈 때의 속력은 3×3=9(km/시)이다.

┃풀이┃ 내려갈 때와 올라갈 때의 속력의 비는 $1\frac{2}{3}$: 1=$\frac{5}{3}$: 1=5 : 3이다.
강물의 속력 3km/시는 (5−3)÷2=1에 해당되므로
(내려갈 때의 속력)=5×3=15(km/시), (올라갈 때의 속력)=3×3=9(km/시)
또, (거리)는 (속력)×(시간)인데, 속력의 비가 5 : 3이므로 같은 거리를 가는 데 걸리는 시간의 비는 3 : 5이다.
2시간 40분=$2\frac{2}{3}$시간이므로 (내려갈 때 걸린 시간)=$2\frac{2}{3}$ × $\frac{3}{8}$ = $\frac{8}{3}$ × $\frac{3}{8}$ = 1(시간)
따라서 두 지점 A, B 사이의 거리는 15×1=15(km)이다. 답 15km

참고 * $\frac{(거리)}{(속력)}$=(시간)이다. 이 때 두 지점 A, B 사이의 거리를 $x$km라고 하면
$\frac{x}{15}+\frac{x}{9}=2\frac{2}{3}$가 성립한다. 이 방정식을 풀면 x=15이다.

유제 **1** 한 척의 배가 강물의 흐름을 따라 내려갈 때 4시간 걸리는 거리를 거슬러 올라가면 7시간 걸린다고 한다. 이 배가 강물의 흐름을 따라 내려갈 때의 속력이 시속 56km라면, 강물의 속력은 얼마인가?

> 강물을 따라 내려갈 때와 거슬러 올라갈 때, 같은 거리를 가는 데 걸리는 시간의 비가 4 : 7이므로 속력의 비는 7 : 4이다.

유제 **2** 일정한 속력으로 가는 유람선을 타고 강물을 거슬러 올라가다가 가방을 떨어뜨렸다. 24초 후에 가방이 떨어졌다는 것을 알아채고는 배를 돌려 떠내려가는 가방을 건지러 갔다. 배를 돌리는 데 걸린 시간을 생각하지 않는다면, 배를 돌리고 나서 몇 초 후에 가방을 따라 잡겠는가?

> 가방이 떨어졌다는 것을 알았을 때 유람선과 가방 사이의 거리는 {(배의 속력)−(강물의 속력)}×24 +(강물의 속력)×24이다.

유제 **3** 한 척의 배가 강물의 흐름에 따라 48km 내려갔다가 36km 거슬러 올라오는 데 3시간 걸리고, 64km 내려갔다가 24km 올라오는 데도 3시간 걸린다고 한다. 이 배의 속력과 강물의 속력을 각각 구하여라.

> 48km 내려가고 36km 올라오는 데 걸리는 시간과 64km 내려가고 24km 올라오는 데 걸리는 시간이 같으므로 16km 내려가는 데 걸리는 시간과 12km 올라오는 데 걸리는 시간이 같음을 알 수 있다.

유제 **4** 강의 상류에 있는 A 지점과 하류에 있는 B 지점에서 두 척의 배가 각각 마주 보고 동시에 출발하였다. 강물의 속력은 분속 40m이고, 흐르지 않는 물에서의 두 배의 속력은 분속 360m로 같다. 그런데 강물의 속력이 2배로 빨라져서 두 배가 만난 지점은 원래 만날 것으로 예상했던 지점에서 1200m 떨어진 곳이 되었다. A, B 사이의 거리는 몇 km인가?

> 내려가는 배의 속력은 360+40=400(m/분) 올라가는 배의 속력은 360−40=320(m/분) 내려가는 배와 올라가는 배의 같은 시간 동안 간 거리의 비는 400 : 320=5 : 4이다.

1 한 척의 배가 강의 흐름에 따라 36km의 거리를 내려가는 데 2시간 24분이 걸리고, 이 거리를 거슬러 올라가는 데는 3시간이 걸린다고 한다. 이 배의 속력과 강물의 속력을 각각 구하여라.

2 강의 상류에 ㉮ 선착장, 하류에 ㉯ 선착장이 있다. 두 선착장 사이의 거리는 72km이고, 한 척의 배로 두 선착장 사이를 왕복하는 데 3시간 30분이 걸린다고 한다. 이 배로 강물의 흐름을 따라 내려갈 때의 속력과 강물을 거슬러 올라갈 때의 속력의 비가 4 : 3이라면, 강물의 속력은 얼마인가?

3 140km 떨어진 두 지점 사이에는 강물이 흐르고 있다. 한 척의 배를 타고 두 지점 사이를 강물을 거슬러 올라가면 2시간 55분이 걸린다고 한다. 이 배로 강물을 따라 내려갈 때의 속력은 강물을 거슬러 올라갈 때의 속력보다 시속 8km가 더 빠르다고 할 때, 강물을 따라 내려갈 때는 몇 시간 몇 분이 걸리는지 구하여라.

4 유람선 한 척이 ㉮ 선착장을 출발하여 강 하류에 있는 ㉯ 선착장에 도착하는 데는 1시간 10분이 걸리고, ㉯ 선착장을 출발하여 ㉮ 선착장에 도착하는 데는 1시간 50분이 걸린다고 한다. 또, 이 유람선은 강물을 거슬러 올라갈 때는 5시간 동안 210km를 간다고 한다. 강물의 속력을 구하여라.

5 강가에 있는 A, B 두 지점 사이를 왕복하는 배가 있다. A에서 B까지 갈 때는 3시간, B에서 A까지 갈 때는 2시간 15분이 걸린다고 한다. B에서 A까지 통나무를 떠내려 보낸다면 몇 시간이 걸리는지 구하여라.

6 어떤 배가 강을 거슬러 올라갈 때의 속력은 강의 흐름에 따라 내려갈 때의 속력의 $\frac{5}{7}$이다. 이 배가 105km를 거슬러 올라가는 데 걸리는 시간은 내려가는 데 걸리는 시간보다 40분 더 걸린다고 할 때, 강물의 시속을 구하여라.

7 흐르지 않는 물에서의 속력이 시속 16km인 배가 있다. 이 배가 길이가 54km인 강을 거슬러 모두 올라가는 데 4시간 30분이 걸렸다. 다시 배 자체의 속력을 2배로 해서 강물의 흐름에 따라 내려오려고 한다면 강을 모두 내려오는 데 걸리는 시간은 얼마이겠는가?

8 87.5km 떨어진 강의 상, 하류 두 지점 A, B에서 두 척의 배가 각각 마주 보고 동시에 출발하였다. 두 배는 모두 흐르지 않는 물에서의 속력이 시속 35km이다. 강물이 시속 3km로 흐를 때 두 배가 만나는 지점 ㉮와 시속 5km로 흐를 때 두 배가 만나는 지점 ㉯는 몇 km 떨어져 있는가?

9 한 척의 배가 강물의 흐름을 따라 80km를 내려갔다가 91km를 거슬러 올라오는 데 6시간이 걸렸고, 강물의 흐름을 따라 64km를 내려갔다가 52km를 거슬러 올라오는 데는 4시간이 걸렸다. 이 배가 104km 떨어진 상, 하류의 두 지점을 한 번 왕복하는 데는 몇 시간 몇 분이 걸리겠는가?

10 흐르지 않는 물에서의 속력이 같은 두 배가 각각 강의 A, B 두 지점에서 동시에 마주 보고 출발하였다. 두 배는 출발해서 1시간 20분 후에 마주쳤고, A 지점을 떠난 배는 그 후 1시간 만에 B 지점에 도착했다. 이 때, B 지점을 떠난 배는 A 지점까지 아직도 17.5km를 더 가야 한다면, 강물은 한 시간에 몇 km씩 흘러가는가? 또, A, B 두 지점 사이의 거리는 몇 km인가?

- n개의 서랍에 n개보다 많은 물건을 넣으려면 적어도 한 서랍에는 2개 이상의 물건을 넣어야 한다.

  예 4개의 연필을 3개의 필통에 넣으려면 2개 이상의 연필이 들어있는 필통이 반드시 있다.

  367명의 학생 중에는 생일이 같은 학생이 2명 이상 반드시 있다.

- n개의 서랍에 m개의 물건을 넣으면, 같은 서랍에 들어있는 물건의 개수가 m을 n으로 나눈 몫보다 1큰 수만큼인 서랍이 반드시 있다. (단, m은 n으로 나누어떨어지지 않는 수이다.)

  예 5가지 색의 색종이가 128장 있다면, 26장 이상인 색이 반드시 있다.

  4번의 축구경기에서 9골이 들어갔다면, 3골 이상 들어간 경기가 반드시 있다.

핵·심·문·제 **1** 창고에 국어, 수학, 과학, 사회 4가지 종류의 책이 여러 권씩 창고에 마구 섞여 있다. 창고 안은 어두워서 무슨 책인지 알아볼 수 없다고 한다. 종류가 같은 책 5권이 반드시 있게 하려면 최소한 몇 권을 꺼내야 하는가? (단, 책은 충분히 있는 것으로 한다.)

┃생각하기┃ 16권의 책을 꺼낸다면 그 속에 종류가 같은 책 5권이 있을 수도 있겠지만 국어, 수학, 과학, 사회책이 각각 4권씩 일 수도 있다. 그러나 17권을 꺼낸다면 그 속에 종류가 같은 책 5권이 반드시 있게 된다.

┃풀이┃ 서랍 원리에 의해 17권을 꺼내면 $17 \div 4 = 4 \cdots 1$이므로 종류가 같은 책 5권이 반드시 있게 된다. 만약 종류가 같은 책이 5권이 될 수 없고 최대 4권까지만 있다면 책은 모두 $4 \times 4 = 16$(권)이 최대이다. 따라서 종류가 같은 책 5권이 반드시 있으려면 최소한 17권을 꺼내야 한다. **답 17권**

핵·심·문·제 **2** 체육대회 때 리그전으로 피구 시합을 하였다. 모두 6개의 반이 참가하였는데 이긴 반에는 1점을, 진 반에는 0점을 주기로 하였다. 어느 반이든 모두 한 번 이상은 이겼다고 한다면 같은 점수를 받은 반은 최소한 두 반 이상 생기게 된다. 이유를 설명하여라.

┃생각하기┃ 각 반은 모두 5번씩 시합을 하게 되므로 모두 이겼을 경우 5점을 받게 된다. 또, 어느 반이든 모두 한 번 이상은 이겼으므로 최소 1점은 받게 된다. 각 반이 받을 수 있는 점수는 1, 2, 3, 4, 5점이고 반은 모두 6반이다.

┃풀이┃ 각 반은 모두 5번씩 시합을 하게 되고 어느 반이든 모두 한 번 이상은 이겼다고 하였으므로 각 반이 받을 수 있는 점수는 최소 1점부터 최대 5점까지 5가지이다. 그런데 반은 모두 6개의 반이므로 적어도 2반이 같은 점수를 받게 된다. 즉, 같은 점수를 받은 반이 최소한 두 반 이상 생기게 된다. **답 풀이 참조**

유제 **1** 사물함에 12가지 색의 색연필이 여러 자루씩 들어있다. 색을 보지 않고 꺼낼 때, 색이 같은 색연필 두 자루가 반드시 있으려면 최소한 몇 자루를 꺼내야 하는가?

> 12자루를 꺼내면 같은 색의 색연필이 여러 자루 있을 수도 있고, 각 색의 색연필이 한 자루씩 꺼내질 수도 있다.

유제 **2** 다음 문장을 읽고 ㉮, ㉯에 알맞은 수를 각각 구하여라.

> - 125개의 구슬을 4개의 바구니에 넣는다면 최대 ㉮개 이상의 구슬이 들어 있는 바구니가 반드시 있다.
> - 125개의 구슬을 30명의 어린이에게 나누어 준다면 최대 ㉯개 이상의 구슬을 갖는 어린이가 반드시 있다.

> 125를 4로 나누면 몫이 31이고 나머지는 1이다.
> 따라서 32개 이상의 구슬이 들어 있는 바구니가 반드시 생기게 된다.

유제 **3** 상자에 오른쪽과 왼쪽의 구별이 없는 5가지 색깔의 양말이 10켤레씩 마구 섞여 들어있다. 눈을 감고 양말을 한 개씩 꺼내 3켤레의 색을 맞추려고 한다. 최소한 몇 개를 꺼내야 반드시 3켤레를 맞출 수 있겠는가?

> 5가지 색깔이므로 6개를 꺼내면 반드시 한 켤레를 맞출 수 있다.

유제 **4** 여러 장의 숫자 카드가 있다. 숫자 1이 적힌 카드는 1장, 2가 적힌 카드는 2장, 3이 적힌 카드는 3장, … , 20이 적힌 카드는 20장이 있다. 이 숫자 카드가 마구 뒤섞여 있을 때 같은 숫자가 적힌 카드 7장이 반드시 있으려면 최소한 몇 장의 숫자 카드를 뽑아야 하는가?

> 같은 번호의 카드가 최대 6장까지 뽑혀 한 장만 더 뽑으면 같은 번호의 카드가 7장이 되는 경우를 생각해 보자.

1 가방 속에 8가지 색깔의 색종이가 여러 장씩 들어 있다. 같은 색의 색종이 4장이 반드시 있도록 색종이를 꺼내려면 최소한 몇 장의 색종이를 꺼내야 하는가?

2 어느 유치원에 110명의 어린이가 있다. 같은 주에 생일을 맞는 어린이가 ㉮명인 주가 반드시 있다. 또, 같은 달에 생일을 맞는 어린이가 ㉯명인 달이 반드시 있다. ㉮, ㉯에 들어갈 알맞은 수 중에서 최댓값을 각각 구하여라.

3 1부터 9까지의 숫자가 쓰여진 숫자 카드가 여러 장씩 있다. 이 중 몇 장의 숫자 카드를 뽑아서 주사위의 각 면에 수를 붙이려고 한다. 주사위의 각 면에 모두 같은 수를 붙이려면 적어도 몇 장의 숫자 카드를 뽑아야 하는가?

4 주머니 속에 파란 구슬, 흰 구슬, 노란 구슬, 빨간 구슬이 각각 3개씩 들어 있다. 같은 색 구슬 2개가 필요할 때 적어도 몇 개의 구슬을 꺼내야 하겠는가? 또, 흰 구슬 2개가 필요할 때에는 적어도 몇 개의 구슬을 꺼내야 하겠는가?

5 크기가 같은 8가지 색깔의 장갑이 각각 10켤레씩 서랍 속에 들어 있다. 이 장갑들은 마구 뒤섞여있고 어두워서 색을 알아볼 수 없다고 한다. 좌우 구별이 없는 장갑일 경우 반드시 두 켤레의 짝을 맞추려면 적어도 몇 개의 장갑을 꺼내야 하는가? 또, 좌우 구별이 있는 장갑일 경우 반드시 두 켤레의 짝을 맞추려면 적어도 몇 개의 장갑을 꺼내야 하는가?

6 100원짜리 동전 3개를 나란히 놓고, 그 아래에 3개를 다시 나란히 놓았다. 오른쪽 그림과 같이 100원짜리 동전을 계속해서 3개씩 놓아갈 때 어떤 경우라도 동전의 앞뒤 배열이 똑같은 두 줄이 반드시 생기게 하려면 최소한 몇 줄을 놓으면 되는지 구하여라.

7 50명의 학생들이 각각 숫자 4, 6, 8이 적힌 숫자 카드를 한 장씩 가지고 있다. 모든 학생들이 각자 가지고 있는 3장의 숫자 카드로 세 자리 수를 만든다고 할 때, 같은 세 자리 수를 만든 학생이 반드시 □명 있다. □에 알맞은 수 중에서 최댓값을 구하여라.

8 커다란 통에 색연필이 50자루 들어 있다. 이 중 검은색이 12자루, 빨간색이 20자루, 파란색이 6자루, 초록색이 8자루, 노란색이 4자루라고 한다. 통에서 색을 보지 않고 몇 자루의 색연필을 꺼낼 때, 같은 색 색연필 7자루가 반드시 있으려면 최소한 몇 자루를 꺼내야 하겠는가?

9 상자 안에 여섯 가지 색의 공이 140개 들어 있다. 빨간색, 노란색, 초록색 공은 각각 40개씩 들어 있고, 검은색, 흰색, 파란색 공은 합해서 20개가 들어 있다고 한다. 상자 속을 보지 않고 공을 꺼낼 때 같은 색 공 20개를 반드시 꺼내려면 적어도 몇 개의 공을 꺼내야 하는가?

10 어느 디딤돌 수학교실에는 수학 선생님이 여섯 분 계신다. 이 디딤돌 수학교실에 다니고 있는 학생들이 모두 자기가 좋아하는 선생님 두 분씩을 종이에 적어낸다고 했을 때 좋아하는 선생님 두 분이 똑같은 학생 15명이 반드시 있으려면 적어도 학생은 몇 명 이상이 되어야 하는지 구하여라.

Chapter 17

경우의 수의 계산 ①

- A, B가 동시에 일어나지 않을 때, A 또는 B가 일어나는 경우의 수는 각 경우의 수의 합이다.
  A, B가 동시에 일어날 때, A와 B가 일어나는 경우의 수는 각 경우의 수의 곱이다.

- 서로 다른 x개 중에서 a개를 골라 일렬로 늘어놓는 경우의 수는
  $$\underbrace{x \times (x-1) \times (x-2) \times \cdots \times \{x-(a-1)\}}_{a개}\text{이다.}$$

  예 1, 2, 3, 4, 5 다섯 개의 숫자로 두 자리 수를 만드는 방법은?

  십의 자리의 숫자 1 　　 2 　　 3 　　 4 　　 5

  일의 자리의 숫자 2 3 4 5 　 1 3 4 5 　 1 2 4 5 　 1 2 3 5 　 1 2 3 4

  $5 \times 4 = 20$(가지)

- 서로 다른 x개 중에서 a개를 고르는 경우의 수는
  $$x \times (x-1) \times (x-2) \times \cdots \times \{x-(a-1)\} \times \frac{1}{a \times (a-1) \times (a-2) \times \cdots \times 1} \text{이다.}$$

  예 1, 2, 3, 4, 5 다섯 개의 숫자 중 2개를 고르는 방법은 $5 \times 4 \times \dfrac{1}{2 \times 1} = 10$(가지)

  3개를 고르는 방법은 $5 \times 4 \times 3 \times \dfrac{1}{3 \times 2 \times 1} = 10$(가지)

- A가 일어나는 경우의 수는 전체 경우의 수에서 A가 일어나지 않는 경우의 수를 뺀 것과 같다.

핵·심·문·제 **1** 여섯 명의 학생이 각자 자신의 이름표를 만든 후 바구니에 넣었다가 한 개씩 꺼내었다. 세 명은 자기 이름표를 갖고, 나머지 세 명은 자기 이름표를 갖지 못하는 경우의 수를 구하여라.

│ 생각하기 │ 자기 이름표를 갖는 세 명을 정하는 방법은 6개 중 3개를 고르는 경우의 수와 같다.
$6 \times 5 \times 4 \times \dfrac{1}{3 \times 2 \times 1} = 20$(가지)이다.

│ 풀이 │ 여섯 명의 학생에 차례로 1, 2, 3, 4, 5, 6번의 번호를 붙이자.
만약 1, 2, 3번이 자기 이름표를 갖고, 나머지 4, 5, 6번이 자기 이름표를 갖지 못했다면 다음의 2가지가 가능하다.

$\begin{pmatrix} ①②③④⑤⑥ \\ 1\ 2\ 3\ 5\ 6\ 4 \\ 1\ 2\ 3\ 6\ 4\ 5 \end{pmatrix}$ 자기 이름표를 갖는 세 명을 정하는 방법은 $6 \times 5 \times 4 \times \dfrac{1}{3 \times 2 \times 1} = 20$(가지)이고,
각 경우마다 나머지 세 학생이 자기 이름표를 갖지 못하는 방법이 2가지이므로
경우의 수는 $20 \times 2 = 40$이다.

답 40

핵·심·문·제 **2** 남학생 7명과 여학생 3명이 있다. 이 중 대표로 3명을 뽑는데 여학생이 적어도 한 명 뽑혀야 한다. 몇 가지 방법이 있겠는가?

│ 생각하기 │ 세 명을 뽑는데 여학생이 적어도 한 명 뽑히는 경우는 세 명 모두 여학생인 경우, 두 명이 여학생이고 한 명이 남학생인 경우, 한 명이 여학생이고 두 명이 남학생인 경우가 있다. 따라서 10명 중 3명을 고르는 경우의 수에서 3명 모두 남학생인 경우의 수를 빼 주면 된다.

│ 풀이 │ 10명 중 3명을 고르는 방법은 $10 \times 9 \times 8 \times \dfrac{1}{3 \times 2 \times 1} = 120$(가지)이다.

남학생 7명 중 3명을 고르는 방법은 $7 \times 6 \times 5 \times \dfrac{1}{3 \times 2 \times 1} = 35$(가지)이다.

따라서 여학생이 적어도 한 명 뽑히는 방법은 $120 - 35 = 85$(가지)이다.

답 85가지

유제 **1** 0, 1, 2, 3, 4, 5의 숫자가 각각 적힌 여섯 장의 숫자 카드 중에서 3장을 뽑아 세 자리 수를 만들 때 짝수는 모두 몇 가지인지 구하여라.

> 짝수는 일의 자리의 숫자가 0 또는 2 또는 4이어야 한다.

유제 **2** 교내 탁구 시합에 모두 13명의 선수가 나왔는데 모든 선수가 서로 한 번씩 탁구 시합을 하기로 하였다. 총 몇 번의 시합이 열리겠는가?

> 13명의 선수 중 두 선수를 고르면 한 번의 시합이 열린다.

유제 **3** 체육대회의 반대항 이어 달리기에 우리 반에서는 A, B, C, D, E 다섯 명의 학생이 선수로 나갔다. 달리는 순서를 정할 때, B가 달린 바로 다음에 A가 달리는 경우의 수를 구하여라.

> B 다음에 바로 A가 달려야 하므로 A를 제외한 나머지 4명을 일렬로 늘어놓는 방법의 수를 구하면 된다.

유제 **4** 윷놀이를 하려고 한다. 나올 수 있는 모든 경우의 수와 '개'가 나오는 경우의 수를 각각 구하여라.

> 윷은 모두 4개이고 각각 2가지의 경우가 있다.

1 10명의 학생을 4명, 6명의 두 조로 나누는 방법은 몇 가지인가?

2 12명 중 2명을 대표로 뽑는데 적어도 여자 한 명이 포함되는 경우가 38가지이다. 12명 중에서 남자는 모두 몇 명인가?

3 10개국에서 각각 두 명의 대표가 국제 회의에 참석하였다. 각 대표들이 자기 나라의 대표를 제외하고 모두와 한 번씩 악수를 한다고 한다. 악수할 때마다 기념 사진을 찍어 두기로 하였다면 사진은 모두 몇 장을 찍어야 하는지 구하여라.

4 오른쪽 그림과 같이 원 위에 6개의 점이 같은 간격으로 찍혀 있다. 3개의 점을 선택하여 삼각형을 만드는 방법은 모두 몇 가지인가? 또, 이등변삼각형을 만드는 방법은 모두 몇 가지인가?

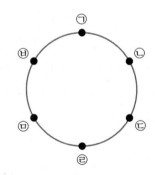

5 여학생 3명, 남학생 3명을 일렬로 세우려고 한다. 다음 물음에 답하여라.

(1) 여학생 3명이 모두 이웃하여 서는 경우는 몇 가지인가?

(2) 여학생끼리는 서로 이웃하지 않게 서는 경우는 몇 가지인가?

(3) 남학생과 여학생이 교대로 서게 되는 경우는 몇 가지인가?

6 여섯 개의 수 1, 2, 3, 4, 5, 6을 일렬로 늘어놓을 때 짝수는 짝수 번째에 오도록 하려고 한다. 모두 몇 가지 방법이 있는가?

7 1에서 999까지의 자연수 중에서 3을 적어도 하나 포함하는 수는 모두 몇 개인가?

8 선생님이 3명의 학생에게 서로 다른 수학책 7권을 1권, 2권, 4권씩 선물로 주는 방법은 몇 가지인지 구하여라.

9 가, 나, 다, 라, 마, 바의 글자가 각각 하나씩 적힌 글자 카드 6장이 있다. 이 6장의 카드를 일렬로 늘어놓으려고 하는데 가, 다 사이에 한 장의 카드가 들어가도록 하려고 한다. 모두 몇 가지 방법이 있는지 구하여라.

10 오른쪽 그림과 같이 네 개의 섬이 있다. 이 네 개의 섬을 모두 연결할 수 있도록 세 개의 다리를 놓으려고 한다. 다리를 놓는 방법은 모두 몇 가지인지 구하여라.

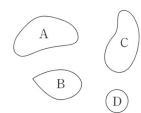

- ⑦ : ㉯＝$a:b$일 때, ⑦를 b배 하고 ㉯를 a배 하면 서로 같게 된다.
  즉, ⑦×b＝㉯×a이다. (비례식에서 내항의 곱은 외항의 곱과 같다.)
- 기준량이 다른 여러 개의 비를 기준량을 같게 만들면 문제를 쉽게 해결할 수 있다.

핵·심·문·제 **1** 선주와 선재가 가지고 있던 용돈의 비는 5 : 4이다. 선주는 매일 400원씩, 선재는 매일 300원씩 며칠 동안 썼더니 선재만 1200원이 남았다. 선주와 선재가 처음에 가지고 있던 용돈은 각각 얼마인지 구하여라.

┃생각하기┃ 선주는 매일 400원씩, 선재는 매일 300원씩 며칠 동안 썼으므로, 쓴 돈의 비는 4 : 3이다. 따라서, 처음 선주가 가지고 있던 용돈 5는 쓴 돈 ④가 되고, 선재가 가지고 있던 용돈 4는 쓴 돈 ③과 1200원이 된다. 선주가 처음 가지고 있던 용돈 5에 4배 하고 선재가 처음 가지고 있던 용돈 4에 5배 하면 서로 같아진다.

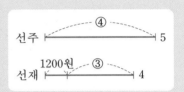

┃풀이┃

쓴 돈 ①은 6000원이다. 따라서 선주가 처음 가지고 있던 용돈은 6000×4＝24000(원), 선재가 처음 가지고 있던 용돈은 1200＋6000×3＝19200(원)이다.　　　　답 24000원, 19200원

핵·심·문·제 **2** 두 상자 가, 나에는 모두 빨간 구슬과 파란 구슬이 함께 들어 있다. 상자 가, 나에 들어 있는 빨간 구슬과 파란 구슬의 개수의 비는 각각 4 : 5, 7 : 6이고 상자 가에 들어 있는 구슬의 개수와 상자 나에 들어 있는 구슬의 개수의 비는 9 : 2이다. 상자 가, 나에 들어 있는 구슬을 모두 합했을 때, 빨간 구슬과 파란 구슬의 개수의 비를 구하여라.

┃생각하기┃ 문제에 따라 표를 그려 보면 오른쪽과 같다.
상자 가에 들어 있는 구슬은 ④＋⑤＝⑨
상자 나에 들어 있는 구슬은 ⑦＋⑥＝⑬
이 되어 비교할 수 없다. 그런데 상자 가에 들어 있는 구슬의 개수와 상자 나에 들어 있는 구슬의 개수의 비가
9 : 2이므로 상자 가의 구슬에 13배, 상자 나의 구슬에 2배 해주면 (9×13) : (13×2)＝9 : 2가 되어 상자 가, 나의 구슬 수를 비교할 수 있다.

	빨간 구슬	파란 구슬	합계
상자 가	④	⑤	⑨
상자 나	⑦	⑥	⑬

┃풀이┃ 상자 가, 나에 들어 있는 구슬의 개수의 비가 9 : 2이므로 상자 가의 구슬에 13배, 상자 나의 구슬에 2배 해주면 오른쪽 표와 같다. 비 52 : 65, 14 : 12, 117 : 26에서 1에 해당하는 양은 같다. 따라서, 빨간 구슬과 파란 구슬의 개수의 비는
(52＋14) : (65＋12) ＝66 : 77＝6 : 7　　　답 6 : 7

	빨간 구슬	파란 구슬	합계
상자 가	④×13＝52	⑤×13＝65	117
상자 나	⑦×2＝14	⑥×2＝12	26

유제 **1** 세원이가 동화책을 읽는데 어제까지 읽은 쪽수와 읽지 않은 쪽수의 비가 4 : 5였다. 오늘 35쪽을 더 읽었더니 읽은 쪽수와 읽지 않은 쪽수의 비가 3 : 2가 되었다. 이 동화책은 모두 몇 쪽인가?

▶ 그림으로 나타내면 다음과 같다.
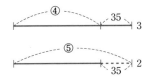

유제 **2** 두 종류의 사탕 A, B가 있다. A 사탕은 1kg에 800원이고, B 사탕은 1kg에 1100원이다. 두 종류의 사탕을 적당히 섞었더니 1kg에 920원이 되었다. 섞은 사탕 A, B의 무게의 비를 구하여라.

▶ 그림으로 나타내면 다음과 같다.
920−800=120
1100−920=180
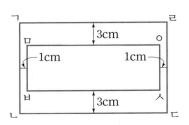

유제 **3** 오른쪽 그림에서 직사각형 ㄱㄴㄷㄹ의 가로와 세로의 길이의 비는 5 : 3이고, 직사각형 ㅁㅂㅅㅇ의 가로와 세로의 길이의 비는 3 : 1이다. 큰 직사각형 ㄱㄴㄷㄹ의 넓이를 구하여라.

▶ 그림으로 나타내면 다음과 같다.
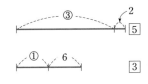

유제 **4** 디딤돌 학원의 6학년 1, 2반의 남학생과 여학생 수의 비는 각각 5 : 2, 3 : 4이다. 1반과 2반을 합하면 남학생이 여학생보다 3명 많고, 1반과 2반의 전체 학생 수의 비는 1 : 2이다. 이 때, 1반의 전체 학생 수를 구하여라.

▶ 1반과 2반의 학생 수의 비가 1 : 2이고, 1반의 남녀 학생 수의 합은 7로, 2반의 남녀 학생 수의 합도 7로 나타내었으므로, 2반의 남녀 학생 수의 합이 14가 되도록 고쳐 본다.

1 가로와 세로의 길이의 비가 7 : 5인 직사각형이 있다. 이 직사각형의 가로를 10cm 줄이고 세로를 4cm 늘리면 정사각형이 된다. 처음 직사각형의 넓이를 구하여라.

2 지난 주에 형과 내가 가지고 있었던 용돈의 비는 3 : 2였다. 이번 주에 형은 600원을 썼고, 나는 아버지께 700원을 더 받아 형과 내가 가지고 있는 용돈의 비가 9 : 7이 되었다. 지난 주에 형이 가지고 있던 용돈은 얼마인가?

3 갑과 을의 몸무게는 각각 40kg, 35kg이다. 시소에 올라타서 수평이 되도록 자리를 잡은 후, 을이 강아지를 안고 처음의 갑의 자리에 앉고 갑이 처음의 을의 자리에 앉았더니 또다시 수평이 되었다. 강아지의 무게를 구하여라.

4 어느 학교의 입학 시험에서 응시생의 남녀 학생 수의 비가 7 : 5였다. 그 중 합격한 학생 420명의 남녀 학생 수의 비는 8 : 7이고, 불합격한 학생의 남녀 학생 수의 비는 2 : 1이라고 한다. 이 학교의 입학 시험에 응시한 학생은 모두 몇 명인가?

5 3년 전에 지윤이의 키는 성원이보다 10cm 더 컸다. 그런데 3년 동안 지윤이는 12%, 성원이는 20%만큼 키가 커서 지윤이와 성원이의 키가 똑같아졌다. 성원이는 3년 동안 몇 cm만큼 컸는지 구하여라.

6 어느 장난감 자동차를 만드는 데 A, B, C 세 종류의 부품이 필요하다. A, B, C 부품을 각각 한 사람이 한 시간 동안 만들면 A 부품은 3개, B 부품은 5개, C 부품은 6개를 만들 수 있다고 한다. 이 장난감 자동차 한 대에는 A 부품이 2개, B 부품이 3개, C 부품이 7개가 필요하고, 이 공장에는 모두 146명의 사람들이 일을 하고 있다. 똑같은 시간동안 일을 하여 부품이 남지 않도록 만들려면 부품 A, B, C를 각각 몇 명씩 만들어야 하겠는가?

7 영준이네 학교 5, 6학년 학생들에게 자전거타기와 인라인스케이트타기를 좋아하는지 조사하였다. 5학년 학생 중 8%가 자전거타기를 좋아하고, 13%가 인라인스케이트타기를 좋아한다고 대답했다. 또, 6학년 학생 중 11%가 자전거타기를 좋아하고, 5%가 인라인스케이트타기를 좋아한다고 대답했다. 5, 6학년 학생을 모두 합하면 자전거타기를 좋아하는 학생 수와 인라인스케이트타기를 좋아하는 학생 수가 같아진다. 5, 6학년 학생의 합이 572명일 때, 5학년 학생은 몇 명인지 구하여라. (단, 두 가지 모두 좋아한다고 대답한 학생은 없다.)

8 둘레의 길이가 같은 두 개의 직사각형 ㉠, ㉡이 있다. ㉠의 가로와 세로의 길이의 비는 7 : 5이고, ㉡의 가로와 세로의 길이의 비는 11 : 5이다. 두 직사각형 ㉠, ㉡의 넓이의 비를 가장 간단한 자연수의 비로 나타내어라.

9 작년 가을에 어느 과수원에서는 사과와 배를 수확했는데 사과가 배보다 320개 더 많았다. 수확한 일부는 팔았고 일부는 창고에 저장했는데 판매한 과일과 저장해 둔 과일의 개수의 비는 3 : 2였다. 판매한 과일 중 사과와 배의 개수의 비는 5 : 4이고, 저장해 둔 과일 중 사과와 배의 개수의 비는 7 : 5이다. 판매한 과일은 모두 몇 개인가?

10 남자의 수와 여자의 수의 비가 3 : 2인 어느 도시에서 30세 이상과 30세 미만의 남녀의 비를 각각 조사하였더니 각각 9 : 8과 5 : 3이었다. 이 도시에서 30세 이상인 남자와 30세 미만인 남자의 수의 비와 30세 이상인 여자와 30세 미만인 여자의 수의 비를 각각 구하여라.

제논의 역설

지금으로부터 약 2500년 전 그리스의 철학자 제논(Zenon, 기원전 450년 경)은 「아킬레스와 거북의 달리기 경주」라는 다음과 같은 유명한 역설을 남겼다.

그리스 제일의 달리기 선수 아킬레스와 거북이 달리기 경주를 하는데, 거북이 아킬레스보다 얼마만큼 앞서서 출발한다면 아킬레스는 거북을 결코 따라잡을 수 없다.

그 이유는 다음과 같다.

만일 아킬레스가 거북보다 10배 빠르고 거북이 10km 앞서 출발했다면, 아킬레스가 거북의 처음 위치에 왔을 때 거북은 1km 앞에 있을 것이고 아킬레스가 다시 1km를 간다면 거북은 아킬레스보다 0.1km 앞에 있을 것이고 아킬레스가 다시 0.1km를 간다면 거북은 아킬레스보다 0.01km 앞서 있을 것이므로 이것을 계속 반복하면 지나야 할 구간이 무한히 많고 각각의 경우 아주 조금씩이라도 시간이 걸리므로 거북을 따라 잡으려면 무한히 많은 시간이 걸려 결국 따라잡을 수 없다는 것이다.

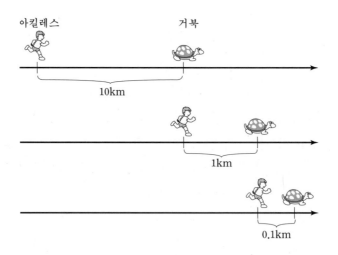

그러면 정말로 아킬레스는 거북을 따라 잡을 수 없는 것일까? 이러한 제논의 역설을 어떻게 설명할 수 있을까?

제논은, 아무리 적은 양이라도 무한히 많이 더하면 무한이 되므로 아킬레스가 거북을 따라잡을 수 없다고 설명하고 있다. 그러나 양의 수를 무한 개 더한다고 해서 반드시 무한이 되는 것은 아니다.

예를 들어 구간의 길이가 1인 선분이 있다고 했을 때, 이 선분을 반으로 나누고 한쪽의 길이를 ㉮라 하자. 나머지 한쪽을 다시 반으로 나누어 이 중의 하나를 ㉯라 하고, 남아있는 부분을 반으로 나누어 그 중의 하나를 ㉰라 하자. 이렇게 반씩 계속 나누어 더해 보면, ㉮+㉯+㉰+ ··· =1이 된다.

즉, 나누어진 선분의 수는 무한 개이나 그 길이를 모두 합하면 1이 되는 것이다.

제논의 역설은 19세기에 칸토어가 집합론과 무한에 관한 이론을 발전시킴으로써 성립하지 않음이 완전히 설명되었다.

- 백분율(%)은 전체를 100으로 보았을 때의 비율이다.
- ㉠%는 전체를 100이라 할 때 ㉠에 해당하는 양이다.
- $(농도) = \dfrac{(특정\ 물질의\ 무게)}{(전체의\ 무게)} \times 100(\%)$
- ㉠%의 소금물 ㉮g에는 ㉮g의 $\dfrac{㉠}{100}$ 만큼의 소금과 ㉮g의 $\dfrac{100-㉠}{100}$ 만큼의 물이 들어 있다.

핵·심·문·제 **1** 1%의 소금물 400g이 있다. 여기에 소금을 약간 더 넣었더니 12%의 소금물이 되었다. 더 넣은 소금의 양을 구하여라.

▌생각하기 ▌ 1%의 소금물 400g에는 소금이 전체의 $\dfrac{1}{100}$, 물이 전체의 $\dfrac{99}{100}$ 만큼 들어 있다.

소금을 더 넣은 후에는 물의 양은 변함이 없지만 물이 전체의 $\dfrac{88}{100}$ 이 된다.

▌풀이 ▌ 1%의 소금물 400g에는 $400 \times \dfrac{1}{100} = 4(g)$의 소금과 396g의 물이 들어 있다.

소금을 더 넣은 후에도 전체의 물의 양은 396g이므로 $396 \div 88 = 4.5(g)$, 전체는 $4.5 \times 100 = 450(g)$이다.

따라서 더 넣은 소금은 $450 - 400 = 50(g)$이다. 답 50g

참고* 더 넣은 소금의 양을 x라 하자.

$400 \times \dfrac{1}{100} + x = (400 + x) \times \dfrac{12}{100}$ 이므로 이 방정식을 풀어도 $x = 50$을 얻을 수 있다.

핵·심·문·제 **2** ㉮, ㉯ 두 개의 그릇에 각각 10%의 설탕물 600g과 8%의 설탕물 500g이 들어 있다. ㉮, ㉯ 두 그릇에서 같은 양의 설탕물을 꺼내 ㉮ 그릇에서 꺼낸 설탕물은 ㉯ 그릇에, ㉯ 그릇에서 꺼낸 설탕물은 ㉮ 그릇에 각각 넣었더니 ㉮ 그릇의 설탕물의 농도가 9.6%가 되었다. ㉯ 그릇의 설탕물의 농도를 구하여라.

▌생각하기 ▌ ㉮ 그릇에는 $600 \times \dfrac{10}{100} = 60(g)$의 설탕이 들어 있고, ㉯ 그릇에는 $500 \times \dfrac{8}{100} = 40$ (g)의 설탕이 들어 있다. ㉮, ㉯ 두 그릇에서 같은 양의 설탕물을 꺼내 서로 바꾸어 넣었으므로 ㉮, ㉯ 두 그릇에 들어 있는 설탕의 총합은 바꾸어 넣기 전과 마찬가지로 100g이다.

▌풀이 ▌ $600 \times \dfrac{10}{100} = 60(g)$, $500 \times \dfrac{8}{100} = 40(g)$

- (바꾸어 넣은 후 ㉮ 그릇에 들어 있는 설탕의 양) $= 600 \times \dfrac{9.6}{100} = 57.6(g)$
- (바꾸어 넣은 후 ㉯ 그릇에 들어 있는 설탕의 양) $= (60 + 40) - 57.6 = 42.4(g)$

따라서 ㉯의 농도는 $\dfrac{42.4}{500} \times 100 = 8.48(\%)$이다. 답 8.48%

참고* 바꾸어 넣기 전 ㉮ 설탕물은 1g당 설탕이 0.1g, ㉯ 설탕물은 1g당 설탕이 0.08g이므로 ㉮ 설탕물 1g이 바뀌면 설탕이 0.02g 줄어든다. 또한, 바꾸어 넣은 후 ㉮ 설탕물은 600g에 설탕 57.6g이므로 $60 - 57.6 = 2.4(g)$ 줄었다. 따라서 $2.4 \div 0.02 = 120(g)$을 서로 바꾸어 넣은 것이다.

유제 **1** 15%의 소금물 200g이 있다. 이 소금물을 며칠 동안 증발시킨 후 6.25%의 소금물 80g을 섞었더니, 17.5%의 소금물이 되었다. 증발한 물은 몇 g인가?

> 소금의 양은 $200 \times \dfrac{15}{100} = 30$(g), $80 \times \dfrac{6.25}{100} = 5$(g)이다.
> 35g이 17.5%이려면 전체는 몇 g인지 구해 본다.

유제 **2** 4%의 소금물과 5%의 소금물이 있다. 이 두 소금물을 적당히 섞고 여기에 50g의 소금을 더 넣었더니 10%의 소금물 850g이 되었다. 두 소금물을 각각 몇 g씩 넣었는지 구하여라.

> $850 \times \dfrac{10}{100} = 85$(g)
> $85 - 50 = 35$(g)
> 4%의 소금물과 5%의 소금물을 섞은 소금물에 들어 있는 소금의 양의 합은 35g이다.

유제 **3** 10%의 설탕물 300g에서 한 컵의 설탕물을 퍼내어 버렸다. 퍼낸 양만큼 물을 부은 다음, 6%의 설탕물을 넣었더니 8%의 설탕물 400g이 되었다. 퍼내어 버린 설탕물의 무게를 구하여라.

> 6%의 설탕물은 100g을 넣었다.

유제 **4** 농도 100%인 포도 주스 1.5L가 있다. 이 중 0.1L를 따라내고 물 0.1L를 넣어 잘 섞은 후, 다시 0.1L를 따라내고 물 0.1L를 넣었다. 이렇게 만든 포도 주스는 농도가 몇 %인지 구하여라. (소수 셋째자리에서 반올림하여 구하여라.)

> 1.5L에서 0.1L를 따라내고 물 0.1L를 넣으면 포도액과 물의 비율이 14 : 1이 된다.

1 4%의 소금물 500g에 소금을 더 넣어 20%의 소금물을 만들려고 한다. 더 넣어야 하는 소금의 양을 구하여라.

2 15g의 설탕을 녹여 200g의 설탕물을 만들었다. 이 설탕물을 증발시켜 8%의 설탕물을 만들려면 몇 g의 물을 증발시켜야 하는지 구하여라.

3 10%의 소금물 300g이 있다. 여기에 몇 g의 물을 더 넣으면 6%의 소금물이 되겠는가?

4 소금물 200g이 들어 있는 그릇에서 20g을 퍼내고 다시 11%의 소금물 20g을 넣었더니, 20%의 소금물이 되었다. 처음 소금물의 농도를 구하여라.

5 5%의 소금물과 10%의 소금물을 섞어서 7%의 소금물 400g을 만들었다. 5%의 소금물은 몇 g을 넣었는지 구하여라.

6 ㉮ 그릇에는 12%의 소금물 600g이 들어 있고, ㉯ 그릇에는 8%의 소금물 400g이 들어 있다. ㉮, ㉯ 두 그릇에서 같은 양의 소금물을 퍼내어 서로 바꾸어 넣었더니 두 그릇에 들어 있는 소금물의 농도가 같아졌다. 서로 바꾸어 넣은 소금물의 양을 구하여라.

7 A 그릇에는 물 96g에 소금 24g을 넣었고 B 그릇에는 물 140g에 소금 10g을 넣었으며, C 그릇에는 물만 150g을 넣었다. A 그릇에서 소금물 50g을 덜어 내어 B 그릇에 넣은 다음 잘 섞었다. 다시 B 그릇에서 소금물 50g을 덜어 내어 C 그릇에 넣고 잘 섞은 후 소금 10g을 더 넣었다. C 그릇에 들어 있는 소금물의 농도를 구하여라. (소수 둘째 자리에서 반올림하여 구하여라.)

8 ㉮ 그릇에는 12%의 소금물 500g, ㉯ 그릇에는 7%의 소금물 500g이 들어 있다. ㉮ 그릇에는 한 번에 5%의 소금물을 20g씩, ㉯ 그릇에는 한 번에 30%의 소금물을 20g씩 동시에 넣기 시작했다. ㉮, ㉯ 그릇에 있는 소금물의 농도가 같아지는 것은 소금물을 넣기 시작한지 몇째 번인지 구하여라.

9 15%의 소금물 200g과 9%의 소금물 300g을 섞은 후 100g을 퍼냈다. 남은 소금물과 6%의 소금물을 5 : 3의 비로 섞으면 몇 %의 소금물이 되겠는가?

10 A 그릇에는 12%의 소금물 600g, B 그릇에는 6%의 소금물 600g이 들어 있다. A 그릇에서 200g을 퍼서 B 그릇에 옮겨 담은 뒤, B 그릇에서 100g을 퍼서 A 그릇에 옮겨 담았다. A, B 그릇에 들어 있는 소금물의 농도를 각각 구하여라.

- 등호 (=)를 사용하여 양변이 서로 같음을 나타낸 것이 **등식**이다.
- 등식은 다음과 같은 성질을 가지고 있다.

  $a=b$이면 $a+c=b+c$ ⋯ 등식의 양변에 같은 수를 더해도 등식은 성립한다.

  $a=b$이면 $a-c=b-c$ ⋯ 등식의 양변에서 같은 수를 빼도 등식은 성립한다.

  $a=b$이면 $a\times c=b\times c$ ⋯ 등식의 양변에 같은 수를 곱해도 등식은 성립한다.

  $a=b$이면 $a\div c=b\div c$ (단, $c\ne0$)

  　⋯ 등식의 양변을 0이 아닌 같은 수로 나누어도 등식은 성립한다.
- 미지수가 있는 등식으로서 미지수에 어떤 수가 들어가느냐에 따라 참도 되고 거짓도 되는 등식을 **방정식**이라 한다. 방정식은 등식의 성질을 이용하여 푼다.

핵·심·문·제

1 선물용 초콜릿 바구니를 만들고 있다. 초콜릿을 작은 바구니에 15개씩, 큰 바구니에 24개씩 담았더니 54개가 모자라서 작은 바구니에 12개씩, 큰 바구니에 20개씩 담았더니 12개가 남았다. 작은 바구니와 큰 바구니가 모두 합해서 20개일 때, 초콜릿은 모두 몇 개인지 구하여라.

┃생각하기┃ 작은 바구니 수를 x개라 하면 큰 바구니 수는 $(20-x)$개가 된다.

초콜릿의 수는 초콜릿을 작은 바구니에 15개씩, 큰 바구니에 24개씩 담았더니 54개 모자랐으므로 $\{15\times x+24\times(20-x)-54\}$개이고, 작은 바구니에 12개씩, 큰 바구니에 20개씩 담았더니 12개가 남았으므로 $\{12\times x+20\times(20-x)+12\}$개이다.

20보다 x만큼 작은 수를 24배 할 때 20을 24배 했다면 x를 24배 해서 빼 주어야 한다.

즉 $24\times(20-x)=480-24\times x$이다. 마찬가지로 $20\times(20-x)=400-20\times x$이다.

┃풀이┃ 작은 바구니가 x개 있다면 큰 바구니는 $(20-x)$개 있다.

$15\times x+24\times(20-x)-54=12\times x+20\times(20-x)+12$

$15\times x+480-24\times x-54=12\times x+400-20\times x+12$, $426-9\times x=412-8\times x$

양변에 $9\times x$를 더하면 $426=412+x$, 양변에서 412를 빼면 $14=x$, 즉 작은 바구니는 14개, 큰 바구니는 $20-14=6$(개)이고, 초콜릿은 $15\times14+24\times6-54=300$(개)이다.

답 300개

핵·심·문·제

2 호근이는 3일 동안 책 한 권을 모두 읽었다. 첫째 날에는 전체의 $\dfrac{2}{3}$보다 95쪽 적게 읽었고, 둘째 날에는 전체의 $\dfrac{1}{4}$을 읽었다. 또, 마지막 날에는 첫째 날 읽은 양의 $\dfrac{3}{5}$을 읽었다. 이 책의 쪽수를 구하여라.

┃생각하기┃ 이 책의 쪽수를 x라 하자. 첫째 날에는 $\left(\dfrac{2}{3}\times x-95\right)$쪽을 읽었고, 둘째 날에는 $\dfrac{1}{4}\times x$쪽을, 셋째 날에는 $\left\{\left(\dfrac{2}{3}\times x-95\right)\times\dfrac{3}{5}\right\}$쪽을 읽었다. 3일간 읽은 책의 쪽수를 모두 합하면 x이다.

┃풀이┃ $\dfrac{2}{3}\times x-95+\dfrac{1}{4}\times x+\left(\dfrac{2}{3}\times x-95\right)\times\dfrac{3}{5}=x$, $\dfrac{2}{3}\times x-95+\dfrac{1}{4}\times x+\dfrac{2}{3}\times x\times\dfrac{3}{5}-95\times\dfrac{3}{5}=x$

$\dfrac{2}{3}\times x+\dfrac{1}{4}\times x+\dfrac{2}{5}\times x-95-57=x$, $\left(\dfrac{2}{3}+\dfrac{1}{4}+\dfrac{2}{5}\right)\times x-152=x$, $\dfrac{79}{60}\times x-152=x$ 양변에서

x를 빼고 152를 더하면 $\dfrac{19}{60}\times x=152$, 양변에 $\dfrac{60}{19}$을 곱하면 $x=152\times\dfrac{60}{19}=480$(쪽)

답 480쪽

유제 1 강당에 5인용 의자와 2인용 의자가 놓여 있다. 의자는 모두 75개이고, 260명이 빈 자리 없이 채워 앉았더니 마지막 남은 5인용 의자 한 개에는 1명만 앉게 되었다. 5인용 의자와 2인용 의자는 각각 몇 개씩인지 구하여라.

> 5인용 의자를 x개라 하면 2인용 의자는 $(75-x)$개이다.

유제 2 식목일에 묘목을 심었다. 이 묘목의 길이를 알아보기 위해 길이의 차가 20cm인 두 막대를 이용하려고 한다. 짧은 막대를 묘목에 대어 보니 막대의 $\dfrac{2}{5}$만큼이었고, 긴 막대를 묘목에 대어 보니 막대의 $\dfrac{1}{3}$만큼이었다. 묘목의 길이는 몇 cm인지 구하여라.

> 짧은 막대의 길이를 $x$cm라 하고 방정식을 세워 보자.

유제 3 4시와 5시 사이에 긴 바늘과 짧은 바늘이 이루는 각이 90°인 때가 두 번 있다. 이 시각을 구하여라.

> 4시 이후 처음으로 시침과 분침이 90°를 이루는 시각이 4시 x분이라 하고 방정식을 세워 보자.

유제 4 집에서 7.6km 떨어진 공원까지 가려고 한다. 처음에는 매분 60m의 속력으로 걷다가, 너무 늦게 도착할 것 같아서 도중에 매분 100m의 속력으로 달려서 1시간 30분만에 도착하였다. 걸은 시간을 구하여라.

> 처음 매분 60m의 속력으로 걸은 시간을 x분이라 하자.

1 미술 시간에 가지고 온 색종이를 세어 보았다. 나는 내 짝의 2배를 가지고 왔는데 내 앞에 앉은 친구는 나의 3배보다 21장 적게 가지고 왔다. 세 사람이 가지고 온 색종이가 모두 114장일 때, 내가 가지고 온 색종이는 몇 장이겠는가?

2 태훈이는 오늘 줄넘기 연습을 하면서 한 번에 넘은 횟수를 계속 기록하였다. 기록한 횟수의 평균을 구해 보니 37회였다. 다시 한 번 줄넘기를 하여 57회를 넘었고 다시 평균을 구해 보니 41회가 되었다. 태훈이는 오늘 줄넘기 연습을 모두 몇 번 했는지 구하여라.

3 동생이 집을 출발한지 30분 후에 형이 집에서 인라인 스케이트를 타고 동생을 따라 갔다. 동생은 1분에 60m씩 가고 형은 1분에 105m씩 간다고 할 때, 형이 동생을 만나는 것은 동생이 집을 출발한지 몇 시간 몇 분 후인가?

4 영화관에 영화를 보러 가는데 자전거를 타고 시속 15km로 가면 20분 늦게 도착하게 된다. 그래서 속력을 2배로 하여 시속 30km로 달렸더니 영화 상영 시간 10분 전에 도착하였다. 영화 상영 시간에 꼭 맞게 도착하려면 시속 몇 km로 달려야 했는지 구하여라.

5 지난 해 놀이 공원의 입장료는 어린이와 어른의 비가 3 : 7이었다. 올해는 400원씩 올라 어린이와 어른의 입장료의 비가 4 : 9가 되었다. 지난 해 놀이 공원의 어린이의 입장료를 구하여라.

6 어떤 일을 하는데 명혜가 혼자서 하면 15일이 걸리고, 소민이가 혼자 하면 20일이 걸린다고 한다. 이 일을 소민이가 혼자 며칠 동안 하다가 명혜가 그 나머지를 하여 모두 16일 동안 끝마쳤다고 한다. 명혜가 일한 날은 며칠인지 구하여라.

7 오른쪽 그림과 같이 시계판에 같은 간격으로 1부터 10까지 눈금이 그려져 있다. 이 시계의 분침이 시계를 한 바퀴 도는 데 걸리는 시간은 60분이고, 시침이 시계를 한 바퀴 도는 데 걸리는 시간은 10시간이다. 6시와 7시 사이에 시침과 분침이 일치하는 시각을 구하여라.

8 상자 안에 검은 바둑돌과 흰 바둑돌이 섞여 있다. 검은 바둑돌은 전체의 $\dfrac{2}{5}$였는데, 검은 바둑돌을 5개 더 넣었더니 검은 바둑돌이 전체의 $\dfrac{7}{16}$이 되었다. 지금 상자 안에 들어 있는 바둑돌은 모두 몇 개인지 구하여라.

9 올해 형과 동생의 나이의 합은 33살이다. 몇 해 전, 형이 올해 동생의 나이였을 때 동생은 올해 형의 나이의 $\dfrac{2}{3}$였다. 올해 형과 동생의 나이를 각각 구하여라.

10 4%의 소금물과 5%의 소금물이 있다. 이 두 소금물을 적당히 섞고, 여기에 50g의 소금을 더 넣었더니 10%의 소금물 850g이 되었다. 두 소금물을 각각 몇 g씩 섞어야 하는지 구하여라.

• (각기둥의 겉넓이)=(밑면의 넓이)×2+(옆면의 넓이), (각기둥의 부피)=(밑면의 넓이)×(높이)

• (각뿔의 겉넓이)=(밑면의 넓이)+(옆면의 넓이), (각뿔의 부피)=(밑면의 넓이)×(높이)×$\frac{1}{3}$

핵·심·문·제 **1** 오른쪽 그림은 한 변의 길이가 6cm인 정육면체의 각 면의 중앙에 직육면체 모양의 구멍을 뚫어 놓은 것이다. 직육면체의 밑면은 한 변의 길이가 2cm인 정사각형이고, 높이는 6cm이다. 이 입체도형의 겉넓이와 부피를 구하여라.

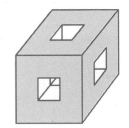

▌생각하기▌ 정육면체 내부에 뚫린 빈 공간은 오른쪽 그림과 같은 모양이다.
(겉넓이)=(구멍 뚫린 정육면체 표면의 겉넓이)+(오른쪽 입체도형의 겉넓이
에서 색칠한 6개의 정사각형의 넓이를 뺀 것)
(부피)=(정육면체의 부피)-(오른쪽 입체도형의 부피)

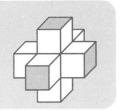

▌풀이▌ (겉넓이)=(6×6-2×2)×6+2×2×4×6=288(cm²)
(부피)=6×6×6-2×2×2×7=160(cm³)

답 288cm², 160cm³

핵·심·문·제 **2** 오른쪽 그림은 밑면이 직각이등변삼각형인 삼각기둥을 세 점 ㄹ, ㅁ, ㅂ을 지나는 평면으로 자른 입체도형의 일부분이다. 이 입체도형의 부피를 구하여라.

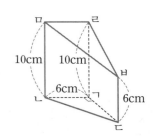

▌생각하기▌ 변 ㄴㅁ과 변 ㄱㄹ이 10cm이므로 높이가 10cm인 삼각기둥을 만들면 오른쪽 그림과 같다.
따라서 이 입체도형의 부피는 삼각형 ㄱㄴㄷ을 밑면으로 하고 변 ㅅㄷ을 높이로 하는 삼각기둥의 부피에서 삼각형 ㄹㅁㅅ을 밑면으로 하고 변 ㅅㅂ을 높이로 하는 삼각뿔의 부피를 뺀 것과 같다.

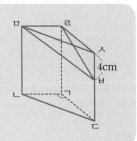

▌풀이▌ (삼각기둥의 부피)=6×6×$\frac{1}{2}$×10=180(cm³)

(삼각뿔의 부피)=6×6×$\frac{1}{2}$×4×$\frac{1}{3}$=24(cm³)

따라서 입체도형의 부피는 180-24=156(cm³)이다.

답 156cm³

유제 **1** 오른쪽 그림은 어떤 토지를 나타낸 것이다. ㉮ 부분을 깎아 ㉯ 부분을 덮어 ㉮, ㉯의 높이를 같게 만든다면, 새로 만들어지는 토지의 높이를 구하여라.

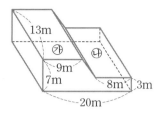

▶ 처음 토지의 부피와 새로 만든 토지의 부피는 같다.

유제 **2** 한 변의 길이가 3cm인 정육면체 6개를 오른쪽 그림과 같이 쌓았을 때, 겉넓이를 구하여라.

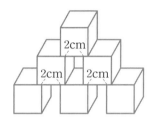

▶ 앞, 뒤에서 본 넓이, 양 옆에서 본 넓이, 위, 아래에서 본 넓이와 여기에 포함되지 않은 부분의 겉넓이를 생각해 보자.

유제 **3** 오른쪽 그림은 밑면의 가로, 세로와 높이가 각각 18cm, 12cm, 18cm인 직육면체이다. 이 직육면체를 네 점 ㄴ, ㅅ, ㅊ, ㅈ을 지나는 평면으로 잘라 두 개의 입체도형으로 나눌 때, 점 ㅁ이 포함된 입체도형의 부피를 구하여라. (단, 선분 ㄱㅈ은 선분 ㅈㄹ의 2배, 선분 ㅇㅊ은 선분 ㅊㄹ의 2배이다.)

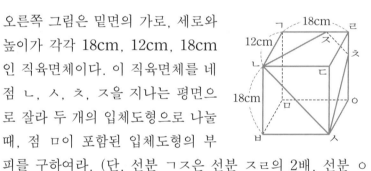

▶ 선분 ㄷㄹ, 선분 ㄴㅈ, 선분 ㅅㅊ을 연장하면 한 점에서 만난다.

유제 **4** 위에서 본 모양, 왼쪽 옆에서 본 모양, 앞에서 본 모양이 다음 그림과 같은 입체도형의 부피를 구하여라.

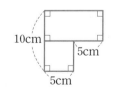 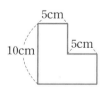 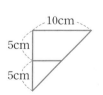

〈위에서 본 모양〉 〈왼쪽 옆에서 본 모양〉 〈앞에서 본 모양〉

▶ 각 방향에서 본 모양을 생각하여 입체도형을 그려 보자.

1 오른쪽 그림은 2개의 직육면체를 겹쳐 놓은 것이다. 이 입체도형의 겉넓이가 200cm²일 때, 이 입체도형의 부피를 구하여라.

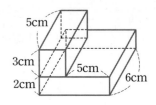

2 직육면체에서 윗부분을 높이가 4cm인 직육면체 모양으로 잘라 내어 정육면체를 만들었다. 겉넓이를 구해 보니 처음보다 144cm² 줄었다. 처음 직육면체의 부피를 구하여라.

3 오른쪽 그림은 한 모서리의 길이가 9cm인 정육면체에서 한 변이 3cm인 정사각형 모양을 마주 보는 면까지 파 낸 것이다. 이 입체도형의 겉넓이와 부피를 각각 구하여라.

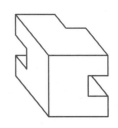

4 한 모서리의 길이가 6cm인 정육면체의 각 면의 대각선의 교점을 점 ㄱ, ㄴ, ㄷ, ㄹ, ㅁ, ㅂ이라 할 때, 이 점들을 연결하여 만든 입체도형 ㄱㄴㄷㄹㅁㅂ의 부피를 구하여라.

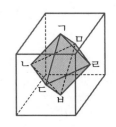

5 오른쪽 그림은 밑면의 가로가 14cm, 세로가 10cm인 직육면체에서 부피가 148cm³인 작은 직육면체를 잘라 낸 것이다. 이 입체도형의 겉넓이가 856cm²일 때, 이 입체도형의 부피를 구하여라.

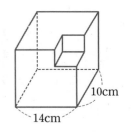

6 오른쪽 그림은 밑면의 넓이가 27.2cm²인 정삼각기둥의 일부이다. 색칠한 부분이 잘라낸 부분일 때, 이 입체도형의 부피를 구하여라.

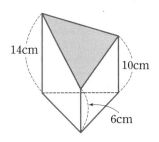

7 오른쪽 그림은 밑면의 가로, 세로가 각각 10cm, 15cm 이고, 높이가 10cm인 직육면체를 다섯 점 ㅈ, ㅊ, ㅋ, ㅌ, ㅂ을 지나는 평면으로 잘라 두 개의 입체도형을 만든 것이다.
(선분 ㄴㅈ)=2×(선분 ㄱㅈ), (선분 ㄱㅊ)=(선분 ㅊㄹ) =(선분 ㄹㅋ)=(선분 ㅋㅇ)=(선분 ㅇㅌ)일 때, 점 E를 포함하는 입체도형의 부피를 구하여라.

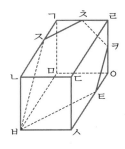

8 오른쪽 그림과 같은 삼각기둥의 변 ㅁㄴ 위에 점 ㅅ이 있 다. 세 점 ㄹ, ㅅ, ㅂ을 지나는 평면으로 이 삼각기둥을 잘라서 꼭짓점 ㄴ을 포함하는 입체도형의 부피를 ㉮, 꼭 짓점 ㅁ을 포함하는 입체도형의 부피를 ㉯라고 할 때, ㉮ =3×㉯가 되도록 하는 변 ㅁㅅ의 길이를 구하여라.

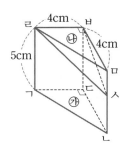

9 오른쪽 그림은 한 변의 길이가 6cm인 정육면체이다. 변 ㄴㄷ, ㄷㅅ 위에 각각 점 ㅈ, ㅊ을 정하고 세 점 ㄹ, ㅈ, ㅊ을 지나도록 잘랐을 때, 처음 정육면체의 부피는 잘려 진 삼각뿔의 부피의 18배이다. 선분 ㄷㅊ의 길이가 3cm 일 때, 선분 ㄷㅈ의 길이를 구하여라.

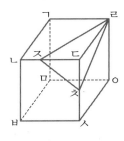

10 꼭지각의 크기가 45°이고, 등변의 길이가 10cm인 이등변 삼각형 4개와 이 이등변삼각형의 밑변의 길이를 한 변으로 하는 정사각형 1개로 오른쪽 그림과 같이 사각뿔을 만들었 다. 이 사각뿔의 겉넓이를 구하여라.

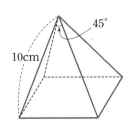

• 일정한 규칙에 따라 사각으로 수가 배열된 경우 가장 윗줄의 수 또는 가장 왼쪽 줄의 수 또는 대각선에 배열된 수를 관찰하여 문제를 해결할 수 있다.

핵·심·문·제 **1** 자연수를 오른쪽과 같이 배열하였다. 위에서부터 9째 번, 왼쪽에서부터 14째 번 수는 얼마인가? 또, 115는 위에서부터 몇째 번, 왼쪽에서부터 몇째 번에 있는 수인가?

1	2	5	10	17	26	37	⋯
4	3	6	11	18	27	38	⋯
9	8	7	12	19	28	39	⋯
16	15	14	13	20	29	40	⋯
25	24	23	22	21	30	41	⋯
⋮	⋮	⋮	⋮	⋮	⋮	⋮	

┃생각하기┃ 대각선에 놓인 수들을 살펴보면 1, 3, 7, 13, 21, ⋯ 이다.
(차: 2 4 6 8)

따라서 차가 늘어 나는 수열임을 알 수 있다.

┃풀이┃ 대각선에 놓인 수는 1, 3, 7, 13, 21, ⋯ 이므로

$(14$째 번 수$)=1+\underbrace{(2+4+6+\cdots+26)}_{13개}=1+13\times14=183$

183은 위에서부터 14째 번, 왼쪽에서부터 14째 번 수이므로 위에서부터 9째 번이 되려면 위로 5칸 올라가야 한다. 따라서 위에서부터 9째 번, 왼쪽에서부터 14째 번 수는 $183-5=178$

또, $1+\underbrace{(2+4+6+\cdots+20)}_{10개}=1+10\times11=111$이므로 111은 위에서부터 11째 번, 왼쪽에서부터 11째 번

수이고, 115는 111보다 4 더 크므로 왼쪽으로 4칸 더 가야 한다. 즉, 위에서부터 11째 번, 왼쪽에서부터 $11-4=7$째 번 수가 된다.   답 178, 위에서부터 11째 번, 왼쪽에서부터 7째 번 수

참고* 가장 왼쪽 줄의 수 중 14째 번 수는 $14\times14=196$이므로 대각선에 배열된 수 중 14째 번 수는 $196-13=183$이고 위에서부터 9째 번 수는 $183-5=178$이다.
또, 가장 왼쪽 줄의 수 중 11째 번 수는 $11\times11=121$이므로 115가 되려면 6만큼 줄어야 한다.
따라서 위에서부터 11째 번, 왼쪽에서부터 7째 번 수가 115이다.

핵·심·문·제 **2** 자연수를 오른쪽과 같이 배열하였다. 3째 번 줄의 5째 번 수 26을 (3, 5)라고 나타낸다. 이와 같은 방법으로 150을 나타내어라.

1	3	6	10	15	21	⋯
2	5	9	14	20	27	
4	8	13	19	26		
7	12	18	25			
11	17	24				
⋮	⋮	⋮				

┃생각하기┃ (3, 5)는 $(3+4, 5-4)=(7, 1)$에서부터 4만큼 늘어난 수가 된다. 가장 왼쪽 줄의 수 1, 2, 4, 7, 11, ⋯ 에서 7째 번 수는 22이므로 $22+4=26$이 된 것이다. 따라서 150의 위치를 찾으려면 우선 1, 2, 4, 7, 11, ⋯ 의 배열에서 150보다 작은 수 중 가장 큰 수를 찾아야 한다.

┃풀이┃ 1, 2, 4, 7, 11, ⋯
(차: 1 2 3 4)
$1+(1+2+3+\cdots+16)=1+16\times17\div2=137$, 137은 가장 왼쪽 줄의 17째 번 수이다.
따라서 $(17, 1)=137$, $150-137=13$이므로 $(17-13, 1+13)=(4, 14)=150$ 답 (4, 14)

유제 **1** 오른쪽 수열에서 12째 번 줄 7째 번 수를 구하여라.

$$1 \quad 2 \quad 4 \quad 7 \quad 11 \cdots$$
$$3 \quad 5 \quad 8 \quad 12 \cdots$$
$$6 \quad 9 \quad 13 \cdots$$
$$10 \quad 14 \cdots$$
$$15 \cdots$$
$$\vdots$$

> $12-11=1$
> $7+11=18$
> 먼저 첫째 번 줄 18째 번 수를 찾는다.

유제 **2** 오른쪽 표에서 2행 4열의 수 15를 $(2, 4)=15$로 나타내기로 하자. $(8, 15)+(\bigcirc, \bigcirc)=376$일 때, $\bigcirc$, $\bigcirc$에 알맞은 수를 구하여라.

열＼행	1	2	3	4	5	⋯
1	1	4	9	16	25	⋯
2	2	3	8	15	24	⋯
3	5	6	7	14	23	⋯
4	10	11	12	13	22	⋯
5	17	18	19	20	21	⋯
⋮	⋮	⋮	⋮	⋮	⋮	

> 15열의 첫째 번 수는 $15 \times 15 = 225$이다.

유제 **3** 오른쪽과 같은 규칙으로 수를 차례로 나열하였다. 500까지 쓰려면 몇 행과 몇 열까지 있으면 되겠는가?

1	2	9	10	25	26
4	3	8	11	24	27
5	6	7	12	23	⋯
16	15	14	13	22	⋯
17	18	19	20	21	⋯
⋮	⋮	⋮	⋮	⋮	

> 500에 가장 가까운 제곱수는 $22 \times 22 = 484$이다.
> 484는 짝수의 제곱이므로 22째 번 행의 첫째 칸에 들어가는 수이다.

유제 **4** 오른쪽 표와 같이 점을 중심으로 좌우, 상하로 번호를 붙여놓았다. 예를 들어 11의 위치를 (우2, 하1)로 나타내기로 한다면 300은 어떻게 나타내는지 구하여라.

	좌3	좌2	좌1	우1	우2	우3	
⋮							
상3				⋯ 33	32	31	
상2		17	16	15	14	13	30
상1	⋯	18	5	4	3	12	29 ⋯
하1		19	6	1	2	11	28
하2		20	7	8	9	10	27
하3		21	22	23	24	25	26
⋮				⋮			

> 300보다 작은 제곱 수 중 가장 큰 수는 $17 \times 17 = 289$이다.
> 홀수의 제곱 수들의 위치를 관찰해 보자.

1 오른쪽 표는 어떤 규칙에 따라 숫자를 써넣은 것이다. 13행 3열에 쓰인 숫자는 무엇인지 구하여라.

행＼열	1	2	3	4	5	...
1	7	6	5	4	5	...
2	6	5	4	5	6	...
3	5	4	5	6	7	...
4	4	5	6	7	6	...
5	5	6	7	6	5	...
6	6	7	6	5	4	...
7	7	6	5	4	5	...
⋮	⋮	⋮	⋮	⋮	⋮	

2 가로 30칸, 세로 30칸으로 그려진 표에 오른쪽과 같이 수를 차례로 써넣으려고 한다. 오른쪽 끝 맨 마지막 줄인 ㉮에 알맞은 수를 구하여라.

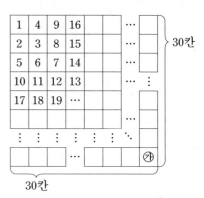

3 오른쪽과 같이 수를 나열하였다. 3행 5열의 수는 23 이다. 7행 16열의 수와 11행 4열의 수의 합을 구하여라.

행＼열	1	2	3	4	5	6	...
1	1	2	9	10	25	26	...
2	4	3	8	11	24	27	...
3	5	6	7	12	23	28	...
4	16	15	14	13	22	29	...
5	17	18	19	20	21	30	...
⋮	⋮	⋮	⋮	⋮	⋮	⋮	

4 오른쪽과 같이 수를 나열하였다. 위에서부터 2째 번, 왼쪽에서부터 4째 번에 있는 수 14를 $(2, 4)$로 나타낸다면 다음을 계산한 결과는 얼마인가?

$$(11, 6) - (2, 9) + (7, 8)$$

```
1 → 2    6 → 7    15 → 16 ...
3    5    8    14   17 ...
4    9    13   18 ...
10   12   19 ...
11   20 ...
21 ...
⋮
```

5 오른쪽과 같이 홀수를 나열하였다. 위에서부터 1행, 2행, 3행, … 이라고 하고, 왼쪽에서부터 1열, 2열, 3열, … 이라 할 때, 16행과 5열의 교차점에 있는 수를 구하여라.

```
1    5    11   19   29   41 ...
3    9    17   27   39 ...
7    15   25   37 ...
13   23   35 ...
21   33 ...
31 ...
⋮
```

6 오른쪽과 같이 0과 자연수를 나열하였다. 268은 위에서 부터 몇째 번 줄, 왼쪽에서부터 몇째 번 줄에 있는 수인 지 구하여라.

0	3	4	15	16	⋯
1	2	5	14	17	⋯
8	7	6	13	18	⋯
9	10	11	12	19	⋯
24	23	22	21	20	⋯
25	26	27			

⋮ ⋮ ⋮

7 오른쪽과 같이 0과 짝수를 나열하였다. 476은 위에서부 터 몇째 번 줄, 왼쪽에서부터 몇째 번 줄에 있는 수인지 구하여라.

0	4	10	18	28	40	⋯
2	8	16	26	38	⋯	
6	14	24	36	⋯		
12	22	34	⋯			
20	32	⋯				
30	⋯					

⋮

8 오른쪽 표에서 위에서부터 2째 번, 왼쪽에서부터 5 째 번 수 294를 (2, 5)로 나타내기로 한다. 240을 이와 같이 나타내어라.

361	360	359	⋯	⋯	⋯	⋯	343
290	291	292	⋯	294	⋯	307	⋮
⋮	⋮	⋮	⋯	⋯	⋯	⋯	⋮
26	27	28	⋯	⋯	⋯	⋯	⋮
25	24	23	22	21	⋯	320	329
10	11	12	13	20	⋯	321	328
9	8	7	14	19	⋯	322	327
2	3	6	15	18	⋯	323	326
1	4	5	16	17	⋯	324	325

9 오른쪽과 같이 자연수를 3부터 나열하였다. 615까지 쓰 려면 가로로 몇 칸, 세로로 몇 칸인 표를 그려야 하겠는 가?

3	4	7	12	19	28	⋯
6	5	8	13	20	29	⋯
11	10	9	14	21	30	⋯
18	17	16	15	22	31	⋯
27	26	25	24	23	32	⋯
⋮	⋮	⋮	⋮	⋮	⋮	

10 오른쪽과 같이 1 아래에 2를 쓰고, 그 아래에 10, 10 아래 에 26을 써 나갔다. 1부터 오른쪽으로 7째 번, 위쪽으로 10째 번에 있는 수는 무엇인지 구하여라.

	⋯	38	37	36	35
20	19	18	17	16	34
21	7	6	5	15	33
23	8	1	4	14	32
23	9	2	3	13	31
24	25	10	11	12	30
	26	27	28	29	

- (정가)＝(원가)×{1＋(이익률)}＝(할인가)÷{1－(할인율)}
  (할인가)＝(정가)×{1－(할인율)}＝(원가)×{1＋(이익률)}×{1－(할인율)}
  (원가)＝(정가)÷{1＋(이익률)}＝(할인가)÷{1－(할인율)}÷{1＋(이익률)}임을 이용하여 문제를 쉽게 해결할 수 있다.
- (이자)＝(원금)×(이율)×(기간)
  (원리합계)＝(원금)＋(이자)＝(원금)×{1＋(이율)×(기간)}임을 이용하여 문제를 쉽게 해결할 수 있다.

핵·심·문·제 **1** 어떤 물건 한 개의 정가는 1800원이다. 어느 날 이와 같은 물건을 A 상점에서는 정가로 팔고, B 상점에서는 2할 할인하여 팔았더니, B 상점은 A 상점보다 148개를 더 팔아서 판매 금액이 26640원 더 많았다. A 상점은 이 물건을 몇 개 팔았는가?

▌생각하기▐ B 상점의 판매가는 1800×0.8＝1440(원)
문제의 뜻에 맞게 그림으로 나타내면 오른쪽과 같다.
㉠－㉡＝26640, ㉠－26640＝㉡
(A 상점에서 판 물건의 개수)＝㉡÷360

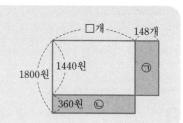

▌풀이▐ B 상점의 판매가 : 1800×0.8＝1440(원)
㉠＝1440×148＝213120, ㉡＝213120－26640＝186480
따라서 A 상점이 판 물건의 개수 : 186480÷360＝518(개)

답 518개

핵·심·문·제 **2** 세일 기간에 백화점에서 가방과 그림물감을 샀다. 가방은 15% 할인되었고, 그림물감은 12% 할인되어 평균 13.8% 싸게 샀다. 지불한 돈이 17240원일 때, 가방과 그림물감은 각각 얼마씩에 산 것인지 구하여라.

▌생각하기▐ 가방은 정가의 0.85에 샀고, 그림물감은 정가의 0.88에 샀다. 합계로는 정가의 0.862에 산 것이므로 다음과 같이 생각할 수 있다.

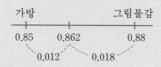

0.012 : 0.018＝12 : 18＝2 : 3
따라서 가방의 정가와 그림물감의 정가의 비는 3 : 2이다.

┤자세히├
가방과 그림물감의 정가를 각각 a, b원이라 하자.
$a×0.85＋b×0.88＝(a＋b)×0.862$
$a×0.85＋b×0.88＝a×0.862＋b×0.862$
$b×(0.88－0.862)＝a×(0.862－0.85)$
$a : b＝(0.88－0.862) : (0.862－0.85)$
$a : b＝0.018 : 0.012$

▌풀이▐ 정가의 합은 17240÷(1－0.138)＝20000(원)이다.
1－0.15＝0.85, 1－0.12＝0.88, 1－0.138＝0.862, 0.862－0.85＝0.012, 0.88－0.862＝0.018,
0.012 : 0.018＝2 : 3이므로, (가방 정가) : (그림물감 정가)＝3 : 2이다.
(가방 정가)＝20000×$\frac{3}{5}$＝12000(원), (그림물감 정가)＝20000×$\frac{2}{5}$＝8000(원)
(가방 할인가)＝12000×0.85＝10200(원), (그림물감 할인가)＝8000×0.88＝7040(원)

답 10200원, 7040원

유제 **1** 새 학기가 되어 솔뫼는 공책을 사려고 문방구점에 갔다. 그런데 공책의 가격이 인상되어 사려던 개수보다 2할 적게 샀더니, 처음에 생각했던 가격과 같아졌다. 정가는 몇 % 인상되었는가?

$\gg$ $0.8 \times x = 1$

유제 **2** A, B 두 은행이 있다. A 은행은 10만 원을 2년 6개월간 예금하면 원리합계가 116000원이 되고, B 은행은 처음 6개월간 연이율 6%로, 그 이후에는 연이율 6.6%로 이자를 준다고 한다. 120만 원을 1년 3개월간 예금할 경우 어느 은행에 예금하는 것이 얼마나 더 이익인지 구하여라. (단, 두 은행의 이자는 이율에 따라 예금한 기간에 비례하여 지급된다.)

$\gg$ (원리합계)
$=$ (원금) $\times$ {1 $+$ (이율) $\times$ (기간)}

유제 **3** 원가의 4할의 이익을 붙여 어떤 물건의 정가를 정하였다. 물건의 $\frac{4}{7}$를 팔았는데 더 이상 팔리지 않아 정가를 할인하여 나머지를 모두 팔았다. 이 때의 이익금은 물건을 모두 정가로 팔았을 때 얻게 되는 이익금의 70%였다. 정가의 몇 할을 할인하여 판 것인지 구하여라.

$\gg$ $0.4 \times \dfrac{4}{7} + x \times \dfrac{3}{7}$
$= 0.4 \times 1 \times 0.7$

유제 **4** A, B 두 종류의 물건에 각각 원가의 2.5할, 3할의 이익을 붙여 정가를 정하였다. A를 30개, B를 40개 팔고나서 각각 정가의 1할, 1.5할을 할인하여 10개씩 더 팔았다. A의 정가는 B의 정가의 1.5배이고, 판매 금액이 모두 139100원일 때, A, B의 원가를 각각 구하여라.

$\gg$ $\begin{pmatrix} \text{A의 정가} : x \times 1.5 \\ \text{B의 정가} : x \end{pmatrix}$
$\begin{pmatrix} \text{A의 할인가} : x \times 1.5 \times 0.9 \\ \text{B의 할인가} : x \times 0.85 \end{pmatrix}$
$\begin{pmatrix} \text{A의 원가} : x \times 1.5 \div 1.25 \\ \text{B의 원가} : x \div 1.3 \end{pmatrix}$

1 　어떤 물건을 판매할 때 정가의 3할을 할인하여 팔아도 이익금이 남고 그 이익금이 원가의 5푼이 될 수 있으려면, 원가의 몇 할을 이익으로 하여 정가를 정해야 하는지 구하여라.

2 　재홍이는 1000만 원을 A, B 두 은행에 나누어 2년 6개월간 예금해 두었다. A 은행은 연이율 6.24%이지만 이자의 지급은 반드시 1년 단위로만 하고, B 은행은 연이율 6%로 예금한 기간에 따라 이자를 지급한다. 2년 6개월 후에 재홍이는 이자로 1377780원을 받게 되었다. A 은행에 예금한 돈은 얼마인가?

3 　어느 은행의 정기 예금의 이자는 2년 만기인 경우는 연 5.7%, 3년 만기인 경우는 연 6.6%, 5년 만기인 경우는 연 7.08%라고 한다. 갑과 을은 5백만 원씩을 이 은행에 저금하려고 한다. 갑은 2년 만기인 정기 예금에 넣었다가 만기가 된 후 원금과 이자를 합해 다시 3년 만기인 정기 예금에 넣고, 을은 5년 만기인 정기 예금에 넣는다면 5년 후에 누구의 이익이 얼마나 더 많겠는가?

4 　어제 1200원씩에 판매했던 물건이 있다. 오늘은 가격을 300원 올려서 팔았더니 팔린 개수는 어제보다 1할이 줄어들었으나 판매 금액은 4500원이 늘어났다. 오늘 판 물건의 개수를 구하여라.

5 　어떤 물건 400개를 원가에 구입하여 원가의 25%를 이익으로 붙여 정가를 정하였다. 얼마간 물건을 팔았는데 잘 팔리지 않아서 정가의 10%를 할인하여 팔았더니 모두 팔렸다. 할인하지 않고 모두 팔았을 때와의 순이익을 비교하면 28%가 줄었다. 할인하여 판 물건은 몇 개인지 구하여라.

6 원가의 2할의 이익을 붙여 어떤 물건의 정가를 정했는데 전체의 $\frac{1}{4}$이 팔리지 않고 남았다. 그래서 정가를 할인하여 모두 팔았고 이익은 원가의 1할 7푼이 되었다. 할인된 물건의 가격은 정가의 몇 할인지 구하여라.

7 어떤 가게에서 A 상품과 B 상품을 묶어서 판매하고 있다. 오전에는 A 상품은 정가보다 3할 비싸게 받고, B 상품은 정가에서 300원을 깎아 주어 1940원에 팔았고, 오후에는 A상품을 정가에서 300원 깎아 주고, B 상품을 정가보다 3할 비싸게 받아 2060원에 팔았다. A 상품, B 상품의 가격은 각각 얼마인가?

8 어떤 상품 600개를 원가에 사서 원가의 50%를 이익으로 붙여 정가를 정하여 절반을 팔았다. 그 후 정가의 2할을 할인하여 얼마간 팔다가 남은 상품은 정가의 6할을 할인하여 원가 이하로 팔았더니 전체적으로 원가의 30%가 이익으로 남았다. 정가의 6할을 할인하여 판 상품은 몇 개인지 구하여라.

9 A, B 두 종류의 상품이 있다. 승환이가 두 상품을 모두 구입하면서, A는 2할 2푼 B는 1할 할인하여 두 상품을 81840원에 샀다. 이것은 합계로 계산할 때 1할 7푼 5리를 할인하여 산 셈이라고 한다. 상품 A는 얼마에 샀겠는가?

10 어느 상점에서 어떤 물건을 정가로 팔고 있는데 금요일과 토요일에 판매한 금액의 비가 5 : 4였다. 일요일인 오늘은 정가보다 3할 할인하여 팔았더니 토요일보다 220개 더 팔려 금요일과 판매 금액이 같아졌다. 이 상점에서 토요일에 판 물건의 개수를 구하여라.

Chapter 24 바퀴 문제

- 맞물려 돌아가는 두 개의 톱니바퀴에서 한 톱니바퀴의 톱니 수와 회전 수의 곱은 다른 톱니바퀴의 톱니 수와 회전 수의 곱과 같다. 이것을 이용하여 문제를 쉽게 해결할 수 있다.
- 연결되어 돌아가는 두 개의 바퀴에서 반지름 또는 둘레의 비가 $a : b$이면 회전수의 비는
$$\frac{1}{a} : \frac{1}{b} = b : a$$이다.

핵·심·문·제 **1** 오른쪽 그림과 같이 두 개의 톱니바퀴가 체인으로 연결되어 있고 나 톱니바퀴에는 반지름이 20cm인 바퀴가 달려 있다. 가 톱니바퀴의 톱니 수는 40개, 나 톱니바퀴의 톱니 수는 15개일 때, 가 톱니바퀴가 360번 회전하였다면, 바퀴의 이동거리는 몇 m인가?

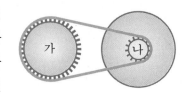

▌생각하기▐ 가 톱니바퀴가 360번 회전했으므로 톱니는 40×360＝14400(개) 지나간다.
나 톱니바퀴는 톱니 수가 15개이므로 14400÷15＝960(번) 회전하는 것이다.
즉, 톱니 수의 비가 40 : 15＝8 : 3이므로 회전 수의 비는 3 : 8이다.

▌풀이▐ 가와 나의 톱니 수의 비가 40 : 15＝8 : 3이므로 회전 수의 비는 3 : 8이다.
가 톱니바퀴가 360번 회전하므로 나 톱니바퀴는 360÷3×8＝960(번) 회전한다.
바퀴의 이동 거리는 (지름)×3.14×960＝40×3.14×960＝120576(cm) → 1205.76m   답 1205.76m

핵·심·문·제 **2** ㉮, ㉯, ㉰, ㉱, ㉲, ㉳ 6개의 바퀴가 다음 그림과 같이 벨트에 연결되어 돌아가고 있다. ㉮의 반지름의 길이는 6cm, ㉯는 10cm, ㉱는 4cm, ㉳는 9cm이고, ㉮가 2회전 할 때 ㉳는 1회전 한다. ㉰와 ㉲의 회전 수의 비를 가장 간단한 자연수의 비로 나타내어라.

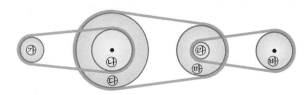

▌생각하기▐ ㉮와 ㉯의 반지름의 비는 6 : 10＝3 : 5이므로 회전 수의 비는 5 : 3이다.
따라서 ㉮가 2회전 할 때 ㉯는 $2 \times \frac{3}{5} = \frac{6}{5}$ (회전)하고, ㉰도 $\frac{6}{5}$회전한다.

▌풀이▐ 6×2＝10×□, □＝$\frac{6}{5}$이므로 ㉮가 2회전할 때, ㉯는 $\frac{6}{5}$ 회전하고, ㉰도 $\frac{6}{5}$ 회전한다.

9×1＝4×□, □＝$\frac{9}{4}$이므로 ㉳가 1회전할 때, ㉱는 $\frac{9}{4}$ 회전하고, ㉲도 $\frac{9}{4}$ 회전한다.

따라서 ㉰와 ㉲의 회전 수의 비는 $\frac{6}{5}$: $\frac{9}{4}$＝24 : 45＝8 : 15이다.   답 8 : 15

유제 **1** 어떤 자전거의 페달에 연결된 톱니바퀴의 톱니 수는 40개이고, 뒷바퀴에 연결된 톱니바퀴의 톱니 수는 16개이다. 바퀴의 반지름이 40cm일 때, 이 자전거를 타고 6.28km를 달렸다면 페달은 몇 회전하였는가?

> 톱니 수의 비가 40 : 16＝5 : 2이므로 회전 수의 비는 2 : 5이다.

유제 **2** 오른쪽 그림의 ㉮, ㉯, ㉰ 세 개의 바퀴의 반지름의 비는 4 : 3 : 7이다. ㉮ 바퀴가 21바퀴 회전했을 때, ㉯와 ㉰ 두 바퀴의 회전 수를 각각 구하여라.

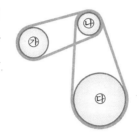

> 반지름의 비가 ㉮ : ㉯＝4 : 3이므로 회전 수의 비는 3 : 4이다.

유제 **3** 오른쪽 그림과 같이 5개의 톱니바퀴가 서로 맞물려 돌고 있다. ㉮ 바퀴가 1분에 24회전 할 때, ㉲ 바퀴는 1분에 몇 회전하는지 구하여라.

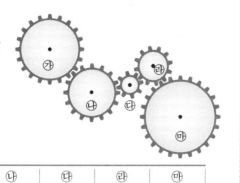

> 각 톱니바퀴의 반지름과 회전 수의 곱은 항상 서로 같다.

톱니바퀴	㉮	㉯	㉰	㉱	㉲
반지름(cm)	10	8	4	6	12

유제 **4** 3개의 원판 Ⓐ, Ⓑ, Ⓒ가 오른쪽 그림과 같이 한 눈금씩 맞닿아 있다. Ⓐ, Ⓑ, Ⓒ의 모든 눈금 사이의 간격이 같다면, Ⓑ 원판이 20회전 했을 때 Ⓑ 원판과 맞닿아 있는 원판 Ⓐ, Ⓒ의 눈금의 숫자는 각각 무엇인가?

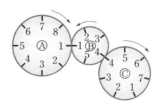

> 한 칸씩 옮겨 가면 Ⓐ의 8과 Ⓑ의 2, Ⓑ의 5와 Ⓒ의 3이 만나게 된다.

특강탐구문제

1 서로 맞물려 도는 네 개의 톱니바퀴가 있다. ㉮ 톱니바퀴가 15번 도는 동안 ㉯ 톱니바퀴는 6번, ㉰ 톱니바퀴는 4번, ㉱ 톱니바퀴는 7.5번 돈다. 이 네 톱니바퀴의 톱니 수의 비를 가장 간단한 자연수의 연비로 나타내어라.

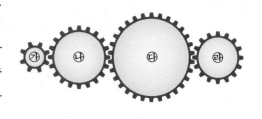

2 맞물려 돌아가는 ㉮, ㉯, ㉰ 세 개의 톱니바퀴가 있다. ㉰ 톱니바퀴가 19번 회전 할 때 ㉮는 16번, ㉯는 38번 회전 한다고 한다. 또, ㉮ 톱니바퀴와 ㉯ 톱니바퀴의 톱니 수의 합은 54개이다. ㉰ 톱니바퀴의 톱니 수를 구하여라.

3 오른쪽 그림과 같이 ㉮, ㉯, ㉰의 바퀴가 벨트로 연결되어 돌아가고 있다. ㉮의 반지름은 6cm, ㉯의 큰 바퀴의 반지름은 10cm, 작은 바퀴의 반지름은 1cm, ㉰의 반지름은 4cm이다. ㉮가 1회전 한다면 ㉰는 몇 회전 하겠는가? 또, ㉰에 감긴 벨트가 30m 이동한다면 ㉮에 감긴 벨트는 몇 m 이동하겠는가?

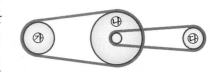

4 오른쪽 그림과 같이 서로 맞물려 돌고 있는 톱니바퀴 두 개가 있다. 이 두 톱니바퀴는 움직이기 전에 중심끼리 이은 선을 페인트로 그려 놓았다. 큰 톱니바퀴의 지름은 72cm, 작은 톱니바퀴의 지름은 63cm일 때, 큰 톱니바퀴가 최소 몇 바퀴를 돌아야 처음 상태와 같이 중심끼리 이은 선이 만나 일직선이 되겠는가?

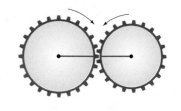

5 어떤 자전거의 앞바퀴가 4번 회전할 때 뒷바퀴는 5번 회전한다고 한다. 또 앞바퀴는 32번 회전하면 100m를 간다고 한다. 이 자전거로 350m를 가면 뒷바퀴는 몇 번 회전하게 되는가?

6 톱니의 개수가 각각 12개, 20개, 15개인 세 개의 톱니바퀴 ㉮, ㉯, ㉰가 서로 맞물려 돌고 있다. ㉮, ㉯, ㉰의 회전 속도의 비를 가장 간단한 자연수의 비로 나타내어라. 또, 톱니의 개수가 각각 ㉠개, ㉡개 ㉢개인 세 개의 톱니바퀴 ㉮, ㉯, ㉰의 회전 속도의 비를 구하여라.

7 오른쪽 그림과 같이 서로 맞물려 돌아가는 톱니바퀴 8개가 있다. ㉮, ㉳는 톱니가 각각 9개, ㉯, ㉰, ㉷는 톱니가 각각 15개, ㉱, ㉶, ㉵는 톱니가 각각 24개라고 한다. ㉮ 톱니바퀴가 시계 방향으로 40회전 할 때 ㉶ 톱니바퀴는 어느 방향으로 몇 회전하는지 구하여라.

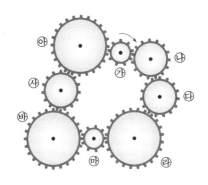

8 어떤 장난감을 뜯어 보니 7개의 톱니바퀴가 오른쪽과 같이 조립되어 있었다. 그 중 4개의 톱니바퀴는 각각 2개씩 붙어 있는 2단 톱니바퀴이다. 각 톱니바퀴의 톱니 수는 ㉠이 15개, ㉡이 30개, ㉢이 40개, ㉣이 12개, ㉭이 15개, ㉳이 10개이다. ㉢의 톱니 수와 ㉠이 1회전 할 때의 ㉳의 회전 수를 각각 구하여라.

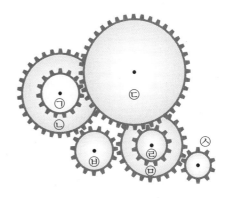

9 진욱이는 자전거를 타고 학교에 간다. 진욱이 자전거의 뒷바퀴에 달린 톱니바퀴의 톱니 수를 세어 보니, 1단 기어가 84개이고 5단 기어까지 매번 톱니 수가 15개씩 줄어들었다. 1단 기어에서 페달을 돌려 420m를 달렸다고 할 때, 5단 기어에서도 420m를 가려한다면, 5단 기어에서 돌려야 되는 페달 수는 1단 기어일 때 돌려야 되는 페달 수의 몇 분의 몇인지 구하여라.

10 바퀴의 지름이 39cm인 자동차로 ㉮ 지점에서 ㉯ 지점까지 간 후 주행 거리를 나타내는 계기판을 보니 112km를 달린 것으로 나타났다. 이번에는 바퀴의 지름이 조금 더 큰 바퀴로 갈아 끼우고 ㉯ 지점에서 ㉮ 지점까지 같은 길로 간 후 주행 거리를 나타내는 계기판을 보니 96km를 달린 것으로 나타났다. 새로 갈아 끼운 바퀴의 지름은 몇 cm인가?

암호를 푸는 데 1년이면 충분할까?

1940년대 최고의 엘리트들이 모이는 프린스턴 대학원. 시험도 보지 않고 장학생으로 입학한 웨스트버지니아 출신의 한 천재가 캠퍼스를 술렁이게 만든다. 뛰어난 두뇌를 지녔지만 괴짜 천재인 그는 기숙사 유리창을 노트 삼아 단 하나의 문제에 매달린다. 어느 날 섬광같은 직관으로 '균형이론'의 단서를 발표하고 제2의 아인슈타인이라고 불리게 된다. 그러나 승승장구하던 그는 정부 비밀요원을 만나 소련의 암호 해독 프로젝트에 비밀리에 투입되면서, 점점 소련 스파이가 자신을 미행한다는 생각에 사로잡혀 정신분열증에 시달리게 되는데…

1994년, 정신분열증을 이겨내고 노벨상을 수상한 천재 수학자 '존 내쉬'의 이야기를 담은 영화가 몇 년 전 만들어졌다. 암호에 대한 강박관념에 시달리는 주인공의 눈에는, 신문을 보거나 책을 읽을 때에도 글자들끼리 모이고 흩어지면서 수없이 많은 암호를 이루어 주인공을 당황케한다.

과연 a, b, c, d, …, z의 26가지 알파벳으로 7자리 암호를 만들면 몇 가지 경우가 가능할까?

$$26 \times 26 \times 26 \times 26 \times 26 \times 26 \times 26 = 8,031,810,176$$

하나의 암호를 입력하고 그것이 옳은 암호인지 아닌지 확인하기까지 1초가 걸린다면, 약 80억 개의 암호를 모두 확인하는데는 80억 초가 걸린다. 1년을 초로 환산하면 $365 \times 24 \times 60 \times 60 = 31,536,000$(초)이다.

3천만 초로 어림잡고 계산해 본다. 80억 개의 암호를 모두 확인하자면, 266.67년이 걸린다.

물론 이 경우는 마지막 80억번 째에 가서야 암호가 풀리는 최악의 경우이다.

평균적으로 걸리는 시간을 계산하려면 확률을 이용하면 된다.

첫번째 경우를 넣자마자 암호로 확인될 확률은 $\frac{1}{80억}$이고 걸리는 시간은 1초이다.

두 번째 경우를 넣었을 때 암호일 확률은 $\frac{1}{80억}$이고 이때 걸리는 시간은 2초이다.

마찬가지 방법으로 생각하면, 마지막에 넣은 것이 암호일 확률은 $\frac{1}{80억}$이고, 이때까지 걸리는 시간은 80억초이다.

확률과 시간을 이용하여 평균적으로 걸리는 시간을 계산하면

$$\frac{1}{80억} \times 1초 + \frac{1}{80억} \times 2초 + \frac{1}{80억} \times 3초 + \cdots + \frac{1}{80억} \times 80억초$$

$$= \frac{1}{8000000000} \times (1 + 2 + 3 + \cdots + 80000000000)$$

$$= \frac{1}{800000000} \times \left(\frac{8000000000 \times 8000000001}{2} \right)$$

$$= 4500000000.5초$$

$$= 4500000000.5 \div 24 \div 60 \div 60 \div 365년$$

$$= 142.694년$$

따라서, 알파벳 26자로 만들 수 있는 7자리 암호를 푸는데는, 1초에 한 경우씩의 해독 능력을 가진 컴퓨터를 이용하더라도 약 142년이라는 시간이 필요하다.

- 쌓기나무로 만들어진 입체도형의 모양을 상상하여 겉넓이, 부피를 구할 수 있다.
- 쌓기나무로 만들어진 입체도형의 모양을 한 층씩 따로 떼어 놓고 생각해 보면 문제를 쉽게 해결할 수 있다.
- 쌓기나무로 만들어진 입체도형에서 한 면도 보이지 않는 쌓기나무의 개수와 한 면, 두 면, 세 면만 보이는 쌓기나무의 개수를 각각 구할 수 있다.

핵·심·문·제 **1** 다음 그림은 한 모서리의 길이가 1cm인 쌓기나무를 면끼리 접착제로 붙여 만든 입체도형이다. 이 세 개의 입체를 차례로 쌓아 하나의 입체도형으로 만들었을 때, 겉넓이를 구하여라. (단, 모서리 ㄱㄴ은 모서리 ㄷㄹ과, 모서리 ㅁㅂ은 모서리 ㅅㅇ과 겹치도록 쌓았다.)

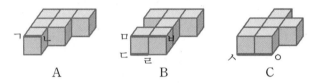

A   B   C

┃생각하기┃ A, B, C의 겉넓이를 각각 구한 후 하나의 입체도형으로 만들었을 때 서로 붙어서 겉으로 나타나지 않게 되는 면의 넓이를 빼 주는 방법으로 구해 보자. 하나의 입체도형으로 만들었을 때 A에서는 5개의 면, C에서는 4개의 면이 겉으로 나타나지 않게 되고, B에서는 9개의 면이 겉으로 나타나지 않게 된다.

┃풀이┃ (A의 겉넓이)=(6+3+3)×2×1=24(cm²)
(B의 겉넓이)=(6+3+3)×2×1+2×1=26(cm²)
(C의 겉넓이)=(6+3+3)×2×1=24(cm²)
A와 B를 포개면 5개씩 10개의 면이 겉으로 나타나지 않게 되고, B와 C를 포개면 4개씩 8개의 면이 겉으로 나타나지 않게 된다.
24+26+24−10−8=56(cm²)   답 56cm²

핵·심·문·제 **2** 한 모서리의 길이가 2cm인 정육면체 모양의 쌓기나무 64개를 오른쪽 그림과 같이 정육면체 모양으로 쌓고 나서 색칠한 쌓기나무 10개를 덜어 냈다. 덜어 내고 남은 54개의 쌓기나무로 이루어진 입체도형의 겉넓이를 구하여라.

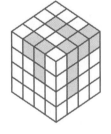

┃생각하기┃ 64개의 쌓기나무를 쌓으면 겉면에는 한 변의 길이가 2cm인 정사각형이 4×4×6=96(개) 생긴다. 10개의 쌓기나무를 덜어 내면 겉면에 16개의 정사각형이 줄어드는 대신 겉면에 새로 생기는 정사각형이 있다. 겉면에 새로 생기는 정사각형의 개수를 구해 보자. 바닥에 수평으로 새로 생기는 정사각형은 7개이고 바닥에 수직으로 새로 생기는 정사각형은 21개이다.

┃풀이┃ (겉면의 정사각형의 개수)=(4×4×6)−16+7+21=108(개)
108×(2×2)=432(cm²)   답 432cm²

유제 **1** 오른쪽 그림은 한 모서리의 길이가 2cm인 정육면체 22개를 쌓아서 만든 입체도형이다. 겉넓이를 구하여라.

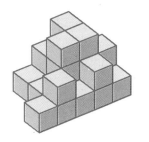

> 위·아래에서 본 모양, 앞·뒤에서 본 모양, 좌·우에서 본 모양으로 나누어 생각해 보자.

유제 **2** 밑면의 가로, 세로, 높이가 안치수로 각각 25cm, 20cm, 14cm인 직육면체 모양의 상자가 있다. 이 상자 안에 밑면의 가로, 세로, 높이가 각각 5cm, 4cm, 3cm인 직육면체 모양의 쌓기나무를 최대 몇 개까지 넣을 수 있는지 구하여라.

> 여백이 남지 않도록 배치해 본다.

유제 **3** 오른쪽 그림과 같이 쌓기나무를 쌓았다. 밑면을 포함하여 겉면에 파란색 페인트를 칠 한 후 다시 낱개의 쌓기나무로 만들었다. 한 면만 파란색 페인트가 칠해진 쌓기나무의 개수와 한 면도 칠해지지 않은 쌓기나무의 개수를 차례로 구하여라.

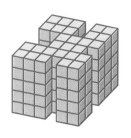

> 1층부터 5층까지 각 층별로 관찰해 보자.

유제 **4** 밑면의 가로, 세로, 높이가 각각 1cm, 1cm, 2cm인 직육면체 모양의 쌓기나무를 쌓아서 만든 입체도형이 있다. 다음 그림은 이 입체도형을 앞과 뒤의 두 방향에서 본 것이다. 이 입체도형의 부피를 구하여라.

> 직육면체가 총 몇 개 사용되었는지 세어 보자.

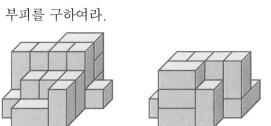

〈앞〉   〈뒤〉

1 한 모서리의 길이가 1cm인 작은 정육면체가 64개 있다. 이 중 12개는 모든 면에, 30개는 한 면에 검은색 페인트를 칠하고, 나머지 정육면체에는 페인트를 칠하지 않았다. 이 정육면체들을 쌓아 올려 커다란 정육면체를 만들 때 겉면에 나타난 검은색 면의 최대 넓이를 구하여라.

2 오른쪽 그림과 같이 64개의 작은 정육면체를 쌓았다. 색칠한 면을 송곳으로 반대편까지 수직으로 구멍을 뚫었을 때, 구멍이 뚫리는 작은 정육면체는 모두 몇 개인가?

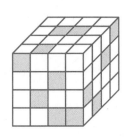

3 정육면체 모양의 쌓기나무를 여러 개 쌓아서 직육면체 모양을 만들었다. 이 직육면체의 겉면에 모두 색을 칠했더니 한 면도 색이 칠해지지 않은 쌓기나무가 42개가 되었다. 이 직육면체는 최대 몇 개의 쌓기나무를 쌓아서 만든 것인지 구하여라.

4 오른쪽 그림은 한 모서리의 길이가 3cm인 정육면체 모양의 쌓기나무 21개를 쌓아서 만든 입체도형이다. 이 도형의 겉넓이를 구하여라.

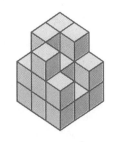

5 오른쪽 그림은 정육면체 모양의 쌓기나무를 쌓아서 만든 어떤 입체도형을 위, 앞, 옆에서 본 그림이다. 이 입체도형의 부피가 최소일 때 최소한의 겉넓이를 구하여라. (단, 작은 쌓기나무는 한 모서리의 길이가 1cm인 정육면체이다.)

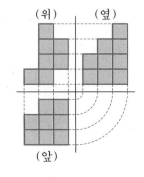

(위) (옆)

(앞)

6 가로, 세로, 높이가 각각 1cm, 1cm, 2cm인 직육면체 모양의 쌓기나무를 같은 모양으로 쌓아서 앞, 뒤와 양옆의 네 방향 중 어느 방향에서 보아도 오른쪽 그림과 같이 되도록 입체도형을 만들었다. 쌓기나무는 최소 몇 개가 필요한지 구하여라.

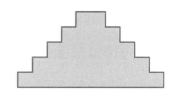

7 오른쪽 그림은 정육면체 모양의 쌓기나무를 쌓아서 만든 입체도형이다. 밑면을 제외한 모든 겉면에 페인트 칠을 하고 나서 이 입체를 허물었다. 두 면에만 색칠된 쌓기나무의 색칠된 면의 넓이의 합이 576cm²일 때, 이 입체도형의 부피와 겉넓이를 각각 구하여라.

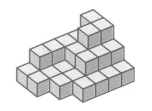

8 다음 그림은 한 모서리의 길이가 2cm인 정육면체 모양의 쌓기나무로 만든 입체도형을 위, 앞, 오른쪽 옆에서 본 그림이다. 그림과 같이 나타낼 수 있는 입체도형 중 쌓기나무가 가장 많이 사용된 입체도형을 선 가나를 따라서 밑면에 수직인 평면으로 자를 때 작은 쪽의 부피를 구하여라.

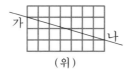
(위)

(앞)

(오른쪽 옆)

9 다음 [그림1]은 밑면의 가로, 세로, 높이가 각각 1cm, 1cm, 3cm인 직육면체 2개, 1cm, 1cm, 1cm인 정육면체 1개, 1cm, 1cm, 2cm인 직육면체와 2cm, 2cm, 1cm인 직육면체 몇 개씩을 사용하여 만든 입체도형이다. 이 입체도형을 아래에서 올려다 본 모양이 [그림2]일 때, 가로, 세로, 높이가 각각 1cm, 1cm, 2cm인 직육면체와 2cm, 2cm, 1cm인 직육면체는 각각 몇 개씩 사용되었는지 차례로 구하여라.

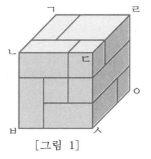
[그림 1]

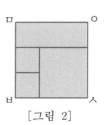
[그림 2]

10 크기가 같은 정육면체 125개를 오른쪽 그림과 같이 쌓아서 큰 정육면체를 만들고, 세 점 ㄱ, ㄴ, ㄷ을 지나는 평면으로 잘랐을 때, 이 평면에 의해 잘리는 작은 정육면체는 모두 몇 개인가?

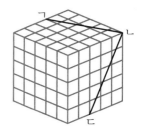

Chapter 26

맞지 않는 시계

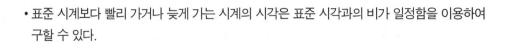

- 표준 시계보다 빨리 가거나 늦게 가는 시계의 시각은 표준 시각과의 비가 일정함을 이용하여 구할 수 있다.

핵·심·문·제 **1** 1시간에 4분씩 빨라지는 시계가 있다. 어느 날 오후 2시에 이 시계를 정확히 맞추어 놓았다. 이 시계가 같은 날 오후 6시 30분을 가리킬 때, 정확한 시계는 오후 몇 시 몇 분을 가리키겠는가?

┃생각하기┃ 표준 시간으로 60분 갈 때 이 시계는 64분 가는 것이므로 이 시계로 4시간 30분 갈 때 표준 시간으로 몇 시간 몇 분 가는 것인지 구하는 문제이다.

┃풀이┃ $60:64=15:16=x:4\frac{1}{2}$

$$16 \times x = 15 \times 4\frac{1}{2}$$

$$x = 15 \times \frac{9}{2} \times \frac{1}{16} = \frac{135}{32} = 4\frac{7}{32} \text{(시간)}$$

$4\frac{7}{32}$ 시간 $=4$시간$+\frac{7}{32} \times 60$분$=4$시간$+\frac{105}{8}$ 분$=4$시간 $13\frac{1}{8}$ 분

따라서 2시$+4$시간 $13\frac{1}{8}$ 분$=6$시 $13\frac{1}{8}$ 분

답 6시 $13\frac{1}{8}$분

핵·심·문·제 **2** 재륜이의 공부방에는 벽시계가 걸려 있고 책상 위에는 탁상시계가 놓여 있다. 탁상시계는 벽시계보다 1시간에 48초씩 빨라지며, 벽시계는 표준 시계보다 1시간에 48초씩 늦게 간다고 한다. 재륜이의 탁상시계는 표준 시계와 비교하여 하루에 몇 초씩 차이가 나는지 구하여라.

┃생각하기┃ 표준 시계가 1시간 갈 때 벽시계는 59분 12초 가고, 벽시계가 1시간 갈 때 탁상시계는 1시간 48초 간다. 표준 시계가 1시간 갈 때 탁상시계가 얼마나 가는지 구하려면 벽시계가 59분 12초 가는 동안 탁상시계가 얼마나 가는지 구해야 한다.

┃풀이┃ 표준 시계 1시간
벽시계   59분 12초   1시간
탁상시계 x분   1시간 48초

$59\frac{12}{60} : x = 60 : 60\frac{48}{60}$

$59\frac{1}{5} : x = 60 : 60\frac{4}{5}$

$60 \times x = 59\frac{1}{5} \times 60\frac{4}{5} = \frac{296}{5} \times \frac{304}{5}$, $x = \frac{296 \times 304}{25} \times \frac{1}{60} = \frac{22496}{375} = 59\frac{371}{375}$ (분)

따라서 표준 시계가 1시간 갈 때 탁상시계는 $\frac{4}{375}$ 분씩 늦게 가므로 하루 동안 $\left(\frac{4}{375} \times 24\right)$ 분 늦게 간다.

즉, 하루에 $\frac{4}{375} \times 24 \times 60 = 15\frac{9}{25}$ (초)씩 차이가 난다.

답 $15\frac{9}{25}$초

유제 **1** 12월 1일 오전 9시에 어떤 시계의 시각을 정확히 맞추었다. 그런데 5일 후인 12월 6일 오후 5시에 이 시계를 보니 오후 5시 16분을 가리키고 있었다. 이 시계는 하루에 몇 분씩 빨라지는지 구하여라.

> 이 시계는 5일 8시간 동안 16분 빨라졌다.

유제 **2** 어머니의 승용차에 달려 있는 시계는 매시간 1분씩 늦어진다. 이 승용차를 타고 설날에 전주에 있는 할머니댁에 가는데 승용차의 시계로 6시간이 걸렸다. 실제로 걸린 시간은 몇 시간 몇 분인가?

> 표준 시계가 60분 가는 동안 승용차의 시계는 59분 간다.

유제 **3** 내 손목 시계는 이번 주 월요일 오후 1시에 4분 30초 늦게 가고 있었다. 그런데 이번 주 금요일 오후 9시에 손목 시계를 보니 3분 빨라져 있었다. 내 손목 시계가 정확한 시각을 나타내고 있었던 때는 언제인지 구하여라.

> 손목 시계는 점점 빨라지는 시계이다. 7분 30초 빨라지는 데 4일 8시간 걸렸다.

유제 **4** 선영이는 1시간에 2400원씩 돈을 받기로 하고 하루 4시간씩 편의점에서 아르바이트를 한다. 그런데 편의점에 걸려 있는 시계는 1시간에 $5\frac{5}{11}$분씩 늦게 간다. 한 달 동안 일했을 때 선영이가 받아야 하는 돈은 편의점 시계의 시간으로 계산하여 실제 받은 돈보다 얼마가 더 많겠는가? (단, 한 달은 30일이고, 중간에 쉬는 날 없이 일했다.)

> 표준 시계가 1시간 가는 동안 편의점 시계는 $54\frac{6}{11}$분 간다.

1 어떤 시계가 한 시간에 24초씩 빨라진다고 한다. 어느 날 오전 7시에 이 시계를 정확히 맞추어 놓았다. 다음 날 이 시계가 오전 8시 10분이 되었을 때 정확한 시계는 몇 시를 가리키겠는가?

2 승훈이의 시계는 1시간에 3분씩 느리게 간다. 어느 날 승훈이는 이 시계로 오전 8시가 되었을 때 학교에 도착하였다. 그 후 3시 30분에 수업이 끝났는데 이 때 표준 시계와 승훈이의 시계가 꼭 맞는 시각을 가리키고 있었다. 그렇다면 승훈이가 학교에 도착한 시각은 실제로 몇 시 몇 분이었는지 구하여라.

3 어느 두 시계를 같은 시각에 맞춘 후 16시간 후에 보니 4분 20초 만큼 차이가 났다. 다시 이 두 시계를 같은 시각에 맞춘 후 10일이 지났을 때, 이 두 시계가 가리키는 시각의 차는 몇 분인지 구하여라.

4 하루에 40초씩 늦어지는 시계와 24초씩 빨라지는 시계가 있다. 오늘 오전 9시에 두 시계를 같은 시각에 맞추어 놓았다면, 두 시계의 시각의 차가 8분이 될 때는 며칠 후 몇 시인지 구하여라.

5 4월 5일 오후 2시에 어떤 시계의 시각을 정확히 맞추었다. 그런데 4월 12일 오후 8시에 시작하는 TV 프로그램을 보려고 이 시계를 보고 꼭 맞추어 TV를 켰더니 이 시계로 1분 27초 후에 시작하였다. 이 시계가 표준 시각보다 30분 빨라지는 것은 몇 월 며칠 몇 시인지 구하여라. (단, TV 프로그램은 정확한 시각에 시작한다.)

6 어떤 시계가 2003년 12월 27일 오후 6시 20분에 표준 시각보다 1시간 21분 20초 늦은 시각을 가리키고 있었다. 그런데 이 시계는 2004년 1월 4일 오전 9시 20분에 1시간 41분 40초 빠른 시각을 가리키게 되었다. 이 시계로 2003년 12월 31일 자정 이 되어 2004년 1월 1일이 되었을 때 실제로는 2003년이 몇 분 남아 있었는지 구 하여라.

7 내 방에 걸려 있는 시계는 거실에 걸려 있는 시계보다 1시간에 36초 늦게 간다. 그 런데 거실의 시계는 표준 시계보다 1시간에 36초 빨리 간다. 내 방 시계는 표준 시 계보다 1시간에 몇 초씩 빠르게 혹은 느리게 가는지 구하여라.

8 어느 공장에 개인별 출근 카드를 넣으면 자동으로 출·퇴근 시각을 인쇄해 주는 기 계가 있다. 이 공장에서는 이 기계가 인쇄해 주는 시간대로 시간당 임금을 계산하는 데 하루 8시간을 기준으로 1시간에 4800원씩, 8시간을 초과할 때는 초과한 시간만 큼 1시간에 6000원씩 계산해 준다고 한다. 그런데 이 기계에 부착된 시계는 1시간 에 $54\frac{6}{11}$분씩 간다고 한다. 출근 카드에 정확히 8시간 동안 일한 것으로 인쇄되었 다면, 실제로 하루에 받아야 하는 임금은 얼마인가?

9 내 손목 시계와 내 방 벽시계는 모두 고장이 나서 조금씩 빨리가거나 느리게 가지만 항상 일정한 속력으로 바늘이 움직인다. 어느 날 두 시계를 밤 11시에 정확히 맞춰 놓고 잤는데 다음 날 벽시계가 오전 8시를 가리킬 때 손목 시계는 오전 7시 24분을 가리키고 있었다. 그 날 오후에 손목 시계가 1시 28분을 가리키고 있을 때, 벽시계 가 가리키고 있는 시각은 몇 시 몇 분이겠는가?

10 선규가 자신의 자명종 시계를 관찰해 보았더니, 정확한 시계와는 다르게 시침과 분 침이 69분마다 한 번씩 겹친다는 것을 알게 되었다. 선규는 3일 전 저녁 10시에 이 자명종 시계를 정확히 맞추어 놓았는데 오늘 밤 이 자명종 시계로 11시에 잠자리에 들면서 정확한 시간으로 내일 아침 6시에 자명종이 울리도록 맞춰 놓으려고 한다. 이 자명종 시계로 몇 시 몇 분에 자명종이 울리도록 맞추면 정확한 시계의 아침 6시 와 같게 되는지 구하여라.

• 부채꼴의 호의 길이는 (반지름) × 2 × 3.14 × $\dfrac{(중심각)}{360°}$ 이다.

• 부채꼴의 넓이는 (반지름) × (반지름) × 3.14 × $\dfrac{(중심각)}{360°}$ 이다.

핵·심·문·제 **1** 오른쪽 그림은 원 안에 직사각형을 그려 넣은 것이다. 원의 반지름 12cm일 때, ㉠ 부분과 ㉡ 부분의 넓이의 차를 구하여라.

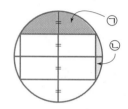

┃생각하기┃ 직각삼각형 ㄱㄴㅇ에서 선분 ㄱㅇ의 길이가 선분 ㄴㅇ의 길이의 두 배이므로 정삼각형의 반쪽이 된다. 따라서 각 ㄱㅇㄴ은 60°, 각 ㄴㄱㅇ은 30°이고 직각삼각형 ㄱㄴㅇ, ㄷㄴㅇ, ㄷㄹㅇ, ㅁㄹㅇ은 모두 합동이다.

(㉠ 부분의 넓이) = (중심각이 120°인 부채꼴의 넓이)
              − (삼각형 ㄱㄴㅇ의 넓이) × 2

(㉡ 부분의 넓이) = (중심각이 60°인 부채꼴의 넓이) − (삼각형 ㄷㄹㅇ의 넓이) × 2

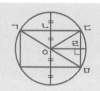

┃풀이┃ (㉠ 부분의 넓이) = $12 × 12 × 3.14 × \dfrac{120°}{360°}$ − (삼각형 ㄱㄴㅇ의 넓이) × 2

(㉡ 부분의 넓이) = $12 × 12 × 3.14 × \dfrac{60°}{360°}$ − (삼각형 ㄷㄹㅇ의 넓이) × 2

삼각형 ㄱㄴㅇ과 삼각형 ㄷㄹㅇ의 넓이는 같으므로 ㉠ 부분과 ㉡ 부분의 넓이의 차는

$12 × 12 × 3.14 × \dfrac{1}{3} − 12 × 12 × 3.14 × \dfrac{1}{6} = 12 × 12 × 3.14 × \dfrac{1}{6} = 75.36$ (cm²)

답 75.36cm²

핵·심·문·제 **2** 오른쪽 그림은 반지름이 10cm, 중심각 45°인 부채꼴과 중심각이 90°인 부채꼴을 겹쳐서 놓은 것이다. 이 도형의 넓이를 구하여라.

┃생각하기┃ 오른쪽 그림과 같이 정사각형을 그려 보면 정사각형의 대각선의 길이는 중심각이 45°인 부채꼴의 반지름이 된다. 정사각형의 넓이는

(대각선의 길이) × (대각선의 길이) × $\dfrac{1}{2}$ = $10 × 10 × \dfrac{1}{2}$ = 50이 되고, 이것은

(한 변의 길이) × (한 변의 길이) = 50과 같으므로 중심각이 90°인 부채꼴의 반지름의 길이는 구할 수 없어도 (반지름) × (반지름) = 50임을 알 수 있다.

┃풀이┃ 구하고자 하는 넓이는 중심각이 45°인 부채꼴의 넓이와 중심각이 90°인 부채꼴의 넓이의 합에서 직각이등변삼각형의 넓이를 빼어 구한다.

(중심각이 45°인 부채꼴의 넓이) = $10 × 10 × 3.14 × \dfrac{45°}{360°}$ = $10 × 10 × 3.14 × \dfrac{1}{8}$ = $39\dfrac{1}{4}$ (cm²)

(중심각이 90°인 부채꼴의 넓이) = $50 × 3.14 × \dfrac{90°}{360°}$ = $50 × 3.14 × \dfrac{1}{4}$ = $39\dfrac{1}{4}$ (cm²)

(직각이등변삼각형의 넓이) = $10 × 10 × \dfrac{1}{2} × \dfrac{1}{2}$ = 25 (cm²)

따라서 $39\dfrac{1}{4} + 39\dfrac{1}{4} − 25 = 78\dfrac{1}{2} − 25 = 53\dfrac{1}{2}$ (cm²)

답 $53\dfrac{1}{2}$ cm²

유제 **1** 오른쪽 그림에서 삼각형 ㅇㄱ ㄴ은 이등변삼각형이고, 도형 ㅇㄴㄷ은 부채꼴이다. 도형 ㄱ ㄴㄷ의 넓이를 구하여라.

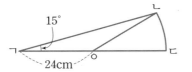

➤ 삼각형 ㅇㄱㄴ이 이등변삼각형이므 로 각 ㄱㅇㄴ은 150°이다.

유제 **2** 오른쪽 그림은 두 개의 반원을 겹쳐 놓은 것이다. ㉠ 부분과 ㉡ 부분의 넓이가 같을 때, 부채꼴 ㄴㅇㄷ의 중 심각의 크기를 구하여라.

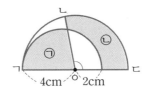

➤ ㉠ 부분과 ㉡ 부분의 넓이가 같으 므로 지름이 6cm인 반원의 넓이와 반지름이 4cm인 부채꼴 ㄴㅇㄷ의 넓이는 같다.

유제 **3** 오른쪽 그림은 원의 중심에 정사각 형의 한 꼭짓점이 겹쳐지도록 놓은 것이다. 정사각형의 대각선의 길이 가 8cm일 때, 원의 넓이를 구하여 라.

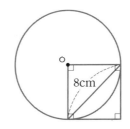

➤ (정사각형의 넓이)
= (대각선의 길이)×(대각선의 길이)
$\times \dfrac{1}{2}$
= (한 변의 길이)×(한 변의 길이)

유제 **4** 오른쪽 그림은 원의 중심이 각각 ㄱ, ㄴ인 두 원 A, B를 겹쳐 놓은 것이 다. 두 원의 교점을 이은 선분 ㄷㄹ 은 원 B의 지름이고, 직각이등변삼 각형 ㄱㄷㄹ의 꼭짓점 ㄱ은 원 A의 중심이다. 색칠한 부분의 넓이를 구 하여라.

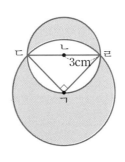

➤ 두 원의 넓이의 합에서 겹쳐진 부 분의 넓이의 두 배를 빼어 구할 수 있다.

1 오른쪽 그림에서 ㉮, ㉯의 넓이가 같을 때, 직사각형 ㄱㄴㄷㄹ의 가로의 길이를 구하여라. (단, 도형 ㄷㄹㅁ 은 부채꼴이다.)

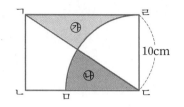

2 오른쪽 그림에서 ㉮, ㉯, ㉰의 넓이의 비가 5 : 4 : 1일 때, 부채꼴 ㄱㄴㄷ의 중심각의 크기를 구하여라.

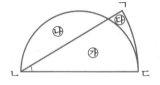

3 반지름이 10cm인 두 개의 원을 오른쪽 그림과 같이 겹쳐 놓았다. ㉮, ㉯의 넓이가 서로 같을 때, 선분 ㄱㄴ 의 길이를 구하여라. (단, 두 점 ㄱ, ㄴ은 각각 원의 중 심이다.)

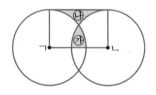

4 오른쪽 그림과 같이 원 안에 직사각형이 접해 있다. 선 분 ㄱㄴ의 길이는 3cm, 선분 ㄴㄷ의 길이는 15cm, 선분 ㄷㄹ의 길이는 6cm일 때, 색칠한 부분의 넓이를 구하여라.

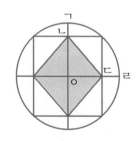

5 오른쪽 그림에서 색칠한 부분의 넓이를 구하여라.

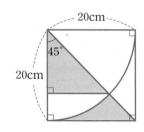

6 오른쪽 그림은 정사각형과 원이 접하도록 그린 것이다. 색칠한 부분의 넓이를 구하여라.

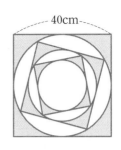

7 오른쪽 그림의 부채꼴에서 색칠한 부분의 넓이를 구하여라.

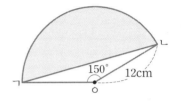

8 오른쪽 그림에서 변 ㄱㄷ과 변 ㄱㄹ의 길이의 합이 15cm이고, 변 ㄱㄴ의 길이도 15cm일 때, 색칠한 부분의 넓이를 구하여라.

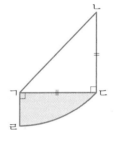

9 오른쪽 그림은 정사각형 ㄱㄴㄷㄹ에 반원 ㄱㄴㄷ과 부채꼴 ㄹㄱㄷ을 겹쳐 놓은 것이다. 선분 ㄱㄷ의 길이가 4cm일 때, 색칠한 부분의 넓이를 구하여라.

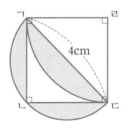

10 오른쪽 그림은 한 변의 길이가 1cm인 정사각형 3개를 이어 그려서 직사각형 ㄱㄴㄷㄹ을 만든 후 점 ㄷ을 중심으로 90°만큼 회전시킨 그림이다. 회전시켰을 때 생기는 선분 ㄱㄷ을 반지름으로 하는 부채꼴 ㄱㄷㅁ의 넓이를 구하여라.

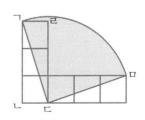

- 미지수의 개수보다 방정식의 개수가 적을 경우 해가 무수히 많게 된다. 이런 경우를 부정방 정식이라 한다.
- 부정방정식의 해가 정해지려면 '미지수가 자연수이다.' 등의 조건이 있어야 한다.
- 문제의 뜻에 맞게 방정식으로 나타내면 해를 쉽게 찾을 수 있다.

핵·심·문·제 **1** 중국에서 고대로부터 전해지는 부정방정식 문제이다. 다음을 읽고 해를 구하여라. 〔동전 100냥으로 닭 100마리를 샀다. 병아리 세 마리의 값은 동전 1냥, 암탉 한 마리의 값은 동전 3냥, 수탉 한 마리의 값은 동전 5냥이다. 병아리, 암탉, 수탉을 각각 몇 마리씩 샀는지 구하여라.〕

▎생각하기▎ 병아리를 a마리, 암탉을 b마리, 수탉을 c마리 샀다고 하자. 병아리는 한 마리에 $\frac{1}{3}$냥, 암탉은 한 마리에 3냥, 수탉은 한 마리에 5냥이다. 동전 100냥으로 닭 100 마리를 샀으므로 두 가지의 식을 세울 수 있다.

▎풀이▎ 병아리를 a마리, 암탉을 b마리, 수탉을 c마리 샀다고 하고, 문제의 뜻에 맞게 식을 세우면 다음과 같다.

$a+b+c=100$ … ①, $\frac{1}{3}\times a+3\times b+5\times c=100$ … ②

② 식을 3배 하면 $a+9\times b+15\times c=300$ … ③

③ 식과 ① 식을 비교하면 $8\times b+14\times c=200$ … ④

④ 식을 2로 나누면 $4\times b+7\times c=100$이 되는데 $4\times b$와 100은 항상 4의 배수이다.

따라서 $7\times c$도 4의 배수가 되어야 하므로, $c=4, 8, 12$임을 알 수 있다.

문제에 알맞은 a, b, c는 다음과 같다.

a	78	81	84
b	18	11	4
c	4	8	12

답 병아리 78마리, 암탉 18마리, 수탉 4마리
병아리 81마리, 암탉 11마리, 수탉 8마리
병아리 84마리, 암탉 4마리, 수탉 12마리

핵·심·문·제 **2** 31.037과 같은 소수 세 자리 수의 자연수 부분을 ㉮, 소수 부분을 ㉯로 나타내기로 하자. $11\times㉮+8\times㉯=260$이 성립할 때, $㉮+㉯$를 구하여라.

▎생각하기▎ ㉯가 소수 부분인데도 $11\times㉮+8\times㉯$가 자연수이려면 ㉯는 8과 곱해져 자연수가 되는 수이다. ㉯는 소수 셋째 자리까지 있는 수이므로 $\frac{1}{8}=0.125$, $\frac{3}{8}=0.375$, $\frac{5}{8}=0.625$, $\frac{7}{8}=0.875$일 수 있다.

▎풀이▎ $8\times㉯$는 자연수가 되어야 하므로 ㉯는 0.125, 0.375, 0.625, 0.875일 수 있다.
$11\times㉮+8\times0.125=260, 11\times㉮=259$, ㉮는 자연수가 아니다.
$11\times㉮+8\times0.375=260, 11\times㉮=257$, ㉮는 자연수가 아니다.
$11\times㉮+8\times0.625=260, 11\times㉮=255$, ㉮는 자연수가 아니다.
$11\times㉮+8\times0.875=260, 11\times㉮=253$, $㉮=23$
따라서 $㉮+㉯=23+0.875=23.875$이다.

답 23.875

유제 **1** 사탕이 34개 있다. 6학년 학생에게는 2개씩, 5학년 학생에게는 3개씩 사탕을 나누어 주었더니 남는 것 없이 꼭 맞았다. 6학년 학생과 5학년 학생은 각각 몇 명씩인지 가능한 경우를 모두 구하여 (6학년 학생 수, 5학년 학생 수)의 꼴로 나타내어라. (단, 반드시 한 명 이상의 6학년과 5학년 학생에게 나누어 주었다.)

> $2 \times a + 3 \times b = 34$
> $2 \times a$와 34가 모두 짝수이므로 $3 \times b$도 짝수이다.

유제 **2** $5 \times A + 13 \times B = 256$이 되는 자연수 A, B는 모두 몇 쌍인지 구하여라.

> 256이 5로 나누어 나머지가 1인 수이므로 $13 \times B$도 5로 나누어 나머지가 1인 수이어야 한다.
> 13이 5로 나누어 3 남는 수이므로 B는 5로 나누어 2 남는 수이다.

유제 **3** 두 자연수 가, 나는 모두 두 자리 수이다. 가의 40배와 나의 7배와의 합은 1832이고, 나의 십의 자리의 숫자는 1이라고 한다. 가를 구하여라.

> 가 $\times 40 +$ 나 $\times 7 = 1832$
> 나는 10부터 19까지의 자연수이다.

유제 **4** 새학기가 되어 공책을 사러 문방구점에 갔다. 300원짜리, 400원짜리, 600원짜리 공책을 섞어서 16권 샀는데 6000원을 지불하였다. 각각 몇 권씩 샀는지 (300원짜리 공책 수, 400원짜리 공책 수, 600원짜리 공책 수)의 꼴로 나타내어라.
(단, 각 공책을 모두 1권 이상씩 샀다.)

> $a + b + c = 16$
> $300 \times a + 400 \times b + 600 \times c = 6000$

1
900명의 학생들이 9인승 승합차와 25인승 버스에 나누어 타고 소풍을 갔다. 승합차와 버스를 각각 몇 대씩 이용했는지 가능한 경우를 모두 구하여라.
(단, 승합차와 버스는 반드시 한 대 이상씩 있고 빈 자리가 하나도 없었다.)

2
귤 197개를 나누어 12개씩 넣은 망과 5개씩 넣은 망 두 종류로 만들어 하나도 남김 없이 모두 팔려고 한다. 망에 넣는 방법은 모두 몇 가지인가?

3
네 자리 수 1AB2가 있다. 백의 자리의 숫자 A는 십의 자리의 숫자 B보다 작다. 또, 1AB2보다 1BA2가 630만큼 더 크다고 할 때, 네 자리 수 1AB2를 모두 구하여라.

4
세원이는 가게에서 한 개에 300원 하는 껌과 한 개에 500원 하는 음료수와 한 개에 1000원 하는 빵을 섞어서 여러 개 사고 8000원을 냈다. 개수를 가능한 한 많게 사면서 거스름돈이 생기지 않도록 하려면 껌을 몇 개 사야 하는가?
(단, 껌, 음료수, 빵을 1개 이상씩 사야 한다.)

5
수학 시험에 15문제가 출제되었다. 정답을 쓰면 10점씩 주고, 답을 안 쓰면 5점씩 감점, 답이 틀리면 7점씩 감점한다고 한다. 선재가 이 수학 시험을 봤는데 점수는 50점이었다. 선재가 정답을 쓴 문제는 몇 문제인가?

6 1과 10과 100이 모여 1746이 되었다. 1과 10과 100이 모두 합해 36개 있다고 한다면 1은 몇 개 있는가?

7 $88 \times x - 15 \times y = 9$이고, x는 두 자리 자연수이다. y에 알맞은 자연수를 모두 구하여라.

8 장식품을 만들려고 구슬을 샀다. 100개에 430원 하는 가 구슬과 100개에 300원 하는 나 구슬을 합해서 1563원 어치를 샀다. 가 구슬을 가능한 한 많이 샀다고 할 때, 가, 나 두 종류의 구슬을 각각 몇 개씩 샀는지 구하여라.

9 A와 B는 모두 자연수이고, $\dfrac{A}{3} + \dfrac{B}{14} = 7\dfrac{19}{42}$이다. 이 식을 만족하는 A, B는 모두 몇 쌍인가?

10 큰 상자에 세 가지 과일이 담겨 선물로 배달되었다. 사과와 감과 귤이 들어 있는데, 사과가 가장 적게 들어 있고, 귤이 가장 많이 들어 있다. 사과의 개수의 6배와 감의 개수의 2배의 합이 귤의 개수의 3배이고 사과, 감, 귤 모두 합해서 51개라고 한다. 사과, 감, 귤은 각각 몇 개씩 들어 있는지 구하여라.

- 색칠할 때는 다음 사항을 잘 살펴봐야 한다.
  몇 가지 색을 사용하는가? 주어진 색을 모두 다 사용해야 하는가? 아니면 일부만 사용해도 되는가? 이웃하는 두 곳에 같은 색을 칠해도 되는가? 아니면 다른 색을 칠해야 하는가? 돌려 놓아 같은 것은 같은 방법으로 세는가? 뒤집어 놓아 같은 것은 같은 방법으로 세는가?

핵·심·문·제 **1** 오른쪽 그림과 같이 직사각형을 6개의 삼각형으로 나누었다. 다음 세 조건을 모두 만족시키도록 색을 칠하는 방법은 몇 가지인가?

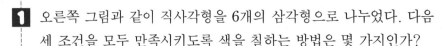

- 각 삼각형은 빨강, 파랑, 노랑 중 어느 한 색으로 칠한다.
- 이웃하는 두 삼각형은 서로 다른 색으로 칠한다.
- 빨강, 파랑, 노랑을 모두 사용한다.

┃생각하기┃ ①에 3가지, ②에 2가지, ③에 2가지, ④에 2가지, ⑤에 2가지, ⑥에 1가지 또는 2가지로 생각하면 세 가지 색 중 두 가지 색만 사용하여 칠하는 방법의 수까지 포함하게 된다. 따라서 수형도를 그려 세 가지 색이 모두 사용되는 경우를 세어 보아야 한다.

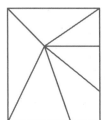

┃풀이┃ 빨강, 파랑, 노랑을 각각 ㉠, ㉡, ㉢이라 하자. ①에 ㉠이, ②에 ㉡이 칠해지는 경우에 대하여 오른쪽과 같이 10가지 방법이 있다. ②에 ㉢이 칠해질 때도 10가지 방법이 있으므로 ①에 ㉠이 칠해질 때는 모두 20가지 방법이 있다.
따라서 ①에 ㉡, ㉢이 칠해질 때도 각각 20가지씩이므로, 모두 60가지 방법이 있다. **답 60가지**

핵·심·문·제 **2** 오른쪽 그림과 같이 원을 4등분 한 각 칸에 빨강, 노랑, 초록, 파랑 4가지 색 중에서 한 가지를 골라 색칠하려고 한다. 이웃한 두 부분에 같은 색을 칠해도 된다면 칠하는 방법은 모두 몇 가지인가? (단, 돌려 놓아 같은 것은 같은 방법으로 생각한다.)

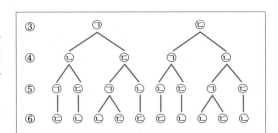

┃생각하기┃ 한 가지 색으로 모두 칠하는 방법, 두 가지 색으로 칠하는 방법, 세 가지 색으로 칠하는 방법, 네 가지 색으로 칠하는 방법으로 나누어 생각해 보자.

┃풀이┃ • 한 가지 색으로 칠하는 방법 : 4가지

- 두 가지 색으로 칠하는 방법 : (두 가지 색을 고르는 방법)$=4 \times 3 \times \frac{1}{2}=6$

  (한 번, 세 번 사용하는 방법)$=6 \times 2=12$, (두 번씩 사용하는 방법)$=6 \times 2=12$ 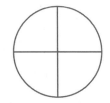 의 2가지)

  →12+12=24(가지)

- 세 가지 색으로 칠하는 방법 : (세 가지 색을 고르는 방법)$=4$, (두 번 사용할 색을 정하는 방법)$=4 \times 3=12$

  → (칠하는 방법)$=12 \times 3=36$(가지) (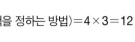 의 3가지)

- 네 가지 색으로 칠하는 방법 : $4 \times 3 \times 2 \times 1 \times \frac{1}{4}=6$(가지)

따라서 4+24+36+6=70(가지)이다. **답 70가지**

유제 **1** 오른쪽과 같이 도화지를 4개의 부분으로 나누었다. 이웃한 부분에는 반드시 다른 색을 칠해야 하고, 4가지 색을 사용할 수 있다고 한다. 4가지 색을 모두 사용하는 방법의 수와, 4가지 색 중 사용하지 않는 색이 있어도 되는 방법의 수를 각각 구하여라.

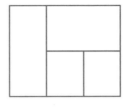

> 4가지 색을 모두 사용할 수도 있고, 4가지 색 중 3가지 색만 사용할 수도 있다.

유제 **2** 그림과 같이 종이 테이프를 6개의 부분으로 똑같이 나누었다. 빨간색을 3칸, 초록색을 2칸, 노란색을 1칸 칠하는 방법은 모두 몇 가지인가?

(단, 돌려 놓아 같은 것은 같은 방법으로 생각한다.)

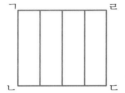

> 먼저 빨간색을 칠할 3부분을 고르는 방법의 수를 구한다.

유제 **3** A, B, C, D 네 가지 색의 색연필이 각각 한 자루씩 있다. 이 중 C, D 두 가지 색의 색연필만 여러 번 사용할 수 있다고 할 때, 오른쪽과 같이 네 부분으로 나눈 도형에 각 부분이 서로 구별되도록 칠하는 방법은 모두 몇 가지인가?

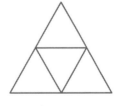

> A, B 두 가지 색이 모두 쓰이는 경우와 A, B 두 가지 색 중 한 가지 색만 쓰이는 경우, A, B 두 가지 색이 모두 쓰이지 않는 경우로 나누어 생각한다.

유제 **4** 오른쪽 그림과 같이 정삼각형을 네 부분으로 나누어 빨강, 파랑, 노랑, 하양의 네 가지 색으로 서로 구별되도록 칠하려고 한다. 네 가지 색 중 세 가지 색을 써서 칠하는 방법의 수를 구하여라.
(단, 돌려 놓아 같은 것은 같은 방법으로 생각한다.)

> 네 가지 색 중 세 가지 색을 고르는 방법은 4가지이다.
> 가운데 정삼각형의 색을 결정하고 나면 남는 두 가지 색을 세 개의 정삼각형에 칠하는 방법은 2가지이다.

1 오른쪽 그림과 같이 A, B, C, D, E의 다섯 부분에 빨강, 파랑, 노랑, 초록, 검정 중 아무 색이나 사용하여 서로 구분되도록 칠하는 방법은 몇 가지인지 구하여라.

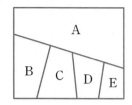

2 오른쪽 그림과 같이 7개의 칸으로 나누어진 도형에 빨강, 파랑, 노랑, 하양의 4가지 색을 모두 사용하여 색칠하려고 한다. 경계에 같은 색이 닿지 않도록 하려면 칠하는 방법은 모두 몇 가지인가?

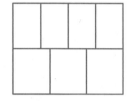

3 서울의 어느 구에 6개의 동이 있다. 구내 지도를 만드는 데 적, 청, 황, 녹의 4가지 색을 사용할 수 있다고 한다. 이웃한 구에 서로 다른 색이 칠해지도록 할 때 색칠하는 방법은 모두 몇 가지인가?

4 오른쪽과 같이 도화지를 직사각형 8개로 나누었다. 윗줄의 4칸에 빨강을 두 번 사용하고, 노랑, 초록을 각각 한 번씩 사용하여 색칠한 후, 다시 아랫줄의 4칸에도 역시 빨강을 두 번 사용하고, 노랑, 초록을 각각 한 번씩 사용하여 색칠하려고 한다. 이웃한 곳에 같은 색이 칠해지지 않도록 색칠하는 방법은 모두 몇 가지인가?

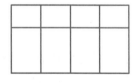

5 오른쪽 그림과 같은 원판에 네 가지 색으로 서로 구별되게 칠하는 방법은 모두 몇 가지인지 구하여라.
(단, 돌려 놓아 같은 것은 같은 방법으로 생각한다.)

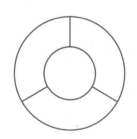

6 오른쪽 그림과 같은 도형이 있다. 이 도형을 색칠하려고 하는데 5가지 색의 색연필이 있다. 이웃한 부분에 서로 다른 색을 칠하여 구분이 되도록 할 때 색칠하는 방법은 모두 몇 가지인가?

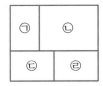

7 오른쪽 그림의 도형을 다음 조건에 맞게 색칠하는 방법의 수를 구하여라.

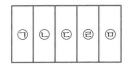

- 빨강, 노랑, 초록, 파랑, 보라의 5가지 색을 모두 사용한다.
- 빨강은 두 번 사용한다.
- 이웃한 부분은 반드시 다른 색으로 칠한다.

8 오른쪽 그림과 같이 직사각형을 5부분으로 나눈 도형에 색칠을 하려고 한다. 적, 청, 황의 세 가지 색을 모두 써서 칠하는 방법은 몇 가지인가? (단, 이웃한 부분에는 서로 다른 색을 칠한다.)

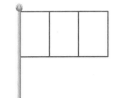

9 빨강, 파랑, 노랑, 초록 4가지 색의 정사각형 모양의 양면 색지가 각각 1장, 2장, 3장, 6장씩 있다. 이 12장의 색지를 늘어놓아 직사각형을 만드는 데 같은 색의 색지가 놓여 있는 곳은 직사각형을 이루어야 한다고 한다. 앞과 뒤, 위와 아래의 구별이 없다고 할 때 색지를 늘어놓는 방법은 모두 몇 가지인가?

10 직사각형 모양의 깃발이 있다. 3등분 하여 색을 칠하는 데 서로 이웃하는 부분은 같은 색을 칠하지 않게 하려고 한다. 사용할 수 있는 색이 5가지일 때, 모두 몇 가지의 서로 다른 깃발이 생기는가?
(단, 뒤집었을 때 같은 색이 되는 것은 같은 깃발로 생각한다.)

• 약수가 많아 직접 구하여 세어 보기 어려울 때는 다음과 같은 방법으로 약수의 개수를 구하면 편리하다.

소인수분해(작은 수들의 곱으로 쪼개기)한 결과가 $A^a \times B^b \times C^c \times \cdots$ 일 때

약수의 개수는 $(a+1) \times (b+1) \times (c+1) \times \cdots$ 개이다.

㉠ $360 = 2^3 \times 3^2 \times 5$에서 360의 약수에 2는 안 곱해질 수도 있고, 1번 곱해질 수도 있으며, 2번, 3번 곱해질 수도 있으므로 4가지 방법이 있다. 마찬가지로 3은 0, 1, 2번 곱해지는 3가지 방법이 있고, 5는 0, 1번 곱해지는 2가지 방법이 있다.

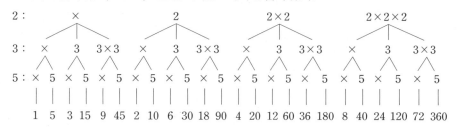

따라서 약수는 $(3+1) \times (2+1) \times (1+1) = 4 \times 3 \times 2 = 24$(개)이다.

• 반복되는 수를 관찰해 보면 문제를 쉽게 해결할 수 있다.

$ababab = ab \times 10101 = ab \times 3 \times 7 \times 13 \times 37$

$abcabc = abc \times 1001 = abc \times 7 \times 11 \times 13$

$abcdabcd = abcd \times 10001 = abcd \times 73 \times 137$

핵·심·문·제 **1** 두 자리 자연수 중 약수가 8개인 수는 모두 몇 개인지 구하여라.

│생각하기│ $8 = 1 \times 8 = 2 \times 4 = 2 \times 2 \times 2$이므로 두 자리 자연수를 소인수분해했을 때 A^7, $A \times B^3$, $A \times B \times C$의 꼴이 되어야 약수가 8개가 된다.

│풀이│ 약수가 8개이므로 A^7, $A \times B^3$, $A \times B \times C$의 꼴이 된다.

A^7의 꼴은 $2^7 = 128$도 세 자리 수이므로 두 자리 수는 없다.

$A \times B^3$의 꼴에는 $2^3 \times 3$, $2^3 \times 5$, $2^3 \times 7$, $2^3 \times 11$, $3^3 \times 2$가 두 자리 수이다.

$A \times B \times C$의 꼴에는 $2 \times 3 \times 5$, $2 \times 3 \times 7$, $2 \times 3 \times 11$, $2 \times 3 \times 13$, $2 \times 5 \times 7$이 두 자리 수이다.

따라서 두 자리 자연수 중 약수가 8개인 수는 10개이다.

답 10개

핵·심·문·제 **2** 서로 다른 한 자리의 세 소수 ㄱ, ㄴ, ㄷ으로 여섯 자리 자연수 ㄱㄴㄷㄱㄴㄷ을 만들었다. 이 수의 약수가 32개일 때, 세 자리 자연수 ㄱㄴㄷ을 구하여라.(단, ㄱ>ㄴ>ㄷ)

│생각하기│ ㄱㄴㄷㄱㄴㄷ = ㄱㄴㄷ × 1001 = ㄱㄴㄷ × 7 × 11 × 13이다.

약수가 32개이므로 $32 = 2 \times 2 \times 2 \times 2 \times 2$ 또는 $32 = 2 \times 2 \times 2 \times 4$에서 세 자리 수 ㄱㄴㄷ은 $A \times B$의 꼴이거나 A^3의 꼴임을 알 수 있다.

│풀이│ ㄱㄴㄷㄱㄴㄷ = ㄱㄴㄷ × 1001 = ㄱㄴㄷ × 7 × 11 × 13,

$32 = 2 \times 2 \times 2 \times 2 \times 2$이므로 세 자리 수 ㄱㄴㄷ은 $A \times B$의 꼴이거나 A^3의 꼴이다.

ㄱ, ㄴ, ㄷ은 서로 다른 한 자리 소수이므로 2, 3, 5, 7 중 하나이다.

ㄱ>ㄴ>ㄷ에 알맞게 만들 수 있는 세 자리 수는 753, 752, 732, 532이고

$753 = 3 \times 251$, $752 = 2^4 \times 47$, $732 = 2^2 \times 3 \times 61$, $532 = 2^2 \times 7 \times 19$이므로

조건에 맞는 것은 753 뿐이다.

답 753

유제 **1** 810의 약수 중 6의 배수가 아닌 것은 모두 몇 개인가?

> 810＝2×3⁴×5이므로 전체 약수의 개수에서 2×3이 들어 있는 약수의 개수를 빼 준다.

유제 **2** 1부터 1000까지의 자연수 중 약수가 5개인 수는 모두 몇 개인가?

> 약수가 5개이므로 A⁴꼴이다.

유제 **3** 여섯 자리 수 ABABAB는 A, B가 어떤 수든 상관없이 항상 두 자리 자연수 C로 나누어떨어진다. C를 모두 구하여라.

> ABABAB＝AB×10101이다.

유제 **4** 크기가 같은 정사각형 모양의 색종이 240장을 직사각형 모양으로 늘어놓고, 세로로 한 줄을 걸어 낸 다음 가로로 두 줄을 걸어 내었더니 184장의 색종이가 남았다. 처음 직사각형 모양에서 가로로 늘어놓은 색종이 수를 모두 구하여라.

> 184＝1×184
> ＝2×92
> ＝4×46
> ＝8×23

1   어떤 자연수의 약수는 2개뿐이고, 이 자연수의 3배인 수의 약수를 모두 구하여 더하였더니 그 합이 120이 되었다. 어떤 자연수를 구하여라.

2   자연수 가에 대하여 〈가〉는 가의 약수의 개수를 나타낸다고 약속할 때, 다음 식에 알맞은 x의 값 중 가장 작은 수를 구하여라.

$$\langle 48 \rangle \times \langle 15 \rangle \div \langle x \rangle = \langle 3 \rangle$$

3   48의 모든 약수를 곱하여 $2^a \times 3^b$의 꼴로 나타내었다. a, b에 알맞은 수를 구하여라.

4   500 이하의 자연수 중 약수가 18개인 수는 모두 몇 개인지 구하여라.

5   두 자리 자연수 중에서 약수의 개수가 가장 많은 수 중 가장 작은 수를 구하여라.

6 긴 종이 테이프가 있다. 이 종이 테이프의 길이를 세로로 2등분하는 선을 긋고, 다시 처음의 긴 종이 테이프의 길이를 3등분, 4등분, 5등분하는 선을 계속 그어 50등분하는 선까지 그으려고 한다. 선을 그어야할 자리에 이미 선이 그어져 있으면 다시 긋지 않는다고 하면 50등분하는 선을 그을 때 새로 그어야 하는 선은 모두 몇 개인가?

7 두 종류의 길이의 막대가 있는데 길이가 모두 cm단위의 자연수이고, 막대의 개수도 같다고 한다. 또, 긴 막대의 길이는 짧은 막대의 길이의 3배라고 한다. 두 종류의 막대를 모두 사용하여 막대의 끝끼리 이어 넓이가 $700cm^2$인 직사각형 모양을 만들었다. 짧은 막대의 길이로 알맞은 수를 모두 구하여라.(단, 막대의 두께는 생각하지 않는다.)

8 어떤 프로그램에 따라 컴퓨터가 다음과 같이 수를 적었다. 첫째 번 줄에는 1부터 1000까지의 자연수, 둘째 번 줄에는 1000 이하의 2의 배수, 셋째 번 줄에는 1000 이하의 3의 배수, 넷째 번 줄에는 1000 이하의 4의 배수를 적었다. 마찬가지로 계속하여 1000째 번 줄에는 1000 이하의 1000의 배수를 적었다. 이 때 1000 이하의 자연수 중 홀수 번 적혀 있는 수는 모두 몇 개인지 구하여라. 또, 다섯 번 적혀 있는 수는 모두 몇 개인가?

9 두 자리 자연수가 있다. 이 수에 13을 곱한 후 다시 어떤 수 가를 곱하였더니 처음의 두 자리 자연수가 세 번 반복되는 여섯 자리 수가 되었다. 가를 구하여라.

10 네 자리 자연수를 두 번 반복해서 쓰면 여덟 자리 수가 된다. 만들어지는 여덟 자리 수 중에서 22879로 나누어떨어지는 가장 큰 수를 구하여라.

현재 보는 태양은 언제적 태양일까?

매일 지구로부터 1억 7천만 km 떨어진 붉은 행성인 화성에서 놀라운 소식이 전해지고 있다. 화성 착륙에 성공한 미국 항공 우주국(NASA)의 탐사로봇 '스피릿'은 하루에 최대 100m까지 이동할 수 있고, 암석이나 토양을 채취한 후 성분을 분석하고 형성 조건을 알아낼 수 있다. 스피릿은 이동탐사시에도 지구의 '디스페이스 네트워크 (DSN)'을 통해 지시를 받고 각종 자료를 전송하게 된다. 그런데 스피릿을 실시간으로 제어한다는 것은 불가능한 일이다. 왜냐하면 빛의 속도로 움직이는 전파를 이용해도 지구에서 화성까지는 9분 이상이 걸리기 때문이다. 그래서 NASA의 과학자들은 화성의 아침에 대략 1시간 동안 스피릿에게 하루 활동계획을 미리 명령할 계획이다.

그런데, 어떻게 해서 '9분'이라는 시간이 나오게 된 것일까?

빛의 속도는 초당 약 30만 km를 갈 수 있다. 지구에서 화성까지의 거리가 1억 7천만 km이므로 1억 7천만 km÷30만 km/초＝566.67초＝9분 26.6초가 되는 것이다.

그렇다면, 현재 보는 태양은 언제적 태양일까?

빛의 속도를 알고 있고 지구와 태양간의 거리도 알고 있으므로(속도＝거리÷시간)임을 이용하여 빛의 태양에서 몇 분만에 지구에 도착하는가를 따지면 우리가 보는 태양이 언제의 것인가를 알 수 있다.

지구와 태양 간의 거리는 약 1억 5천만 km이므로

1억 5천만 km÷30만 km/초＝500초＝8분 20초가 된다.

즉, 우리가 지금 보고 있는 태양 빛은 8분 20초전에 태양을 출발한 빛이 되는 것이다.

마찬가지로 카시오피아 등의 별자리도 거리를 구한 후 계산하면 몇 년 또는 몇 백년 전의 것인지 나오게 된다.

망원경으로 보이는 안드로메다 은하의 빛은 몇 년 전의 빛일지 상상할 수 있을까?

안드로메다 은하는 우리 은하 너머에 있는 우리 은하와 가장 가까운 나선 은하인데, 안드로메다 은하까지의 거리는 약 200만 광년이다. 1광년이란 빛이 1년에 갈 수 있는

거리를 뜻하는 것으로 1광년을 km 단위로 나타내 보면,

1억 5천만 km × 60 × 60 × 24 × 365 = 9,460,800,000,000km, 약 9조 km 정도의 거리이다. 그러니까 안드로메다 은하까지 갔다 오는 데만 빛의 속도로 400만 년이나 걸리는 셈이다. 400만 년 후의 지구는 어떻게 변할까?

밤하늘의 빛 중에는 몇 초 전에 달에서 출발한 것도 있지만, 10만 년 전에 우리 은하의 반대편에서 떠난 빛도 있고, 안드로메다 은하를 떠나 2백만 년의 여행을 마치고 지금 막 지구에 도착한 빛도 있다. 인류의 조상이라고 알려진 오스트랄로 피테쿠스가 막 직립 보행을 하려는 순간 안드로메다 은하를 떠난 빛을 현재의 우리가 보게 되는 것이다.

출발~

이백만년이나 달려 왔다고..

반가워

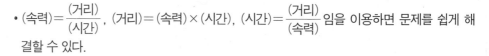

• (속력)$=\dfrac{(거리)}{(시간)}$, (거리)$=$(속력)$\times$(시간), (시간)$=\dfrac{(거리)}{(속력)}$ 임을 이용하면 문제를 쉽게 해 결할 수 있다.

• 속력의 비가 $a:b:c$이면 같은 시간 동안 가는 거리의 비는 $a:b:c$이고, 같은 거리를 갈 때 걸리는 시간의 비는 $\dfrac{1}{a}:\dfrac{1}{b}:\dfrac{1}{c}$ 이다.

• 문제의 뜻에 따라 그림으로 나타내면 문제를 쉽게 해결할 수 있다.

핵·심·문·제 **1** 율희는 학교에 가려고 오전 7시 40분에 집을 나섰다. 시속 3km의 속력으로 걸어가 다가 12분 후에 잊고 온 준비물이 생각나서 2배의 속력으로 뛰어 집까지 되돌아갔다. 집에 도착한 즉시 준비물을 챙겨 자전거를 타고 되돌아올 때의 2배의 속력으로 학교 에 도착했는데, 시속 3km의 속력으로 걸어서 학교에 갈 때보다 6분 일찍 도착했다. 율희가 학교에 도착한 시각을 구하여라. (단, 집에서 머문 시간은 생각하지 않는다.)

▎생각하기 ▎ 집을 나선지 12분 후의 위치를 A라 하면 A 지점에서 집 으로 되돌아 오는 데는 2배의 속력이므로 6분 걸렸고, 다시 집에서 A 지점까지 가는 데는 3분이 걸렸다. 자전거를 타고 집에서 A 지점 까지의 거리만큼을 더 가는 데 다시 3분이 걸리므로, 시속 3km의 속력으로 B 지점까지 가는 데도 24분, A 지점까지 걸어갔다가 되돌 아와서 자전거를 타고 B 지점까지 가는 데도 24분이 걸린다.

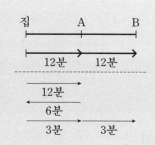

▎풀이 ▎ 집에 되돌아 올 때는 6분이 걸리고 다시 자전거를 타고 6분간 더 가면 시속 3km로 걸어서 갈 때와 동시 에 같은 지점에 가 있게 된다. 이 때부터는 걸어가는 것과 자전거를 타고 가는 것의 속력의 비가 1 : 4이므로 같은 거리를 갈 때 걸리는 시간의 비는 4 : 1이 된다. 6분 차이가 나므로 걸어갈 때는 8분, 자전거를 타고 갈 때는 2분 이 걸린 것이다. 따라서 학교에 도착한 시각은 7시 40분＋12분＋12분＋2분＝8시 6분이다. 답 8시 6분

핵·심·문·제 **2** 도로의 가, 나 두 지점에 횡단보도가 있고 선재는 가에 서 나까지의 거리의 $\dfrac{3}{8}$ 되는 지점에 서 있다. 선주가 자 전거를 타고 시속 20km의 속력으로 가 횡단보도를 향해 출발할 때, 선재는 가 횡단 보도로 뛰어가도 횡단보도에서 선주와 마주치고, 나 횡단보도로 뛰어가도 횡단보도 에서 선주와 마주치게 된다고 한다. 선재가 뛰어가는 속력을 구하여라.

▎생각하기 ▎ 선재가 가, 나 사이의 거리의 $\dfrac{3}{8}$ 만큼을 뛰어 가 지점으로 가면 선주와 마주치게 되므로 선재가 $\dfrac{3}{8}$ 만큼을 나 지점을 향하여 뛰어갔을 때 선주는 가 지점에 오게 된다. 선주가 가 지점에서 나 지점까지 가는 동안 선재는 가, 나 사이의 거리의 $\dfrac{2}{8}=\dfrac{1}{4}$ 만큼을 지나 나 지점에서 선주와 마주 치게 된다.

▎풀이 ▎ 선재는 선주의 속력의 $\dfrac{1}{4}$ 이 된다. $20\times\dfrac{1}{4}=5$이므로 선재가 뛰어가는 속력은 시속 5km이다.

답 5km/시

유제 **1** A에서 B까지의 거리는 B에서 C까지의 거리보다 12km 더 길다. A에서 B까지 갈 때는 시속 8km로 걸어갔고, B에서 C까지 갈 때는 시속 30km로 자전거를 타고 갔다. A에서 B를 지나 C까지 가는 데 총 4시간 40분이 걸렸다면 A에서 C까지의 거리는 몇 km인가?

> 12km 거리를 시속 8km로 걸어가면 $\frac{12}{8}=1\frac{1}{2}$ (시간)이 걸린다. B에서 C까지의 거리를 시속 8km로 갔을 때 걸리는 시간과 시속 30km로 갔을 때 걸리는 시간의 합이 3시간 10분이 되는 셈이다.

유제 **2** 준혜와 준경이는 ㉮ 지점에서, 준연이는 ㉯ 지점에서 서로 마주 보고 동시에 출발하였다. 준혜는 1분에 130m, 준경이는 1분에 90m, 준연이는 1분에 150m의 빠르기로 간다. 처음에 준혜와 준연이가 마주쳤고, 2분 뒤에 준경이와 준연이가 마주쳤다면 ㉮, ㉯ 사이의 거리는 몇 km인가?

> ㉮, ㉯ 사이의 거리를 130+150=280으로 생각하고 풀어 보자.

유제 **3** 공원의 자전거 도로에 42km 떨어진 두 지점 A, B가 있다. 시속 11km로 달리는 자전거와 시속 17km로 달리는 자전거가 각각 A, B 두 지점에서 동시에 마주 보고 출발하였다. 이때, 시속 24km로 나는 벌 한 마리가 A 지점에서 B 지점을 향해 함께 출발하였는데, 마주 오는 자전거와 마주치면 방향을 바꿔서 두 자전거가 만날 때까지 계속 두 자전거 사이를 날아다녔다고 한다. 이 벌이 날아다닌 거리를 구하여라.

> 두 자전거가 마주칠 때까지 42÷(11+17)=1.5(시간)이 걸린다.

유제 **4** 비둘기 두 마리가 두 지점 A, B에서 각각 마주 보고 동시에 날기 시작하였다. 두 비둘기가 처음 마주친 곳은 B에서 28km 떨어진 곳이었다. 두 비둘기는 마주친 후에도 계속 날아 상대방 비둘기가 출발한 곳에 도착하면 곧바로 다시 되돌아 처음 출발한 지점으로 날아갔는데, 둘째 번으로 마주친 곳은 A에서 33km 떨어진 곳이었다. 두 비둘기가 첫째 번 만난 곳과 둘째 번 만난 곳 사이의 거리를 구하여라.
                    (단, 두 비둘기는 각각 일정한 속력으로 날았다.)

> 둘째 번으로 만날 때까지 두 비둘기가 날아간 거리의 합은 A, B 사이의 거리의 3배이다. 따라서 28km의 3배는 B에서 출발한 비둘기가 날아간 거리와 같다.

1 주영이는 친구에게 자전거를 빌려서 동생 봉규를 태우고 공원에 갔다. 돌아오는 길에 ㉮ 지점에서 봉규는 내려 집까지 걸어갔고, 주영이는 계속해서 자전거를 타고 집을 지나쳐서 ㉮ 지점에서 1.8km 떨어진 친구네 집까지 갔다. 주영이는 자전거를 친구네 집에 두고 걸어서 집까지 왔는데 봉규와 동시에 집에 도착했다고 한다. 봉규가 걸은 거리는 몇 m인가? (단, 주영이와 봉규는 1분에 80m씩 걷고, 자전거는 1분에 500m씩 달린다.)

2 도로 위의 한 지점에서 세 대의 버스 갑, 을, 병이 동시에 같은 방향으로 출발하였다. 출발한 지 40분 만에 갑 버스가 같은 방향으로 가고 있는 트럭 한 대를 추월했다. 그 뒤 을, 병 버스도 각각 출발한 지 60분, 75분만에 이 트럭을 추월했다. 갑 버스의 속력은 시속 75km이고, 병 버스의 속력은 시속 54km이다. 을 버스의 속력과 트럭의 속력을 각각 구하여라.

3 고속도로의 한 지점에서 첫째 번 버스가 출발한 뒤 얼마 지나서 둘째 번 버스가 출발하였다. 두 버스의 속력은 모두 시속 102km이다. 오후 3시 정각에 첫째 번 버스와 출발점 사이의 거리는 둘째 번 버스와 출발점 사이의 거리의 5배가 되었는데, 오후 3시 24분에는 첫째 번 버스와 출발점 사이의 거리가 둘째 번 버스와 출발점 사이의 거리의 2배였다. 첫째 번 버스는 몇 시 몇 분에 출발하였는지 구하여라.

4 놀이 공원으로 소풍을 간 훈이는 오후 4시에 놀이 공원 정문에서 마중 나온 어머니와 만나 승용차를 타고 집에 돌아오기로 하였다. 그런데 훈이는 시계를 잘못 보아 오후 3시에 놀이 공원 정문으로 나왔다. 그 때가 3시였음을 알게 된 훈이는 어머니가 마중 오실 길을 따라 집을 향해 일정한 빠르기로 걸어갔다. 걸어가는 도중에 어머니를 만나게 되어 승용차를 타고 집에 돌아오니, 놀이 공원 정문에서 4시에 승용차를 타고 집에 도착하는 시간보다 12분 빨리 도착하였다. 훈이의 걷는 속력은 승용차 속력의 몇 배인가? (단, 승용차의 빠르기는 일정하고, 어머니를 만나 차에 타는 시간은 생각하지 않는다.)

5 집에서 학교까지 가는 데 형과 동생이 자전거를 함께 타고 가다가 형이 가지고 오지 않은 물건이 생각나 도중에 동생은 내려서 학교까지 걸어가고, 형은 자전거를 타고 집에 들러서 물건을 가지고 다시 학교로 갔다. 집에서 학교까지는 3km이고, 동생은 시속 5.4km로 걷고, 형은 자전거로 시속 27km로 달린다고 한다. 동생이 학교에 도착한 뒤 3분 후에 형이 학교에 도착했다면 동생이 걸어간 거리는 몇 m인가? (단, 집에서 머문 시간은 생각하지 않는다.)

6 운동 선수들이 훈련을 하는 데 시속 5km의 속력으로 대열을 지어 뛰고 있다. 그들 중 한 선수가 시속 9km의 속력으로 앞으로 7km를 달려나간 후 같은 속력으로 되돌아와 대열에 합류하였다. 이 선수가 대열을 떠나 다시 대열로 돌아오는 데 걸린 시간을 구하여라.

7 갑은 한 시간에 23km씩, 을은 한 시간에 31km씩 달리는 속력으로 자전거를 타고 A, B 두 지점에서 마주 보고 동시에 출발하였다. 갑과 을은 각각 B, A 지점에 도착한 후 곧 바로 출발점을 향해 다시 달렸는데 갑과 을이 출발 후 둘째 번으로 마주칠 때까지 2시간 20분이 걸렸다. A, B 두 지점 사이의 거리를 구하여라.

8 민기가 시속 48km의 속력으로 자동차를 타고 A 지점에서 B 지점을 향해 출발한 지 20분 후 현기가 자동차를 타고 A 지점에서 출발하여 민기를 따라갔다. 현기는 B 지점에서 76km 떨어진 곳에서 민기를 추월하여 B 지점에 먼저 도착하였고 곧바로 같은 속력으로 되돌아서 16km를 달린 후 B 지점을 향해 오고 있는 민기와 다시 만났다. A 지점에서 B 지점까지의 거리와 현기가 탄 자동차의 시속을 구하여라.

9 현재네 집에서 학교까지 자전거를 타고 가면 21분 걸린다. 어느 날 현재는 자전거를 타고 학교에 가다가 집에서 학교까지의 거리의 $\frac{5}{7}$인 지점에서 친구 재호를 만났다. 현재는 자전거를 세워 두고 8분 동안 재호와 이야기를 하다가 학교까지 걸어갔다. 현재가 학교에 도착해 보니 집에서부터 모두 45분 걸렸고 걷는 속력은 자전거의 속력보다 1시간에 9.6km 더 느리다는 것을 알았다. 현재네 집에서 학교까지의 거리를 구하여라.

10 나영이는 자전거를 타고 공원길을 달리고 있었다. 나영이가 같은 방향으로 뛰어가고 있는 민성이를 만난 뒤 5분 후에 마주 오고 있는 아영이와 만났다. 또 다시 5분 후에 아영이는 민성이와 만났는데, 민성이의 뛰는 속력은 아영이의 걷는 속력의 3배라고 한다. 나영이가 자전거를 타고 가는 속력은 아영이가 걷는 속력의 몇 배인가?

- 전개도를 가지고 입체도형이 만들어지는 것을 생각해 보면 여러 가지 문제를 풀 수 있다.
- 입체도형의 각 꼭짓점에 기호를 붙인 후 전개도의 각 꼭짓점에 같은 기호를 붙이면 입체도형의 겉면에 생긴 무늬를 전개도에 정확히 옮겨 그릴 수 있다.
- 전개도에서 서로 맞붙는 모서리를 찾아 면을 옮겨가는 방법으로 여러 가지 다른 전개도를 그릴 수 있다.

핵·심·문·제 **1** 주사위의 6개 면에 가, 나, 다, 라, 라, 마를 써 넣었다. [그림 1]은 이 주사위를 세 방향에서 본 것을 나타낸 것이다. 이 주사위를 두 가지의 전개도로 만든 것이 [그림 2]일 때, [그림 2]의 A, B, C에 알맞은 글자를 방향에 맞게 써 넣어라.

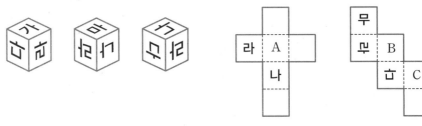

[그림1]　　　　　　　　[그림2]

┃생각하기┃ 라가 두 개의 면에 적혀 있음에 주의해야 한다.

┃풀이┃ [그림 1]에 의해 전개도를 그려 보면 왼쪽의 그림과 같다. 이 전개도를 [그림 2]의 전개도로 변형시켜 보면 오른쪽과 같이 된다.

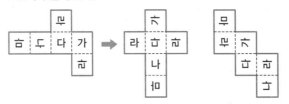

답 A : 古 B : 六 C : 古

핵·심·문·제 **2** 왼쪽 입체도형을 세 점 ㉠, ㉡, ㉢을 지나는 평면으로 잘랐다. 자른 평면 윗쪽에 있는 부분을 오른쪽 전개도에 색칠하여 나타내어라. (단, 입체는 투명한 모양이다.)

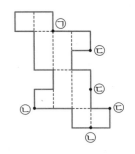

┃생각하기┃ 입체도형의 겨냥도에 꼭짓점마다 기호를 정하고 전개도에 표시해 보자.

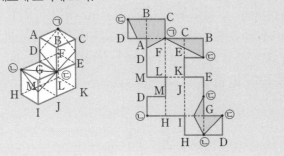

┃풀이┃ 자른 평면 윗쪽에 있는 부분을 전개도에 나타내면 ㉠, ㉡, ㉢, A, B, C, G가 포함되어 있다.　　답

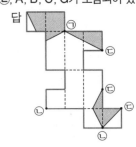

유제 **1** 오른쪽 그림에서 색칠된 부분은 정육면체의 전개도의 일부이다. 나머지 한 면을 붙일 수 있는 곳으로 알맞은 곳을 모두 골라라.

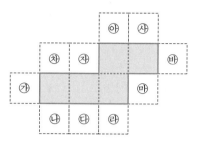

▶ 나머지 한 면을 ㉮부터 ㉻까지의 위치에 각각 놓고 정육면체를 만드는 과정을 상상해 본다.

유제 **2** 왼쪽 그림은 정팔면체의 겉면에 검은 색을 칠한 것이다. 이것을 펼친 오른쪽 전개도에 검게 칠해진 부분을 전개도에 나타내어라.

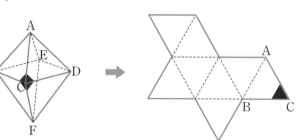

▶ 전개도에 정팔면체의 각 꼭짓점을 표시해 보자.

유제 **3** 오른쪽 그림은 모든 모서리의 길이가 같은 정삼각기둥이다. 전개도는 모두 몇 가지나 만들 수 있는지 구하여라. (단, 뒤집거나 돌려 놓아 같은 모양이 되는 것은 같은 전개도로 본다.)

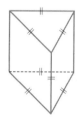

▶ 옆면을 이루는 정사각형 3개가 나란히 붙어 있는 경우, 2개만 나란히 붙어 있는 경우, 3개 모두 서로 떨어져 있는 경우로 나누어 생각해 보자.

유제 **4** 오른쪽 그림은 어떤 입체도형의 전개도를 한 칸의 길이가 1cm인 모눈종이 위에 그린 것이다. 이 전개도로 입체도형을 만들 때 그 입체도형의 부피를 구하여라.

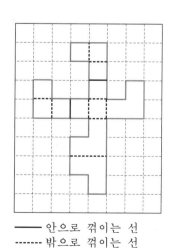

―― 안으로 꺾이는 선
------ 밖으로 꺾이는 선

▶ 안으로 꺾이는 선, 밖으로 꺾이는 선을 잘 생각하면서 입체도형을 상상해 보자.

특강탐구문제

1 오른쪽 그림은 정육면체의 전개도이다. 이 전개도로 정육면체를 만들 때, 선분 ㅅㅂ과 평행한 선분은 어느 것인가?

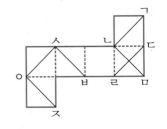

2 오른쪽 그림은 모두 정육면체의 전개도이다. 이 전개도로 두 개의 정육면체를 만들어 두 개 모두 그림이 그려진 면을 정면에 놓고 보았을 때, A 정육면체의 ㉮ 면과 같은 위치에 놓이는 B 정육면체의 면은 무엇인가?

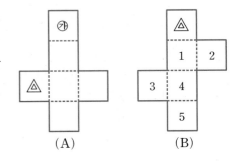

(A)　　　　(B)

3 정육면체의 면 위에 굵은 선을 그었다. 이 굵은 선을 전개도에 나타내어라. (단, 굵은 선과 모서리가 만나는 점은 각 모서리의 중점이다.)

 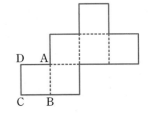

4 다음 그림과 같이 3개의 면에 색을 칠한 정팔면체의 전개도가 5개 있다. 이 전개도를 이용하여 정팔면체를 만들었을 때, 색칠한 모양이 똑같은 정팔면체가 되는 전개도를 모두 골라라.

(A)　　　　(B)　　　　(C)　　　　(D)　　　　(E)

5 왼쪽 그림은 정십이면체의 전개도이다. 이것으로 오른쪽과 같이 입체도형을 만들었을 때 전개도의 A 면은 어느 면과 평행이 되는가?

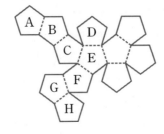　　　　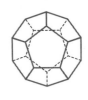

6 오른쪽 전개도로 입체도형을 만들었다. 색칠한 면이 정삼 각형일 때, 이 입체도형의 부피를 구하여라.

(단, ╫ 표시된 모든 모서리의 길이는 같다.)

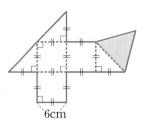

7 밑면의 가로, 세로의 길이가 각각 2cm, 4cm이고, 높이가 5cm인 직육면체의 전개 도를 직사각형 모양의 도화지에 여러 가지 방법으로 그렸을 때, 필요한 도화지의 넓 이가 가장 작을 때와 가장 클 때의 넓이를 각각 구하여라.

8 왼쪽 그림과 같은 사각기둥 모양의 그릇이 있다. 적당량의 물을 넣고 기울였을 때, 물이 닿는 부분을 오른쪽 전개도에 색칠하여 나타내어라.

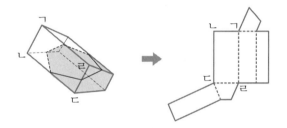

9 오른쪽 그림은 한 칸의 길이가 1cm인 모눈 종이 위에 어떤 입체도형의 전개도를 그린 것이다. 이 입체도형의 부피를 구하여라.

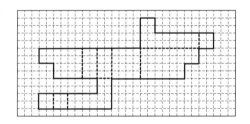

10 오른쪽 그림은 어떤 입체도형의 전개도이다. 이 입 체도형의 부피를 구하여라.

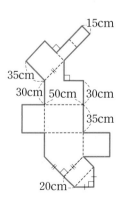

- 물의 부피는 용기의 형태가 달라도 항상 같다.
- 물 속에 잠긴 물체의 부피는 용기의 밑면의 넓이와 늘어난 높이의 곱과 같다.
- 같은 양의 물이 들어 있는 두 그릇에서 물의 높이의 비가 $a : b$이면 밑면의 넓이의 비는 $\dfrac{1}{a} : \dfrac{1}{b}$ 이다.

핵·심·문·제 **1** 안치수가 오른쪽과 같은 직육면체 모양의 그릇에 [그림 1]과 같이 물이 들어 있다. 이 그릇에 직육면체 모양의 막대를 밑면이 바닥에 닿도록 [그림 2]와 같이 세웠다. 막대를 세운 후의 물의 높이는 몇 cm인지 구하여라.

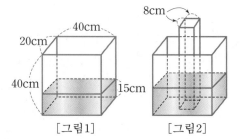

[그림1]　　　[그림2]

▌생각하기▐ 물의 높이가 $x$cm만큼 높아졌다면 그것은 막대가 $(x+15)$cm만큼 물에 잠겼기 때문이다. 따라서 $x$cm 높이의 물의 부피는 $(x+15)$cm 높이의 막대의 부피와 같다.

▌풀이▐ 물의 높이가 $x$cm만큼 높아졌다고 하고 식을 세워 보자.
$40 \times 20 \times x = 8 \times 8 \times (x+15)$
양변을 32로 나누면 $25 \times x = 2 \times (x+15)$, $25 \times x = 2 \times x + 30$, $23 \times x = 30$
$x = 30 \times \dfrac{1}{23} = \dfrac{30}{23} = 1\dfrac{7}{23}$
따라서 막대를 세운 후의 물의 높이는 $15 + 1\dfrac{7}{23} = 16\dfrac{7}{23}$(cm)가 된다.　　　답 $16\dfrac{7}{23}$cm

참고 * 방정식을 이용하지 않고 다음과 같이 생각하여 풀 수도 있다.
15cm 높이의 막대 부피가 그릇의 밑면의 넓이에서 막대의 밑면의 넓이를 뺀 부분 만큼의 높이를 높여 준 셈이므로
$8 \times 8 \times 15 \div (40 \times 20 - 8 \times 8) = 960 \div 736 = \dfrac{960}{736} = 1\dfrac{7}{23}$ 즉, 높이는 $1\dfrac{7}{23}$cm 높아진 것이다.

핵·심·문·제 **2** 안치수가 오른쪽 그림과 같은 직육면체 모양의 수조에 칸막이를 두 군데에 세웠다. 칸막이에 의해 나뉜 세 부분에 같은 양의 물을 넣었더니 물의 높이가 각각 16cm, 6cm, 8cm가 되었다. 칸막이를 빼 내면 물의 높이는 몇 cm가 되는지 구하여라. (단, 칸막이의 두께는 생각하지 않는다.)

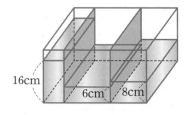

▌생각하기▐ 같은 양의 물을 넣었을 때 높이의 비가 16 : 6 : 8이므로 밑넓이의 비는
$\dfrac{1}{16} : \dfrac{1}{6} : \dfrac{1}{8}$ 이 된다.

▌풀이▐ 세 부분에 각각 1씩 물을 넣었다고 하면 높이가 16, 6, 8이므로 밑넓이는 $\dfrac{1}{16}$, $\dfrac{1}{6}$, $\dfrac{1}{8}$ 이 된다.
전체 밑면의 넓이는 $\dfrac{1}{16} + \dfrac{1}{6} + \dfrac{1}{8} = \dfrac{17}{48}$ 이 되고 물은 모두 3이므로 칸막이를 빼 내면 물의 높이는
$3 \div \dfrac{17}{48} = 3 \times \dfrac{48}{17} = \dfrac{144}{17} = 8\dfrac{8}{17}$(cm)가 된다.　　　답 $8\dfrac{8}{17}$cm

참고 * 세 부분에 각각 넣은 물의 양을 16과 6과 8의 최소공배수인 48로 생각하고 풀어도 마찬가지이다.
(전체 밑면의 넓이)$= 3 + 8 + 6 = 17$　　　(칸막이를 빼낸 후의 높이)$= 48 \times 3 \div 17 = \dfrac{144}{17} = 8\dfrac{8}{17}$(cm)

유제 **1** 물이 가득 들어 있는 직육면체 모양의 그릇 ㉮와 빈 그릇 ㉯가 있다. 그릇 ㉮는 안치수의 밑면의 가로, 세로의 길이가 각각 8cm, 12cm이고, 그릇 ㉯는 안치수의 밑면의 가로, 세로의 길이가 각각 8cm, 3cm이다. 두 그릇을 오른쪽 그림과 같이 가로를 맞대고 그릇 ㉮를 기울여 그릇 ㉯에 물을 넣어 물의 높이를 20cm가 되게 하려고 한다. x의 길이를 구하여라.

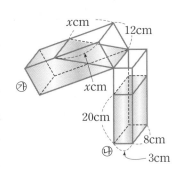

▶ ㉮ 그릇의 빈 부분의 부피는 ㉯ 그릇에 들어 있는 물의 부피와 같다.

유제 **2** 물이 가득 들어 있는 수조에 한 변의 길이가 12cm인 정육면체 모양의 나무 도막을 넣었더니 나무 도막의 $\frac{3}{4}$만큼이 물에 잠기고 수조 부피의 $\frac{3}{11}$만큼의 물이 밖으로 넘쳐 흘렀다. 처음 수조에 들어 있던 물의 양을 구하여라.

▶ 물 속에 잠긴 나무 도막의 부피는 넘쳐 흐른 물의 부피와 같다.

유제 **3** 안치수가 오른쪽 그림과 같고, 높이가 모두 같은 직육면체 모양의 그릇 (가), (나), (다)가 있다. 각각의 그릇에 높이의 $\frac{1}{4}$씩 물을 넣은 후 (나), (다)의 물을 모두 (가)에 넣었다. (가) 그릇의 물의 높이는 (가) 그릇 높이의 몇 분의 몇인지 구하여라.

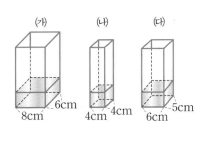

▶ 물의 높이가 같으므로 물의 부피의 비는 밑면의 넓이의 비와 같다.

유제 **4** 안치수가 오른쪽 그림과 같은 용기가 있다. ㉮면을 아래로 했을 때 ㉮면에서의 물의 깊이를 구하여라. 또, ㉯면을 아래로 했을 때 ㉯면에서의 물의 깊이를 구하여라.

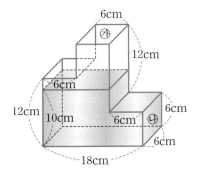

▶ 용기의 앞 · 뒤 사이의 두께는 항상 6cm이므로 물이 들어 있는 부분의 앞면의 넓이가 같도록 하면 된다.

1 안치수가 오른쪽 그림과 같은 직육면체 모양
의 통에 물이 담겨 있다. 이 통을 약간 옆으
로 기울여 ㉠과 ㉡의 길이의 비를 5 : 3으로
만들 때, ㉠과 ㉡의 길이를 각각 구하여라.

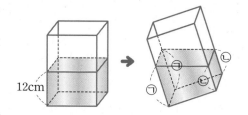

2 안치수가 오른쪽 그림과 같고, 두 부분으로 나뉘어져 있는
그릇이 있다. ㉯ 부분에 물을 가득 담은 후 칸막이를 빼면
물의 높이가 4cm 낮아진다고 한다. 이 그릇의 높이는 몇
cm인가? (단, 칸막이의 두께는 생각하지 않는다.)

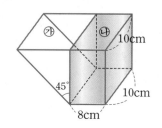

3 안치수가 오른쪽 그림과 같은 ㉮, ㉯ 두 그릇이
있다. 직육면체 모양의 그릇 ㉮에는 15.5L의 물
이 들어 있고, 삼각기둥 모양의 그릇 ㉯에는 5cm
깊이로 물이 들어 있다. ㉮의 물을 퍼내어 ㉯에 부
어서 두 그릇의 물의 깊이가 같아지도록 하려면
몇 L의 물을 옮겨 부어야 하는가?

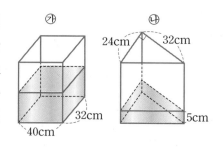

4 안치수가 오른쪽 그림과 같은 직육면체 모
양의 물통에 높이의 $\frac{5}{6}$만큼 물을 넣었다.
이 물통을 모서리 ㄱㄴ을 바닥에 대고
45° 기울였더니 물이 쏟아졌다. 쏟아진
물의 양은 몇 L인가?

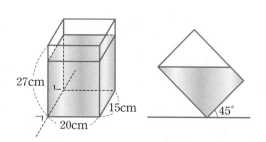

5 안치수가 오른쪽 그림과 같이 가로, 세
로, 높이가 각각 24cm, 15cm, 20cm
인 직육면체 모양의 그릇에 12cm 깊이
만큼 물이 들어 있다. 여기에 가로가
18cm, 높이가 24cm인 직육면체 모양
의 나무 도막을 그림과 같이 세워서 넣

었더니 물이 90cm³ 넘쳤다. 나무 도막의 밑면의 세로의 길이를 구하여라.

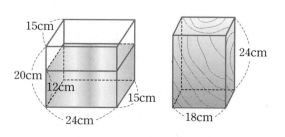

6 안치수가 오른쪽 그림과 같은 물통이 있다. 물통 안에 높이 35cm짜리 칸막이를 설치하여 ㉮, ㉯ 두 부분으로 나누었다. ㉮ 부분에 32cm까지 물을 넣은 후 그 안에 돌을 한 개 넣었더니 물이 넘쳐 그림과 같이 되었다. 돌의 부피를 구하여라. (단, 칸막이의 두께는 생각하지 않는다.)

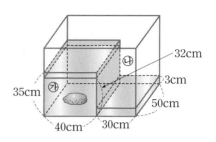

7 그릇 A는 밑면의 가로, 세로의 길이가 각각 3cm, 5cm이고, 그릇 B는 각각 10cm, 16cm이다. 그릇 A의 높이의 $\frac{4}{5}$만큼 물을 넣은 다음 그릇 B에 옮겨 부었더니 3cm만큼 물이 찼고, 그릇 B에 0.8L의 물을 더 부었더니 전체 높이의 $\frac{1}{4}$만큼이 되었다. 다시 그릇 A에 물을 가득 담아 그릇 B에 ㉠번 옮겨 붓고, 다시 그릇 A의 높이의 ㉡만큼 물을 담아 그릇 B에 한 번 옮겨 부으면 그릇 B에는 물이 가득 차게 된다. ㉠, ㉡에 알맞은 수를 구하여라.

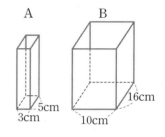

8 [그림 1]의 전개도로 만든 물통이 있다. 물통 속에 물이 들어 있는데 면 B를 밑면으로 하면 [그림 2]와 같이 되고, 면 E를 밑면으로 하면 [그림 3]과 같이 된다. □의 길이를 구하여라.

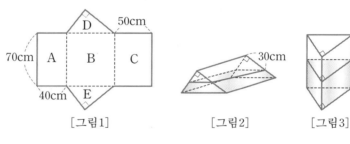

[그림1]   [그림2]   [그림3]

9 안치수가 오른쪽 그림과 같은 정삼각기둥 모양의 물통이 있다. 정삼각형의 한 변의 길이는 24cm이고, 높이는 약 20cm이다. 약간의 물을 이 물통 속에 넣었더니 [그림 1]과 같이 되었고, 물통을 거꾸로 하였더니 [그림 2]와 같이 되었다. [그림 2]에서의 물의 깊이는 약 몇 cm인가?

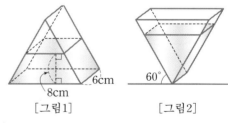

[그림1]   [그림2]

10 오른쪽 [그림 1]과 같이 안치수가 가로 30cm, 세로 25cm, 높이 8cm인 직육면체 모양의 그릇에 물이 들어 있다. 이 그릇 안에 [그림 2]와 같은 삼각기둥 모양의 나무 도막을 면 ㄴㄷㅂㅁ이 바닥에 닿도록 넣었더니 물이 넘치지 않고 가득 찼다. 삼각기둥 모양의 나무 도막을 면 ㄱㄴㅁㄹ이 바닥에 닿도록 넣으면 물은 몇 cm³가 넘치겠는가?

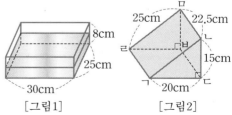

[그림1]   [그림2]

- 같은 일을 두 가지 방법으로 했을 때, 서로 비교하여 차를 이용하면 문제를 쉽게 해결할 수 있다.
- 전체를 1로 하여 단위 시간 동안에 해 내는 일의 양을 분수로 나타내 보면 문제를 쉽게 해결 할 수 있다.

핵·심·문·제 **1** 6학년 1반과 2반 학생들이 함께 운동장 청소를 하면 30분이 걸린다. 그런데 오늘은 처음 24분 동안 1반과 2반 학생들이 함께 청소를 하다가 1반 학생의 $\frac{2}{5}$만 남고 모두 집에 돌아가서 25분 후에 청소를 마치게 되었다. 2반 학생만 운동장 청소를 한다면 시간이 얼마나 걸리겠는지 구하여라.

> **┃생각하기┃** 1, 2반 학생이 모두 함께 청소할 때는 30분이 걸렸는데 1, 2반 학생이 함께 24분 동안 청소를 하다가 1반 학생의 $\frac{2}{5}$ 만 남아 25분 동안 청소를 하였으므로, 1, 2반 학생이 함께 6분 동안 청소할 양을 1반 학생의 $\frac{2}{5}$ 가 25분 동안 청소한 것이다.

> **┃풀이┃** (1반이 6분 동안 한 일)+(2반이 6분 동안 한 일)=(1반의 $\frac{2}{5}$가 25분 동안 한 일)
> $\qquad\qquad\qquad\qquad\qquad\qquad\qquad\qquad\qquad\qquad$ =(1반 전체가 10분 동안 한 일)
> 따라서 (1반이 4분 동안 한 일)=(2반이 6분 동안 한 일)이므로
> $\qquad$ (1반이 2분 동안 한 일)=(2반이 3분 동안 한 일)이 되어
> $\qquad$ (1반이 30분 동안 한 일)=(2반이 45분 동안 한 일)과 같아진다.
> 그러므로 2반만 운동장 청소를 한다면 45분+30분=75(분)이 걸린다. $\qquad$ 답 75분

핵·심·문·제 **2** 물 탱크에 A, B, C 세 개의 수도관이 연결되어 있다. 세 수도관을 모두 사용하여 물을 채우면 40분만에 물이 가득 찬다고 한다. 그런데 수도관을 A, B만 사용하면 1시간이 걸리고 A, C만 사용하면 1시간 20분이 걸린다. B, C 두 수도관만 사용한다면 물 탱크에 물을 가득 채우는 데 얼마의 시간이 걸리겠는가?

> **┃생각하기┃** A, B, C는 1분에 전체의 $\frac{1}{40}$ 을 채운다. A, B는 1분에 전체의 $\frac{1}{60}$ 을 채우고, A, C는 1분에 전체의 $\frac{1}{80}$ 을 채운다. $\frac{1}{60}+\frac{1}{80}=\frac{7}{240}$ 은 A, B, C가 1분 동안 채운 양과 A가 1분 동안 채운 양의 합이 되므로 $\frac{7}{240}-\frac{1}{40}=\frac{1}{240}$ 은 A가 1분 동안 채운 양이 된다.

> **┃풀이┃** 세 개의 수도관 A, B, C가 각각 1분 동안 채운 물의 양을 a, b, c라고 하면
> $a+b+c=\frac{1}{40}, a+b=\frac{1}{60}, a+c=\frac{1}{80}$이므로 $a+b+a+c=\frac{1}{60}+\frac{1}{80}=\frac{7}{240}, a=\frac{7}{240}-\frac{1}{40}=\frac{1}{240}$
> 따라서 $b+c=\frac{1}{40}-\frac{1}{240}=\frac{5}{240}=\frac{1}{48}$
> B, C 두 수도관으로 1분 동안 전체의 $\frac{1}{48}$ 을 채우므로 물을 가득 채우는 데는 48분이 걸린다. $\qquad$ 답 48분

유제 1 어떤 일을 법재가 혼자 하면 1시간, 태호가 혼자 하면 40분 걸린다고 한다. 법재가 어떤 일을 시작하여 정오에 끝마치려고 했는데 도중에 급한 일이 생겨서 중단하게 되었다. 법재가 일을 중단한 뒤 10분이 지나고 나서 태호가 이 일을 이어서 하였는데 예정 시각보다 3분 일찍 끝마쳤다. 태호가 이 일을 하기 시작한 시각을 구하여라.

> 법재는 오전 11시에 이 일을 시작하였고 법재와 태호가 일한 시간은 합하여 47분이다.

유제 2 A, B, C 세 기계로 어떤 제품을 만드는데 A 기계가 한 개를 만드는 동안 B 기계는 두 개, C 기계는 세 개를 만든다고 한다. 세 기계로 5시간 동안 제품을 생산하였는데 전체의 $\frac{1}{3}$ 만큼이 되었다. 그 뒤로 제품을 모두 생산하기까지 B 기계는 3시간 동안, C 기계는 8시간 동안 고장이 나서 멈춰 있었다. 제품을 모두 생산하는 데 처음부터 몇 시간이 걸렸겠는가? 또, C 기계가 생산한 제품은 전체의 몇 분의 몇인가?

> 세 기계로 한 시간 동안 제품을 만들면 전체의 $\frac{1}{15}$ 을 만드는 데 그 중 A는 $\frac{1}{6}$, B는 $\frac{2}{6}$, C는 $\frac{3}{6}$ 을 만든 것이다.

유제 3 선주와 선재가 둘이서 컴퓨터에 문서를 입력하고 있다. 선주 혼자서 하면 4시간이 걸리고, 선주와 선재가 같이 하면 2시간 반이 걸린다고 한다. 처음에는 선주가 이 일의 $\frac{1}{12}$ 을 혼자서 했는데 나중에 선재가 와서 두 사람이 일을 같이 하였다. 그러다가 선주가 도중에 쉬어서 일을 다 끝내는 데 4시간 5분이 걸렸다. 선재 혼자 일한 시간은 얼마나 되겠는가?

> 선주는 1분에 전체의 $\frac{1}{240}$ 만큼,
> 선재는 1분에 전체의
> $\frac{1}{150} - \frac{1}{240} = \frac{3}{1200} = \frac{1}{400}$
> 만큼 일한다.

유제 4 솔뫼는 집에서 학교까지 가는 동안 계속해서 수학 문제를 푼다. 집에서 학교까지 가는 데 55분이 걸리고 이 시간 동안 모두 18문제를 푼다고 한다. 걸을 때는 한 문제 푸는 데 4분이 걸리고, 버스를 기다리는 동안에 한 문제 푸는 데 2분, 버스를 타고 가는 동안에는 한 문제 푸는 데 3분이 걸린다. 그런데 오늘은 비가 와서 걸어가는 동안 문제를 풀지 못했으나 버스를 10분이나 더 기다려서 평소보다 한 문제를 더 풀었다고 한다. 솔뫼는 평소에 몇 분 동안 버스를 타고 갔었는지 구하여라.

> 버스를 10분이나 더 기다렸으므로 5문제를 더 풀었다.
> 따라서 평소에 걸어가는 동안 푼 문제는 4문제이다.

1 희성이와 상만이는 매일 똑같은 양의 일을 한다. 희성이와 상만이가 같이 하면 6시간 걸리는 일인데 어느 날 두 사람이 함께 이 일을 하다가 희성이가 급한 일이 생겨 도중에 40분간 일을 못하게 되었다. 그래서 끝마치기까지 6시간 25분이 걸렸다. 이 일을 희성이가 혼자 할 때 걸리는 시간을 구하여라.

2 A, B 두 수도관을 이용하여 물 탱크에 물을 채우는데, A를 20분간 사용한 후 B를 24분간 사용하면 가득 채울 수 있다고 한다. 처음 16분간은 A, B 두 수도관을 모두 사용하고, B 수도관이 고장이 나서 10분간은 A 수도관만을 사용하여 물을 채웠더니 전체의 92%만 채우게 되었다. A 수도관만 사용하여 물 탱크를 가득 채우려면 몇 분이 걸리겠는지 구하여라. 또, B 수도관만 사용하면 몇 분이 걸리겠는지 구하여라.

3 갑, 을 두 기계를 사용하여 어떤 제품을 만들려고 한다. 갑 기계를 가동한지 10분만에 을 기계도 가동하여 처음부터 16분까지 목표량의 $\frac{7}{15}$이 만들어졌고, 그 후 4분 뒤에 계산해 보니 목표량의 $\frac{11}{18}$이 만들어졌다. 이 때부터는 을 기계만 가동한다면, 목표량을 만드는 데 처음부터 몇 분이 걸리겠는가?

4 갑, 을, 병 3개의 조가 있다. 어떤 일을 마치는 데, 갑 조의 2사람이 일하는 양과 을 조의 3사람이 일하는 양이 같고, 을 조의 2사람이 일하는 양과 병 조의 3사람이 일하는 양이 같다. 갑 조의 4명과 을 조의 7명이 6일간 함께 일해야 마칠 수 있는 일을 병 조의 9명이 한다면 며칠이 걸리겠는가?

5 A, B, C가 함께 하면 2시간 걸리는 일을 A와 C가 함께 하면 3시간, B와 C가 함께 하면 4시간이 걸린다고 한다. 이 일을 A와 B가 함께 한다면 1시간에 전체의 몇 분의 몇을 할 수 있는지 구하여라.

6 갑, 을, 병 세 사람이 어떤 일을 각각 혼자서 하는 데 걸리는 시간의 비가 2 : 3 : 6 이다. 갑, 을, 병 세 사람이 함께 일하면 15시간이 걸리는 데 세 사람이 함께 전체의 $\frac{1}{3}$을 한 후 3시간 동안 을과 병만 일했고, 그 다음 2시간 동안은 갑과 병만 일했다. 그 뒤에는 세 사람이 모두 함께 일을 해서 끝마쳤을 때 처음부터 몇 시간 몇 분 걸렸겠는가?

7 물 탱크에 갑, 을, 병 3개의 수도가 연결되어 있다. 갑 수도만으로 물을 넣으면 2시간 24분만에 물이 가득 차고, 을, 병 두 수도를 함께 사용하여 물을 넣으면 1시간 12분만에 물이 가득 찬다. 또 갑, 병 두 수도를 함께 사용하여 물을 넣으면 1시간 20분만에 물이 가득 찬다. 을 수도만 사용하면 몇 시간만에 물 탱크에 물이 가득 차겠는가?

8 A, B 두 창고에서 물건을 꺼내는 데, A 창고의 물건은 3시간만에, B 창고의 물건은 4시간만에 모두 꺼낼 수 있다고 한다. A, B 두 창고에는 같은 양의 물건이 들어 있고 같은 시각에 두 창고에서 각각 물건을 꺼내기 시작했다. 오후 3시에 A, B 두 창고에 남은 물건을 비교해 보니 B 창고에 남은 물건이 A 창고에 남은 물건의 두 배였다. 창고에서 물건을 꺼내기 시작한 시각을 구하여라.

9 어떤 일을 하는 데 A, B, C 세 사람이 하면 15일, A, C, E 세 사람이 하면 10일 A, C, D 세 사람이 하면 12일, B, D, E 세 사람이 하면 8일이 걸린다. 이 일을 A, B, C, D, E 다섯 사람이 함께 하면 며칠이 걸리겠는지 구하여라.

10 갑, 을, 병 세 사람이 어떤 일을 하는데, 갑이 혼자 일을 하는 데 걸리는 시간은 을, 병이 함께 일을 하는 데 걸리는 시간의 3배이며, 을이 혼자 일을 하는 데 걸리는 시간은 갑, 병이 함께 일을 하는 데 걸리는 시간의 2배이다. 병이 혼자서 일을 하는 데 걸리는 시간은 갑, 을이 함께 일을 하는 데 걸리는 시간의 몇 배인지 구하여라.

- 빛은 곧게 나아간다(빛의 직진)는 성질을 이용하여 그림자에 관한 문제를 쉽게 해결할 수 있다.
- 빛이 반사될 때는 벽과 들어 오는 빛이 이루는 각(입사각)과 벽과 반사되어 나가는 빛이 이루는 각(반사각)이 같다. 이 성질을 이용하여 빛의 반사에 관한 문제를 쉽게 해결할 수 있다.

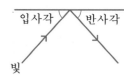

핵·심·문·제 **1** 두 건물 ㉮, ㉯ 사이에는 폭이 12m인 도로가 나 있다. 건물 ㉮의 높이는 24m이고 건물 ㉮의 그림자가 건물 ㉯의 높이의 $\frac{1}{2}$까지 생길 때, 그림자의 높이는 16m라고 한다. 건물 ㉯의 그림자의 길이를 구하여라.

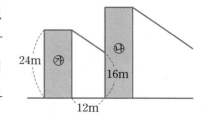

▎생각하기▎ 같은 시각, 같은 장소에서 실물에 대한 그림자의 길이의 비는 일정하다.
건물 ㉮의 그림자를 관찰하여 실물에 대한 그림자의 길이의 비를 알아내자.
오른쪽 그림과 같이 평행선을 그으면 높이 8m에 대한 그림자의 길이가 12m임을 알 수 있다.

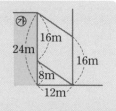

▎풀이▎ 건물 ㉯의 높이는 16×2＝32(m)이다. 8m에 대한 그림자의 길이가 12m이므로 32m에 대한 그림자의 길이는 12×4＝48(m)이다.　　　　　　　　　　　답 48m

핵·심·문·제 **2** 오른쪽 그림과 같이 거울로 둘러싸인 폭이 일정한 통로가 있다. 점 A에서 빛이 출발하여 점 D에 도달하면 다음 통로로 넘어갈 수 있다. 변 AD, 변 AB의 길이가 각각 40cm, 20cm이고 변 BP의 길이가 6cm일 때, 빛이 다음 통로로 넘어갈 때까지 걸린 시간은 몇 초인지 구하여라.

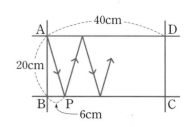

(단, 빛이 점 A에서 점 P까지 가는 데 걸린 시간은 0.003초라고 한다.)

▎생각하기▎ 빛이 점 A에서 점 P를 지나 점 A_1으로 갈 때 변 AA_1의 길이는 12cm가 된다.
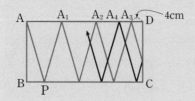
40＝12×3＋4이므로 점 A_3는 점 D에서 4cm 떨어진 점이 된다. 따라서 빛은 변 CD에서 반사되고 변 BC에서 또 반사되어 변 AD 위의 점 A_4로 가게 된다. 굵은 선을 변 CD에 대해 선대칭시키면 아래 그림과 같다.

▎풀이▎ 두 점 A, A_1 사이의 거리는 12cm이므로 40과 12의 최소공배수인 120cm까지 세 점 A, P, A_1에 이르는 과정을 10번 반복하면 점 D에 도달하게 된다. 따라서 점 A에서 점 P까지 가는 시간의 20배가 걸리므로 0.003×20＝0.06(초)　　답 0.06초

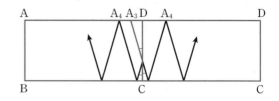

유제 **1** 어느 날 오후 높이가 2m인 나무의 그림자의 길이가 1.2m일 때, 오른쪽 그림과 같이 층계 위에 서 있는 나무의 높이는 몇 m인가?

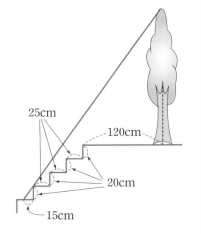

그림을 간단히 그리면 다음과 같다.

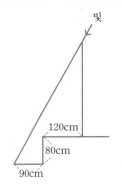

유제 **2** 오른쪽 그림과 같이 원기둥의 그림자가 생겼다. 원기둥의 밑면의 지름이 16cm이고, 바닥에 생긴 그림자의 한 변 AB는 벽에 수직이라고 한다. 또, 두 점 A, B 사이의 거리는 20cm이고, 벽에 생긴 그림자의 가장 긴 길이는 15cm, 가장 짧은 길이는 5cm이다. 원기둥의 높이는 몇 cm인가?

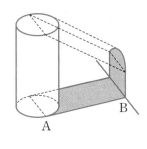

변 AB를 정면으로 바라 보는 그림을 그리면 다음과 같다.

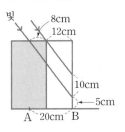

유제 **3** 오른쪽 그림과 같이 각의 크기가 15°를 이루는 두 벽면이 있다. 점 ㄱ에서 출발한 작은 공이 벽에 다섯 번 부딪히고는 다시 점 ㄱ으로 돌아왔다. 벽에 부딪히기 전에 공이 이동하는 길과 벽 사이의 각이, 벽에 부딪히고 나서 공이 이동하는 길과 벽 사이의 각과 같다고 할 때, 각 ㄷㄱㄴ의 크기를 구하고, 공이 이동한 거리는 몇 cm인지 구하여라.

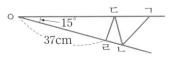

공의 이동 경로는 ㄱ → ㄴ → ㄷ → ㄹ → ㄷ → ㄴ → ㄱ이다. 각 ㄷㄹㅇ과 각 ㄷㄹㄴ의 크기가 같아야 하므로 각 ㄷㄹㅇ은 90°이다.

유제 **4** 오른쪽 그림은 네 면이 거울로 둘러싸인 정사각형 모양의 방을 위에서 내려다 본 것이다. 네 꼭짓점에 빛을 감지하는 장치가 하나씩 부착되어 있다. 점 ㄱ에서 변 ㄷㄹ을 향해 한 줄기의 빛을 쏘았다. 이 빛이 여러 번 반사되어 나아갈 때 어느 꼭짓점에 있는 감지 장치에 의해 처음으로 감지되겠는가?

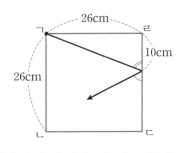

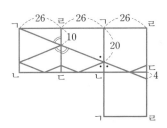

위 그림처럼 정사각형 ㄱㄴㄷㄹ을 계속 선대칭시켜 빛이 나아가는 길이 일직선이 되도록 그려 보자.

특강탐구문제

1 길이가 1m인 막대를 땅에 수직으로 세웠더니 그림자의 길이가 1.3m였다. 같은 시각에 땅에 수직으로 막대를 세워 놓았더니 오른쪽과 같이 그림자가 계단에 생겼다. 이 막대의 길이는 몇 m인가?

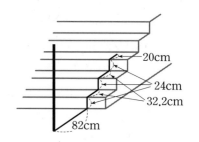

2 높이가 3m인 안내판이 서 있는데 높이가 각각 15m, 6m인 두 등이 오른쪽 그림과 같이 이 안내판을 비추고 있다. 높이가 15m인 등에 의해 생긴 안내판의 그림자는 높이가 6m인 등까지 생겼고, 높이가 6m인 등에 의해 생긴 안내판의 그림자 길이가 5m일 때, 이 그림자 끝에서 높이가 15m인 등까지의 거리 x를 구하여라.

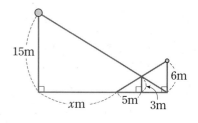

3 오른쪽 그림과 같이 가로등과 나무 두 그루가 일직선으로 놓여 있다. 키 큰 나무의 높이가 4m일 때, 가로등의 높이와 키 작은 나무의 높이는 각각 몇 m인지 구하여라.

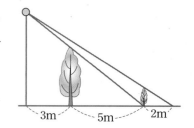

4 [그림 1]과 같은 직육면체를 바닥에 놓았더니 직사각형 모양의 그림자가 생겼는데 이 그림자의 넓이가 600cm²가 되었다. [그림 2]와 같이 이 직육면체 위에 정사각뿔을 정확히 중앙에 올려 놓았다면 바닥에 생긴 정사각뿔 부분의 그림자의 넓이는 몇 cm²이겠는가? (단, 정사각뿔의 높이는 22cm이다.)

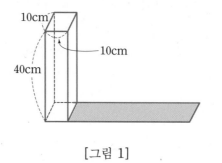

[그림 1]

[그림 2]

5 공원에 10m 높이의 가로등이 있다. 가로등을 중심으로 중심각이 90°이고 반지름이 5m인 부채꼴의 호 부분에 높이 2m인 울타리가 세워져 있다. 이 울타리로 인해 생기는 그림자의 넓이는 몇 m²인가? (단, 원주율은 3으로 계산한다.)

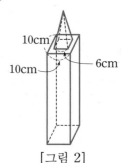
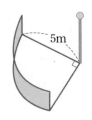

6 선규는 가로등 아래에 서 있다가 가로등을 등지고 몇 걸음 걸어갔다. 걸어가다 멈춰서서 그림자 끝을 보았는데 그림자의 길이가 1.75m였다. 다시 1.75m를 가던 방향으로 곧게 걸어갔더니 이번에는 그림자의 길이가 3.75m가 되었다. 선규의 키가 1.6m라면 가로등의 높이는 몇 m인가?

7 바닥에 직각삼각형 ㄱㄴㄷ을 그리고, 점 ㄱ의 바닥에서 수직으로 100cm 되는 높이에 전구를 달았다. 또, 바닥에 수직이 되도록 변 ㄴㄷ에 직사각형 모양의 판지를 세웠는데 판지의 가로는 변 ㄴㄷ의 길이와 같이 60cm이고, 세로는 20cm이다. 두 점 ㄱ, ㄷ 사이의 거리는 80cm이다. 판지에 가려 전구의 빛이 지나지 않는 부분으로 이루어진 입체도형의 부피는 몇 cm³인가?

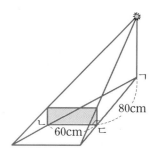

8 네 면이 거울로 둘러싸인 상자를 위에서 보면 가로가 13cm, 세로가 8cm인 직사각형 모양이다. 한 꼭짓점에서 두 변에 대해 45°인 방향으로 발사된 빛이 벽에 반사되어 진행하다가 꼭짓점에 도달하면 멈춘다고 한다. 이 빛이 벽에 반사하는 것은 몇 번인지 구하여라.

9 오른쪽 그림은 네 면이 거울로 둘러싸인 정사각형 모양의 방을 위에서 내려다 본 그림이다. 꼭짓점 ㄱ에서 빛이 발사되었는데 거울 벽에 부딪히면 반사된다고 한다. 계속 반사되어 나아가다가 어느 꼭짓점에든지 도달하게 되면 빛이 더 이상 나아가지 않고 멈추게 된다고 한다. 어느 꼭짓점에서 멈추게 되는지 구하여라.

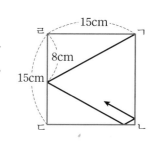

10 위에서 내려다 본 모양이 오른쪽 그림과 같은 직사각형 모양의 방이 있다. 점 A에서 쏘아 보낸 빛이 변 CD, 변 AB에 반사되어 점 P에 놓인 물체에 닿으려면 점 E는 점 D에서 몇 m 떨어진 곳에 정해야 하는지 구하여라.

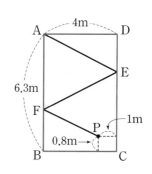

• 한 점을 중심으로 정해진 각도만큼 도형을 회전이동 시키면 모든 꼭짓점과 변이 같은 각도만큼 회전하게 된다. 이를 이용하여 문제를 쉽게 해결할 수 있다.
• 구하고자 하는 부분의 넓이를 적당히 쪼개어 옮기면 문제를 쉽게 해결할 수 있다.

핵·심·문·제 **1** 오른쪽 그림과 같이 직사각형 ㄱㄴㄷㄹ을 점 ㄷ을 중심으로 90° 회전시켰을 때, 색칠한 부분의 넓이를 구하여라.

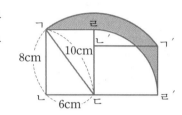

┃**생각하기**┃ 그림과 같이 대각선 ㄱ´ㄷ을 긋고 ㉠ 부분을 ㉡ 부분으로 옮겨 놓으면, 색칠한 부분의 넓이는 반지름이 10cm이고 중심각이 90°인 부채꼴의 넓이와 반지름이 8cm이고 중심각이 90°인 부채꼴의 넓이의 차와 같다.

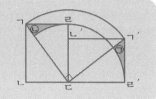

┃**풀이**┃ (색칠한 부분의 넓이)$=10 \times 10 \times 3.14 \times \dfrac{90}{360} - 8 \times 8 \times 3.14 \times \dfrac{90}{360}$

$=3.14 \times (100-64) \times \dfrac{1}{4} = 3.14 \times 9 = 28.26 (cm^2)$ 　　답 28.26cm²

핵·심·문·제 **2** 다음 [그림 1]은 대각선의 길이가 6cm인 정사각형과 그 정사각형의 한 변의 길이를 반지름으로 하는 원을 정사각형의 한 꼭짓점과 원의 중심이 포개어지도록 놓은 것이다. [그림 2]는 정사각형을 반시계 방향으로 60°만큼 회전시킨 것이다. 색칠한 부분의 넓이를 구하여라.

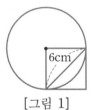　　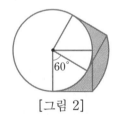

　　　　[그림 1]　　　　　[그림 2]

┃**생각하기**┃ 오른쪽 그림과 같이 정사각형에 대각선을 그으면 색칠한 부분은 ㉠과 ㉡으로 나뉜다.
(대각선의 길이) × (대각선의 길이) $= 6 \times 6 = 36(cm^2)$
(한 변의 길이) × (한 변의 길이) = (정사각형의 넓이)

$= 6 \times 6 \times \dfrac{1}{2} = 18(cm^2)$

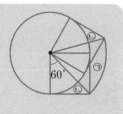

┃**풀이**┃ ㉠ = (대각선의 길이) × (대각선의 길이) $\times 3.14 \times \dfrac{60}{360}$ - (한 변의 길이) × (한 변의 길이) $\times 3.14 \times \dfrac{60}{360}$

$= 36 \times 3.14 \times \dfrac{1}{6} - 18 \times 3.14 \times \dfrac{1}{6} = (6-3) \times 3.14 = 3 \times 3.14 = 9.42(cm^2)$

㉡ = (한 변의 길이) × (한 변의 길이) $\times \dfrac{1}{2}$ - (한 변의 길이) × (한 변의 길이) $\times 3.14 \times \dfrac{45}{360}$

$= 18 \times \dfrac{1}{2} - 18 \times 3.14 \times \dfrac{1}{8} = 9 - 7.065 = 1.935(cm^2)$

(색칠한 부분의 넓이)$= 9.42 + 1.935 \times 2 = 13.29(cm^2)$ 　　답 13.29cm²

유제 1 대각선의 길이가 20cm인 직사각형을 오른쪽 그림과 같이 60° 회전시켰을 때, 색칠한 부분의 넓이를 구하여라.

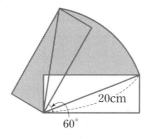

▶ 색칠한 두 부분의 넓이는 서로 같다.

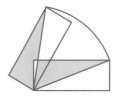

유제 2 오른쪽 그림은 각 ACB의 크기가 60°인 직각삼각형을 점 C를 중심으로 빗변 B′C가 변 AB와 평행이 되도록 회전이동시킨 것이다. 이 때, 색칠한 부분의 넓이를 구하여라.

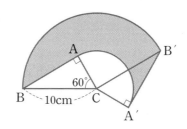

▶ 각 ACB′는 각 BAC와 엇각이다.

유제 3 오른쪽 그림의 맞닿아 있는 두 부채꼴이 점 O을 중심으로 ㉠은 1초에 4°씩, ㉡은 1초에 16°씩 화살표 방향으로 회전하기 시작했다. 1분 4초 후에 ㉠과 ㉡이 겹쳐진 부분의 넓이를 구하여라.

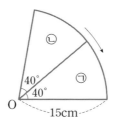

▶ ㉠ 부채꼴은 그대로 있고 ㉡ 부채꼴은 1초에 12°씩 이동하는 것으로 생각하자.

유제 4 오른쪽 그림과 같이 선분 AB의 중점 M에 선분 OM이 수직으로 그려져 있다. 점 O를 중심으로 선분 AB를 135° 회전시킬 때, 선분 AB가 지나간 부분의 넓이를 구하여라.

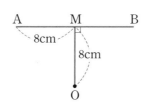

▶ 선분 AB가 지나간 부분을 그려 보면 다음과 같다.

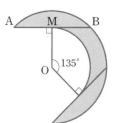

1 반지름이 12cm인 반원을 오른쪽 그림과 같이 점 ㄱ을 중심으로 30° 회전시켰을 때, 색칠한 부분의 넓이를 구하여라.

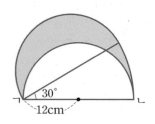

2 오른쪽 그림은 정사각형 ㄱㄴㄷㄹ을 꼭짓점 ㄷ을 중심으로 70° 회전시킨 것이다. 호 ㄴㄴ'의 길이가 21.98cm일 때, 색칠한 부분의 넓이를 구하여라.

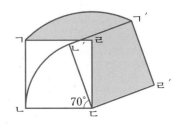

3 오른쪽 그림은 사다리꼴 ABCD를 점 B를 중심으로 60° 회전시킨 것이다. 색칠한 부분의 넓이를 구하여라.

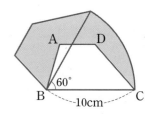

4 오른쪽 그림과 같은 부채꼴을 점 A를 중심으로 120° 회전시켰을 때, 호 AB가 지나는 부분의 넓이를 구하여라.

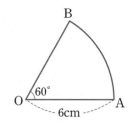

5 오른쪽 그림에서 변 ㄱㄴ은 2cm, 변 ㄴㄷ은 6cm, 변 ㄷㄱ은 7cm이다. 삼각형 ㄱㄴㄷ을 점 ㄷ을 중심으로 80° 회전시켰을 때, 색칠한 부분의 넓이를 구하여라.

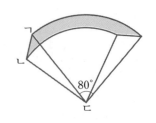

6 오른쪽 그림은 삼각형 ABC를 점 C를 중심으로 회전시켜 변 AC와 변 B′A′가 평행이 되도록 놓은 것이다. 색칠한 부분의 넓이를 구하여라.

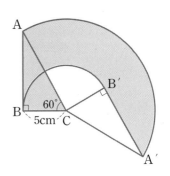

7 오른쪽 그림과 같이 한 변의 길이가 4cm인 정사각형을 정사각형의 한 꼭짓점에서 8cm 떨어진 점 O를 중심으로 50° 회전시켰다. 정사각형이 지나간 부분의 넓이를 구하여라. (단, 원주율은 3으로 계산한다.)

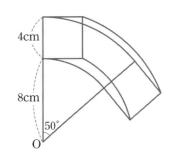

8 오른쪽 그림과 같이 합동인 직각이등변삼각형 2개가 두 변이 일직선이 되도록 놓여 있다. ㉠은 1초에 3°, ㉡은 1초에 5°씩 점 O를 중심으로 각각 화살표 방향으로 회전하고 있다. 변 AB의 길이가 7cm일 때, ㉡과 ㉠이 완전히 겹쳐진 후부터 처음 출발한지 20초 되는 순간까지 변 AB가 지나간 부분의 넓이를 구하여라. (단, 원주율은 3으로 계산한다.)

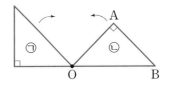

9 오른쪽 그림은 정사각형 ㄱㄴㄷㄹ을 점 ㄷ을 중심으로 45° 회전시킨 것이다. 정사각형 ㄱㄴㄷㄹ이 지나간 부분의 넓이를 구하여라.

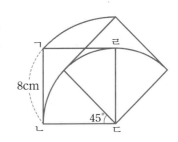

10 길이가 각각 10cm인 선분 ㄱㄴ과 선분 ㄷㄹ이 선분 ㄱㄴ의 중점 ㄷ에서 오른쪽 그림과 같이 수직으로 만나고 있다. 점 ㄹ을 중심으로 세 점 ㄱ, ㄹ, ㄴ′가 일직선이 되도록 회전시켰을 때, 두 선분 ㄱㄴ과 ㄷㄹ이 지나간 부분의 넓이를 구하여라.

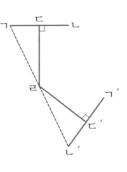

최초의 지구 측정법

옛 사람들은 땅은 편평하고 둥근 하늘의 위를 덮고 있다고 생각하였다.

그러나 고대 과학자들은 다음 몇 가지 사실로 지구가 둥글다는 것을 설명하였다.

- 수평선 너머로 멀어지는 배가 선체부터 점점 사라진다.
- 월식 때 달 표면에 나타나는 지구의 그림자가 둥글다.
- 북쪽으로 항해할 때 북극성의 고도가 점점 높아진다.
- 지표면에서 높이 올라갈수록 시야가 넓어진다. ―만약 지표면이 편평하다면 고도가 달라져도 시야의 넓이는 같아지게 될 것이다.

그렇다면, 지구의 크기는 얼마나 될까? 인공위성이나 레이저 광선이 없었던 시대에는 지구의 크기를 잴 수 없었을까?

지구의 둘레를 최초로 측정한 사람은 기원전 3세기에 그리스의 수학자 에라토스테네스였다. 과연 에라토스테네스는 어떤 방법으로 지구의 크기를 측정했을까?

알렉산드리아 도서관 관장이었던 에라토스테네스는 도서관에서 '나일강가에 있는 남부 이집트의 시에네(오늘날의 아스완)에서 일년에 한번씩 정오에 태양이 우물 속을 똑바로 비춘다.'는 기록을 읽었다.

그는 이것이 태양의 고도가 90°가 되기 때문이라고 생각하고, 시에네의 북쪽에 있는 알렉산드리아에서 같은 날 막대를 수직으로 세워 보았더니 그림자가 생김을 알았다.

에라토스테네스는 「지구가 둥글고, 태양 광선은 평행하다.」는 가정아래, 시에네에 태양이 똑바로 비치는 날 정오에 알렉산드리아에서 수직으로 세운 막대의 그림자가 막대 끝과 이루는 각(7.2°)을 측정하여 알렉산드리아에서 시에네 사이의 지구 중심각을 구하고 다음 식을 세울 수 있었다.

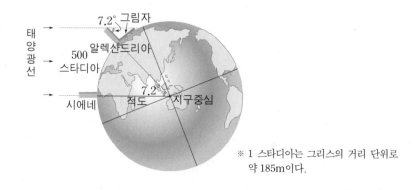

※ 1 스타디아는 그리스의 거리 단위로 약 185m이다.

$$\frac{7.2°}{360°} = \frac{\text{시에네와 알렉산드리아 간의 거리}}{\text{지구의 둘레}}$$

$$= \frac{5000\ \text{스타디아}}{\text{지구의 둘레}}$$

따라서, 지구의 둘레＝5000 스타디아 $\div \frac{7.2°}{360°}$

＝250,000 스타디아

＝46,250,000m

＝46,250km

이것은 현재 정확히 알려진 지구의 둘레 약 40,000km와 비교하면 약 15% 정도 큰 값이지만, 기원전 3세기의 기술로는 놀랄만큼 정확한 값이다.

최상위의 가문
최상위
사고력

수학 좀 한다면

상위권을 위한
사고력
생각하는 방법도
최상위!

상위권의 기준

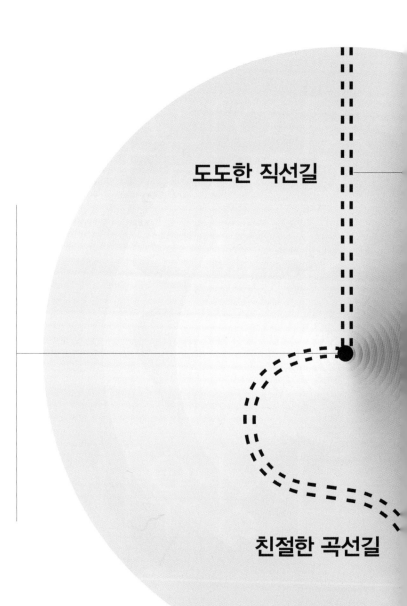

상위권의 기준

최상위
사고력

수학 좀 한다면

도도한 직선길

친절한 곡선길

3%

디딤돌 초등수학

올림피아드

피원아 지음

정답과 풀이

3 과정

3%

디딤돌 초등수학

올림피아드

3과정

정답과 풀이

01 비율 응용 문제 ①

유제

1 90cm, 42cm **2** 8개 **3** 10 : 7 **4** 25000원

특강탐구문제

1 92명 **2** 6명 **3** 1000g
4 성원 : 3850원, 영훈 : 3150원 **5** 6000원
6 10권 **7** 35 : 63 : 36 **8** 136장 **9** 1050원
10 28명

유제풀이

1 처음 심었을 때와 한 달 후의 두 묘목의 길이의 차는 같다.

처음 심었을 때의 길이의 비에서 항의 차는

$15-7=8$

한 달 후의 길이의 비에서 항의 차는

$5-3=2$

이것은 같은 길이를 나타내므로, 길이의 비에서 항의 차를 8과 2의 최소공배수인 8로 나타내어 보면 다음과 같다.

처음		15 : 7
한 달 후	5 : 3 →	20 : 12

두 그루 모두 한 달 사이에 5만큼 자란 것이고, 그 길이는 30cm를 나타내므로 1만큼은

$30 \div 5 = 6 \text{(cm)}$

를 나타낸다.

따라서, 두 묘목의 처음 길이는 각각

$15 \times 6 = 90 \text{(cm)}$, $7 \times 6 = 42 \text{(cm)}$이다.

다른 풀이

처음 두 묘목의 길이의 비가 15 : 7이므로 덩어리로 계산하면 묘목의 길이는 (15덩어리)cm, (7덩어리)cm라고 할 수 있다.

한 달 후에 똑같이 30cm씩 자란 묘목의 길이는 (15덩어리+30)cm, (7덩어리+30)cm가 된다.

한 달 후의 두 묘목의 길이의 비가 5 : 3이므로

(15덩어리+30) : (7덩어리+30)=5 : 3

(15덩어리+30)×3=(7덩어리+30)×5

(45덩어리)+90=(35덩어리)+150

(45덩어리)－(35덩어리)=150－90

(10덩어리)=60

(1덩어리)=6

따라서, 처음 묘목의 길이는

$15 \times 6 = 90 \text{(cm)}$, $7 \times 6 = 42 \text{(cm)}$이다.

2 처음과 나중의 농구공의 개수는 변하지 않았으므로, 공의 개수의 비를 농구공을 기준으로 다시 정리하면 다음과 같다.

	(축구공) : (농구공) : (배구공)	(축구공) : (농구공) : (배구공)
처음	2 : 3 : 4 →	6 : 9 : 12
나중		8 : 9 : 14

나중의 농구공의 개수는

$124 \times \dfrac{9}{(8+9+14)} = 36 \text{(개)}$

즉, 9만큼은 36개를 나타내므로 1만큼은 4를 나타낸다.

따라서 축구공이 2만큼 늘어났으므로 $2 \times 4 = 8 \text{(개)}$ 더 넣은 것이다.

3 겹쳐진 부분의 넓이를 x라고 하면

$x = (\text{삼각형의 넓이}) \times \dfrac{1}{5}$

$\rightarrow (\text{삼각형의 넓이}) = 5 \times x$

$x = (\text{사각형의 넓이}) \times \dfrac{2}{7}$

$\rightarrow (\text{사각형의 넓이}) = \dfrac{7}{2} \times x$

따라서, 삼각형과 사각형의 넓이의 비는

$(5 \times x) : \left(\dfrac{7}{2} \times x\right) = 5 : \dfrac{7}{2} = 10 : 7$

4 국어 사전과 영어 사전의 값이 모두 15%씩 올랐다고 생각하면 올해 두 사전의 값의 합은

$53000 \times 1.15 = 60950 \text{(원)}$이 되어야 한다.

이것은 올해 필요한 책값과 비교하여

$60950 - 59700 = 1250 \text{(원)}$의 차가 나는데, 이 차는 작년 국어 사전 값의 5%에 해당된다.

따라서, 작년의 국어 사전의 값은

$1250 \times \dfrac{100}{5} = 25000 \text{(원)}$이다.

참고* 위의 풀이를 식으로 나타내어 풀 수도 있다.

(국어 사전)＋(영어 사전)=53000이므로

(국어 사전)×1.15+(영어 사전)×1.15=60950

(국어 사전)×1.1+(영어 사전)×1.15=59700

(국어 사전)×0.05=1250

(국어 사전)=25000(원)

특강탐구문제풀이

1 4학년 학생 수와 5학년 학생 수의 비가 2 : 5이고, 6학년 학생 수가 4학년 학생 수의 2배일 때, 전체 학생 수는

239−8=231(명)

이 때, 4, 5, 6학년 학생 수의 비는 2 : 5 : 4가 되고,

6학년 학생 수는

$231 \times \dfrac{4}{(2+5+4)} = 84$(명)

따라서, 실제 6학년 학생 수는

84+8=92(명)

별해* 덩어리로 계산하여도 좋다.

4학년 학생 수를 2덩어리(●●)라고 하면

5학년 학생 수는 5덩어리(●●●●●)이고,

6학년 학생 수는 4덩어리(●●●●)+8명이 된다.

4, 5, 6학년 전체 학생 수는 239명이므로

(11덩어리)+8=239, (11덩어리)=231

(1덩어리)=21(명)

따라서, 6학년 학생 수는

21×4+8=92(명)

2 여학생 몇 명이 전학을 간 후 전체 학생 수는 264명이 되고, 남학생과 여학생 수의 비가 6 : 5가 되었으므로, 현재 남학생 수는

$264 \times \dfrac{6}{(6+5)} = 144$(명)

전학가기 전과 후의 남학생과 여학생 수의 비는 각각 8 : 7, 6 : 5이고, 여학생이 전학가기 전과 후의 남학생 수는 서로 같으므로, 남학생 수를 8과 6의 최소공배수 24로 나타내어 보면 다음과 같다.

	남 : 여		남 : 여
전학가기 전	8 : 7	→	24 : 21
전학간 후	6 : 5	→	24 : 20

즉, 24만큼은 144명을 나타내므로 1만큼은 6명을 나타낸다.

따라서 여학생은 1만큼 줄어들었으므로,

전학간 여학생 수는

1×6=6(명)

3 무게가 5kg=5000g인 수박의 수분의 무게가 수박 무게의 99%이므로, 수분의 무게는

$5000 \times \dfrac{99}{100} = 4950$(g)

수분을 제외한 부분의 무게는

5000−4950=50(g)

수분이 증발하여도 수분을 제외한 부분의 무게는 변함이 없으므로, 수분이 증발하고 난 수박의 5%가 50g이다.

따라서 (수박의 무게)=50÷5×100=1000(g)

4 누구의 돈으로 아이스크림을 사더라도 아이스크림을 사고 난 후 성원이와 영훈이가 가지고 있는 돈의 합은 서로 같다.

성원이와 영훈이가 아이스크림을 사고 난 후 남은 돈의 비에서 항의 합은 각각 2와 18이고, 이것은 같은 액수를 나타내므로 돈의 비에서 항의 합을 2와 18의 최소공배수인 18로 나타내어 보면 다음과 같다.

	(성원) : (영훈)		(성원) : (영훈)
성원이가 살 경우	1 : 1	→	9 : 9
영훈이가 살 경우		→	11 : 7

11−9=9−7=2는 아이스크림의 가격을 나타낸다.

즉, 성원이와 영훈이가 처음에 가지고 있던 돈의 비는 11 : 9가 된다.

아이스크림의 가격은 700원이므로, 1만큼은

700÷2=350(원)을 나타낸다.

따라서, 성원이와 영훈이가 처음에 가지고 있던 돈은 각각

11×350=3850(원)

9×350=3150(원)

5 지난 해와 올해의 어른과 어린이의 입장료 차는 같다.

지난 해 입장료의 비에서 항의 차는 7−3=4

올해 입장료의 비에서 항의 차는 9−4=5

이것은 같은 금액을 나타내므로, 입장료의 비의 항의 차를 4와 5의 최소공배수인 20으로 나타내어 보면 다음과 같다.

	(어린이) : (어른)		(어린이) : (어른)
지난 해	3 : 7	→	15 : 35
올해	4 : 9	→	16 : 36

어른과 어린이 모두 1년에 1만큼씩 가격이 올랐고, 오른 가격은 400원이므로 1만큼은 400원을 나타낸다.

따라서, 지난 해의 어린이 입장료는

$15 \times 400 = 6000$(원)

6 미혜와 지현이가 낸 돈의 합과 공책값의 합은 같다. 그런데, $13 : 17$로 낸 돈의 비에서 항의 합은 $13+17=30$이고, $1 : 3$으로 나누어 가진 공책값의 비에서 항의 합은 $1+3=4$이므로 비의 항의 합을 30과 4의 최소공배수인 60으로 나타내어 보면 다음과 같다.

	(미혜) : (지현)		(미혜) : (지현)
낸 돈	13 : 17	→	26 : 34
공책값	1 : 3	→	15 : 45

$26-15=45-34=11$은 지현이가 미혜에게 준 2200원을 나타내므로 1만큼은 $2200 \div 11 = 200$(원)을 나타낸다.

따라서, 미혜가 가진 공책의 값은

$15 \times 200 = 3000$(원)이고,

공책 한 권의 값은 300원이므로 미혜가 가진 공책의 수는

$3000 \div 300 = 10$(권)

7 (겹쳐진 부분 ㉠의 넓이) = (삼각형의 넓이) $\times \dfrac{2}{5}$

→ (삼각형의 넓이) = (겹쳐진 부분 ㉠의 넓이) $\times \dfrac{5}{2}$

(겹쳐진 부분 ㉠의 넓이) = (사각형의 넓이) $\times \dfrac{2}{9}$

→ (사각형의 넓이) = (겹쳐진 부분 ㉠의 넓이) $\times \dfrac{9}{2}$

따라서 (삼각형의 넓이) : (사각형의 넓이) $= 5 : 9$

(겹쳐진 부분 ㉡의 넓이) = (사각형의 넓이) $\times \dfrac{1}{7}$

→ (사각형의 넓이) = (겹쳐진 부분 ㉡의 넓이) $\times 7$

(겹쳐진 부분 ㉡의 넓이) = (원의 넓이) $\times \dfrac{1}{4}$

→ (원의 넓이) = (겹쳐진 부분 ㉡의 넓이) $\times 4$

따라서, (사각형의 넓이) : (원의 넓이) $= 7 : 4$

삼각형, 사각형, 원의 넓이의 비를 정리하면 다음과 같다.

(삼각형의 넓이) : (사각형의 넓이) : (원의 넓이)
5 : 9
7 : 4

연비로 나타내기 위해 사각형의 넓이를 9와 7의 최소공배수인 63으로 나타내면

(삼각형의 넓이) : (사각형의 넓이) : (원의 넓이)

$= 35 : 63 : 36$

8 노란색과 빨간색 색종이만 생각해 보면, 장수의 비가 처음에 $4 : 7$이었고, 몇 장씩 쓰고 난 후의 비는 $3 : 7$이 되었다.

이 때, 노란색과 빨간색 색종이 수의 차는 변하지 않으므로, 장수의 비에서 항의 차를 $7-4=3$과 $7-3=4$의 최소공배수인 12로 나타내어 보면

처음의 장수의 비는 $16 : 28$, 나중의 비는 $9 : 21$이다. 모든 색종이의 수의 비를 정리하면 다음과 같다.

	(노란색)	(빨간색)	(초록색)	(파란색)
처음	16 :	28 :	52 :	□
나중	9 :	21 :	△ :	33

따라서, 노란색과 빨간색이 7만큼 사용했고, 모든 색종이를 같은 장수씩 사용했으므로, 파란색 색종이도 7만큼 사용한 것이므로, □$=33+7=40$으로 나타낼 수 있다.

처음의 파란색 색종이는 40장이었으므로 1만큼은

$40 \div 40 = 1$(장)을 나타낸다.

따라서 처음 4가지 색깔의 색종이 수의 합은

$16+28+52+40=136$(장)

9 돈을 주고 받기 전과 후의 세 사람이 가진 돈의 합은 같다.

처음 비의 합은 $5+7+9=21$이고,

돈을 주고 받은 후의 비의 합은 $9+8+11=28$이므로 세 사람이 가진 돈의 비의 합을 21과 28의 최소공배수인 84로 나타내어 보면 다음과 같다.

	갑 : 을 : 병		갑 : 을 : 병
처음	5 : 7 : 9	→	20 : 28 : 36
나중	9 : 8 : 11	→	27 : 24 : 33

병은 을에게 3만큼의 돈을 주었다.

병이 을에게 준 3만큼은 450원이므로, 1만큼은

$450 \div 3 = 150$(원)을 나타낸다.

을은 처음에 28이었는데 병에게서 3을 받아 31이 되었고,

이 중에서 갑에게 얼마를 주었더니 24가 되었다.

즉, 을은 갑에게 7만큼을 주었다.

따라서, 을이 갑에게 준 돈은

$150 \times 7 = 1050$(원)

10 6학년 학생 중 남학생과 여학생 수의 비가 6 : 5이고, 전체 6학년 학생 수가 308명이므로

남학생은 $308 \times \dfrac{6}{11} = 168$(명)

여학생은 $308 \times \dfrac{5}{11} = 140$(명)

체육복을 입은 여학생을 a명이라 하면, 체육복을 입은 남학생은 $(1.4 \times a)$명이고,

체육복을 입지 않은 여학생을 b명이라 하면, 체육복을 입지 않은 남학생은 $(0.7 \times b)$명이다.

즉, 식을 세워 보면 다음과 같다.

$$\begin{cases} 168 = 1.4 \times a + 0.7 \times b & \cdots\cdots \text{㉠} \\ 140 = a + b & \cdots\cdots\cdots\cdots\cdots \text{㉡} \end{cases}$$

식 ㉡에 0.7을 곱하면

$98 = 0.7 \times a + 0.7 \times b$ ······ ㉢

식 ㉠에서 식 ㉢을 빼면

$70 = 0.7 \times a$

$a = 70 \div 0.7 = 100$(명)

식 ㉡에서

$140 = 100 + b$

$b = 140 - 100 = 40$

따라서, 체육복을 입지 않은 남학생 수는

$0.7 \times 40 = 28$(명)

참고* 다음과 같이 생각할 수도 있다.

식 ㉡에 1.4를 곱하면

$196 = 1.4 \times a + 1.4 \times b$ ······ ㉣

식 ㉣에서 식 ㉠을 빼면

$$\begin{array}{r} 196 = 1.4 \times a + 1.4 \times b \\ -\ )\ 168 = 1.4 \times a + 0.7 \times b \\ \hline 28 = \qquad\quad 0.7 \times b \end{array}$$

따라서, 체육복을 입지 않은 남학생 수는

$0.7 \times b = 28$(명)

닮음을 이용한 도형 문제 ① 02

유제

1 $\frac{2}{15}$　　**2** $4\frac{12}{13}$ cm　　**3** 12.5cm　　**4** $16\frac{2}{3}$ cm²

특강탐구문제

1 $32\frac{2}{3}$ cm²　　**2** 14cm　　**3** 34cm²　　**4** 5 : 4

5 72cm²　　**6** 3.8cm　　**7** 270cm²　　**8** $1\frac{1}{4}$ cm

9 120cm²　　**10** $86\frac{2}{5}$ cm²

유제풀이

1 삼각형 ㅁㅂㄹ과 삼각형 ㄷㅂㄴ은 두 쌍의 각의 크기가 같으므로 서로 닮음이다.

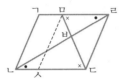

선분 ㅁㄹ의 길이는 선분 ㄱㄹ의 길이의 $\frac{2}{3}$이므로 변 ㄴㄷ의 길이의 $\frac{2}{3}$이고, 선분 ㅁㄹ과 선분 ㄷㄴ의 길이의 비는 2 : 3이다.

즉, 두 삼각형의 대응하는 변의 길이의 비는 2 : 3이므로

(선분 ㅁㅂ의 길이) : (선분 ㄷㅂ의 길이)=2 : 3이다.

삼각형 ㅁㅂㄹ의 넓이를 2라 하면, 삼각형 ㄹㅂㄷ의 넓이는 3, 삼각형 ㅁㄷㄹ의 넓이는 5, 평행사변형 ㅁㅅㄷㄹ의 넓이는 10이고, 평행사변형 ㄱㄴㅅㅁ의 넓이는 평행사변형 ㅁㅅㄷㄹ의 넓이의 반이므로, 5가 된다.

따라서 평행사변형 ㄱㄴㄷㄹ의 넓이는 15이므로, 삼각형 ㅁㅂㄹ의 넓이는 평행사변형 ㄱㄴㄷㄹ의 넓이의 $\frac{2}{15}$이다.

2 삼각형 ㄱㄴㄹ의 넓이가 삼각형 ㅂㄴㄷ의 넓이보다 12cm² 더 넓으므로 사각형 ㄱㄴㄷㄹ의 넓이가 삼각형 ㄹㅁㄷ의 넓이보다 12cm² 더 넓다.

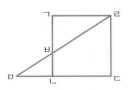

사각형 ㄱㄴㄷㄹ의 넓이는 8×8=64(cm²)이므로 삼각형 ㄹㅁㄷ의 넓이는 64−12=52(cm²)이다.

변 ㄹㄷ의 길이가 8cm이므로 변 ㅁㄷ의 길이는 13−8=5(cm)이고 삼각형 ㄱㄹㅂ과 삼각형 ㄴㅁㅂ은 닮음이므로 닮음비가 8 : 5이다.

변 ㄱㅂ과 변 ㅂㄴ의 길이의 비도 8 : 5이므로 변 ㄱㅂ의 길이는 $8 \times \frac{8}{13} = \frac{64}{13} = 4\frac{12}{13}$(cm)이다.

3 삼각형 ㄱㄷㄹ의 넓이는 10×12÷2=60(cm²), 삼각형 ㄹㅁㄷ의 넓이는 12cm²이므로

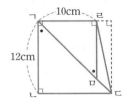

(삼각형 ㄱㅁㄷ의 넓이)
=60−12=48(cm²)

삼각형 ㄱㅁㄹ과 삼각형 ㄱㄷㄹ은 높이가 같은 삼각형이므로

(선분 ㄱㅁ의 길이) : (선분 ㄱㄷ의 길이)=48 : 60
=4 : 5

한편, 삼각형 ㄱㄹㅁ과 삼각형 ㄷㄴㄱ은 두 쌍의 각의 크기가 같으므로 서로 닮음이고 닮음비는 4 : 5이다. 따라서

(변 ㄴㄷ의 길이)$=10 \times \frac{5}{4} = \frac{25}{2} = 12.5$(cm)

4 오른쪽 그림과 같이 정사각형의 두 대각선을 그은 후, 두 대각선이 만나는 점과 정사각형의 각 변의 중점을 이으면 팔각형은 넓이가 같은 8개의 삼각형으로 나뉜다.

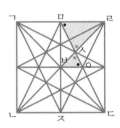

삼각형 ㅅㄹㅁ과 삼각형 ㅅㅂㅇ은 두 쌍의 각이 같으므로 서로 닮음이고, 점 ㅇ은 직사각형 ㅁㅈㄷㄹ의 두 대각선의 교점이므로 선분 ㅂㅇ의 길이는 선분 ㅁㄹ의 길이의 $\frac{1}{2}$이다.

삼각형 ㅅㄹㅁ과 삼각형 ㅅㅂㅇ의 닮음비가 2 : 1이므로 선분 ㅁㅅ과 선분 ㅇㅅ의 길이의 비는 2 : 1이고, 삼각형 ㅅㅁㅂ과 삼각형 ㅅㅂㅇ은 높이가 같은 삼각형이므로 넓이의 비도 2 : 1이다.

삼각형 ㅁㅂㅇ의 넓이는 정사각형 ㄱㄴㄷㄹ의 넓이의 $\frac{1}{4} \times \frac{1}{2} \times \frac{1}{2} = \frac{1}{16}$이므로

$10 \times 10 \times \frac{1}{16} = \frac{25}{4}$(cm²)

삼각형 ㅅㅂㅇ의 넓이는 삼각형 ㅁㅂㅇ의 넓이의 $\frac{1}{3}$이므로

$\frac{25}{4} \times \frac{1}{3} = \frac{25}{12}$(cm²)

따라서, 팔각형의 넓이는

$$\frac{25}{12} \times 8 = \frac{50}{3} = 16\frac{2}{3}(\text{cm}^2)$$

특강탐구문제풀이

1 각 ㄹㄱㄷ과 각 ㄹㄷㄱ의 크
기는 각각 45°이다. 각 ㄱㄹㄴ
의 크기는 90°이고 선분 ㄹㅁ
에 의해 각이 이등분 되었으므
로, 각 ㄱㄹㅁ과 각 ㅁㄹㄴ의
크기는 각각 45°이다.

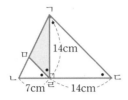

각 ㄱㄷㄹ과 각 ㅁㄹㄴ의 크기가 45°로 같으므로, 삼각형
ㄴㄹㅁ과 삼각형 ㄴㄷㄱ은 서로 닮음이다. 선분 ㄴㄹ의
길이와 선분 ㄴㄷ의 길이의 비가 7 : 14=1 : 2이므로,
선분 ㄴㅁ의 길이와 선분 ㅁㄱ의 길이의 비도 1 : 2이다.
따라서, 삼각형 ㄱㄴㄹ의 넓이는
$7 \times 14 \div 2 = 49(\text{cm}^2)$
삼각형 ㄱㅁㄹ의 넓이는
삼각형 ㄱㄴㄹ의 $\frac{2}{3}$이므로,
$49 \times \frac{2}{3} = 32\frac{2}{3}(\text{cm}^2)$

2 점 ㅂ에서 선분 ㄱㄹ에 수직인
선분을 긋고 만나는 점을 점 ㅇ이
라 하면 삼각형 ㅂㅇㄹ과 삼각형
ㅁㄱㄹ은 닮음비가 1 : 2인 닮은
도형이 되고, 점 ㅇ은 선분 ㄱㄹ의
중점이 된다. 삼각형 ㅁㄱㄹ은 직
각이등변삼각형이므로

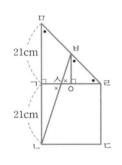

(선분 ㅁㄱ의 길이)=(선분 ㄱㄹ의 길이)
=(선분 ㄱㄴ의 길이)=42÷2=21(cm)
(선분 ㅇㄹ의 길이)=(선분 ㅂㅇ의 길이)
=21÷2=$\frac{21}{2}$(cm)
또한, 삼각형 ㅅㅂㅇ과 삼각형 ㅅㄴㄱ은 닮음비가 1 : 2
인 닮은 도형이므로, 선분 ㄱㅅ의 길이와 선분 ㅅㅇ의 길
이의 비는 2 : 1이고, 선분 ㅅㅇ의 길이는
$\frac{21}{2} \times \frac{1}{3} = \frac{7}{2}$(cm)
(선분 ㅅㄹ의 길이)=$\frac{7}{2} + \frac{21}{2} = \frac{28}{2}$
$= 14$(cm)

3 삼각형 ㄱㄹㅅ과 삼각형 ㄱㄴㄷ은 닮음이므로 선분
ㄱㅅ의 길이와 선분 ㅅㄷ의 길이의 비는 10 : 6=5 : 3
이다.
점 ㄱ에서 선분 ㄹㅅ과 선분 ㅁㅂ에 수선을 긋고 만나는
점을 각각 점 ㅇ, 점 ㅈ이라 하면 삼각형 ㄱㄹㅇ과 삼각
형 ㄹㄴㅁ, 삼각형 ㄱㅇㅅ과 삼각형 ㅅㅂㄷ은 각각 서로
닮음이고 닮음비는 10 : 6=5 : 3이 된다.

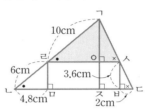

(선분 ㄹㅇ의 길이)=$4.8 \times \frac{5}{3} = 8$(cm)
(선분 ㅇㅅ의 길이)=$2 \times \frac{5}{3} = \frac{10}{3}$(cm)
(선분 ㄱㅇ의 길이)=$3.6 \times \frac{5}{3} = 6$(cm)
(삼각형 ㄱㄹㅅ의 넓이)=$\left(8 + \frac{10}{3}\right) \times 6 \div 2$
$= \frac{34}{3} \times 6 \div 2$
$= 34(\text{cm}^2)$

4

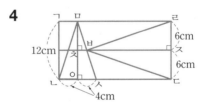

그림과 같이 점 ㅁ에서 선분 ㄴㄷ에 수직인 선분을 긋고,
점 ㅂ을 지나면서 선분 ㄹㄷ에 수직인 선분을 그으면, 삼
각형 ㅁㅊㅂ과 삼각형 ㅁㅇㅅ은 닮음비가 1 : 2인 닮은
도형이 된다.
(선분 ㅊㅂ의 길이)=$4 \times \frac{1}{2} = 2$(cm)
또한 삼각형 ㅁㄴㅅ과 삼각형 ㅂㄷㄹ은 닮은 도형이고
선분 ㄴㅅ의 길이와 선분 ㄷㄹ의 길이의 비가
8 : 12=2 : 3이므로 삼각형 ㅂㄷㄹ에서
(선분 ㅂㅈ의 길이)=$12 \times \frac{3}{2} = 18$(cm)
(선분 ㅁㄹ의 길이)
=(선분 ㅂㅈ의 길이)+(선분 ㅊㅂ의 길이)
=18+2=20(cm)

(선분 ㅅㄷ의 길이)

$=$(선분 ㅁㄹ의 길이)$-$(선분 ㅇㅅ의 길이)

$=20-4=16$cm

삼각형 ㅁㅂㄹ과 삼각형 ㅂㅅㄷ은 높이가 같은 삼각형이고 밑변인 선분 ㅁㄹ과 선분 ㅅㄷ의 길이의 비가 $20:16=5:4$이므로, 넓이의 비는 $5:4$이다.

---

5 [그림 1]과 같이 점 ㅂ에서 선분 ㄴㄷ과 평행인 선을 긋고 선분 ㄱㄹ과 만나는 점을 점 ㅅ이라 하면 삼각형 ㄱㅅㅂ과 삼각형 ㄱㄹㄷ은 서로 닮음이고, 선분 ㄱㅂ과 선분 ㅂㄷ의 길이가 같으므로 닮음비는 $1:2$이다.

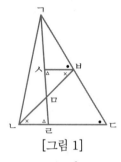

[그림 1]

따라서, 선분 ㅅㅂ의 길이는 선분 ㄹㄷ의 길이의 $\frac{1}{2}$이므로, 선분 ㄴㄹ의 길이와 같다.

삼각형 ㅁㅅㅂ과 삼각형 ㅁㄹㄴ은 한 변의 길이와 양 끝 각의 크기가 각각 같으므로 합동이다. 따라서 선분 ㄴㅁ과 선분 ㅁㅂ의 길이는 같다.

삼각형 ㅁㄹㄴ의 넓이가 6cm²이므로 [그림 2]에서 삼각형 ㅂㅁㄹ의 넓이도 6cm²이다.

따라서, 삼각형 ㅂㄴㄹ의 넓이는

$6+6=12$(cm²)

삼각형 ㅂㄴㄷ의 넓이는

$12\times3=36$(cm²)

삼각형 ㄱㄴㄷ의 넓이는

$36\times2=72$(cm²)

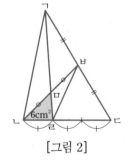

[그림 2]

---

6 삼각형 ㅁㄹㄱ과 삼각형 ㅁㄹㄷ은 두 쌍의 각이 같으므로 닮음이고, 선분 ㄱㄹ과 선분 ㄷㄴ의 길이의 비가 $6:15=2:5$이므로 닮음비는 $2:5$이다.

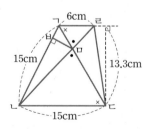

(선분 ㄴㅁ의 길이) : (선분 ㅁㄹ의 길이)$=5:2$이고,

삼각형 ㄱㄴㅁ과 삼각형 ㄱㅁㄹ은 높이가 같은 삼각형이므로

(삼각형 ㄱㄴㅁ의 넓이)$=(6\times13.3\div2)\times\dfrac{5}{(5+2)}$

$\qquad\qquad=28.5$(cm²)

따라서 (선분 ㅁㅂ의 길이)$=28.5\times2\div15$

$\qquad\qquad\qquad=3.8$(cm)

---

7 삼각형 ㅁㄹㄱ과 삼각형 ㄹㄴㄷ은 두 쌍의 각이 같은 닮은 도형이고, 닮음비는 $12:15=4:5$이므로,

(선분 ㄹㅁ의 길이) : (선분 ㄹㄴ의 길이)$=4:5$

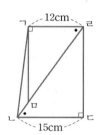

(선분 ㄹㅁ의 길이) : (선분 ㅁㄴ의 길이)$=4:1$이고, 삼각형 ㄱㄴㄹ의 넓이는 삼각형 ㄱㄴㅁ의 넓이의 5배이다.

(삼각형 ㄱㄴㄹ의 넓이)$=24\times5=120$(cm²)

(선분 ㄹㄷ의 길이)$=$(삼각형 ㄱㄴㄹ의 넓이)$\times2\div12$

$\qquad\qquad=120\times2\div12=20$(cm)

(사다리꼴 ㄱㄴㄷㄹ의 넓이)$=(12+15)\times20\div2$

$\qquad\qquad\qquad=270$(cm²)

---

8 그림과 같이 선분 ㄱㄷ을 그으면 삼각형 ㄷㄹㄱ과 삼각형 ㄱㄴㄷ은 높이가 같고 밑변인 선분 ㄱㄹ과 선분 ㄴㄷ의 길이의 비가 $3:5$이므로, 넓이의 비는 $3:5$이다.

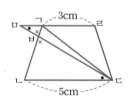

그런데, 사각형 ㄱㅂㄷㄹ과 삼각형 ㅂㄴㄷ의 넓이가 같으므로 사다리꼴 ㄱㄴㄷㄹ의 넓이를 8이라 하면 삼각형 ㅂㄴㄷ의 넓이는 4이고 삼각형 ㄱㅂㄷ의 넓이는 1이 된다.

따라서 (선분 ㄱㅂ의 길이) : (선분 ㅂㄴ의 길이)$=1:4$

삼각형 ㅂㄱㄷ과 삼각형 ㅂㄴㄷ은 두 쌍의 각이 같으므로 서로 닮은 도형이고, 닮음비는 $1:4$이다. 따라서,

(선분 ㄴㄷ의 길이) : (선분 ㅁㄱ의 길이)$=4:1$

(선분 ㅁㄱ의 길이)$=5\times\dfrac{1}{4}=\dfrac{5}{4}=1\dfrac{1}{4}$(cm)

9 점 ㅁ에서 변 ㄴㄷ에 수선을 그으면, 선분 ㅁㅇ은 삼각형 ㅁㄴㄷ과 직사각형 ㄱㄴㄷㄹ의 넓이를 이등분한다. 삼각형 ㅁㄴㅇ과 사각형 ㄱㄴㅇㅈ의 넓이가 같아야 하므로 삼각형 ㅁㅂㅈ과 삼각형 ㄴㅂㄱ의 넓이는 같고, 두 삼각형은 서로 닮음이므로

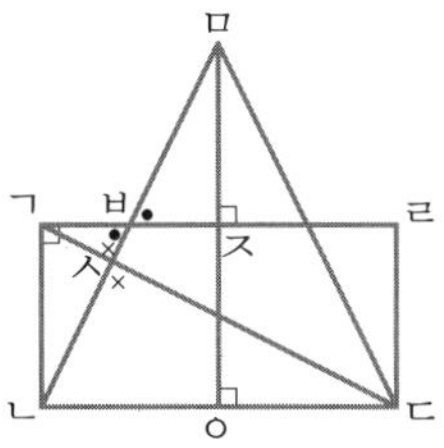

(선분 ㄱㅂ의 길이) : (선분 ㅂㅈ의 길이)=1 : 1

즉, 점 ㅂ은 선분 ㄱㅈ의 중점이다.

따라서 삼각형 ㅅㅂㄱ과 삼각형 ㅅㄴㄷ은 닮음비가 1 : 4인 닮은 도형이 되므로

(선분 ㅂㅅ의 길이) : (선분 ㅅㄴ의 길이)=1 : 4

(삼각형 ㄱㄴㅂ의 넓이)$=3\times5=15(\text{cm}^2)$

삼각형 ㅁㄴㄷ의 넓이는 사각형 ㄱㄴㄷㄹ의 넓이와 같고, 사각형 ㄱㄴㄷㄹ은 삼각형 ㄱㄴㅂ과 같은 도형 8개가 모여 이루어진 것이므로, 삼각형 ㅁㄴㄷ의 넓이는

$15\times8=120(\text{cm}^2)$

10 그림과 같이 선분 ㅇㅂ과 선분 ㅁㅅ을 그어 보자. 직사각형 ㄱㄴㅂㅇ의 두 대각선이 만나는 점을 ㅈ이라 하면 선분 ㅁㅈ의 길이와 선분 ㅈㅊ의 길이는 같고,

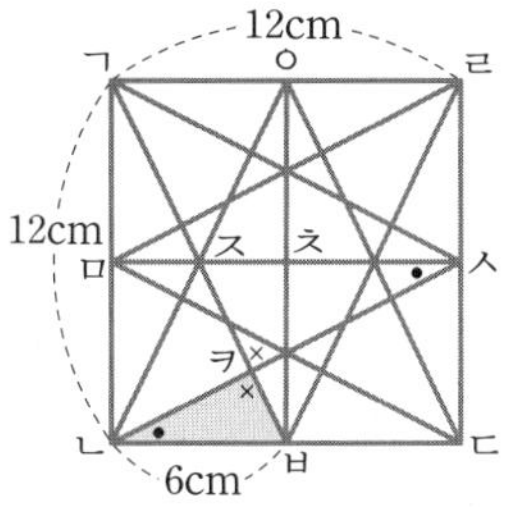

(선분 ㅈㅅ의 길이)$=12\times\frac{3}{4}=9(\text{cm})$

삼각형 ㅋㅅㅈ과 삼각형 ㅋㄴㅂ은 두 쌍의 각이 같으므로 서로 닮음이고 닮음비는 9 : 6=3 : 2이다. 따라서,

(변 ㅋㅂ의 길이) : (변 ㅋㅈ의 길이)=2 : 3

삼각형 ㅈㄴㅂ의 넓이는

$6\times6\div2=18(\text{cm}^2)$

삼각형 ㅋㄴㅂ의 넓이는

$18\times\frac{2}{5}=\frac{36}{5}(\text{cm}^2)$

색칠한 부분의 넓이는 정사각형 ㄱㄴㄷㄹ의 넓이에서 삼각형 ㅋㄴㅂ의 넓이의 8배를 뺀 것이므로

$(12\times12)-\left(\frac{36}{5}\times8\right)=86\frac{2}{5}(\text{cm}^2)$

비로 푸는 속력 문제 **03**

유제

1 168km **2** 20:27 **3** 108.3km
4 3시간 40분

특강탐구문제

1 시속 90km **2** 18분 **3** 시속 72km **4** 90걸음
5 36cm **6** 15:13 **7** 2.1km **8** 2.8km
9 A:$19\frac{19}{20}$초, B:21초, C:$22\frac{4}{5}$초 **10** 10분 후

유제풀이

1 갈 때와 올 때의 속력의 비는 72 : 56=9 : 7이므로
갈 때와 올 때 걸린 시간의 비는 $\frac{1}{9}$: $\frac{1}{7}$=7 : 9이다.
왕복하는 데 걸린 시간은 5시간 20분=320분이므로, 갈 때 걸린 시간은 $320 \times \frac{7}{(7+9)}$=140(분)=$2\frac{1}{3}$(시간)
따라서, A, B 사이의 거리는 $72 \times 2\frac{1}{3}$=168(km)

2 A와 B는 같은 시간 동안 각각 4걸음, 3걸음을 걷는다. 또, 같은 거리를 A는 9걸음, B는 5걸음에 가므로 두 사람의 1걸음의 보폭의 비는 $\frac{1}{9}$: $\frac{1}{5}$=5 : 9이다.
따라서, A가 4×5=20만큼 갈 때, B는 3×9=27만큼 간다. 즉, A와 B의 속력의 비는 20 : 27이다.

3 두 버스 A, B가 같은 거리를 가는 데 걸리는 시간의 비는 80 : 110=8 : 11이므로, 같은 시간에 갈 수 있는 거리의 비는 $\frac{1}{8}$: $\frac{1}{11}$=11 : 8이다. 두 버스가 만날 때까지 두 버스는 같은 시간 동안 달렸으므로, 두 버스가 만난 지점은 두 마을 사이의 거리를 19라고 할 때, ㉮에서 11, ㉯에서 8만큼 떨어진 지점이고, 중간 지점에서 이 거리가 11.4km이므로, ㉮, ㉯ 사이의 거리는
$11.4 \div \left(11-9\frac{1}{2}\right) \times 19=11.4 \div \frac{3}{2} \times 19=144.4$(km)
따라서 A의 속력은 시속 $144.4 \div 1\frac{1}{3}$=108.3(km)

4 속력의 비가 13 : 9이고, 두 사람은 만날 때까지 같은 시간을 달렸으므로, 만날 때까지 달린 거리의 비도 13 : 9이다. 갑이 을을 뒤따라 가면, 학교와 공원 사이의 거리

를 13+9=22라 하면 갑은 을보다 22만큼 뒤에 있고 40분에 13-9=4만큼씩 을을 따라 잡을 수 있다. 즉, 갑이 을을 따라 잡으려면 40분씩 $22 \div 4=5\frac{1}{2}$(번) 가야 한다.
따라서, 갑이 을을 뒤따라 갔을 때, 서로 만나는 데는
$40분 \times 5\frac{1}{2}$=220분=3시간 40분이 걸린다.

특강탐구문제풀이

1 버스의 속력을 1이라고 하면 승용차의 속력은 $\frac{4}{3}$이므로,
버스와 승용차의 속력의 비는 1 : $\frac{4}{3}$=3 : 4이다.
따라서, 같은 시간 동안 가는 거리의 비도 3 : 4이다.
승용차와 버스가 만난 지점까지 버스가 간 거리는
$350 \times \frac{3}{7}$=150(km)이고, 이 거리는 1시간 40분 동안 간 거리이므로,
버스는 한 시간에 $150 \div 1\frac{2}{3}$=90(km)를 달린다.

2 할머니댁에서 돌아올 때의 속력은 갈 때의 속력의
$1+\frac{1}{9}=\frac{10}{9}$이므로
갈 때와 돌아올 때의 속력의 비는 1 : $\frac{10}{9}$=9 : 10
걸리는 시간의 비는 $\frac{1}{9}$: $\frac{1}{10}$=10 : 9
갈 때 3시간, 즉 180분 걸렸으므로 돌아올 때 걸린 시간은
$180 \times \frac{9}{10}$=162(분)이다. 따라서, 돌아올 때는 갈 때보다
180-162=18(분) 더 적게 걸렸다.

3 기차의 속력을 2배로 높였으므로, 처음 속력과 나중 속력의 비는 1 : 2이고, 같은 시간 동안 가는 거리의 비도 1 : 2이다. 또, 처음에는 1의 속력으로 10초, 나중에는 2의 속력으로 16초 동안 갔으므로, 움직인 거리의 비는
$(1 \times 10) : (2 \times 16)$=10 : 32=5 : 16
철교를 지날 때는 (기차 길이)+80m를 갔고, 터널을 지날 때는 (기차 길이)+520m를 갔으므로 거리의 차는
520-80=440(m)이다. 비의 차 16-5=11은 440m를 나타내므로, 1은 440÷11=40(m)를 나타낸다.
따라서, (기차 길이)=40×5-80=120(m)
이 기차는 1분에 (80+120)÷10=20(m)를 가므로 한 시간에 가는 거리는
20(m)×3600(초)=72000m=72km

4 혜림이와 누리의 보폭의 비는 $\frac{1}{7} : \frac{1}{8} = 8 : 7$이고, 걸음의 속도의 비는 $5 : 4$이므로, 혜림이가 $5 \times 8 = 40$만큼 갈 때, 누리는 $4 \times 7 = 28$만큼 간다. 즉, 혜림이와 누리의 속력의 비는 $40 : 28 = 10 : 7$이다. 따라서, 혜림이의 걸음을 기준으로 하면 혜림이가 10걸음만큼의 거리를 가는 동안 누리는 7걸음만큼의 거리를 가는 것이다.

$27 \div (10 - 7) = 9$이므로, 혜림이가 90걸음만큼의 거리를 가면 누리는 63걸음 거리를 가게 되어 27걸음 앞에 있는 누리와 만나게 된다.

5 상민이와 상윤이의 보폭의 비는 $\frac{1}{20} : \frac{1}{14} = 7 : 10$이다. 또, 같은 시간 동안 걷는 걸음 수의 비는 $28 : 21 = 4 : 3$이므로, 같은 시간 동안 갈 수 있는 거리의 비는 $(7 \times 4) : (10 \times 3) = 14 : 15$이다.

상윤이가 상민이보다 57.6m 앞서게 되었으므로, $15 - 14 = 1$이 57.6m를 나타낸다. 따라서, 상민이가 1시간 20분 동안 간 거리는

$57.6 \times 14 = 806.4\,(m)$

또, 상민이는 1분 동안 28걸음을 걸으므로, 1시간 20분, 즉, 80분 동안 $28 \times 80 = 2240$(걸음)을 걷는다. 따라서, 상민이의 보폭은 $806.4 \div 2240 = 0.36\,(m) = 36\,cm$이다.

6 A, B는 차례로 출발하여 ㉮ 항구에서부터 A는 두 항구 사이의 $\frac{1}{2}$만큼 되는 지점, B는 $\frac{1}{6}$만큼 되는 지점에 있었다. 일정한 시간이 흘러 A가 두 항구의 $\frac{1}{2}$만큼 더 가서 ㉯ 항구에 도착했을 때 B는 ㉮ 항구에서부터 두 항구의 $\frac{3}{5}$만큼 되는 지점까지 갔다.

즉, 두 항구 사이의 거리의 $\frac{3}{5} - \frac{1}{6} = \frac{13}{30}$만큼 갔다.

따라서, 두 배의 속력의 비는 $\frac{1}{2} : \frac{13}{30} = 15 : 13$이다.

7 처음에 갑과 을이 각각 C로부터 A, B를 향해 동시에 출발하여 동시에 도착했으므로, 두 사람의 속력의 비는 $7 : 4$이다. 다시 두 사람이 두 지점 A, B에서 마주 보고 갈 때에는 을이 속력을 2배로 높였으므로 두 사람의 속력의 비는 $7 : (4 \times 2) = 7 : 8$이다.

두 사람 사이의 거리가 500m가 되었을 때 두 사람이 간 거리의 합은 $11 - 0.5 = 10.5\,(km)$이고, 두 사람이 간 거리의 비는 속력의 비와 같은 $7 : 8$이므로 갑이 간 거리는

$10.5 \times \frac{7}{15} = 4.9\,(km)$이다. 따라서, 갑과 C 지점 사이의 거리는 $7 - 4.9 = 2.1\,(km)$이다.

8 처음 경민이와 해웅이의 속력의 비가 $3 : 4$였으므로, 전체 거리를 7이라고 하면, 두 사람이 만난 지점은 경민이네 집에서 3, 해웅이네 집에서 4만큼 떨어진 지점이다. 두 사람은 만난 후 경민이는 속력을 30% 높이고 해웅이는 10% 줄였으므로, 속력의 비는

$\left(3 + 3 \times \frac{30}{100}\right) : \left(4 - 4 \times \frac{10}{100}\right) = 3.9 : 3.6 = 13 : 12$

경민이네 집 ─ 3 ─ · ─ 4 ─ 해웅이네 집
경민 3:4 해웅
해웅 12:13 경민

해웅이는 12의 속력으로 나머지 3만큼의 거리를 가는데 $\frac{3}{12} = \frac{1}{4}$만큼의 시간이 걸리고, 경민이는 그동안 $13 \times \frac{1}{4} = \frac{13}{4} = 3\frac{1}{4}$만큼 간다.

해웅이네 집까지 남은 거리 0.3km는 $4 - 3\frac{1}{4} = \frac{3}{4}$에 해당되므로 두 집 사이의 거리는

$0.3 \div \frac{3}{4} \times 7 = 2.8\,(km)$

9 A가 결승선에 도착한 시간까지 B와 C는 각각 $80 - 4 = 76\,(m)$, $80 - 10 = 70\,(m)$씩 달렸으므로 세 사람의 속력의 비는 $80 : 76 : 70 = 40 : 38 : 35$이고, 같은 거리를 갈 때 걸리는 시간의 비는 $\frac{1}{40} : \frac{1}{38} : \frac{1}{35}$이다. 한편, B는 4m를 가는 데 0.6초가 걸렸으므로 140m를 가는 데는 $140 \div 4 \times 0.6 = 21$(초), 따라서,

A : $21 \div \frac{1}{38} \times \frac{1}{40} = 19\frac{19}{20}$(초)

B : $21 \div \frac{1}{38} \times \frac{1}{35} = 22\frac{4}{5}$(초)

10 관희와 강인이의 속력의 비는 $3 : 2\frac{1}{2} = 6 : 5$이고, 관희는 1.6km 가는 데 5분이 걸리므로 관희는 1분에 $1600 \div 5 = 320\,(m)$를 간다.

강인이는 1분에 $320 \div 6 \times 5 = 266\frac{2}{3}\,(m)$를 간다.

강인이가 관희보다 2분 먼저 출발하였으므로, 강인이는 관희보다 $266\frac{2}{3} \times 2 = 533\frac{1}{3}\,(m)$ 앞서 있고, 관희는 강인이를 1분에 $320 - 266\frac{2}{3} = 53\frac{1}{3}\,(m)$씩 따라잡으므로 $533\frac{1}{3} \div 53\frac{1}{3} = 10$(분) 후에 따라 잡을 수 있다.

04 나머지로 분류하기

유제

1 300 **2** 82 **3** 9 **4** 38

특강탐구문제

1 ③번 통로 **2** 꼭짓점 ㄴ의 94째 번 수 **3** (가-19)
4 128 **5** (⑱-⑭) **6** 92 **7** 77 **8** 34
9 ㉮=1, ㉯=680 **10** 5

유제풀이

참고* 가로 줄을 행이라고 하고, 세로 줄을 열이라고
한다.

1 라 열에는 8로 나누어 나머지가 4인 수가 홀수째 번
에, 나머지가 6인 수가 짝수째 번에 놓여 있다. 라 열에
있는 수들은 4, 6, 12, 14, 20, 22, … 이므로 홀수째 번
에 있는 수 4, 12, 20, … 은 각각 8로 나누어 몫이 0, 1,
2, … 인 수들이다. 75째 번 수는 38째 번 홀수이므로 8
로 나누어 몫이 37이고 나머지가 4인 수이다.
따라서 $(8 \times 37) + 4 = 300$

2 7 이상인 수 중에서 7로 나누어떨어지거나 나머지가
1인 경우를 제외하면 어떤 수의 위에 있는 수는 (어떤
수)-7, 아래에 있는 수는 (어떤 수)+7, 왼쪽에 있는 수
는 (어떤 수)-1, 오른쪽에 있는 수는 (어떤 수)+1이다.
따라서 4개의 수의 합은
(어떤 수)-7+(어떤 수)+7+(어떤 수)-1+(어떤
수)+1=4×(어떤 수)=328
(어떤 수)=328÷4=82

3 172는 8로 나누어 나머지가 4인 수이므로 왼쪽에서
첫째 번에 있는 수이다.
따라서 (□-8, 2×□+5)에서 □-8=1이므로 □=9

4 왼쪽에서 2째 번(2열)에 있는 수들을 살펴보면 4, 9,
14, 19, 24, …와 같이 위에서 2째 번(2행)부터 5씩 늘
어나는 수의 배열이므로 (㉮, 2)는 5×(㉮-2)+4로 나
타낼 수 있다.
또한, (㉮, 2)는 5로 나누어 나머지가 4인 수이고,

(80, 4)는 5로 나누어 나머지가 1인 수이므로
(114, ㉯)는 5로 나누어떨어지는 수가 되어 ㉯는 3이다.
(80, 4)는 5로 나누어 몫이 79, 나머지가 1인 수이므로
$79 \times 5 + 1 = 396$이다.
(114, 3)은 5로 나누어 몫이 113으로 나누어떨어지는
수이므로 $113 \times 5 = 565$이다.
따라서 (㉮, 2)+396=565에서
$5 \times (㉮-2) + 4 = 169$
$5 \times (㉮-2) = 165$
㉮=35
㉮+㉯=35+3=38

특강탐구문제풀이

1 $148 \div 8 = 18 \cdots 4$에서 148은 8로 나누어 나머지가 4
인 수이므로 4, 12, 20, 28, …이 쓰인 줄에 가까이 들어
가는 것이 가장 빠르다.
따라서 ③번 통로로 가야 한다.

2 $472 \div 5 = 94 \cdots 2$에서 472는 5로 나누어 나머지가 2
인 수이므로 꼭짓점 ㄴ에 있어야 한다.
ㄴ에 있는 수 7, 12, 17, …은 5로 나누어 몫이 각각 1,
2, 3, … 인 수이므로 472는 5로 나누어 몫이 94이므로
94째 번 수이다.

3 $123 \div 7 = 17 \cdots 4$에서 123은 7로 나누어 나머지가 4
인 수이므로 가 열의 수이다.
가 열의 수들은 4, 11, 18, …로, 2행부터 7로 나누어 몫
이 각각 0, 1, 2, …인 수들이므로 7로 나누어 몫이 17인
123은 17+2=19(째 번) 행에 있게 된다.
따라서 123은 (가-19)로 나타낸다.

4 3열에 있는 수들은 2, 9, 16, …으로 7로 나누었을 때
의 몫은 각각 0, 1, 2, …, 나머지는 모두 2인 수이다. 또
한, 이 수들은 1, 3, 5, … 의 홀수 행에만 놓여 있다.
(37, 3)에서 37은 19째 번 홀수가 되어 7로 나누어 몫이
18이고 나머지가 2인 수이다.
따라서 (37, 3)은 $7 \times 18 + 2 = 128$

5 $1111 \div 6 = 185 \cdots 1$에서 1111은 6으로 나누어 나머

지가 1인 수이므로 ㉮ 행 또는 ㉯ 행의 수이다.

㉮ 행의 수 1, 13, 25, 37, …은 6으로 나누어 몫이 짝수
인 수이므로 1111은 ㉯ 행에 있는 수이다.

㉯ 행의 수 7, 19, 31, 43, …은 6으로 나누어 몫이 홀수
인 수이므로 6으로 나누어 몫이 185인 1111은 93째 번
홀수이다.

또한, ㉯ 행에 있는 수들은 ②, ④, ⑥, ⑧, … 과 같이 짝
수째 번 열에만 있으므로 1111은 93째 번 짝수 열인
$93 \times 2 = 186$열에 놓이게 된다.

따라서 (⑱⑥−㉯)와 같이 나타낸다.

6 ○ 안의 수가 8로 나누어떨어지거나 나머지가 1인 경
우에는 삼각형으로 4개의 수를 묶을 수 없다.

○ 안의 수가 8로 나누어 나머지가 2, 3, 4, 5, 6, 7인 경
우 삼각형으로 묶은 수들의 합은

$○ + (○+7) + (○+8) + (○+9) = 4 \times ○ + 24$이므로

$4 \times ○ + 24 = 392$, $4 \times ○ = 368$이므로 $○ = 92$

7 처음 시작하는 수가 20이므로 다음과 같이 표를 만들
어 본다.

나머지\행	4	5	6	7	0	1	2	3
①	20	21	22	23	24	25	26	27
②	28	29	30	31	32	33	34	35
③	36	37	38	39	40	41	42	43
④	44	45	46	47	48	49	50	51
⋮								

①, ②, ③, … 각
행의 8로 나누었을
때 나머지의 합은
$1+2+\cdots+7$
$=(1+7) \times 7 \div 2$
$=28$이다.

$200 \div 28 = 7 \cdots 4$이므로 나머지의 합이 200보다 크려면
표에서 ⑧ 행의 둘째 번 열의 수가 된다. 즉, 8로 나누었을 때
의 나머지는 5이다.

각 행은 8로 나누어 몫이 각각 2, 3, 4, 5, … 인 수이므로
⑧행은 8로 나누어 몫이 9인 수이다.

따라서 ㉮는 $8 \times 9 + 5 = 72 + 5 = 77$

8 $(3, 4 \times ㉠ + 2)$는 3행의 수이고, 그 수들은
4, 11, 18, 25, …이므로 7로 나누어 나머지가 4인 수이
다. 3행의 수들은 짝수째 번 열에만 놓여 있고, 7로 나누
었을 때 몫이 차례로 0, 1, 2, 3, … 이다.

$480 \div 7 = 68 \cdots 4$로 480은 7로 나누었을 때 몫이 68이므
로 69째 번 짝수 열에 놓이게 된다.

따라서 $69 \times 2 = 4 \times ㉠ + 2$, $138 = 4 \times ㉠ + 2$,
$136 = 4 \times ㉠$, $㉠ = 34$

9 $(4, ㉯)$는 4행에 있는 수이므로 6으로 나누어 나머지
가 2인 수이고 $(5, 431)$은 5행에 있는 수이므로 6으로
나누어 나머지가 3인 수이다. 즉, $(㉮, 250)$은 6으로 나
누어 나머지가 5인 수이어야 하므로 1행에 놓여 있다.

따라서 ㉮=1이다.

1행의 수 5, 11, 17, 23, 29, … 는 2열부터 6으로 나누
었을 때의 몫이 각각 0, 1, 2, 3, … 인 수이므로
$(1, 250)$은 $(250-2) \times 6 + 5 = 1493$이고,
$(5, 431)$은 $(431-1) \times 6 + 3 = 2583$이다.

따라서 $(4, ㉯)$는 $1493 + 2583 = 4076$이고,
4행에 있는 수들은 6으로 나누었을 때의 몫이 각각 0, 1,
2, 3, … 인 수이므로
$(㉯-1) \times 6 + 2 = 4076$, $(㉯-1) \times 6 = 4074$,
$㉯-1 = 679$, $㉯ = 680$

10 $(6, 1003) - 2 \times (㉠, 500) = (㉡, ㉢)$에서 ㉢이 가
장 큰 수가 되려면 $(㉡, ㉢)$이 가장 큰 수가 되어야 하고
빼는 수인 $(㉠, 500)$이 가장 작은 수가 되어야 하므로
㉠=1이다.

6열에 있는 수들 5, 12, 19, 26, 33, … 은 7로 나누어 나
머지가 5이고 몫은 각각 0, 1, 2, 3, … 이므로 $(6, 1003)$
은 $7 \times 1002 + 5 = 7019$이다.

1열에 있는 수들 0, 7, 14, 21, 28, … 은 7로 나누어떨어
지고 몫이 각각 0, 1, 2, 3, …이므로 $2 \times (1, 500)$은
$2 \times (7 \times 499) = 6986$이다.

따라서 $7019 - 6986 = 33 = (㉡, ㉢)$이고
$33 \div 7 = 4 \cdots 5$이므로 $(㉡, ㉢)$은 6열의 수 중 5행에 있는
수 $(6, 5)$가 되어 ㉢=5이다.

특별한 수의 계산 **05**

1 $\dfrac{1}{4}$ **2** $\dfrac{5}{18}$ **3** 333300 **4** 50cm²

1 0 **2** 0 **3** $\dfrac{1}{23}$ **4** $\dfrac{1}{9}$ **5** $\dfrac{4}{15}$ **6** 206

7 $\underbrace{1000\cdots00}_{1000\text{개의 }0}$ **8** 22100 **9** (1) 2870 (2) 45920

(3) 3290 **10** $3\dfrac{1}{3}$

유제풀이

1 $2\times4\times6=(2\times1)\times(2\times2)\times(2\times3)$
$\qquad\qquad\quad=(1\times2\times3)\times2^3$

$3\times6\times9=(3\times1)\times(3\times2)\times(3\times3)$
$\qquad\qquad\quad=(1\times2\times3)\times3^3$

$4\times8\times12=(4\times1)\times(4\times2)\times(4\times3)$
$\qquad\qquad\quad=(1\times2\times3)\times4^3$
$\qquad\qquad\qquad\qquad\vdots$

$50\times100\times150=(50\times1)\times(50\times2)\times(50\times3)$
$\qquad\qquad\qquad\quad=(1\times2\times3)\times50^3$

따라서
$1\times2\times3+2\times4\times6+3\times6\times9+4\times8\times12+\cdots+50$
$\times100\times150$
$=(1\times2\times3)\times1^3+(1\times2\times3)\times2^3+(1\times2\times3)\times3^3$
$\quad+(1\times2\times3)\times4^3+\cdots+(1\times2\times3)\times50^3$
$=1\times2\times3\times(1+2^3+3^3+4^3+\cdots+50^3)$

또, $4\times6\times8=(2\times2)\times(2\times3)\times(2\times4)$
$\qquad\qquad\quad=(2\times3\times4)\times2^3$

$6\times9\times12=(3\times2)\times(3\times3)\times(3\times4)$
$\qquad\qquad\quad=(2\times3\times4)\times3^3$

$8\times12\times16=(4\times2)\times(4\times3)\times(4\times4)$
$\qquad\qquad\quad=(2\times3\times4)\times4^3$
$\qquad\qquad\qquad\qquad\vdots$

$100\times150\times200=(50\times2)\times(50\times3)\times(50\times4)$
$\qquad\qquad\qquad\quad=(2\times3\times4)\times50^3$

따라서

$2\times3\times4+4\times6\times8+6\times9\times12+8\times12\times16+\cdots$
$+100\times150\times200$
$=(2\times3\times4)\times1^3+(2\times3\times4)\times2^3+(2\times3\times4)\times3^3$
$\quad+(2\times3\times4)\times4^3+\cdots+(2\times3\times4)\times50^3$
$=(2\times3\times4)\times(1^3+2^3+3^3+4^3+\cdots+50^3)$
$(준식)=\dfrac{(1\times2\times3)\times(1^3+2^3+3^3+4^3+\cdots+50^3)}{(2\times3\times4)\times(1^3+2^3+3^3+4^3+\cdots+50^3)}=\dfrac{1}{4}$

2 $\dfrac{5}{234}+\dfrac{5005}{234234}+\dfrac{55055055}{234234234}$
$=\dfrac{5}{234}+\dfrac{5\times\cancel{1001}}{234\times\cancel{1001}}+\dfrac{55\times\cancel{1001001}}{234\times\cancel{1001001}}$
$=\dfrac{5}{234}+\dfrac{5}{234}+\dfrac{55}{234}$
$=\dfrac{65}{234}=\dfrac{5}{18}$

3 $1\times2=1\times2\times\dfrac{3}{3}=\dfrac{1\times2\times3}{3}$

$2\times3=2\times3\times\dfrac{3}{3}=2\times3\times\dfrac{(4-1)}{3}=\dfrac{2\times3\times4-1\times2\times3}{3}$

$3\times4=3\times4\times\dfrac{3}{3}=3\times4\times\dfrac{(5-2)}{3}=\dfrac{3\times4\times5-2\times3\times4}{3}$

$4\times5=4\times5\times\dfrac{3}{3}=4\times5\times\dfrac{(6-3)}{3}=\dfrac{4\times5\times6-3\times4\times5}{3}$
$\qquad\qquad\qquad\qquad\vdots$

과 같이 생각해 보면 주어진 식은 다음과 같이 변형하여 계산할 수 있다.

$1\times2+2\times3+3\times4+\cdots+99\times100$
$=\dfrac{1\times2\times3}{3}+\dfrac{2\times3\times4-1\times2\times3}{3}$
$\quad+\dfrac{3\times4\times5-2\times3\times4}{3}+\dfrac{4\times5\times6-3\times4\times5}{3}$
$\quad+\cdots+\dfrac{99\times100\times101-98\times99\times100}{3}$
$=\dfrac{1\times2\times3}{3}+\dfrac{2\times3\times4}{3}-\dfrac{1\times2\times3}{3}+\dfrac{3\times4\times5}{3}$
$\quad-\dfrac{2\times3\times4}{3}+\dfrac{4\times5\times6}{3}-\dfrac{3\times4\times5}{3}+\cdots$
$\quad+\dfrac{99\times100\times101}{3}-\dfrac{98\times99\times100}{3}$
$=\dfrac{99\times100\times101}{3}=333300$

참고* $1\times2+2\times3+3\times4+\cdots+n\times(n+1)$
$\qquad=\dfrac{n\times(n+1)\times(n+2)}{3}$ 이다.

4

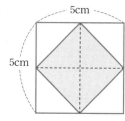

5cm

5cm

정사각형의 각 변의 중점을 네 꼭짓점으로 하는 정사각형의 넓이는 처음 정사각형 넓이의 $\frac{1}{2}$이다.

원래의 정사각형으로부터 시작하여 모든 정사각형의 넓이의 합을 ㉮라고 하면

$$㉮=25+\frac{25}{2}+\frac{25}{4}+\frac{25}{8}+\cdots$$

이 식의 양변에 $\frac{1}{2}$을 곱하면

$$㉮\times\frac{1}{2}=\frac{25}{2}+\frac{25}{4}+\frac{25}{8}+\frac{25}{16}+\cdots$$

처음 식에서 나중 식을 빼면

$$㉮-㉮\times\frac{1}{2}=25, \quad ㉮\times\frac{1}{2}=25, \quad ㉮=50$$

따라서 모든 정사각형의 넓이의 합은 $50cm^2$이다.

특강탐구문제풀이

1 $2004\times20052005-2005\times20042004$

$$=2004\times2005\times10001-2005\times2004\times10001$$
$$=0$$

2 $9997\div9997\frac{9997}{9998}-\frac{9999\times9998+8642}{9999\times9999-1357}+\frac{1}{9999}$

$$=9997\div\frac{9997\times9998+9997}{9998}$$
$$\quad-\frac{9999\times9998+8642}{9999\times(9998+1)-1357}+\frac{1}{9999}$$
$$=9997\times\frac{9998}{9997\times9998+9997}$$
$$\quad-\frac{9999\times9998+8642}{9999\times9998+9999-1357}+\frac{1}{9999}$$
$$=\frac{9997\times9998}{9997\times(9998+1)}-\frac{9999\times9998+8642}{9999\times9998+8642}$$
$$\quad+\frac{1}{9999}$$
$$=\frac{9998}{9999}-1+\frac{1}{9999}$$
$$=\frac{9999}{9999}-1$$
$$=1-1$$
$$=0$$

3 $\frac{1}{5}+\frac{1}{11}+\frac{1}{19}=A$, $\frac{1}{5}+\frac{1}{11}+\frac{1}{19}+\frac{1}{23}=B$라 하자.

$$\left(1+\frac{1}{5}+\frac{1}{11}+\frac{1}{19}\right)\times\left(\frac{1}{5}+\frac{1}{11}+\frac{1}{19}+\frac{1}{23}\right)$$
$$-\left(1+\frac{1}{5}+\frac{1}{11}+\frac{1}{19}+\frac{1}{23}\right)\times\left(\frac{1}{5}+\frac{1}{11}+\frac{1}{19}\right)$$
$$=(1+A)\times B-(1+B)\times A$$
$$=B+A\times B-A-A\times B=B-A$$
$$=\left(\frac{1}{5}+\frac{1}{11}+\frac{1}{19}+\frac{1}{23}\right)-\left(\frac{1}{5}+\frac{1}{11}+\frac{1}{19}\right)=\frac{1}{23}$$

4 $\dfrac{123456789}{(123456789)^2-123456780\times123456789}$

$$=\frac{123456789}{123456789\times123456789-123456780\times123456789}$$
$$=\frac{123456789}{123456789\times(123456789-123456780)}=\frac{1}{9}$$

다른 풀이 $123456789=A$라 하자.

$$(준식)=\frac{A}{A^2-(A-9)\times A}=\frac{A}{A^2-(A^2-9\times A)}$$
$$=\frac{A}{A^2-A^2+9\times A}=\frac{A}{9\times A}=\frac{1}{9}$$

5 $\left(1-\dfrac{4}{2\times5}\right)\times\left(1-\dfrac{4}{3\times6}\right)\times\left(1-\dfrac{4}{4\times7}\right)\times\left(1-\dfrac{4}{5\times8}\right)$

$$\times\cdots\times\left(1-\frac{4}{11\times14}\right)\times\left(1-\frac{4}{12\times15}\right)$$
$$=\left(\frac{10}{2\times5}-\frac{4}{2\times5}\right)\times\left(\frac{18}{3\times6}-\frac{4}{3\times6}\right)\times\left(\frac{28}{4\times7}-\right.$$
$$\left.\frac{4}{4\times7}\right)\times\left(\frac{40}{5\times8}-\frac{4}{5\times8}\right)\times\cdots\times\left(\frac{154}{11\times14}-\frac{4}{11\times14}\right)$$
$$\times\left(\frac{180}{12\times15}-\frac{4}{12\times15}\right)$$
$$=\frac{6}{2\times5}\times\frac{14}{3\times6}^2\times\frac{24}{4\times7}^3\times\frac{36}{5\times8}^4\times\cdots\times\frac{150}{11\times14}^{10}$$
$$\times\frac{176}{12\times15}$$
$$=\frac{1}{2\times5}\times\frac{2}{3}\times\frac{3}{4}\times\frac{4}{5}\times\cdots\times\frac{10}{11}\times\frac{176}{12}^{16}$$
$$=\frac{16}{5\times12}=\frac{4}{15}$$

6 $7\times60+8\times62+9\times64+10\times66+11\times68$

$$=7\times(58+2)+8\times(60+2)+9\times(62+2)$$
$$\quad+10\times(64+2)+11\times(66+2)$$
$$=7\times58+8\times60+9\times62+10\times64+11\times66$$
$$\quad+7\times2+8\times2+9\times2+10\times2+11\times2$$
$$=2\times(7\times29+8\times30+9\times31+10\times32+11\times33)$$
$$\quad+7\times2+8\times2+9\times2+10\times2+11\times2$$이므로
$$7\times29+8\times30+9\times31+10\times32+11\times33=A$$라 하면

(준식)

$$= \frac{2\times A + 7\times 2 + 8\times 2 + 9\times 2 + 10\times 2 + 11\times 2}{A}\times 100$$

$$= \left(2 + \frac{7\times 2 + 8\times 2 + 9\times 2 + 10\times 2 + 11\times 2}{A}\right)\times 100$$

$$= 200 + \frac{7\times 200 + 8\times 200 + 9\times 200 + 10\times 200 + 11\times 200}{7\times 29 + 8\times 30 + 9\times 31 + 10\times 32 + 11\times 33}$$

이 때 $\dfrac{7\times 200 + 8\times 200 + 9\times 200 + 10\times 200 + 11\times 200}{7\times 29 + 8\times 30 + 9\times 31 + 10\times 32 + 11\times 33}$ 을

B라고 하면

$$\frac{(7+8+9+10+11)\times 200}{(7+8+9+10+11)\times 33} < B < \frac{(7+8+9+10+11)\times 200}{(7+8+9+10+11)\times 29}$$

$$\frac{200}{33} < B < \frac{200}{29}$$

$$6.060\cdots < B < 6.896\cdots \text{ 이므로}$$

주어진 처음의 식은 $200 + 6.\times\times\times\cdots = 206.\times\times\times\cdots$ 이다.
따라서 소수로 나타낼 때 자연수 부분은 206이 된다.

7 $\underbrace{999\cdots 95}_{499\text{개의 }9}\times \underbrace{999\cdots 95}_{499\text{개의 }9} + \underbrace{1999\cdots 95}_{499\text{개의 }9}\times 5$

$= \underbrace{999\cdots 95}_{499\text{개의 }9}\times \underbrace{999\cdots 95}_{499\text{개의 }9} + \left(\underbrace{999\cdots 95}_{499\text{개의 }9} + \underbrace{1000\cdots 00}_{500\text{개의 }0}\right)\times 5$

$= \underbrace{999\cdots 95}_{499\text{개의 }9}\times \underbrace{999\cdots 95}_{499\text{개의 }9} + \underbrace{999\cdots 95}_{499\text{개의 }9}\times 5 + \underbrace{5000\cdots 00}_{500\text{개의 }0}$

$= \underbrace{999\cdots 95}_{499\text{개의 }9}\times \left(\underbrace{999\cdots 95}_{499\text{개의 }9} + 5\right) + \underbrace{5000\cdots 00}_{500\text{개의 }0}$

$= \underbrace{999\cdots 95}_{499\text{개의 }9}\times \underbrace{1000\cdots 00}_{500\text{개의 }0} + \underbrace{5000\cdots 00}_{500\text{개의 }0}$

$= \underbrace{999\cdots 95}_{499\text{개의 }9}\underbrace{000\cdots 00}_{500\text{개의 }0} + \underbrace{5000\cdots 00}_{500\text{개의 }0}$

$= \underbrace{1000\cdots 00}_{1000\text{개의 }0}$

8 1부터 임의의 수 □까지 연속된 자연수의 합을 생각해보자.

$1+2+3+\cdots+(\square-2)+(\square-1)+\square = ㉮$

$\square+(\square-1)+(\square-2)+\cdots+3+2+1 = ㉮$

두 식을 더하면,

$\underbrace{(1+\square)+(1+\square)+(1+\square)+\cdots+(1+\square)+(1+\square)+(1+\square)}_{(1+\square)\text{이 }\square\text{개}}$

$= 2\times ㉮$

$(1+\square)\times\square = 2\times ㉮$

$㉮ = \dfrac{\square\times(\square+1)}{2}$

그러므로, $1+2 = \dfrac{2\times 3}{2}$

$$1+2+3 = \frac{3\times 4}{2}$$

$$1+2+3+4 = \frac{4\times 5}{2}$$

$$\vdots$$

$$1+2+3+\cdots+50 = \frac{50\times 51}{2}$$

(준식) $= 1 + (1+2) + (1+2+3) + (1+2+3+4)$
$\qquad + \cdots + (1+2+3+\cdots+50)$

$= \dfrac{1\times 2}{2} + \dfrac{2\times 3}{2} + \dfrac{3\times 4}{2} + \dfrac{4\times 5}{2} + \cdots + \dfrac{50\times 51}{2}$

$= \dfrac{1}{2}\times(1\times 2 + 2\times 3 + 3\times 4 + 4\times 5 + \cdots + 50\times 51)$

$= \dfrac{1}{2}\times\left(\dfrac{1\times 2\times 3}{3} + \dfrac{2\times 3\times 4 - 1\times 2\times 3}{3}\right.$

$\qquad + \dfrac{3\times 4\times 5 - 2\times 3\times 4}{3} + \dfrac{4\times 5\times 6 - 3\times 4\times 5}{3}$

$\qquad \left. + \cdots + \dfrac{50\times 51\times 52 - 49\times 50\times 51}{3}\right)$

$= \dfrac{1}{2}\times\left(\dfrac{1\times 2\times 3}{3} + \dfrac{2\times 3\times 4}{3} - \dfrac{1\times 2\times 3}{3} + \dfrac{3\times 4\times 5}{3}\right.$

$\qquad - \dfrac{2\times 3\times 4}{3} + \dfrac{4\times 5\times 6}{3} - \dfrac{3\times 4\times 5}{3} + \cdots$

$\qquad \left. + \dfrac{50\times 51\times 52}{3} - \dfrac{49\times 50\times 51}{3}\right)$

$= \dfrac{1}{2}\times\dfrac{50\times 51\times 52}{3}$

$= 25\times 17\times 52$

$= 22100$

참고* $1+2+3+\cdots+n = \dfrac{n\times(n+1)}{2}$ 이다.

9 (1) $1^2 + 2^2 + 3^2 + 4^2 + \cdots + 20^2$

$= 1\times(0+1) + 2\times(1+1) + 3\times(2+1)$
$\quad + 4\times(3+1) + \cdots + 20\times(19+1)$

$= 0 + 1 + 1\times 2 + 2 + 2\times 3 + 3 + 3\times 4 + 4 + \cdots$
$\quad + 19\times 20 + 20$

$= (1+2+3+4+\cdots+20) + (1\times 2 + 2\times 3 + 3\times 4$
$\quad + \cdots + 19\times 20)$

$= \dfrac{20\times(20+1)}{2} + \left(\dfrac{1\times 2\times 3}{3} + \dfrac{2\times 3\times 4 - 1\times 2\times 3}{3}\right.$

$\quad + \dfrac{3\times 4\times 5 - 2\times 3\times 4}{3} + \dfrac{4\times 5\times 6 - 3\times 4\times 5}{3}$

$\quad \left. + \cdots + \dfrac{19\times 20\times 21 - 18\times 19\times 20}{3}\right)$

$=210+\left(\dfrac{1\times2\times3}{3}+\dfrac{2\times3\times4}{3}-\dfrac{1\times2\times3}{3}\right.$

$\quad+\dfrac{3\times4\times5}{3}-\dfrac{2\times3\times4}{3}+\dfrac{4\times5\times6}{3}-\dfrac{3\times4\times5}{3}$

$\quad\left.+\cdots+\dfrac{19\times20\times21}{3}-\dfrac{18\times19\times20}{3}\right)$

$=210+\dfrac{19\times20\times21}{3}$

$=210+19\times20\times7$

$=210+2660$

$=2870$

(2) (1)에서 $1^2+2^2+3^2+\cdots+20^2=2870$이므로

$\quad 4^2+8^2+12^2+\cdots+80^2$

$=(4\times1)^2+(4\times2)^2+(4\times3)^2+\cdots+(4\times20)^2$

$=4^2\times1^2+4^2\times2^2+4^2\times3^2+\cdots+4^2\times20^2$

$=16\times(1^2+2^2+3^2+\cdots+20^2)$

$=16\times2870$

$=45920$

다른 풀이

$\quad 4^2+8^2+12^2+\cdots+80^2$

$=4\times(0+4)+8\times(4+4)+12\times(8+4)+\cdots+80$

$\quad\times(76+4)$

$=4\times0+4\times4+8\times4+8\times4+12\times8+12\times4+\cdots$

$\quad+80\times76+80\times4$

$=(4\times0+8\times4+12\times8+\cdots+80\times76)$

$\quad+(4\times4+8\times4+12\times4+\cdots+80\times4)$

$=(4\times2\times4\times1+4\times3\times4\times2+\cdots$

$\quad+4\times20\times4\times19)+(4\times1\times4+4\times2\times4+4\times3$

$\quad\times4+\cdots+4\times20\times4)$

$=(4\times4)\times(2\times1+3\times2+\cdots+20\times19)$

$\quad+(4\times4)\times(1+2+\cdots+20)$

$=16\times\left(\dfrac{1\times2\times3}{3}+\dfrac{2\times3\times4}{3}-\dfrac{1\times2\times3}{3}+\cdots+\right.$

$\quad\left.\dfrac{19\times20\times21}{3}-\dfrac{18\times19\times20}{3}\right)+16\times\dfrac{20\times(20+1)}{2}$

$=16\times\dfrac{19\times20\times21}{3}+16\times210$

$=16\times19\times20\times7+3360$

$=45920$

(3) (1)에서 $1^2+2^2+3^2+\cdots+20^2=2870$이므로

$\quad 1\times3+2\times4+3\times5+\cdots+20\times22$

$=1\times(1+2)+2\times(2+2)+3\times(3+2)+\cdots$

$\quad+20\times(20+2)$

$=1\times1+1\times2+2\times2+2\times2+3\times3+3\times2+\cdots$

$\quad+20\times20+20\times2$

$=(1^2+2^2+3^2+\cdots+20^2)+2\times(1+2+3+\cdots+20)$

$=2870+2\times20\times(1+20)\div2$

$=2870+420$

$=3290$

다른 풀이

$\quad 1\times3+2\times4+3\times5+\cdots+20\times22$

$=1\times(2+1)+2\times(3+1)+3\times(4+1)+\cdots$

$\quad+20\times(21+1)$

$=(1\times2+1)+(2\times3+2)+(3\times4+3)+\cdots$

$\quad+(20\times21+20)$

$=(1\times2+2\times3+3\times4+\cdots+20\times21)+(1+2+3$

$\quad+\cdots+20)$

$=\left(\dfrac{1\times2\times3}{3}+\dfrac{2\times3\times4-1\times2\times3}{3}\right.$

$\quad+\dfrac{3\times4\times5-2\times3\times4}{3}+\cdots+$

$\quad\left.\dfrac{20\times21\times22-19\times20\times21}{3}\right)+\dfrac{20\times(20+1)}{2}$

$=\dfrac{20\times21\times22}{3}+210$

$=20\times7\times22+210$

$=3290$

10 ㉮$=2+0.8+0.32+0.128+\cdots$ 라 하면

㉮$=2+2\times\dfrac{2}{5}+2\times\dfrac{2}{5}\times\dfrac{2}{5}+2\times\dfrac{2}{5}\times\dfrac{2}{5}\times\dfrac{2}{5}+\cdots$

이 식의 양변에 $\dfrac{2}{5}$를 곱하면

$\dfrac{2}{5}\times$㉮$=2\times\dfrac{2}{5}+2\times\dfrac{2}{5}\times\dfrac{2}{5}+2\times\dfrac{2}{5}\times\dfrac{2}{5}\times\dfrac{2}{5}+\cdots$

처음 식에서 나중 식을 빼면

㉮$-\dfrac{2}{5}\times$㉮$=2$

$\dfrac{3}{5}\times$㉮$=2$

㉮$=2\times\dfrac{5}{3}=\dfrac{10}{3}=3\dfrac{1}{3}$

양팔 저울 문제 **06**

유제

1 4개　　**2** 초콜릿 1개 32g, 사탕 1개 8g　　**3** ①, ⑤
4 160g

특강탐구문제

1 11개　　**2** 왼쪽 접시에 ㉠구슬 2개
3 1g, 2g, 4g, 8g, 16g　　**4** 1g, 3g, 9g　　**5** 7배
6 10개　　**7** 65g　　**8** ③번, 가볍다
9 16g, 12g, 21g　　**10** 풀이 참조

유제풀이

1 (나) 저울의 양쪽 접시에 □를 한 개씩 올려놓으면 (나) 저울의 오른쪽 접시는 (가) 저울의 왼쪽 접시와 같아지고 이것은 또 (가) 저울의 오른쪽 접시와도 같으므로
(□ 4개) + (△ 1개)가 (△ 3개)의 무게와 같다는 것을 알 수 있다.
즉, (□ 4개)는 (△ 2개)의 무게와 같으므로
(□ 2개)는 (△ 1개)의 무게와 같다.
또, (나) 저울의 (△ 1개)를 (□ 2개)로 바꾸면 (□ 5개)는 (○ 4개)의 무게와 같다.
이제, (다) 저울의 왼쪽 접시의 (△ 2개)를 (□ 4개)로 바꾸어 놓으면 (□ 5개)가 되므로 오른쪽 접시에는 ○를 4개 놓으면 수평을 이룬다.

참고* (□ 2개)가 (△ 1개)의 무게와 같음은 다음과 같이 생각해도 된다.
(가), (나) 두 저울의 추들을 오른쪽 접시끼리, 왼쪽 접시끼리 각각 합해 보자.

$$\begin{pmatrix} \oslash \oslash \oslash \oslash \square \\ \square \square \square \triangle \end{pmatrix} = \begin{pmatrix} \triangle \triangle \triangle \\ \oslash \oslash \oslash \oslash \end{pmatrix}$$

(□ 4개)는 (△ 2개)와 같으므로 (□ 2개)는 (△ 1개)의 무게와 같다.

2 초콜릿 4개와 사탕 3개의 무게와 사탕 15개와 초콜릿 1개의 무게가 같으므로 양쪽 접시에서 초콜릿 1개와 사탕 3개씩을 덜어 내면 초콜릿 3개와 사탕 12개의 무게가 같음을 알 수 있다. 즉, 초콜릿 1개는 사탕 4개의

무게와 같으므로 초콜릿 5개의 무게는 사탕 20개의 무게와 같다.
따라서 (사탕 20개) + (사탕 18개) = (사탕 38개)의 무게가 304g이므로 사탕 1개의 무게는 304÷38=8(g)이고, 초콜릿 1개의 무게는 8×4=32(g)

3 첫째 번 저울은 수평을 이루고 있고 무게가 무거운 구슬은 2개 뿐이므로 양쪽 접시에 올려져 있지 않거나, 왼쪽 접시에 1개, 오른쪽 접시에 1개씩 올려져 있음을 알 수 있다.
즉, 무거운 구슬은 ④와 ⑧번이거나 ①, ②, ③ 중 1개와 ⑤, ⑥, ⑦ 중 1개가 된다.
그런데 둘째 번 저울에서보면 ④, ⑧ 구슬은 무거운 구슬이 아니고, ①, ③ 두 구슬은 동시에 무거운 구슬이 될 수 없으므로(첫째 번 저울에서) 둘 중 하나가 무거운 구슬이고 ②, ⑥은 무거운 구슬이 아니다.
또, 셋째 번 저울에서 보면 ①, ③은 서로 다른 접시에 담겨 있는데 ①이 있는 쪽이 내려가 있으므로 ①이 무거운 구슬이고, ②, ③, ⑦ 중에는 무거운 구슬이 없다.
따라서 ①, ②, ③ 중에서는 ①이 무거운 구슬이고, ⑤, ⑥, ⑦ 중 ⑥과 ⑦은 무거운 구슬이 아니므로 ⑤가 무거운 구슬이다.

4 추의 무게와 저울 팔 길이의 곱은 같다.
㉠×9=㉡×6, ㉡×9=㉢×6
㉡×9=360×6, ㉡=240(g)
㉠×9=240×6, ㉠=160(g)

특강탐구문제풀이

1 먼저 (나) 저울을 보면 (○ 3개)와 (□ 1개)의 무게가 (△ 2개)와 같음을 알 수 있다.
(가) 저울에서 오른쪽 접시에 놓인 (○ 3개)와 (□ 1개)를 (△ 2개)로 바꾸면 왼쪽 접시의 (△ 3개)는 오른쪽 접시의 (△ 2개)와 (□ 3개)의 무게와 같다. 양쪽에서 (△ 2개)씩 덜어내면 (△ 1개)의 무게는 (□ 3개)의 무게와 같다.

또한, (나) 저울에서 오른쪽 접시의 (△ 2개)를 (□ 6개)로 바꾸고 양쪽에서 □를 한 개씩 덜어 내면 (○ 3개)는 (□ 5개)의 무게와 같다.

따라서, (다) 저울의 왼쪽 접시의 (△ 2개)는 (□ 6개)의 무게와 같고 (○ 3개)는 (□ 5개)의 무게와 같으므로 (다) 저울의 오른쪽에는 6+5=11(개)의 □가 놓여야 한다.

참고* (△ 1개)는 (□ 3개)의 무게와 같음은 다음과 같이 생각해도 된다.

(가), (나) 두 저울의 추들을 오른쪽 접시끼리, 왼쪽 접시끼리 각각 합해 보자.

$$\begin{pmatrix} \triangle\,\triangle\,\triangle \\ \square\,\bigcirc\,\bigcirc\,\bigcirc \end{pmatrix} = \begin{pmatrix} \oslash\,\oslash\,\oslash\,\square\,\square\,\square\,\square \\ \triangle\,\triangle \end{pmatrix}$$

(△ 1개)는 (□ 3개)의 무게와 같다.

2 둘째 번 저울에서 (㉠ 2개)와 (㉢ 1개)는 (㉡ 1개)의 무게와 같으므로 둘째 번 저울의 왼쪽 접시에서 (㉠ 2개)와 (㉢ 1개)를 덜어 내고 오른쪽 접시에서 (㉡ 1개)를 덜어 내면 (㉢ 3개)가 (㉡ 2개)의 무게와 같으므로 (㉡ 1개)는 $\left(㉢\,1\frac{1}{2}개\right)$의 무게와 같다.

따라서 오른쪽 접시에 (㉢ 2개), 왼쪽 접시에 (㉡ 1개)를 올려놓은 저울은 오른쪽이 $\left(㉢의\,\frac{1}{2}개\right)$만큼 무거우므로 오른쪽으로 기울어진다.

한편, 첫째 번 저울의 양쪽에 놓인 구슬의 수를 각각 2배 하면 (㉠ 4개)와 (㉢ 2개)는 (㉡ 2개)의 무게와 같고, (㉡ 2개)는 (㉢ 3개)의 무게와 같으므로 (㉠ 4개)와 (㉢ 2개)는 (㉢ 3개)의 무게와 같다. 양쪽에서 ㉢을 2개씩 덜어 내면 (㉠ 4개)는 (㉢ 1개)의 무게와 같다.

따라서 셋째 번의 양팔 저울이 수평을 이루려면 왼쪽 접시에 ㉢의 $\frac{1}{2}$개 만큼의 무게를 놓으면 되므로 (㉠ 2개)를 올려놓으면 된다.

3 1g을 재기 위해서 1g짜리 추는 반드시 필요하다.
또, 2g을 재기 위해 2g짜리 추도 반드시 필요하다.
3g을 재려면 두 추를 함께 써서 1g+2g=3g임을 이용하면 된다.

4g을 재기 위해서는 가지고 있는 1g, 2g짜리 추를 모두 사용해도 잴 수 없으므로 4g짜리 추가 반드시 필요하다.
또, 가지고 있는 4g짜리 추와 1g, 2g짜리 추를 이용하면 1g 단위로 3g까지 더할 수 있으므로
4g+1g=5g, 4g+2g=6g, 4g+1g+2g=7g까지 잴 수 있고,
8g은 1g, 2g, 4g 짜리 추를 모두 이용해도 잴 수 없으므로 8g짜리 추가 반드시 필요하다.
또, 8g짜리 추와 1g, 2g, 4g짜리 추를 이용하면 1g 단위로 7g까지 더할 수 있으므로 8g+7g=15g까지 잴 수 있고, 16g은 1g, 2g, 4g, 8g짜리 추를 모두 이용해도 잴 수 없으므로 16g짜리 추도 반드시 필요하다.
이제 16g짜리 추와 1g, 2g, 4g, 8g짜리 4개의 추를 이용하면 1g 단위로 15g까지 더할 수 있으므로
16g+15g=31까지 1g 단위로 모두 잴 수 있다.

4 1g의 무게를 재기 위해서는 1g짜리 추가 반드시 필요하다.
2g의 무게를 재기 위해서는 2g짜리 추를 사용하는 방법과 한쪽에 2g짜리 물건과 1g짜리 추를 올려놓고 다른 쪽에 3g짜리 추를 올려놓는 두 가지 방법이 있는데, 가능하면 무거운 추를 사용하는 것이 유리하므로 3g짜리 추를 사용한다.
이제 1g, 3g-1g=2g, 3g, 3g+1g=4g까지의 무게를 잴 수 있다.
5g을 재기 위해서도 가능한 한 무거운 추를 사용하려면 한쪽에 5g짜리 물건과 1g, 3g짜리 추를 올려놓고 다른 쪽에 5g+1g+3g=9g짜리 추를 올려놓으면 된다.
이렇게 1g, 3g, 9g짜리 추가 1개씩 있으면 1g, 3g 짜리 추로 1g에서 4g까지의 무게를 1g씩 늘려나가며 모두 잴 수 있고, 9g-(1g+3g)=5g부터 9g+(1g+3g)=13g까지의 무게도 모두 잴 수 있다.
따라서 필요한 3개의 저울추는 각각 1g, 3g, 9g짜리이다.

5 둘째 번 저울과 셋째 번 저울의 오른쪽 접시의 물건과 왼쪽 접시의 물건을 각각 합해 보면
(㉣ ㉮ ㉯ ㉰) = (㉯ ㉮ ㉮ ㉣ ㉱)
㉰ = (㉮ ㉱)임을 알 수 있다.

첫째 번 저울의 왼쪽 접시의 ㉯ 대신 ㉮㉣를 올려놓으면
(㉮ ㉣ ㉣ ㉣ ㉣)=(㉮ ㉮ ㉮)
(㉮ 1개)는 (㉣ 2개)의 무게와 같음을 알 수 있다.
둘째 번 저울의 오른쪽 접시에서 ㉯ 대신 (㉮㉣)를 올려놓으면
㉰=(㉯ ㉮ ㉮)=(㉮ ㉣ ㉮ ㉮)=(㉣ ㉣ ㉣ ㉣ ㉣ ㉣ ㉣)
따라서 ㉰는 ㉣의 무게의 7배이다.

6 흰색 지우개를 W, 노란색 지우개를 Y, 파란색 지우개를 B, 빨간색 지우개를 R로 나타내면
W=YYY ……①
YYYY=BBBBB ……②
YYYYY=RR ……③
WRR을 B로 나타내기 위해 양팔 저울 ③의 오른쪽 접시와 왼쪽 접시의 위치를 바꾸어 ①과 합해 보면
WRR=YYYYYYYY
②에 의해 YYYYYYYY=BBBBBBBBBB이므로
WRR=BBBBBBBBBB
따라서 파란색 지우개 10개를 올려놓아야 저울이 수평을 이룬다.

다른 풀이 1 (흰색 1개)=(노란색 3개),
(노란색 4개)=(파란색 5개),
(노란색 5개)=(빨간색 2개)이므로
서로 비교하기 위하여 노란색을 $3×4×5=60$(개)라고 하면 (노란색 60개)=(흰색 20개)=(파란색 75개)
=(빨간색 24개)가 된다.
흰색 1개는 파란색 $\frac{75}{20}$개의 무게와 같고, 빨간색 2개는 파란색 $\frac{75}{24}×2=\frac{75}{12}$(개)의 무게와 같으므로
파란색 지우개 $\frac{75}{20}+\frac{75}{12}=\frac{225+375}{60}=\frac{600}{60}=10$(개)를 올려놓아야 저울이 수평을 이룬다.

다른 풀이 2 (노란색 4개)=(파란색 5개)
→ (노란색 1개)=(파란색 $\frac{5}{4}$개)
(흰색 1개)=(노란색 3개) → (흰색 1개)=(파란색 $\frac{15}{4}$개)
(빨간색 2개)=(노란색 5개)
→ (빨간색 2개)=(파란색 $\frac{25}{4}$개)
따라서 (흰색 1개)+(빨간색 2개)=(파란색 $\frac{15}{4}+\frac{25}{4}$개)
=(파란색 10개)

7 둘째 번 저울과 셋째 번 저울의 추들을 오른쪽 접시끼리, 왼쪽 접시끼리 각각 합해 보면
$\begin{pmatrix} ✧ ○ ○ \\ □ ○ ○ \end{pmatrix} = \begin{pmatrix} □ \\ ✧ △ \end{pmatrix}$
(△ 1개)는 (○ 4개)의 무게와 같음을 알 수 있다.
○=$52÷4=13$(g)
첫째 번 저울과 둘째 번 저울의 추들을 오른쪽 접시끼리, 왼쪽 접시끼리 각각 합해 보면
$\begin{pmatrix} △ □ \\ ✧ ○ ○ \end{pmatrix} = \begin{pmatrix} ✧ ☆ ☆ \\ □ \end{pmatrix}$, $\begin{pmatrix} ○ ○ ○ ○ \\ ○ ○ \end{pmatrix} = (☆☆)$
(☆ 1개)는 (○ 3개)의 무게와 같음을 알 수 있고, 둘째 번 저울에서 (○ 5개)는 (□ 1개)의 무게와 같음을 알 수 있다.
따라서 (□의 무게)=$13×5=65$(g)

8 무게가 다른 구슬은 1개 뿐이므로 저울에 올려 놓은 구슬 중 무게가 다른 구슬이 있다면 저울이 반드시 한쪽으로 기운다.
첫째 번 저울은 수평을 이루고 있으므로 ②, ⑧, ④, ⑥번 구슬의 무게는 모두 같다.
둘째 번과 셋째 번 저울은 한쪽으로 기울었으므로 무게가 다른 구슬이 있다. ②, ⑧, ④, ⑥번 구슬은 제외하고, 둘째 번 저울의 ③, ⑤, ⑨와 셋째 번 저울의 ③, ⑦, ①, ⑩ 중 ③번 구슬은 두 저울의 왼쪽 접시에 공통으로 있으므로 무게가 다른 구슬은 ③번이다.
또, ③번 구슬이 포함된 쪽의 접시가 올라가 있으므로 ③번 구슬은 다른 구슬보다 가볍다.

9 ㉠$×3=$㉡$×4$
㉠ : ㉡$=4 : 3$
(㉠+㉡)$×3=$㉢$×4$
(㉠+㉡) : ㉢$=4 : 3$

㉠ : ㉡   ㉠ : ㉡
4 : 3   →   16 : 12
  7   28

㉠+㉡ : ㉢   ㉠+㉡ : ㉢
  4 : 3   →   28 : 21
따라서 ㉠ : ㉡ : ㉢$=16 : 12 : 21$

㉠, ㉡, ㉢의 무게의 합이 49g이므로

$㉠=49 \times \dfrac{16}{16+12+21}=16(g)$

$㉡=12g, ㉢=21g$

10 팔 길이가 다른 양팔저울의 한 쪽 접시에 500g짜리 추 2개를 올려놓고 수평이 되도록 다른 한 쪽 접시에 쌀을 올려놓는다. 쌀의 양을 조절하여 정확히 수평을 맞춘 후 접시에 올려진 500g짜리 추 2개를 내려놓는다.

그리고 나서 추 2개를 올려놓았던 접시에 쌀을 올려놓고 쌀의 양을 조절하여 다시 정확하게 수평을 맞춘다. 이때 추를 올려놓았던 접시에 놓인 쌀이 1kg이 된다.

조건에 맞는 수 찾기 ① **07**

유제

1 115　**2** 6732, 6372, 6192　**3** 56763
4 7744

특강탐구문제

1 5개　**2** 8734　**3** 748　**4** 5개　**5** 5172413
6 359 또는 278　**7** 429　**8** 9784, 5968
9 (9, 6, 5, 4) 또는 (9, 8, 5, 4)　**10** 653

유제풀이

1 세 자리 수를 ㉠㉡㉢이라 하면
$6000+100×㉠+10×㉡+㉢+900$
$=61×(100×㉠+10×㉡+㉢)$
$=61×100×㉠+61×10×㉡+61×㉢$
$6900=6000×㉠+600×㉡+60×㉢$에서
㉠은 1밖에는 될 수 없고 ㉡도 1이어야 하며,
㉢은 $60×㉢=6900-6600=300$이므로 5가 된다.
따라서 $㉠=1$, $㉡=1$, $㉢=5$이므로 처음 세 자리 수는
115이다.

2 네 자리 수는 36의 배수이므로 짝수인데 일의 자리의
숫자가 소수이므로 일의 자리의 숫자는 2이고, 일의 자리
의 숫자와 천의 자리의 숫자의 합이 8이므로 천의 자리의
숫자는 6이다. 즉, 네 자리 수를 6㉠㉡2로 쓸 수 있다.
$36=4×9$이므로 36의 배수인 네 자리 수는 4의 배수이
고 동시에 9의 배수임을 알 수 있다.
또, 두 자리 수 ㉠㉡이 소수이므로 ㉡에 2의 배수는 올
수 없고, '㉡2'가 4의 배수가 되려면 ㉡에 올 수 있는 숫
자는 1, 3, 5, 7, 9이다.
각 경우에 대해 각 자리의 숫자의 합이 9의 배수인 경우
를 살펴보면 다음과 같다.

　6 0 1 2　→　㉠㉡이 소수가 아니다.
　6 9 1 2　→　㉠㉡이 소수가 아니다.
　6 7 3 2　→　㉠㉡이 소수이다.
　6 5 5 2　→　㉠㉡이 소수가 아니다.
　6 3 7 2　→　㉠㉡이 소수이다.
　6 1 9 2　→　㉠㉡이 소수이다.

따라서 구하는 네 자리 수는 6732, 6372, 6192이다.

3　　㉠ ㉡ ㉢ ㉣ ㉤
　　+ ㉤ ㉣ ㉢ ㉡ ㉠
　──────────
　　9 3 5 2 8

끝 자리부터 살펴보면 ㉤+㉠=8,
㉣+㉡=2 또는 12
그런데 ㉢+㉢=14이므로
㉢=7, ㉣+㉡=12이다.
조건에 맞는 (㉠, ㉤)을 찾으면 (1, 7), (2, 6), (3, 5),
(4, 4), (5, 3), (6, 2), (7, 1)이므로 ㉠㉡㉢이 7의 배수
가 되도록 표를 만들면 다음과 같다.

㉠	㉡	㉢	㉣	㉤	
1	4		8	7	
2	1		×	6	← (㉡, ㉣)이 (1, 11)일
2	8		4	6	수는 없다.
3	5		7	5	
4	2	7	×	4	← (㉡, ㉣)이 (2, 10)일
4	9		3	4	수는 없다.
5	6		6	3	
6	3		9	2	
7	0		×	1	← (㉡, ㉣)이 (0, 12)일
7	7		5	1	수는 없다.

표 안의 수 중에서 ㉠㉡㉢과 ㉢㉣㉤이 모두 7의 배수인
수는 56763뿐이다.

4 네 자리 수를 ㉠㉠㉡㉡이라 하면
$1000×㉠+100×㉠+10×㉡+㉡$
$=1100×㉠+11×㉡$
$=11×(100×㉠+㉡)$이 된다.
이 네 자리 수가 어떤 수의 제곱수가 되기 위해서는
$(100×㉠+㉡)$이 $11×($어떤 수의 제곱$)$꼴이 되어야
하고, ㉠과 ㉡이 모두 한 자리 수이므로
$11×($어떤 수의 제곱$)$은 십의 자리의 숫자가 0인 세 자
리 수가 되어야 한다.
$11×1=11$, $11×4=44$, $11×9=99$, $11×16=176$,
$11×25=275$, $11×36=396$, $11×49=539$, $11×64=704$,
$11×81=891$이므로 만족하는 수는

$11 \times 64 = 704$이고 이때 ㉠=7, ㉡=4이다.
따라서 네 자리 자연수는 7744이다.

특강탐구문제풀이

1 어떤 두 자리 수를 ㉠㉡이라 하면 조건에 의해
$10 \times ㉠ + ㉡ = (10 \times ㉡ + ㉠) + 36$
$9 \times ㉠ - 9 \times ㉡ = 36$
$9 \times (㉠ - ㉡) = 36$
$㉠ - ㉡ = 4$
㉠, ㉡ 모두 0이 아닌 한 자리 수이므로 조건을 만족하는 (㉠, ㉡)은 (9, 5), (8, 4), (7, 3), (6, 2), (5, 1)의 5개이다.

2 각 자리의 숫자가 서로 다른 네 자리 수를 ㉠㉡㉢㉣이라고 하면 문제의 조건에 의해
$$\begin{cases} ㉡ = ㉢ + ㉣ \\ 2 \times ㉠ = ㉣ \times ㉣ \\ ㉢ \times ㉣ = (6의 \ 배수) \end{cases}$$
㉢, ㉣은 한 자리 수이므로 한 자리 수끼리의 곱이 6의 배수가 되는 (㉢, ㉣)을 찾으면
(1, 6), (6, 1), (2, 3), (3, 2), (2, 6), (6, 2), (3, 4),
(4, 3), (2, 9), (9, 2), (3, 6), (6, 3), (3, 8), (8, 3),
(4, 6), (6, 4), (6, 6), …
㉢+㉣=㉡이므로 ㉢과 ㉣의 합이 한 자리 수이어야 한다. 또한 $2 \times ㉠ = ㉣ \times ㉣$이므로 ㉣×㉣은 ㉠이 1인 경우, 즉 2×1=2보다 크고 ㉠이 9인 경우, 즉 2×9=18보다 작아야 하며 짝수이어야 한다.
조건에 맞는 (㉢, ㉣)을 찾으면 (3, 2), (6, 2), (3, 4)이다.
• (3, 2)의 경우 $2 \times ㉠ = ㉣ \times ㉣ = 2 \times 2$에서 ㉠=㉣=2가 되어 ㉠과 ㉣이 같아지므로 안된다.
• (6, 2)의 경우 $2 \times ㉠ = ㉣ \times ㉣ = 2 \times 2$에서 ㉠=㉣=2가 되어 ㉠과 ㉣이 같아지므로 안된다.
• (3, 4)의 경우 $2 \times ㉠ = ㉣ \times ㉣ = 4 \times 4$에서 ㉠=8, ㉣=4, ㉢=3이 되고,
㉡=㉢+㉣=3+4=7이 되어 각 자리의 숫자가 서로 다르다.

따라서 ㉠=8, ㉡=7, ㉢=3, ㉣=4이므로 알맞은 네 자리 수는 8734이다.

참고* 다음과 같이 생각할 수도 있다.
$2 \times ㉠ = ㉣ \times ㉣$에서 ㉠은 한 자리 수이므로 ㉣에 올 수 있는 수는 2 또는 4뿐이다.
• ㉣=2이면 ㉠=2 → ㉠과 ㉣이 같아지므로 안된다.
• ㉣=4이면 ㉠=8 → 가능하다.
즉, 네 자리 수는 8㉡㉢4이다.
㉢×㉣=(6의 배수)에서 4와 곱하여 6의 배수가 되는 경우는 3×4, 6×4, 9×4가 있다.
그러므로, 가능한 경우를 모두 써 보면 다음과 같다.
• 8㉡34 → ㉡=㉢+㉣에서 ㉡=7
• 8㉡64 → ㉡은 한 자리 수이어야 하므로 안된다.
• 8㉡94 → ㉡은 한 자리 수이어야 하므로 안된다.
따라서 알맞은 네 자리 수는 8734이다.

3 세 자리 수를 ㉠㉡㉢이라고 하자.
㉡과 ㉢은 짝수이고 ㉠과 ㉡의 차는 3이므로 ㉠은 항상 홀수이다. 만족하는 (㉠, ㉡)을 찾으면 (5, 2), (1, 4), (7, 4), (3, 6), (9, 6), (5, 8)인데, 각 자리 숫자는 3의 배수가 아니어야 하므로 (3, 6), (9, 6)은 제외한다.
㉠㉡㉢은 17의 배수이므로 (㉠, ㉡)을 이용하여 만족하는 수를 찾으면 다음과 같다.

㉠	㉡		㉠	㉡	㉢
5	2	→	5	2	7
1	4	→	×		
7	4	→	7	4	8
5	8	→	×		

그런데 527은 일의 자리 숫자가 짝수가 아니므로 알맞은 세 자리 수는 748이다.

4 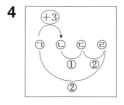 네 자리 자연수를 ㉠㉡㉢㉣이라고 하면 왼쪽과 같은 관계가 성립한다.
백의 자리 숫자인 ㉡을 기준으로 생각하면
식 ㉡-3○2○2○1=㉡의 ○안에 + 또는 -를 넣어 만족하는 식은

ⓛ−3+2+2−1=ⓛ이다.

따라서 ㉠ⓛ㉢㉣의 각 자리의 숫자의 표를 만들어 보면 다음과 같다.

㉠	ⓛ	㉢	㉣	
6	9	10	8	(×)
5	8	9	7	(○)
⋮	⋮	⋮	⋮	(○)
1	4	5	3	(○)
0	3	4	2	(×)

}5개

만족하는 네 자리 수는

5897, 4786, 3675, 2564, 1453의 5개이다.

다른 풀이 천의 자리 숫자인 ㉠을 기준으로 생각해 보자.

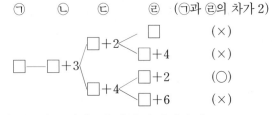

㉠, ⓛ, ㉢, ㉣은 각각 0이 아닌 한 자리 수이므로 □에 1부터 대입하여 네 자리 수를 구해 보면

□=1일 때 : 1453
□=2일 때 : 2564
□=3일 때 : 3675   의 5개이다.
□=4일 때 : 4786
□=5일 때 : 5897

5 처음 일곱 자리 수를 5㉠ⓛ㉢㉣㉤㉥이라고 하면 새로 만든 수는 ㉠ⓛ㉢㉣㉤㉥5가 된다.

$5000000+100000×㉠+10000×ⓛ+1000×㉢$
$+100×㉣+10×㉤+㉥$
$=(1000000×㉠+100000×ⓛ+10000×㉢$
$+1000×㉣+100×㉤+10×㉥+5)×3+8$
$=3000000×㉠+300000×ⓛ+30000×㉢$
$+3000×㉣+300×㉤+30×㉥+15+8$

식을 정리하면 다음과 같다.

$5000000−23=2900000×㉠+290000×ⓛ+29000$
$×㉢+2900×㉣+290×㉤+29×㉥$
$4999977=29×(100000×㉠+10000×ⓛ+1000×㉢$
$+100×㉣+10×㉤+㉥)$
$172413=100000×㉠+10000×ⓛ+1000×㉢+100$

$×㉣+10×㉤+㉥$

따라서 ㉠=1, ⓛ=7, ㉢=2, ㉣=4, ㉤=1, ㉥=3이므로 처음 수는 5172413이다.

참고*

5 ① □ □ □ □ □   }3배+8
① □ □ □ □ □ 5

3배하여 5 이하가 되는 자연수는 1이므로 ①=1

5 1 ② □ □ □ □   }3배+8
1 ② □ □ □ □ 5

3배하여 51−30=21의 공백을 채울 수 있는 자연수는 7 이므로 ②=7

5 1 7 ③ □ □ □   }3배+8
1 7 ③ □ □ □ 5

3배하여 7 이하가 되는 자연수는 2이므로 ③=2
(③의 값이 1이면, 다음 자리에 어떤 숫자가 오더라도 3을 곱했을 때 71−30=41의 공백을 채울 수 없다.)

⋮

이와 같은 방법으로 □를 채워 나갈 수도 있다.

6 서로 다른 3개의 한 자리 자연수를 각각 a, b, c $(a>b>c)$라 하자.

이들로 만들 수 있는 6개의 세 자리 수는

abc, acb, bac, bca, cab, cba이고,

가장 큰 수는 abc, 가장 작은 수는 cba이다.

6개의 수를 모두 더하면 백의 자리, 십의 자리, 일의 자리에 있는 a, b, c가 각각 2번씩 더해지므로

$200×a+200×b+200×c+20×a+20×b+20×c$
$+2×a+2×b+2×c$
$=200×(a+b+c)+20×(a+b+c)+2×(a+b+c)$
$=222×(a+b+c)=3774$

$a+b+c=3774÷222=17$이다.

$abc−cba=594$에서

```
  a b c
− c b a
─────────
  5 9 4   →a−c=6
```

따라서 $a+b+c=17$을 만족하고 a가 c보다 6만큼 큰 수

를 찾아 표를 만들면 다음과 같다.

a	b	c	
9	5	3	(○)
8	7	2	(○)
7	9	1	(×) ⋯ b가 a보다 크다.

그러므로 조건을 만족하는 가장 작은 세 자리의 자연수는 359 또는 278이다.

7 처음 세 자리의 자연수를 abc라 하자.

백의 자리의 숫자 a와 일의 자리의 숫자 c의 차는 5인데 거꾸로 썼을 때 처음 수보다 커지므로 a가 c보다 5만큼 작아야 한다.

a, c의 관계와 $a+b+c=15$임을 이용하여 표를 만들면 다음과 같다.

a	b	c
1	8	6
2	6	7
3	4	8
4	2	9

이 중 $cba=2\times abc+66$을 만족하는 수는 429이다.

8 처음 네 자리 수를 $abcd$라 하면

$(1000\times a+100\times b+10\times c+d)$
$+(1000\times d+100\times c+10\times b+a)$
$=1001\times a+110\times b+110\times c+1001\times d$
$=1001\times(a+d)+110\times(b+c)$
$=14663$

14663의 일의 자리의 숫자가 3이므로 $a+d=13$이 되고,

$1001\times13+110\times(b+c)=14663$
$110\times(b+c)=14663-13013$
$b+c=1650\div110=15$

$abcd$가 8의 배수이므로 d는 짝수이며 $a+d=13$, $b+c=15$, a, b, c, d는 서로 다른 수이므로 조건에 맞는 표를 만들어 보면 다음과 같다.

a	b	c	d	
9	8	7	4	(×) ⋯ 8의 배수가 아니다.
9	7	8	4	(○)
5	9	6	8	(○)
5	6	9	8	(×) ⋯ 8의 배수가 아니다.

따라서 처음 네 자리 수는 9784, 5968이다.

9 $a>b>c>d$라 하자.

넷째로 작은 수는 $dbac$이고 5의 배수이므로 $c=5$이다.

셋째로 큰 수는 $acbd$이고 4의 배수이므로 bd는 4의 배수이고 d는 짝수이다.

8째로 작은 수는 $cdab$이고, 네 개의 자연수로 만들 수 있는 네 자리 수는 24개이므로 19째로 작은 수는 6째로 큰 수와 같아서 $adcb$가 된다.

$adcb$와 $cdab$의 차가 3000과 4000 사이이므로

$$\begin{array}{cccc} & a & d & c & b \\ - & c & d & a & b \\ \hline \boxed{3} & \square & \square & 0 \end{array}$$

에서 c가 5이고 백의 자리에는 두 수 모두 d, 십의 자리에는 5에서 5보다 큰 a를 빼야하므로 $a=9$이다.

네 개의 자연수 중에서 짝수, 홀수가 각각 2개씩인데 $c=5$, $a=9$이므로 b, d는 짝수이다.

또한 bd는 4의 배수이고 $9>b>5>d$이므로 조건을 모두 만족하는 b와 d는 $(8, 4)$, $(6, 4)$뿐이다.

따라서 $a=9$, $b=6$, $c=5$, $d=4$ 또는
$a=9$, $b=8$, $c=5$, $d=4$이다.

10 a의 8배는 두 자리 수 bc보다 5만큼 작으므로

$8\times a+5=10\times b+c$

또, bca가 abc보다 117만큼 작으므로

$100\times a+10\times b+c=100\times b+10\times c+a+117$
$100\times a+(10\times b+c)=10\times(10\times b+c)+a+117$

위에서 $8\times a+5=10\times b+c$이므로

$100\times a+(8\times a+5)=10\times(8\times a+5)+a+117$
$108\times a+5=81\times a+50+117$

양변에서 $81\times a$와 5를 없애주면, $27\times a=162$
$a=162\div27=6$

따라서 $8\times a+5=10\times b+c$에서 $a=6$이므로
$53=10\times b+c$, $b=5$, $c=3$이다.

따라서 처음 세 자리 자연수는 653이다.

높이가 같은 삼각형 ③

08

본문 38~41쪽

유제

1 $\dfrac{4}{15}$ **2** 10배 **3** 1:3:2 **4** 12배

특강탐구문제

1 $1\dfrac{13}{20}$배(1.65배) **2** $2\dfrac{5}{8}$cm(2.625cm) **3** 9cm²

4 11cm² **5** $\dfrac{25}{48}$ **6** $\dfrac{1}{7}$ **7** 187.5cm²

8 272cm² **9** 8배

10 ㉠ : 7.5cm² ㉡ : 9cm² ㉢ : 9cm²

유제풀이

1 (삼각형 ㄱㅂㅁ의 넓이)

$=$(삼각형 ㄱㄴㄷの 넓이)$\times\dfrac{1}{3}\times\dfrac{3}{5}$

$=$(삼각형 ㄱㄴㄷ의 넓이)$\times\dfrac{1}{5}$ ······ ①

(삼각형 ㅂㄴㄹ의 넓이)

$=$(삼각형 ㄱㄴㄷ의 넓이)$\times\dfrac{2}{3}\times\dfrac{2}{4}$

$=$(삼각형 ㄱㄴㄷ의 넓이)$\times\dfrac{1}{3}$ ······ ②

(삼각형 ㅁㄹㄷ의 넓이)

$=$(삼각형 ㄱㄴㄷ의 넓이)$\times\dfrac{2}{4}\times\dfrac{2}{5}$

$=$(삼각형 ㄱㄴㄷ의 넓이)$\times\dfrac{1}{5}$ ······ ③

(삼각형 ㅂㄹㅁ의 넓이)

$=$(삼각형 ㄱㄴㄷ의 넓이)$\times\left\{1-\left(\dfrac{1}{5}+\dfrac{1}{3}+\dfrac{1}{5}\right)\right\}$

$=$(삼각형 ㄱㄴㄷ의 넓이)$\times\dfrac{4}{15}$

따라서 삼각형 ㅂㄹㅁ의 넓이는 삼각형 ㄱㄴㄷ의 넓이의 $\dfrac{4}{15}$이다.

참고* 위의 ①, ②, ③ 식을 그림으로 나타내면 다음과 같다.

2 그림과 같이 선분을 그어 보자.

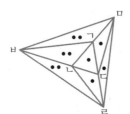

(삼각형 ㄱㄴㄷ의 넓이)$=$(삼각형 ㅁㄱㄷ의 넓이)

$=$(삼각형 ㅁㄷㄹ의 넓이)

$=$(삼각형 ㄴㄹㄷ의 넓이)

(삼각형 ㅂㄱㅁ의 넓이)$=$(삼각형 ㅂㄴㄱ의 넓이)

$=2\times$(삼각형 ㄱㄴㄷ의 넓이)

(삼각형 ㅂㄹㄴ의 넓이)$=2\times$(삼각형 ㄴㄹㄷ의 넓이)

$=2\times$(삼각형 ㄱㄴㄷ의 넓이)

따라서 삼각형 ㄱㄴㄷ의 넓이를 •로 표시하면 삼각형 ㄹㅁㅂ의 넓이는 •가 10개이므로, 삼각형 ㄹㅁㅂ의 넓이는 삼각형 ㄱㄴㄷ의 넓이의 10배이다.

3

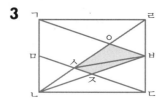

그림과 같이 선분 ㅅㅂ을 긋고 생각해 보면 삼각형 ㅇㅂㄹ, 삼각형 ㅂㅇㅅ, 삼각형 ㅂㅅㄴ은 넓이가 모두 같다.
또한 직사각형 ㅅㄴㄷㅂ에서 점 ㅈ은 대각선의 교점이므로 선분 ㄴㅈ과 선분 ㅈㅂ의 길이가 같게 되어
삼각형 ㅅㄴㅈ과 삼각형 ㅅㅈㅂ의 넓이는 같다.
삼각형 ㅅㄴㅈ의 넓이를 1이라 하면 삼각형 ㅅㅈㅂ의 넓이도 1, 삼각형 ㅂㅅㄴ의 넓이는 2, 삼각형 ㅇㅂㅅ의 넓이도 2, 삼각형 ㅇㅂㄹ의 넓이도 2이다.
따라서 삼각형 ㅅㄴㅈ, 사각형 ㅅㅈㅂㅇ, 삼각형 ㅇㅂㄹ의 넓이의 비는 1 : (1+2) : 2=1 : 3 : 2이다.

4

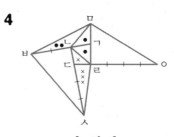

[그림 1]

[그림 1]과 같이 선분 ㅁㄴ과 선분 ㄴㄹ을 그으면
(삼각형 ㅁㅂㄱ의 넓이)$=3\times$(삼각형 ㅁㄴㄱ의 넓이)

$=3\times$(삼각형 ㄴㄹㄱ의 넓이)

(삼각형 ㄷㅅㄹ의 넓이)$=3\times$(삼각형 ㄴㄷㄹ의 넓이)
즉, (삼각형 ㅁㅂㄱ의 넓이)+(삼각형 ㄷㅅㄹ의 넓이)

=3×(삼각형 ㄴㄹㄱ의 넓이)

   +3×(삼각형 ㄴㄷㄹ의 넓이)

=3×(사각형 ㄱㄴㄷㄹ의 넓이)

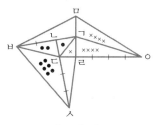

[그림 2]

마찬가지 방법으로 [그림 2]와 같이 선분 ㄷㄱ, 선분 ㄷ
ㅂ, 선분 ㄱㅇ을 그으면

(삼각형 ㅂㅅㄴ의 넓이)

=4×(삼각형 ㅂㄷㄴ의 넓이)

=4×2×(삼각형 ㄴㄷㄱ의 넓이)

=8×(삼각형 ㄴㄷㄱ의 넓이)

(삼각형 ㅁㄹㅇ의 넓이)

=2×(삼각형 ㄱㄹㅇ의 넓이)

=2×4×(삼각형 ㄱㄷㄹ의 넓이)

=8×(삼각형 ㄱㄷㄹ의 넓이)

즉, (삼각형 ㅂㅅㄴ의 넓이)+(삼각형 ㅁㄹㅇ의 넓이)

=8×(삼각형 ㄴㄷㄱ의 넓이)

   +8×(삼각형 ㄱㄷㄹ의 넓이)

=8×(사각형 ㄱㄴㄷㄹ의 넓이)

따라서 오각형 ㅁㅂㅅㄹㅇ의 넓이는 사각형 ㄱㄴㄷㄹ의
넓이의 3+8+1=12(배)이다.

특강탐구문제풀이

1

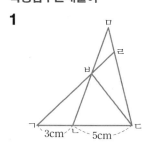

그림과 같이 선분 ㅂㄷ을 그어 알아보자.

(삼각형 ㄱㄴㅂ의 넓이) : (삼각형 ㄴㄷㅂ의 넓이)

=3 : 5

(삼각형 ㄱㄴㅂ의 넓이) : (삼각형 ㄴㄷㅁ의 넓이)

=4 : 11

이므로 삼각형 ㄱㄴㅂ의 넓이를 12라고 하면 삼각형
ㄴㄷㅁ의 넓이는 33이고, 삼각형 ㄴㄷㅂ의 넓이는 20이다.
즉, (삼각형 ㄴㄷㅁ의 넓이) : (삼각형 ㄴㄷㅂ의 넓이)

   =33 : 20

따라서 선분 ㄴㅁ의 길이는 선분 ㄴㅂ의 길이의

$\frac{33}{20}=1\frac{13}{20}=1.65$(배)

2

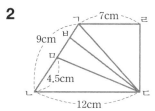

그림과 같이 선분 ㄱㄷ을
그으면 삼각형 ㄷㄱㅁ과
삼각형 ㄷㅁㄴ은 높이가
같은 삼각형이고, 점 ㅁ
은 선분 ㄱㄴ의 중점이므
로 삼각형 ㄱㄴㄷ의 넓이는 48cm²이다.

삼각형 ㄱㄴㄷ과 삼각형 ㄱㄷㄹ은 높이가 같은 삼각형이
므로

(삼각형 ㄱㄷㄹ의 넓이)$=48\times\frac{7}{12}=28$(cm²)

사다리꼴 ㄱㄴㄷㄹ의 넓이는 48+28=76(cm²)이고,

삼각형 ㅂㄴㄷ의 넓이는 사다리꼴 ㄱㄴㄷㄹ의 넓이의 $\frac{1}{2}$

이므로 76÷2=38(cm²)이다.

즉, (삼각형 ㅂㅁㄷ의 넓이)=38-24=14(cm²)

삼각형 ㅂㅁㄷ과 삼각형 ㄱㄴㄷ은 높이가 같은 삼각형이
므로 밑변 ㅁㅂ과 밑변 ㄱㄴ의 길이의 비는 넓이의 비
14 : 48=7 : 24와 같다.

따라서 (선분 ㅁㅂ)$=9\times\frac{7}{24}=3\times\frac{7}{8}=\frac{21}{8}$

$=2\frac{5}{8}=2.625$(cm)

3

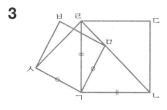

삼각형 ㄱㄹㅅ과 삼각형 ㄱㄴㅁ에서 변 ㄱㅅ과 선분 ㄱㅁ,
선분 ㄱㄹ과 선분 ㄱㄴ의 길이가 같고, 각 ㅅㄱㄹ과 각
ㅁㄱㄴ의 크기가 같으므로 삼각형 ㄱㄹㅅ과 삼각형 ㄱㄴ
ㅁ은 합동이다.

따라서 선분 ㅁㄴ의 길이는 6.4cm이고, 선분 ㅁㄹ의 길
이는 10-6.4=3.6(cm)이다.

(정사각형 ㄱㄴㄷㄹ의 넓이)$=10\times10\times\frac{1}{2}=50$(cm²)

(삼각형 ㄱㄴㄹ의 넓이)$=50\div2=25(\text{cm}^2)$

따라서 (삼각형 ㄱㅁㄹ의 넓이)$=25\times\dfrac{3.6}{10}=9(\text{cm}^2)$

4

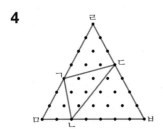

그림과 같이 삼각형 ㄱㄴㄷ의 세 꼭짓점을 지나는 선분을 그어 삼각형 ㄹㅁㅂ을 만들자. 이웃한 세 점을 연결하여 만든 가장 작은 정삼각형의 넓이가 1cm²이므로 삼각형 ㄹㅁㅂ의 넓이는 49cm²이다.

(삼각형 ㄱㄷㄹ의 넓이)$=49\times\dfrac{4}{7}\times\dfrac{3}{7}=12(\text{cm}^2)$

(삼각형 ㅁㄴㄱ의 넓이)$=49\times\dfrac{3}{7}\times\dfrac{2}{7}=6(\text{cm}^2)$

(삼각형 ㄴㅂㄷ의 넓이)$=49\times\dfrac{4}{7}\times\dfrac{5}{7}=20(\text{cm}^2)$

따라서 삼각형 ㄱㄴㄷ의 넓이는
$49-(12+6+20)=11(\text{cm}^2)$

5 삼각형 ㄱㄴㄷ의 넓이를 1이라 하면

(삼각형 ㄱㄹㅅ의 넓이)$=\dfrac{1}{3}\times\dfrac{3}{4}=\dfrac{1}{4}$

(삼각형 ㄹㄴㅁ의 넓이)$=\dfrac{2}{3}\times\dfrac{1}{4}=\dfrac{1}{6}$

(삼각형 ㅅㅂㄷ의 넓이)$=\dfrac{1}{4}\times\dfrac{1}{4}=\dfrac{1}{16}$

그러므로 색칠하지 않은 부분은
$\dfrac{1}{4}+\dfrac{1}{6}+\dfrac{1}{16}=\dfrac{12}{48}+\dfrac{8}{48}+\dfrac{3}{48}=\dfrac{23}{48}$

이고, 색칠한 부분은
$1-\dfrac{23}{48}=\dfrac{25}{48}$이다.

따라서 색칠한 사각형은 삼각형 ㄱㄴㄷ의 넓이의 $\dfrac{25}{48}$이다.

6

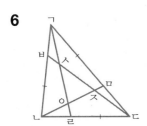

(선분 ㄱㅅ):(선분 ㅅㅇ):(선분 ㅇㄹ)$=3:3:1$

(선분 ㄴㅇ):(선분 ㅇㅈ):(선분 ㅈㅁ)$=3:3:1$

(선분 ㄷㅈ):(선분 ㅈㅅ):(선분 ㅅㅂ)$=3:3:1$

삼각형 ㄱㄴㄷ의 넓이를 1이라 하면

(삼각형 ㄱㅅㄷ의 넓이)$=\dfrac{2}{3}\times\dfrac{3}{7}=\dfrac{2}{7}$

(삼각형 ㅈㄴㄷ의 넓이)$=\dfrac{2}{3}\times\dfrac{3}{7}=\dfrac{2}{7}$

(삼각형 ㄱㄴㅇ의 넓이)$=\dfrac{2}{3}\times\dfrac{3}{7}=\dfrac{2}{7}$

따라서 삼각형 ㅅㅇㅈ의 넓이는 삼각형 ㄱㄴㄷ의 넓이의
$1-\left(\dfrac{2}{7}+\dfrac{2}{7}+\dfrac{2}{7}\right)=\dfrac{1}{7}$이다.

7 세 삼각형 ㅁㅅㅈ, ㅅㅂㅇ, ㅇㄹㅈ의 넓이는 모두 삼각형 ㄹㅁㅂ의 넓이의 $\dfrac{2}{3}\times\dfrac{1}{3}=\dfrac{2}{9}$이다.

삼각형 ㅅㅇㅈ의 넓이는 삼각형 ㄹㅁㅂ의 넓이의
$1-\left(\dfrac{2}{9}\times3\right)=\dfrac{1}{3}$이므로 삼각형 ㄹㅁㅂ의 넓이는
$15\times3=45(\text{cm}^2)$이다.

(삼각형 ㄱㅂㅁ의 넓이)
$=$(삼각형 ㄱㄴㄷ의 넓이)$\times\dfrac{3}{5}\times\dfrac{1}{5}$
$=$(삼각형 ㄱㄴㄷ의 넓이)$\times\dfrac{3}{25}$

(삼각형 ㅂㄴㄹ의 넓이)
$=$(삼각형 ㄱㄴㄷ의 넓이)$\times\dfrac{2}{5}\times\dfrac{2}{5}$
$=$(삼각형 ㄱㄴㄷ의 넓이)$\times\dfrac{4}{25}$

(삼각형 ㅁㄹㄷ의 넓이)
$=$(삼각형 ㄱㄴㄷ의 넓이)$\times\dfrac{3}{5}\times\dfrac{4}{5}$
$=$(삼각형 ㄱㄴㄷ의 넓이)$\times\dfrac{12}{25}$

즉, 삼각형 ㄹㅁㅂ의 넓이는 삼각형 ㄱㄴㄷ의 넓이의
$1-\left(\dfrac{3}{25}+\dfrac{4}{25}+\dfrac{12}{25}\right)=\dfrac{6}{25}$이다.

따라서 삼각형 ㄱㄴㄷ의 넓이는
$45\times\dfrac{25}{6}=187.5(\text{cm}^2)$

8

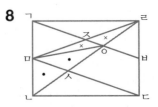

그림과 같이 선분 ㅁㅇ을 그으면 삼각형 ㅁㄴㅅ과 삼각형 ㅁㅅㅇ은 밑변과 높이가 같은 삼각형이므로 넓이가

같다. 또한 선분 ㅁㅈ과 선분 ㅈㄹ의 길이가 같으므로 삼각형 ㅇㅈㅁ과 삼각형 ㅇㅈㄹ도 넓이가 같다.

따라서 삼각형 ㄹㅁㄴ의 넓이는 사각형 ㅁㅅㅇㅈ의 넓이의 2배이므로 $34 \times 2 = 68(\text{cm}^2)$이고,

이것은 사각형 ㄱㄴㄷㄹ의 넓이의 $\frac{1}{4}$이므로

(사각형 ㄱㄴㄷㄹ의 넓이)$=68 \times 4 = 272(\text{cm}^2)$

9

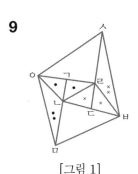

[그림 1]

[그림 1]과 같이 선분 ㄴㄹ을 그으면,

(삼각형 ㅇㅁㄱ의 넓이)$=3 \times$(삼각형 ㄱㄴㄹ의 넓이)

(삼각형 ㅅㄷㅂ의 넓이)$=3 \times$(삼각형 ㄹㄴㄷ의 넓이)

즉, 삼각형 ㅇㅁㄱ과 삼각형 ㅅㄷㅂ의 넓이의 합은 사각형 ㄱㄴㄷㄹ의 넓이의 3배이다.

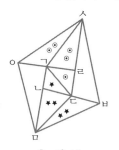

[그림 2]

또한 [그림 2]와 같이 선분 ㄱㄷ을 그으면

(삼각형 ㅅㅇㄹ의 넓이)$=4 \times$(삼각형 ㄱㄷㄹ의 넓이)

(삼각형 ㅂㄴㅁ의 넓이)$=4 \times$(삼각형 ㄱㄴㄷ의 넓이)

즉, 삼각형 ㅅㅇㄹ과 삼각형 ㅂㄴㅁ의 넓이의 합은 사각형 ㄱㄴㄷㄹ의 넓이의 4배이다.

따라서 사각형 ㅁㅂㅅㅇ의 넓이는 사각형 ㄱㄴㄷㄹ의 넓이의 $3+4+1=8$(배)이다.

10

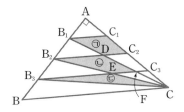

(선분 AB)$=$(선분 AC)이고, 두 선분 모두 4등분하였으므로 선분 B_1C_1, 선분 B_2C_2, 선분 B_3C_3, 선분 BC는 모두 서로 평행하다. 그러므로 점 D, F는 선분 B_1C의 3등분점, 점 E는 선분 B_2C의 이등분점이다.

삼각형 ABC의 넓이는 $12 \times 12 \div 2 = 72(\text{cm}^2)$이므로

(도형 ㉠의 넓이)

$=$(삼각형 AB_1C의 넓이)$-$(삼각형 AB_1C_1의 넓이)

$\quad-$(삼각형 C_2DC의 넓이)

$=\left(72 \times \frac{1}{4}\right)-\left(72 \times \frac{1}{4} \times \frac{1}{4}\right)-\left(72 \times \frac{1}{4} \times \frac{2}{4} \times \frac{2}{3}\right)$

$=18-4.5-6=7.5(\text{cm}^2)$

(도형 ㉡의 넓이)

$=$(삼각형 B_1B_2C의 넓이)$-$(삼각형 B_1B_2D의 넓이)

$\quad-$(삼각형 FEC의 넓이)

$=\left(72 \times \frac{1}{4}\right)-\left(72 \times \frac{1}{4} \times \frac{1}{3}\right)-\left(72 \times \frac{1}{4} \times \frac{1}{3} \times \frac{1}{2}\right)$

$=18-6-3=9(\text{cm}^2)$

(도형 ㉢의 넓이)

$=$(삼각형 B_2B_3C의 넓이)$\times \frac{1}{2}$

$=72 \times \frac{1}{4} \times \frac{1}{2}=9(\text{cm}^2)$

평균에 관한 문제 ②

유제

1 7:5　　**2** 57.8점　　**3** 23.4점
4 ㉠:2, ㉡:4, ㉢:4

특강탐구문제

1 45명　　**2** 20%　　**3** 68.2점　　**4** 32%
5 ㉮:4, ㉯:3, ㉰:3　　**6** 22.5점　　**7** 7명, 7.58점
8 ㉠:23, ㉡:7.3　　**9** 25명　　**10** 64.1점

유제풀이

1

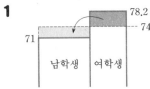

왼쪽 그림에서 ▨의 넓이는 ■의 넓이와 같다. 전체 평균이 74점이 되려면 여학생 한 명당 78.2−74=4.2(점)씩 줄고, 남학생 한 명당 74−71=3(점)씩 늘어 나야 한다.

3×(남학생 수)=4.2×(여학생 수)이므로 남학생과 여학생 수를 가장 간단한 자연수의 비로 나타내면

4.2:3=7:5

2

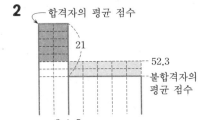

합격자의 평균 점수는 최저 합격 점수보다 9.5점 높고, 불합격자의 평균점수는 최저 합격 점수보다 11.5점 낮으므로 합격자의 평균과 불합격자의 평균은

9.5+11.5=21(점) 차가 난다.

또한, 합격자와 불합격자의 비는 2:5이므로 전체 평균은 불합격자의 평균 점수보다 높은 합격자의 점수 부분을 7로 나누어 그 중 2만큼을 남겨두고 나머지 5만큼을 불합격자에게 골고루 나누어 준 것과 같다.

따라서 불합격자의 평균 점수는 전체 평균 점수보다 21÷7×2=6(점) 낮은 52.3−6=46.3(점)이고, 최저 합격 점수는 불합격자의 평균 점수보다 11.5점 높으므로

46.3+11.5=57.8(점)

참고* 다음과 같이 방정식을 세워 풀 수도 있다.
최저 합격 점수를 x점이라 하면
합격자의 평균 점수는 $(x+9.5)$점,
불합격자의 평균 점수는 $(x-11.5)$점이 된다.
$(x+9.5)×2+(x-11.5)×5=52.3×7$에서 x를 구할 수 있다.

3 전체 학생이 2, 3, 4번 중 두 문제씩 풀었으므로 전체 학생 수는 2, 3, 4번 문제를 푼 학생 수를 각각 더하여 2로 나눈 값과 같다. 2, 3, 4번 문제를 푼 학생 수의 비가 2:2:3이므로 각각 2명, 2명, 3명이 풀었다고 생각하면 전체 학생 수는 (2+2+3)÷2=3.5(명)이 된다. 또한, 1번 문제는 전체 학생이 모두 풀었으므로 1, 2, 3, 4번 문제를 푼 학생 수의 비는 3.5:2:2:3이 된다. 그러나 이것은 자연수가 아니므로 1, 2, 3, 4번 문제를 각각 7명, 4명, 4명, 6명이 풀었다고 생각하면 전체 학생 수는 7명이 된다.

전체 학생의 총점은
8×7+7.3×4+8.1×4+7.7×6=163.8(점)이고,
전체 학생 수는 7명이므로 평균 점수는
163.8÷7=23.4(점)

참고* 1, 2, 3, 4번 문제를 푼 학생 수의 비를 가장 간단한 자연수의 비로 나타낸 것이 7:4:4:6이므로 7명, 4명, 4명, 6명이라고 생각하여 계산하였다. 이를 14명, 8명, 8명, 12명이라 생각해도 평균 점수는 변함없다.

4 전체 학생은 40명이고 ㉠, ㉡, ㉢을 제외한 나머지 학생 수를 세어 보면 30명이므로
㉠+㉡+㉢=40−30=10(명)
읽은 책의 평균이 3.25권이므로 40명이 읽은 전체 책은
3.25×40=130(권)이고, ㉠, ㉡, ㉢을 제외한 나머지 학생들이 읽은 책은
1×(2+1)+2×(3+1)+3×(3+2+4)+4×(1+2+1)+5×(2+1+3)+6×(1+2)=102(권)
이므로 ㉠, ㉡, ㉢ 학생이 읽은 책은
2×(㉠+㉡)+4×㉢=130−102=28(권)
㉠+㉡=10이라 하면 10명이 2권씩 모두 2×10=20(권)을 읽은 것이 되고 이것은 실제 권수와 28−20=8(권)

차가 나는데, 이 차는 ⓒ 학생이 2권씩 더 읽었기 때문이므로 ⓒ=8÷2=4(명)이다. (우기기)

또, 게임을 한 평균 시간이 3.325시간이므로 40명이 한 게임 시간의 총합은 3.325×40=133(시간)이고, ㉠, ㉡, ㉢을 제외한 나머지 학생들이 게임을 한 시간은

$1×(1+1+2)+2×(2+3)+3×3+4×(2+1)+5×(2+3+4)+6×(1+1)+7×1=99$(시간)

이므로 ㉠, ㉡, ㉢ 학생이 한 게임 시간은

$3×(㉠+㉢)+4×㉡=133-99=34$(시간)

㉠+㉢=10이라 하면 10명이 3시간씩 모두 3×10=30(시간) 게임을 한 것이 되고 이것은 실제 게임을 한 시간과 34-30=4(시간) 차가 나는데, 이 차는 ㉡ 학생이 1시간씩 더 했기 때문이므로 ㉡=4÷1=4(명)이 된다.

따라서 ㉠+㉡+㉢=㉠+4+4=10(명)이므로 ㉠=2(명)이다.

특강탐구문제풀이

1

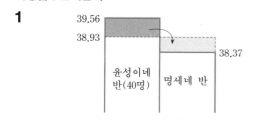

전체 평균은 평균값이 더 높은 윤성이네 반의 전체 몸무게에서 ■ 부분을 떼어내어 명세네 반 학생들에게 ▨ 부분에 골고루 나누어 준 것과 같으므로 ■ 부분의 넓이는 ▨ 부분의 넓이와 같다.

(■ 부분의 넓이)=(39.56-38.93)×40=25.2이므로 명세네 반 학생 수는

$25.2÷(38.93-38.37)=25.2÷0.56=45$(명)

2

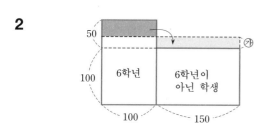

6학년 학생 수를 100이라고 하면 6학년이 아닌 학생 수는 150, 6학년이 아닌 학생의 평균 점수를 100이라고 하

면 6학년 학생의 평균 점수는 150이 되므로 위의 그림과 같다.

전체 평균은 ■ 부분의 점수를 ▨ 부분에 골고루 나누어 준 것과 같으므로

$100×(50-㉮)=150×㉮$

$5000-100×㉮=150×㉮$

$250×㉮=5000$

$㉮=20$

따라서 전체 평균 점수는 100+20=120이고 이것은 6학년 학생의 평균 점수의 $\frac{120}{150}×100=80(\%)$이므로 전체 평균 점수는 6학년 학생의 평균 점수보다

참고 100-80=20(%) 낮다.

전체 평균을 다음과 같이 생각할 수도 있다.

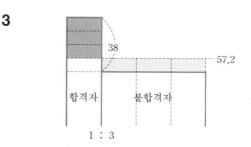

전체 평균은 ▨ 부분의 점수를 ☐ 부분에 골고루 나누어 넣는 것과 같으므로

$100×50=250×㉮ → ㉮=20$

3

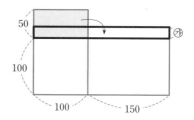

합격자가 전체의 $\frac{1}{4}$이므로 합격자와 불합격자의 비는 1:3이다.

전체 평균은 불합격자의 평균 점수보다 높은 합격자의 점수 부분을 4로 나누어 그 중 1만큼을 남겨두고 나머지 3만큼을 불합격자에게 골고루 나누어 준 것과 같다.

따라서 합격자의 평균 점수는 전체 평균보다

$38÷4×3=28.5$(점) 높은 57.2+28.5=85.7(점)이고, 최저 합격 점수는 합격자의 평균 점수보다 17.5점 낮으므로 85.7-17.5=68.2(점)이다.

4 50번을 던졌고, 1, 2, 3, 5의 눈이 나온 횟수는
$12+9+11+6=38$(번)이므로 4 또는 6의 눈이 나온 횟수는 $50-38=12$(번)이다.
주사위 눈의 평균이 3.02이므로 50번 던져 나온 주사위 눈의 총합은 $3.02 \times 50 = 151$이다.
1, 2, 3, 5의 눈의 총합은
$1 \times 12 + 2 \times 9 + 3 \times 11 + 5 \times 6 = 93$이므로 4와 6의 눈의 합은 $151-93=58$이다.
4의 눈만 12번 나왔다고 하면 $4 \times 12 = 48$인데 이것은 실제 값보다 $58-48=10$만큼 작다. 이것은 6의 눈이 2만큼씩 크게 나왔기 때문이므로 6의 눈이 나온 횟수는 $10 \div 2 = 5$(번)이고, 4의 눈이 나온 횟수는 $12-5=7$(번)이다.
3의 배수의 눈이 나온 횟수는 3 또는 6의 눈이 나온 횟수와 같으므로 $11+5=16$(번)이고, 이것은 전체의 $\frac{16}{50} \times 100 = 32$(%)이다.

5 전체 학생은 36명이고 ㉮, ㉯, ㉰를 제외한 나머지 학생 수는 26명이므로 $㉮+㉯+㉰ = 36-26 = 10$(명)
국어의 평균 점수는 80점이므로 36명의 총점은
$80 \times 36 = 2880$(점)
㉮, ㉯, ㉰를 제외한 나머지 학생들의 국어 점수의 합은
$50 \times (1+1) + 60 \times (1+1) + 70 \times (2+3) + 80 \times (1+1+4+2) + 90 \times (2+3) + 100 \times (2+2)$
$=2060$(점)이므로 ㉮, ㉯, ㉰ 학생의 국어 점수의 합은
$70 \times ㉮ + 90 \times (㉯+㉰) = 2880-2060 = 820$(점)
㉯$+$㉰$=10$이라 하면 $90 \times 10 = 900$(점)이 되고 이것은 실제 점수보다 $900-820 = 80$(점)이 많다. 이것은 ㉮의 학생이 20점씩 점수가 낮기 때문이므로
㉮$=80 \div 20 = 4$(명)
또한, 수학의 평균 점수는 75점이므로 36명의 총점은
$75 \times 36 = 2700$(점)
㉮, ㉯, ㉰를 제외한 나머지 학생들의 수학 점수의 합은
$40 \times 1 + 50 \times (1+1+2) + 60 \times (1+3+1) + 70 \times 1 + 80 \times 4 + 90 \times (2+2+2) + 100 \times (3+2) = 1970$(점)
이므로 ㉮, ㉯, ㉰ 학생의 수학 점수의 합은
$70 \times (㉮+㉯) + 80 \times ㉰ = 2700-1970 = 730$(점)
㉮$+$㉯$=10$이라 하면 $70 \times 10 = 700$(점)이 되고 이것은

실제 점수보다 $730-700 = 30$(점)이 적다. 이것은 ㉰의 학생이 10점씩 점수가 높기 때문이므로
㉰$=30 \div 10 = 3$(명)이다.
따라서, ㉮$+$㉯$+$㉰$=10$(명)에서 $4+㉯+3=10$(명)이므로 ㉯$=3$(명)이다.

6

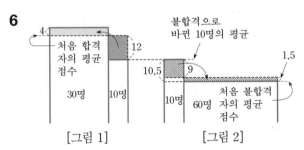

[그림 1]   [그림 2]

처음 합격자 40명 중 10명을 불합격시켰으므로 남은 합격자는 30명, 불합격으로 바뀐 사람은 10명이다.
[그림 1]에서 ▨ 부분과 ■ 부분의 넓이는 같고, ▨ 부분의 넓이는 $30 \times 4 = 120$이므로 불합격으로 바뀐 10명의 평균 점수는 처음 합격자의 평균 점수보다 $120 \div 10 = 12$(점) 낮다.
또, 불합격으로 바뀐 10명의 성적을 처음 불합격자 60명에 포함시키면 [그림 2]에서 ▨ 부분과 ▨ 부분의 넓이는 같고, ▨ 부분의 넓이는 $60 \times 1.5 = 90$이므로 ▨ 부분의 세로는 $90 \div 10 = 9$이고, 불합격으로 바뀐 10명의 평균 점수는 처음 불합격자의 평균 점수보다 $9+1.5 = 10.5$(점) 높다.
따라서 처음 합격자의 평균 점수는 처음 불합격자의 평균 점수보다 $10.5+12 = 22.5$(점) 높았다.

7 최고 점수를 뺀 나머지의 평균이 9.08점이고 전체 평균은 9.2점이므로 그 차인

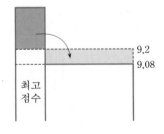

$9.2-9.08 = 0.12$는 최고 점수의 일부가 옮겨온 것이다. 최고 점수는 10점까지 줄 수 있다.
따라서, $(10-9.2) \div 0.12 = 6 \cdots 0.08$이므로 최고 점수를 준 심사 위원을 제외한 심사 위원은 최대 6명이 될 수 있다.

또, 최저 점수를 제외하고 생각하면 오른쪽 그림에서 ▨ 부분과 ▧ 부분의 넓이가 같으므로 최저 점수가 가능한 한 낮으려면 심사 위원이 최대한 많아야 한다.

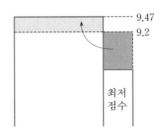

따라서 최고 점수를 준 심사 위원을 포함한 전체 심사위원이 $6+1=7$(명)일 때 가장 낮아지고, 이때의 점수는
$9.2-(9.47-9.2)\times6=7.58$(점)

8 30명의 학생들이 각각 3문제씩 풀었으므로 푼 문제의 수의 합은 $30\times3=90$(문제)이다.
즉, ㉠$=90-(23+25+19)=90-67=23$(명)
또, 전체 평균 점수가 23.82점이므로 전체 총점은
$30\times23.82=714.6$(점)이고, 이것은 각 문제당 총점을 합한 것과 같으므로
$23\times8.5+25\times$㉡$+23\times9.1+19\times6.7=714.6$
$532.1+25\times$㉡$=714.6$
$25\times$㉡$=714.6-532.1=182.5$
㉡$=7.3$(점)

9

점수(점)	학생 수(명)	맞힌 문항
0	1	×
10	3	1번
15	7	2번
25	6	3번
		1번, 2번
35		1번, 3번
40	6	2번, 3번
50	2	1번, 2번, 3번

점수별 맞힌 문항 번호를 표로 나타내면 왼쪽과 같다. 한 문제만 맞혔다면 얻을 수 있는 점수는 10점, 15점, 25점인데 10점은 3명, 15점은 7명이며 한 문제만 맞힌 학생은 16명이므로, 25점을 얻은 학생 중 3번 문제만 맞힌 학생은
$16-(3+7)=6$(명)

또 (1번, 2번)을 맞혀서 25점을 얻은 학생과 (1번, 3번)을 맞혀서 35점을 얻은 학생의 합은
$40-(1+3+7+6+6+2)=15$(명)
전체 평균이 27.75점이므로 전체 총점은
$27.75\times40=1110$(점)
(1번, 2번), (1번, 3번)을 맞힌 학생을 제외한 나머지 학생들의 점수의 합은
$0\times1+10\times3+15\times7+25\times6+40\times6+50\times2$
$=625$(점)이므로
(1번, 2번), (1번, 3번)을 맞힌 학생들의 점수의 합은
$1110-625=485$(점)
(1번, 2번)을 맞힌 학생이 15명이라고 하면 점수의 합은
$25\times15=375$(점)이고, 이것은 실제 점수의 합과
$485-375=110$(점) 차가 난다. 이 차는 (1번, 3번)을 맞힌 학생들이 10점씩 더 맞았기 때문이므로 (1번, 3번)을 맞힌 학생은 $110\div10=11$(명)이다.
따라서 3번 문제를 맞힌 학생 수는
$6+11+6+2=25$(명)

10 두 번의 시험에 응시한 학생 수는 같고, 각각 전체의 $\dfrac{2}{9}$, $\dfrac{3}{8}$의 학생이 합격했으므로 응시한 학생 수를 $9\times8=72$(명)이라고 생각하면,
전기 시험의 합격자는 $72\times\dfrac{2}{9}=16$(명),
탈락자는 $72-16=56$(명)이므로 전기 시험의 총점은
$76.5\times16+63\times56=4752$(점)
후기 시험의 합격자는 $72\times\dfrac{3}{8}=27$(명), 탈락자는
$72-27=45$(명)이고, 합격자의 평균 점수가 전기 시험보다 2점 올랐으므로 합격자의 총점은
$(76.5+2)\times27=2119.5$(점)
또한 전체 평균 점수는 3.5점 올랐는데 이것은 전기 시험의 총점을 기준으로 모든 참가자가 3.5점씩 더 맞은 것이므로 후기 시험의 총점은
$4752+3.5\times72=5004$(점)
따라서 후기 시험의 탈락자의 총점은
$5004-2119.5=2884.5$(점)
탈락자의 평균은
$2884.5\div45=64.1$(점)

묶음수열 ② **10**

유제

1 $\dfrac{5}{10}$ **2** $\dfrac{7}{23}$ **3** 831째 번 **4** 147

특강탐구문제

1 128 **2** 516째 번 **3** $15\dfrac{1}{4}$ **4** $\dfrac{7}{24}$ **5** (5, 10)

6 103째 번 **7** 25개 **8** $\dfrac{6}{26}$ **9** 42째 번

10 192째 번

유제풀이

1 $\left(\dfrac{1}{1}\right)$, $\left(\dfrac{2}{1},\ \dfrac{1}{2}\right)$, $\left(\dfrac{3}{1},\ \dfrac{2}{2},\ \dfrac{1}{3}\right)$, $\left(\dfrac{4}{1},\ \dfrac{3}{2},\ \dfrac{2}{3},\ \dfrac{1}{4}\right)$, $\cdots$로 묶어서 생각해 보자.

각 묶음 안의 수의 개수가 1개, 2개, 3개, $\cdots$로 늘어나므로
$1+2+3+\cdots+10=55$
$1+2+3+\cdots+10+11=66$
$1+2+3+\cdots+11+12=78$
$1+2+3+\cdots+12+13=91$

즉, 처음부터 13째 번 묶음까지는 총 91개이다.
따라서 101째 번 수는 14째 번 묶음의
$101-91=10$(째 번) 수이다.
$\dfrac{14}{1},\ \dfrac{13}{2},\ \dfrac{12}{3},\ \dfrac{11}{4},\ \cdots$에서 10째 번 수는 $\dfrac{5}{10}$가 된다.

2 주어진 수열을 약분하기 전의 분수로 생각해 보면
$\dfrac{1}{2},\ \dfrac{1}{3},\ \dfrac{2}{4},\ \dfrac{1}{4},\ \dfrac{2}{5},\ \dfrac{3}{6},\ \dfrac{1}{5},\ \dfrac{2}{6},\ \dfrac{3}{7},\ \dfrac{4}{8},\ \dfrac{1}{6},\ \dfrac{2}{7},\ \dfrac{3}{8},\ \cdots$이고,
묶어서 생각하면 $\left(\dfrac{1}{2}\right)$, $\left(\dfrac{1}{3},\ \dfrac{2}{4}\right)$, $\left(\dfrac{1}{4},\ \dfrac{2}{5},\ \dfrac{3}{6}\right)$, $\left(\dfrac{1}{5},\ \dfrac{2}{6},\ \dfrac{3}{7},\ \dfrac{4}{8}\right)$, $\left(\dfrac{1}{6},\ \dfrac{2}{7},\ \dfrac{3}{8},\ \dfrac{4}{9},\ \dfrac{5}{10}\right)$, $\cdots$이다.

첫째 묶음부터 차례대로 ①, ②, ③, $\cdots$의 묶음 번호를 붙이면 각 묶음 안의 수의 개수는 묶음 번호만큼씩이고, 각 묶음의 첫 수의 분모는 (묶음 번호+1)이다.
1부터 10까지의 합은 55, 11까지는 66, 12까지는 78, 13까지는 91, 14까지는 105, 15까지는 120이므로
⑮번 묶음까지의 수는 총 120개이다.
따라서 127째 번의 수는 ⑯번 묶음의 7째 번 수이므로
$\dfrac{1}{17},\ \dfrac{2}{18},\ \dfrac{3}{19},\ \dfrac{4}{20},\ \dfrac{5}{21},\ \dfrac{6}{22},\ \dfrac{7}{23},\ \cdots$에서 $\dfrac{7}{23}$이다.

3 $\left(\dfrac{1}{4},\ \dfrac{2}{3},\ \dfrac{3}{2}\right)$, $\left(\dfrac{1}{5},\ \dfrac{2}{4},\ \dfrac{3}{3},\ \dfrac{4}{2}\right)$, $\left(\dfrac{1}{6},\ \dfrac{2}{5},\ \dfrac{3}{4},\ \dfrac{4}{3},\ \dfrac{5}{2}\right)$, $\left(\dfrac{1}{7},\ \dfrac{2}{6},\ \dfrac{3}{5},\ \dfrac{4}{4},\ \dfrac{5}{3},\ \dfrac{6}{2}\right)$, $\cdots$로 묶어서 생각해 보자.

각 묶음의 첫 수의 분모는 4부터 시작해서 1씩 늘어나고, 묶음 안의 수의 개수는 (묶음의 첫 수의 분모−1)개이다.
$\dfrac{14}{29}$는 $\dfrac{14}{29}$가 속한 묶음에서 14째 번의 수이고, 그 묶음의 첫 수는 $\dfrac{14-13}{29+13}=\dfrac{1}{42}$이다.
따라서 첫 수가 $\dfrac{1}{41}$인 묶음까지의 수의 개수는
$\underbrace{3+4+5+\cdots+40}_{38개}=(3+40)\times38\div2=817$(개)이고,
$\dfrac{14}{29}$는 그 다음 묶음의 14째 번 수이므로
$817+14=831$(째 번) 수이다.

4 (3), (7, 9), (13, 15, 17), (21, 23, 25, 27), (31, 33, 35, $\cdots$), $\cdots$로 묶어서 생각해 보자.
10째 번 묶음까지의 수의 개수가
$1+2+3+\cdots+10=(1+10)\times10\div2=55$(개)이므로
63째 번 수는 11째 번 묶음의 8째 번 수가 된다.
각 묶음의 첫 수는 3 $\underset{4}{\frown}$ 7 $\underset{6}{\frown}$ 13 $\underset{8}{\frown}$ 21 $\underset{10}{\frown}$ 31 $\cdots$로 차가 일정하게 늘어나는 수열이므로 11째 번 묶음의 첫 수는
$3+(4+6+8+\cdots+22)=3+(4+22)\times10\div2=133$
따라서 11째 번 묶음의 수는 133, 135, 137, $\cdots$이므로
63째 번 수는 $133+2\times7=147$이다.

> **참고*** 11째 번 묶음의 첫 수를 구하는 과정은 다음과 같다.
> 각 묶음의 첫 수들을 살펴보면 3 $\underset{4}{\frown}$ 7 $\underset{6}{\frown}$ 13 $\underset{8}{\frown}$ 21 $\underset{10}{\frown}$ 31 $\cdots$이므로
> 둘째 번 묶음의 첫 수 $7=3+4$
> 셋째 번 묶음의 첫 수 $13=7+6=3+(4+6)$
> 넷째 번 묶음의 첫 수 $21=13+8=3+(4+6+8)$
> 다섯째 번 묶음의 첫 수 $31=21+10=3+(4+6+8+10)$
> $\vdots$
> 11째 번 묶음의 첫 수 $3+(\underbrace{4+6+8+10+\cdots+\square}_{10개})$
> $\square=4+2\times(10-1)=22$
> 따라서 11째 번 묶음의 첫 수는
> $3+(4+8+10+\cdots+22)=3+(4+22)\times10\div2=133$

특강탐구문제풀이

1

$$
\begin{array}{ccccccc}
 & & 2 & & & & \\
 & 3 & & 6 & & & \\
 & 4 & & 8 & & 12 & \\
5 & & 10 & & 15 & & 20 \\
6 & 12 & 18 & 24 & 30 & & \\
7 & 14 & 21 & 28 & 35 & 42 & \\
 & & & \vdots & & &
\end{array}
$$

에서 각 층을 한 묶음으로 생각하여

$(2), (3, 6), (4, 8, 12), (5, 10, 15, 20), \cdots$와 같이 나타내면 각 묶음의 첫 수는 2부터 시작하여 1씩 늘어나고, 각 묶음 안의 수의 개수는 각각 1개, 2개, 3개, 4개, $\cdots$이다.

1부터 10까지의 합은 55, 11까지는 66, 12까지는 78, 13까지는 91, 14까지는 105이므로 14째 번 묶음까지의 수는 모두 105개이다.

즉, 113째 번 수는 15째 번 묶음의 8째 번 수이고 그 묶음의 첫 수는 16이다.

묶음 안의 수들을 살펴보면, 각 묶음의 첫 수의 배수를 차례로 나열한 것이다.

따라서 113째 번 수는 16의 배수 중에서 8째 번 수이므로 $16 \times 8 = 128$이다.

2 $\left(\dfrac{1}{1}\right), \left(\dfrac{1}{2}, \dfrac{2}{1}\right), \left(\dfrac{1}{3}, \dfrac{2}{2}, \dfrac{3}{1}\right), \left(\dfrac{1}{4}, \dfrac{2}{3}, \dfrac{3}{2}, \dfrac{4}{1}\right),$

$\left(\dfrac{1}{5}, \dfrac{2}{4}, \dfrac{3}{3}, \dfrac{4}{2}, \dfrac{5}{1}\right), \cdots$로 묶어서 생각해 보자.

각 묶음 안의 수의 개수는 묶음의 첫 수의 분모만큼씩 이고, 묶음 안의 분수들의 분자는 1부터 1씩 늘어나고, 분모는 첫 수의 분모부터 1씩 줄어든다.

즉, $\dfrac{20}{13}$은 어떤 묶음의 20째 번 수이고, 그 묶음의 첫 수는 $\dfrac{20-19}{13+19} = \dfrac{1}{32}$이므로 32째 번 묶음이다.

따라서 31째 번 묶음까지 총 개수는

$(1+31) \times 31 \div 2 = 496$(개)이고,

$\dfrac{20}{13}$은 그 다음 묶음의 20째 번 수이므로

$496 + 20 = 516$(째 번) 수이다.

3 약분하기 전의 분수로 고친 후 다음과 같이 묶어서 생각해 본다.

$\left(2\dfrac{1}{3}, 2\dfrac{2}{4}\right), \left(3\dfrac{1}{4}, 3\dfrac{2}{5}, 3\dfrac{3}{6}\right), \left(4\dfrac{1}{5}, 4\dfrac{2}{6}, 4\dfrac{3}{7}, 4\dfrac{4}{8}\right),$

$\left(5\dfrac{1}{6}, 5\dfrac{2}{7}, \cdots\right), \cdots$

1부터 10까지의 합은 55, 11까지는 66, 12까지는 78, 13까지는 91, 14까지는 105이므로 2부터 14까지의 합은 104이다. 즉, 13째 번 묶음까지의 수는 모두 104개이다.

따라서 109째 번 수는 14째 번 묶음의 5째 번 수이다.

14째 번 묶음의 첫 수는 $15\dfrac{1}{16}$이므로

$15\dfrac{1}{16}, 15\dfrac{2}{17}, 15\dfrac{3}{18}, 15\dfrac{4}{19}, 15\dfrac{5}{20}, \cdots$에서

109째 번 수는 $15\dfrac{5}{20} = 15\dfrac{1}{4}$이다.

4 $\left(\dfrac{1}{4}, \dfrac{2}{3}\right), \left(\dfrac{1}{6}, \dfrac{2}{5}, \dfrac{3}{4}\right), \left(\dfrac{1}{8}, \dfrac{2}{7}, \dfrac{3}{6}, \dfrac{4}{5}\right), \left(\dfrac{1}{10}, \dfrac{2}{9},\right.$

$\left.\dfrac{3}{8}, \dfrac{4}{7}, \dfrac{5}{6}\right), \left(\dfrac{1}{12}, \dfrac{2}{11}, \dfrac{3}{10}, \cdots\right), \cdots$로 묶어서 생각해 보자.

1부터 10까지의 합은 55, 11까지는 66, 12까지는 78, 13까지는 91, 14까지는 105이므로 2부터 14까지의 합은 104이다. 즉, 13째 번 묶음까지의 수는 모두 104개이다.

즉, 111째 번 수는 14째 번 묶음의 7째 번 수이다.

또한, 각 묶음의 첫 수의 분모는 4, 6, 8, $\cdots$과 같이 2씩 늘어나므로 14째 번 묶음의 첫 수의 분모는

$4 + 2 \times (14-1) = 4 + 26 = 30$이고, 첫 수는 $\dfrac{1}{30}$이다.

따라서 111째 번 수는 $\dfrac{1+6}{30-6} = \dfrac{7}{24}$이다.

5 $\{(1, 2)\}, \{(1, 3), (2, 2)\}, \{(1, 4), (2, 3), (3, 2)\},$

$\{(1, 5), (2, 4), (3, 3), (4, 2)\}, \{(1, 6), (2, 5), \cdots\},$

$\cdots$로 묶어서 생각해 보자.

1부터 10까지의 합은 55, 11까지는 66, 12까지는 78이므로 83째 번 쌍은 13째 번 묶음의 5째 번 쌍이다.

각 묶음의 첫째 번 쌍을 살펴보면

$(1, 2), (1, 3), (1, 4), \cdots$와 같으므로 13째 번 묶음의 첫째 번 쌍은 $(1, 14)$이다.

따라서 13째 번 묶음의 쌍은 $(1, 14), (2, 13), (3, 12),$

$(4, 11), (5, 10) \cdots$이므로 83째 번 쌍은 $(5, 10)$이다.

6 $\left(\dfrac{1}{1}\right), \left(\dfrac{1}{4}, \dfrac{2}{3}, \dfrac{3}{2}, \dfrac{4}{1}\right), \left(\dfrac{1}{7}, \dfrac{2}{6}, \dfrac{3}{5}, \dfrac{4}{4}, \dfrac{5}{3}, \dfrac{6}{2}, \dfrac{7}{1}\right),$

$\left(\dfrac{1}{10}, \dfrac{2}{9}, \dfrac{3}{8}, \dfrac{4}{7}, \dfrac{5}{6}, \dfrac{6}{5}, \dfrac{7}{4}, \dfrac{8}{3}, \dfrac{9}{2}, \dfrac{10}{1}\right)$, …로 묶어서 생각해 보자.

분수 $\dfrac{11}{15}$이 들어있는 묶음의 첫 수는 $\dfrac{11-10}{15+10}=\dfrac{1}{25}$이다.

각 묶음의 첫 수의 분모를 살펴보면 1, 4, 7, 10, …과 같이 3씩 늘어나므로 $25=1+3\times8=1+3\times(9-1)$

따라서 25는 9째 번 묶음의 첫 수의 분모이다.

즉, $\dfrac{1}{25}$은 9째 번 묶음의 첫 수이고, $\dfrac{11}{15}$은 9째 번 묶음의 11째 번 수이다.

각 묶음에 들어 있는 수의 개수는 1개, 4개, 7개, 10개, …이므로 8째 번 묶음의 수의 개수는

$1+3\times(8-1)=1+3\times7=22$(개)이다.

따라서 8째 번 묶음까지의 수의 개수는 모두

$1+4+7+\cdots+22=(1+22)\times8\div2=92$(개)

이므로 $\dfrac{11}{15}$은 $92+11=103$째 번 분수이다.

참고* 차가 일정한 수열의 합을 구하는 방법은 다음과 같다.

예를 들어, 1에서부터 시작하여 3씩 증가하는 수열의 8째 번 수까지의 합을 구해 보자.

$\begin{array}{r} 1+\ 4\ +\ 7\ +10+13+16+19+22=㉮ \\ 22+19+16+13+10+\ 7\ +\ 4\ +\ 1\ =㉮ \\ \hline 23+23+23+23+23+23+23+23=㉮+㉮ \end{array}$

$\underbrace{}_{8개}$

$23\times8=2\times㉮$

$㉮=\dfrac{23\times8}{2}$

$=\dfrac{(1+22)\times8}{2}$

$=\dfrac{\{(\text{첫 수})+(8\text{째 번 수})\}\times(\text{수의 개수})}{2}$

즉, 차가 일정한 수열의 합은 다음과 같이 구할 수 있다.

$\{(\text{첫 수})+(\text{마지막 수})\}\times(\text{수의 개수})\div2$

7 $\left(\dfrac{1}{1}\right), \left(\dfrac{1}{2}, \dfrac{2}{1}\right), \left(\dfrac{1}{3}, \dfrac{2}{2}, \dfrac{3}{1}\right), \left(\dfrac{1}{4}, \dfrac{2}{3}, \dfrac{3}{2}, \dfrac{4}{1}\right), \left(\dfrac{1}{5},\right.$ $\left.\dfrac{2}{4}, \dfrac{3}{3}, \dfrac{4}{2}, \dfrac{5}{1}\right), \left(\dfrac{1}{6}, \dfrac{2}{5}, \cdots\right)$, …로 묶어서 생각해 보자.

첫째 번 묶음부터 차례대로 ①, ②, ③, …의 묶음 번호를 붙이면 묶음 안의 분수들의 분자는 1부터 시작하여 1씩 커지고, 분모는 묶음 번호에서부터 시작하여 1씩 작아진다.

그러므로 분자가 분모보다 작은 진분수의 개수는 묶음 안의 수의 개수를 2로 나누었을 때의 몫에 해당된다.

또한, 각 묶음 안의 수의 개수는 묶음 번호 만큼씩이므로 50째 번 분수는

$1+2+3+\cdots+9=45$

$50-45=5$에서 10째 번 묶음의 5째 번 수임을 알 수 있다.

따라서 진분수의 개수는 첫째 번 묶음에 0개, 둘째와 셋째 번 묶음에 각각 1개, 넷째와 다섯째 번 묶음에 각각 2개, …, 8째와 9째 번 묶음에 각각 4개이므로

$1\times2+2\times2+3\times2+4\times2=2+4+6+8=20$(개)이고,

10째 번 묶음, $\left(\dfrac{1}{10}, \dfrac{2}{9}, \dfrac{3}{8}, \dfrac{4}{7}, \dfrac{5}{6}, \cdots\right)$은 5째 번 수까지 진분수의 개수가 5개이므로 50개의 분수 중에서 진분수는 모두 $20+5=25$(개)

8 $\left(\dfrac{1}{3}, \dfrac{2}{2}, \dfrac{3}{1}\right), \left(\dfrac{1}{5}, \dfrac{2}{4}, \dfrac{3}{3}, \dfrac{4}{2}, \dfrac{5}{1}\right), \left(\dfrac{1}{7}, \dfrac{2}{6}, \dfrac{3}{5}, \dfrac{4}{4},\right.$ $\left.\dfrac{5}{3}, \dfrac{6}{2}, \dfrac{7}{1}\right), \left(\dfrac{1}{9}, \dfrac{2}{8}, \dfrac{3}{7}, \dfrac{4}{6}, \cdots\right)$, …로 묶어서 생각해 보자.

묶음 안의 수의 개수는 3개, 5개, 7개, …로 늘어난다.

홀수의 합을 구하는 식에서 $15\times15=225$이므로

$15\times15-1=224$, 즉 14째 번 묶음까지는 224개의 수가 있다.

230째 번 수는 15째 번 묶음의 $230-224=6$째 번 수이고, 15째 번 묶음의 첫 수의 분모는 $3+2\times(15-1)=31$이므로, 15째 번 묶음의 첫 수는 $\dfrac{1}{31}$이다.

따라서 230째 번 수는 $\dfrac{1+5}{31-5}=\dfrac{6}{26}$

9 $(1, 3), (4, 6, 8), (10, 12, 14, 16), (19, 21, 23, 25, 27), (31, 33, \cdots)$, …로 묶어서 생각해 보자.

각 묶음의 첫 수를 늘어놓으면 다음과 같다.

$\underset{3\ \ 6\ \ 9\ \ 12\ \ 15\ \ 18\ \ 21\ \ 24}{1, 4, 10, 19, 31, 46, 64, 85, 109, \cdots}$

각 묶음의 첫 수는 차가 늘어나는 수열로 8째 번 수는 85임을 알 수 있다. 8째 번 묶음의 첫 수가 85이고 8째 번 묶음의 수는 $(85, 87, 89, \cdots)$ 즉, 85에서 시작하여 2씩 커지는 수이므로

$97=85+2\times6=85+2\times(7-1)$,

즉 8째 번 묶음의 7째 번 수이다.

따라서 처음부터 몇 째 번 수인지 구해 보면

각 묶음 안의 수의 개수는 2부터 시작하여 1씩 커지므로 97은 $(2+3+4+5+6+7+8)+7=42$(째 번) 수이다.

10 $\left(\dfrac{1}{2}\right),\ \left(\dfrac{1}{6},\ \dfrac{2}{5},\ \dfrac{3}{4}\right),\ \left(\dfrac{1}{10},\ \dfrac{2}{9},\ \dfrac{3}{8},\ \dfrac{4}{7},\ \dfrac{5}{6}\right),\ \left(\dfrac{1}{14},\ \dfrac{2}{13},\right.$

$\left.\dfrac{3}{12},\ \dfrac{4}{11},\ \dfrac{5}{10},\ \dfrac{6}{9},\ \dfrac{7}{8}\right),\ \left(\dfrac{1}{18},\ \dfrac{2}{17},\ \cdots\right),\ \cdots$로 묶어서 생각해 보자.

$\dfrac{23}{32}$이 들어있는 묶음의 첫 수는 $\dfrac{23-22}{32+22}=\dfrac{1}{54}$이다.

각 묶음의 첫 수의 분모는 2, 6, 10, 14, 18, $\cdots$이고 차가 4로 일정하므로 $54=2+4\times13=2+4\times(14-1)$에서

54는 14째 번 묶음의 첫 수의 분모이고 14째 번 묶음의 첫 수는 $\dfrac{1}{54}$이다.

$\dfrac{23}{32}=\dfrac{1+22}{54-22}$이므로 $\dfrac{23}{32}$은 14째 번 묶음의 23째 번 수이다.

또한 각 묶음 안의 수의 개수는 1, 3, 5, 7, 9, $\cdots$로 1부터 시작하는 홀수이므로 13째 번 묶음까지의 수의 개수의 합은 $\underbrace{(1+3+5+\cdots)}_{\text{13개}}=13\times13=169$이다.

따라서 $\dfrac{23}{32}$은 14째 번 묶음의 23째 번 수이므로 주어진 수열의 $169+23=192$(째 번) 수이다.

나머지의 관찰 ②

11

유제

1 11 **2** 51명 **3** 9 **4** 77개

───────── **특강탐구문제** ─────────

1 1 **2** 몫 : $5×$ ㉮ $+3$, 나머지 : 7 **3** 407 **4** 5
5 47 **6** 37, 74 **7** 2 **8** 33, 44, 66 **9** 750장
10 45개

───────────────────────

유제풀이

1 81로 나누었을 때의 몫을 A라 하면
네 자리 자연수는 $81×A+56$이고
$81×12+56=1028$
$81×122+56=9938$이므로
A의 범위는 12 이상 122 이하이다.
(네 자리 자연수)$=81×A+56=80×A+A+56$에서
$80×A$는 80으로 나누어떨어지므로
A$+56$은 어떤 수를 80으로 나누었을 때 나머지 71인 수
이다. ⋯⋯⋯⋯⋯⋯⋯⋯⋯⋯⋯⋯⋯⋯⋯⋯⋯ ①
A의 범위가 12 이상 122 이하이므로 A$+56$이 가질 수
있는 값의 범위는 $12+56=68$ 이상 $122+56=178$ 이
하이다. ⋯⋯⋯⋯⋯⋯⋯⋯⋯⋯⋯⋯⋯⋯⋯⋯⋯ ②
따라서 ①과 ②를 모두 만족하는 A$+56$은 71 또는
$80+71=151$이므로 A는 15 또는 95이다.
네 자리 자연수는 $81×15+56=1271$ 또는
$81×95+56=7751$이다.
45로 나눈 나머지는 모두 11이다.

참고* 다음과 같이 생각할 수도 있다.
80으로 나누었을 때의 몫을 B라 하면

$$\begin{array}{r}(\text{네 자리 자연수})=81×A+56 \\ -)(\text{네 자리 자연수})=80×B+71 \\ \hline 0=81×A-80×B-15 \end{array}$$

$80×A+A-80×B-15=0$

$\underbrace{80×(A-B)}_{①}+\underbrace{A}_{②}=15$

이 때, A는 12 이상 122 이하이고,
　　　　B는 12 이상 124 이하이므로
위의 식을 만족하는 ①, ②의 값을 구해 보면,

(①$=0$이고 ②$=15$) 또는
(①$=-80$이고 ②$=95$)이다.
따라서 A$=15$ 또는 95이므로
네 자리 자연수는
$81×15+56=1271$ 또는 $81×95+56=7751$

2 어떤 수로 나누어 나머지가 같은 두 수의 차는 어떤
수로 나누어떨어지므로
$268-166=102$와 $319-268=51$은 어떤 수로 나누어
떨어진다.
$102=2×3×17$, $51=3×17$이므로 102와 51을 동시에
나누어떨어지게 하는 가장 큰 수는 두 수의 최대공약수
인 51이다.
따라서 경시반 학생 수는 최대 51명이다.

3 41, 83, 115를 어떤 자연수 A로 나누었을 때의 몫을
각각 □, △, ☆이라 하고 그 나머지를 각각 a, b, c라 하
면 $a+b+c=14$이고,
　$41=□×A+a$
　$83=△×A+b$
$115=☆×A+c$
이고, 세 식을 모두 더해 보면
$41+83+115=(□+△+☆)×A+(a+b+c)$
$\qquad\quad 239=(□+△+☆)×A+14$
$\qquad\quad 225=(□+△+☆)×A$
즉, A는 225의 약수이다.
1, 3, 5 중 한 수가 어떤 자연수 A라면 나머지는 최대 2,
4이므로 세 나머지의 합이 14가 될 수 없다. 따라서 1, 3,
5는 어떤 자연수가 될 수 없다.
또, 41이 어떤 수로 나누어졌으므로 어떤 수는 45 이상이
될 수 없다. (왜냐하면, 41은 45로 나누면 몫은 0이고,
나머지가 41이 되기 때문이다.) 따라서 어떤 수는 9, 15,
25가 될 수 있다. 이 중 나머지의 합이 14가 되는 어떤
수는 9이다.

4 26의 배수 중에 두 수를 더하거나 26으로 나누어 나
머지가 13인 수 중에 두 수를 더하면 항상 26의 배수가
된다.
•26의 배수 : 26, 52, 78, ⋯, 1976 → 76개

$(1976=26×76)$

• 26으로 나누어 나머지가 13인 수
: 13, 39, 65, …, 1989 → 77개
$(1989=26×76+13)$

따라서 26으로 나누어 나머지가 13인 수 77개를 선택하여 이 중 두 수를 더하면 항상 26의 배수가 된다.

특강탐구문제풀이

1 ㄱ÷ㄴ=23 … 70이므로 ㄱ=ㄴ×23+70
ㄴ×23이 23의 배수이므로 ㄱ을 23으로 나눈 나머지는 70을 23으로 나눈 나머지와 같게 된다.
$70÷23=3 … 1$
따라서 ㄱ을 23으로 나눌 때의 나머지는 1이다.

참고 *
ㄱ=ㄴ×23+70
 =ㄴ×23+(23×3+1)
 =23×(ㄴ+3)+1
따라서 ㄱ을 23으로 나누면 몫은 (ㄴ+3)이고 나머지는 1이다.

2 A=(75×㉮)+52
 =(15×5)×㉮+52
 =15×(5×㉮)+15×3+7
 =15×(5×㉮+3)+7
즉, (75×㉮)에는 15가 (5×㉮)번 들어가고, 52에는 15가 3번 들어가고 7이 남는다.
따라서 자연수 A를 15로 나눈 몫은 5×㉮+3이고 나머지는 7이다.

3 어떤 자연수를 24로 나누었을 때의 몫을 A, 나머지를 B라고 하면 어떤 수는
$24×A+B=17×B+A$
A, B를 각각 좌변, 우변에서 하나씩 없애면
$23×A=16×B$
23과 16은 서로소이므로 만족하는 가장 작은 자연수는 A=16, B=23이다.
따라서 어떤 자연수를 구하면
$24×16+23=17×23+16=407$

참고 * 서로소 : 1 이외에 공약수를 갖지 않는 두 자연수

예 4와 9는 서로소이다.

4 어떤 자연수를 x라 하면
$839=x×몫+나머지$
$893=x×(몫+9)+나머지$
 $=x×몫+나머지+x×9$
이므로 893−839=54는 $x×9$만큼이다.
따라서 x는 6이고, 839÷6=139 … 5이므로 나머지는 5이다.

5 152로 나누었을 때의 몫을 A라 하면
네 자리 자연수는 152×A+43이고
$152×7+43=1107$, $152×65+43=9923$이므로
A는 7 이상 65 이하이다.
(네 자리 자연수)=152×A+43
 $=150×A+2×A+43$에서
150×A는 150으로 나누어떨어지므로 2×A+43이 150으로 나누어 나머지 13인 수이어야 한다.
그런데 2×A+43이 가질 수 있는 값의 범위는
$2×7+43=57$ 이상 $2×65+43=173$ 이하이므로 이 범위를 만족하는 수는 150+13=163이다.
$2×A+43=163$
$2×A=120$
$A=60$
따라서 네 자리 자연수는 152×60+43=9163이다.
이 수를 53으로 나눈 나머지는 47이다.

참고 * 다음과 같이 생각할 수도 있다.
150으로 나누었을 때의 몫을 B라 하면

$$\begin{array}{r} (네\ 자리\ 자연수)=152×A+43 \\ -)\ (네\ 자리\ 자연수)=150×B+13 \\ \hline 0=152×A-150×B+30 \end{array}$$

$150×A+2×A-150×B+30=0$

$$\underbrace{150×(A-B)}_{①}+\underbrace{2×A}_{②}=-30$$

이 때, A는 7 이상 65 이하이고,
B는 7 이상 66 이하이므로
위의 식을 만족하는 ①, ②의 값을 구해 보면
(①=−150이고 ②=120)
따라서 2×A=120이므로 A=60이고,

네 자리 자연수는 $152 \times 60 + 43 = 9163$이다.

6 어떤 수로 나누어 나머지가 같은 두 수의 차는 어떤 수로 나누어떨어진다.

$1896 - 1526 = 370$

$1526 - 786 = 740$

$786 - 268 = 518$이므로

어떤 수는 370, 740, 518의 공약수이다.

$370 = 2 \times 5 \times 37$

$740 = 2 \times 2 \times 5 \times 37$

$518 = 2 \times 7 \times 37$

에서 370, 740, 518의 최대공약수는 $2 \times 37 = 74$이므로 어떤 수는 74의 약수 중 37과 74이다.

이 때, 2로 나누면 나머지가 0이다.

7 $123412341234 \cdots 1234$를 7로 나누어 규칙을 찾아본다.

```
              1 7 6 3 0 3 3 4 4 6 2 …
       7 ) 1 2 3 4 1 2 3 4 1 2 3 4 …
           7
           5 3
           4 9
             4 4
             4 2
               2 1
               2 1
                 2 3
                 2 1
                   2 4
                   2 1
                     3 1
                     3 2  1 8
                         3 2  2 8
                             4 3
                             4 2
                               1 4
                               1 4
                                 0
```

위와 같이 나누어 보면 1234가 3번 나올 때 7로 나누어떨어진다.

$1234 \div 3 = 411 \cdots 1$이므로

1234가 3번 나오는 것을 한 묶음으로 봤을 때 411묶음이 나오고 1234가 1개 남는다.

따라서 1234가 1234개 연속된 수를 7로 나눈 나머지는 1234를 7로 나눈 나머지와 같으므로

$1234 \div 7 = 176 \cdots 2$에서 나머지는 2이다.

8 67, 89, 133을 어떤 자연수 A로 나누었을 때 몫을 각각 □, △, ☆이라 하고 그 나머지를 각각 a, b, c라 하면 $a + b + c = 25$이고,

$67 = □ \times A + a$

$89 = △ \times A + b$

$133 = ☆ \times A + c$

이고, 세 식을 모두 더해 보면

$67 + 89 + 133 = (□ + △ + ☆) \times A + (a + b + c)$

$289 = (□ + △ + ☆) \times A + 25$

$264 = (□ + △ + ☆) \times A$

즉, A는 264의 약수이다.

264의 약수는 1, 2, 3, 4, 6, 8, 11, 12, 22, 24, 33, 44, 66, 88, 132, 264인 데 264의 약수 중에서 8 이하의 수는 어떤 수 A가 될 수 없다.

또 88 이상의 수도 어떤 수 A가 될 수 없다.

(67을 88로 나누면 나머지가 67이므로)

11, 12, 22, 24, 33, 44, 66 중에

나머지의 합이 25가 되는 어떤 자연수 A는 33, 44, 66이다.

9 1000장의 카드를 원형으로 늘어놓고 12째 번 카드마다 뒤집으므로 $1000 \div 12 = 83 \cdots 4$

첫째 번 : 1부터 시작하여 뒤집힌 카드는 12, 24, $\cdots$, 996 → 83장

둘째 번 : 997부터 시작하여 뒤집힌 카드는 8, 20, $\cdots$, 992 → 83장

셋째 번 : 993부터 시작하여 뒤집힌 카드는 4, 16, $\cdots$, 988, 1000 → 84장

넷째 번 : 1부터 시작하므로 첫째 번 경우가 같아진다.

그러므로, 뒤집힌 카드는 모두 $83 + 83 + 84 = 250$(장)이고, 뒤집혀지지 않은 카드는 $1000 - 250 = 750$(장)이다.

다른 풀이 원형으로 늘어놓은 1000장의 숫자 카드를 12째 번 카드마다 뒤집어 놓으면

한 바퀴를 돌았을 때 $1000 \div 12 = 83 \cdots 4$이므로 83장이 뒤집히게 되고 가장 마지막에 뒤집힌 카드 뒤로 4장이 남는다.

같은 방법으로 반복하면 한바퀴 돌 때마다 가장 마지막에 뒤집힌 카드 뒤로 4장씩 늘어나며 남으므로 세 바퀴를 돌면 $3 \times 4 = 12$가 되어 처음 카드를 뒤집을 때와 같은 카드에 순서가 돌아오게 된다.

세 바퀴를 돌게 되므로 카드를 3000장으로 생각하면 $3000 \div 12 = 250$(장)이 뒤집히게 되고 뒤집히지 않은 카드는 $1000 - 250 = 750$(장)이 된다.

10 7로 나누어떨어지는 수 7, 14, $\cdots$, 98 : 14개

나머지가 1인 수 1, 8, 15, $\cdots$, 99 : 15개
나머지가 2인 수 2, 9, 16, $\cdots$, 100 : 15개
나머지가 3인 수 3, 10, 17, $\cdots$, 94 : 14개
나머지가 4인 수 4, 11, 18, $\cdots$, 95 : 14개
나머지가 5인 수 5, 12, 19, $\cdots$, 96 : 14개
나머지가 6인 수 6, 13, 20, $\cdots$, 97 : 14개

두 수를 택할 때 그 합이 7로 나누어떨어지지 않게 하기 위해서는 7로 나누어 나머지가 1인 수와 6인 수를 함께 골라내서는 안된다. 마찬가지로 나머지가 2인 수와 5인 수, 나머지가 3인 수와 4인 수도 함께 골라내서는 안된다. 또 7의 배수인 수는 1개만 골라낼 수 있다.

따라서 최대의 개수는 $15 + 15 + 14 + 1 = 45$(개)이다.

배수를 생각하여 푸는 문제 12

유제

1 24권　**2** 17곡　**3** 29명　**4** 20개

특강탐구문제

1 2737명　**2** 34　**3** 720명
4 현수, 점수를 5로 나누었을 때 나머지가 2가 되므로
5 19개　**6** 30살　**7** 2개 또는 4개　**8** □=7, △=3
9 80마리　**10** 29명, 33명

유제풀이

1 책은 8과 12의 공배수만큼 있다. 최소공배수는 24이므로 아래 표와 같이 생각해 보자.

책 수(권) / 한 사람이 나르는 책 수	24	48	72	96	…
4, 5, 6학년(8권)	3명	6명	9명	12명	…
4, 5학년(12권)	2명	4명	6명	8명	…
6학년(□권)	1명	2명	3명	4명	…

6학년 학생만 책을 나르면 한 사람이 24권씩 옮겨야 한다.

다른 풀이 다음과 같이 생각해도 된다.

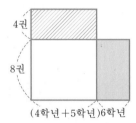

4, 5학년 학생들만 나를 때 늘어난 양은 6학년 학생들이 나르던 분량이므로 그림에서 ▨의 넓이는 ▧의 넓이와 같다.

$4 \times$ (4, 5학년 학생 수)$= 8 \times$ (6학년 학생 수)

(4, 5학년의 학생 수)$= 2 \times$ (6학년 학생 수)

6학년 학생 수는 4, 5학년 학생 수의 $\frac{1}{2}$이므로 책은 2배씩 옮겨야 한다.

따라서 $12 \times 2 = 24$(권)씩 옮겨야 한다.

2 가장 많이 부른 사람이 14곡, 가장 적게 부른 사람이 11곡을 불렀으므로 14곡, 11곡을 부른 사람이 각각 한 명씩 있고 나머지 2명은 12곡이나 13곡을 불렀다.

따라서, 네 사람이 부른 노래의 곡 수를 모두 더하면 49곡, 50곡, 51곡이 될 수 있다.

한 번에 세 명이 한 곡씩 노래를 부르게 되므로 네 사람이 부른 노래의 곡수를 모두 더하면 3의 배수가 된다.

따라서 51곡이 알맞으므로 네 사람은 $51 \div 3 = 17$(곡)을 불렀다.

3 ㉮학교의 학생 수가 ㉯학교 학생 수의 $\frac{1}{4}$, $\frac{1}{5}$, $\frac{1}{7}$의 합이므로 ㉯학교의 학생 수는 4, 5, 7의 공배수이다.

또 ㉰학교의 학생 수는 ㉯학교 학생 수의 $\frac{1}{3}$, $\frac{1}{8}$, $\frac{1}{10}$의 합이므로 ㉯학교의 학생 수는 3, 8, 10의 공배수이기도 하다.

즉 ㉯학교의 학생 수는 4, 5, 7의 최소공배수인 140과 3, 8, 10의 최소공배수인 120의 공배수이어야 한다. 140과 120의 최소공배수는 840이므로 ㉯학교의 학생 수는 840의 배수이다.

㉯학교의 학생 수는 840명일 때, ㉮학교의 학생 수는

$840 \times \frac{1}{4} + 840 \times \frac{1}{5} + 840 \times \frac{1}{7}$

$= 210 + 168 + 120$

$= 498$(명)

이때, ㉯학교의 학생 수가 840명을 넘으면 ㉮학교의 학생 수가 500명을 넘게되므로 ㉮학교의 학생 수는 498명이고 ㉯학교의 학생 수는 840명이다.

㉰학교의 학생 수는

$840 \times \frac{1}{3} + 840 \times \frac{1}{8} + 840 \times \frac{1}{10}$

$= 280 + 105 + 84$

$= 469$(명)

따라서 ㉮, ㉰ 두 학교의 학생 수의 차는

$498 - 469 = 29$(명)

4 첫째 번, 둘째 번, 셋째 번 바구니에 담긴 사과 수의 합은 11의 배수이고, 넷째 번, 다섯째 번 바구니에 담긴 사과 수의 합은 9의 배수이다.

모두 100개의 사과를 5개의 바구니에 나누어 담은 것이므로 11의 배수와 9의 배수의 합이 100이 되는 경우를 찾아야 한다.

11의 배수	11	22	33	44	55	66	77	88	99	
9의 배수	9	18	27	36	45	54	63	72	81	90	99
합		20	40	60	80	100	120			

즉, 첫째 번, 둘째 번, 셋째 번 바구니에 담긴 사과 수의 합은 55개이고, 넷째 번, 다섯째 번 바구니에 담긴 사과 수의 합은 45개이다.

따라서 첫째 번 바구니에 담긴 사과 수는

$45 \times \frac{1}{3} = 15$(개)이고,

둘째 번 바구니에 담긴 사과 수는

$55 \times \frac{7}{11} - 15 = 20$(개)이다.

특강탐구문제풀이

1 전체 학생 수의 $\frac{1}{16}$이 90점 이상, $\frac{1}{10}$이 80점 이상 90점 미만, $\frac{1}{6}$이 70점 미만이었으므로 전체 학생 수는 16, 10, 6의 최소공배수 240의 배수이다.

한편 전체 학생 수가 4000명 이상 4200명 미만이므로, 전체 학생 수는

$240 \times 17 = 4080$(명)이다.

따라서 70점 이상 80점 미만의 점수를 받아 동상을 받은 학생 수는

$4080 - \left(4080 \times \frac{1}{16} + 4080 \times \frac{1}{10} + 4080 \times \frac{1}{6}\right)$

$= 4080 - (255 + 408 + 680)$

$= 2737$(명)

2 수 1개를 지워버린 남은 수들의 평균이 $26\frac{6}{17}$이므로 수 1개를 지워버리고 남은 수들의 개수는 17의 배수인 17개, 34개, 51개, 68개, … 중의 하나이다.

따라서 수 1개를 지우기 전의 수의 개수는 18개, 35개, 52개, 69개, … 중의 하나이다.

• (수 1개를 지우기 전 18개 일 때의 합)

$= 1 + 2 + 3 + \cdots + 18 = 171$

(한 수를 지운 후의 합) $= 26\frac{6}{17} \times 17 = 448$

지운 후의 합이 더 크므로 조건에 맞지 않는다.

• (수 1개를 지우기 전 35개 일 때의 합)

$= 1 + 2 + 3 + \cdots + 35 = 630$

(한 수를 지운 후의 합) $= 26\frac{6}{17} \times 34 = 896$

지운 후의 합이 더 크므로 조건에 맞지 않는다.

• (수 1개를 지우기 전 52개 일 때의 합)

$= 1 + 2 + 3 + \cdots + 52 = 1378$

(한 수를 지운 후의 합) $= 26\frac{6}{17} \times 51 = 1344$

따라서 (지워버린 수) $= 1378 - 1344 = 34$

• (수 1개를 지우기 전 69개 일 때의 합)

$= 1 + 2 + 3 + \cdots + 69 = 2415$

(한 수를 지운 후의 합) $= 26\frac{6}{17} \times 68 = 1792$

두 합의 차가 $2415 - 1792 = 623$으로 69보다 크므로 조건에 맞지 않는다.

수의 개수가 더 많아져도 조건에 맞지 않으므로 선생님이 지워버린 자연수는 34이다.

3 상품을 각각 9명 중 1명씩, 6명 중 1명씩, 5명 중 1명씩, 4명 중 1명씩 받았으므로 줄넘기대회에 참가한 학생 수는 9, 6, 5, 4의 공배수이다. 9, 6, 5, 4의 최소공배수는 180이므로 학생 수는 180의 배수이다.

학생 수가 180명이라면 상품 수의 합은

$180 \div 9 + 180 \div 6 + 180 \div 5 + 180 \div 4 = 131$(개)이다.

학생 수가 180명의 2배가 된다면 상품 수도 131개의 두 배, 학생 수가 180명의 3배가 된다면 상품 수도 131개의 3배가 될 것이다.

상품 수 524개는 131개의 4배이므로 학생 수도 180명의 4배인 $180 \times 4 = 720$(명)이다.

4 다트판의 점수는 2, 7, 12점 세 종류인데, 이것은 모두 5로 나누었을 때 나머지가 2인 수이다.

5로 나누었을 때, 나머지가 2인 수를 7번 더하면 나머지 2도 7번 더해지므로 14가 되고 이 수는 5로 나누었을 때, 나머지가 4인 수이다.

따라서, 세 사람의 점수가 정확하게 계산되었다면 점수를 5로 나누어 나머지가 4가 되어야 한다.

동훈이의 점수 54는 5로 나누어 나머지가 4인 수이고 원석이의 점수 39는 5로 나누어 나머지가 4인 수이다.

그러나 현수의 점수 42는 5로 나누어 나머지가 2인 수이므로 현수가 점수를 잘못 계산한 것이다.

5 창민이가 가진 구슬의 개수와 재완이가 가진 구슬의 개수의 비가 2 : 1이므로 두 사람이 가진 구슬의 개수의

합은 3의 배수이다.

6개의 주머니에 들어있는 구슬의 개수를 모두 더하면

$15+17+19+20+24+35=130$(개)이다.

$130=3\times43+1$이므로 3으로 나누어 1 남는 수이다. 이 중에서 깨진 구슬만 들어 있는 주머니의 구슬 수를 빼면 남은 5개의 주머니에 있는 구슬 수의 합이 3의 배수가 되므로, 깨진 구슬의 개수는 3으로 나누어 1 남는 수이다.

6개의 주머니 안의 구슬의 개수 중 3으로 나누어 1 남는 수는 19뿐이므로 깨진 구슬의 개수는 19개이다.

6 1965년의 나이를 묻고 있으므로 이 사람은 1965년에 살아있었다.

한편 이 사람은 43의 배수인 해에 태어났으므로

$43\times1=43$(년), $43\times2=86$(년), $\cdots$, $43\times44=1892$(년), $43\times45=1935$(년), $43\times46=1978$(년), $\cdots$ 중 한 해에 태어났다.

1892년에 태어났다면 $1892+44=1936$(년)에 죽었고, 1978년에 태어났다면 1965년에는 아직 태어나지 않았으므로 1935년에 태어난 것이다.

따라서 1965년의 나이는 $1965-1935=30$(살)이었다.

7 A는 남은 것의 $\frac{2}{3}$를 먹었으므로 A가 사탕을 먹기 직전에 남아 있던 사탕의 개수는 3의 배수이다. B, C는 각각 남은 것의 절반을 먹었으므로 B와 C가 사탕을 먹기 직전에 남아 있던 사탕의 개수는 2의 배수이다.

처음 사탕의 개수인 25는 3의 배수도 아니고 2의 배수도 아니므로 A, B, C는 모두 처음으로 사탕을 먹지 않았다. 또 D는 남아 있는 사탕을 모두 먹었으므로 마지막으로 사탕을 먹었다. 따라서 E가 처음으로 사탕을 먹은 것임을 알 수 있다.

한편 B, C가 남은 사탕의 절반을 먹었으므로 이 때 남은 개수는 먹은 개수와 같다. 그런데 다섯 명 모두 먹은 개수가 다르므로 B, C는 남아 있는 사탕을 모두 먹은 D 바로 앞에 올 수 없다.

따라서 사탕을 먹은 순서는

E→B→C→A→D 또는

E→C→B→A→D이다.

두 경우 모두 D가 먹은 사탕의 개수를 x라고 하면 A가 먹기 전 남아있는 사탕의 수는 $x\times3$이 되고 B와 C가 먹기 전 사탕의 수는 각각 2씩 곱하여 $x\times3\times2\times2$가 된다. 이것이 25를 넘지 않아야하므로 x는 1 또는 2가 된다.

또 A가 나머지의 $\frac{2}{3}$를 먹고, 남은 것을 모두 D가 먹었는데 D가 먹은 사탕 수가 x이므로

A가 먹은 사탕 수는 $x\times2$이다.

따라서 A가 먹은 사탕 수는 2개 또는 4개이다.

참고 x가 1이면

E가 먹고 난 후의 사탕은 $1\times3\times2\times2=12$(개)이고

E는 $25-12=13$(개)를 먹었다.

B와 C는 6개 또는 3개, A는 2개, D는 1개를 먹었다.

$x=2$이면

E가 먹고 난 후의 사탕은 $2\times3\times2\times2=24$(개)이고

E는 $25-24=1$(개)를 먹었다.

B와 C는 12개 또는 6개, A는 4개, D는 2개를 먹었다.

8 색종이 한 장을 8조각으로 자를 때마다 8조각 중 1조각은 원래의 한 장으로 생각하면 색종이 1장당 새롭게 7조각이 더 생긴 것이다.

따라서 몇 장을 자르던지 7의 배수의 조각이 새롭게 생기므로 항상 $10+$(7의 배수)의 조각이 있게 된다. 10은 7로 나누어 3 남는 수이므로, 몇 장을 골라 자르던지 색종이의 장수는 항상 7로 나누었을 때 나머지가 3이 된다.

따라서 $\square=7$, $\triangle=3$이다.

9 분수가 모두 맞다면 남은 가축 수는 3, 4, 5, 7, 11로 나누어 떨어지므로 3, 4, 5, 7, 11의 공배수가 된다.

3, 4, 5, 7, 11은 모두 서로소이므로 최소공배수는

$3\times4\times5\times7\times11=4620$이 되어 원래 가축 수인 500마리보다 많으므로 조건에 맞지 않다.

$\frac{1}{3}$이 틀렸다면 4, 5, 7, 11의 최소공배수는

$4\times5\times7\times11=1540$으로 맞지 않다.

$\frac{1}{4}$이 틀렸다면 3, 5, 7, 11의 최소공배수는

$3\times5\times7\times11=1155$로 맞지 않다.

$\frac{1}{5}$이 틀렸다면 3, 4, 7, 11의 최소공배수는

$3\times4\times7\times11=924$로 맞지 않다.

$\frac{1}{7}$이 틀렸다면 3, 4, 5, 11의 최소공배수는

$3 \times 4 \times 5 \times 11 = 660$으로 맞지 않다.

$\frac{1}{11}$이 틀렸다면 3, 4, 5, 7의 최소공배수는

$3 \times 4 \times 5 \times 7 = 420$이 되어 조건에 맞으므로

틀린 분수는 $\frac{1}{11}$이다.

또 가축은 원래 500마리뿐이므로 남아 있는 가축 수는 420마리가 된다.

따라서 빠져나간 가축 수는 $500 - 420 = 80$(마리)이다.

10 첫째 날은 한 어린이만 12개를 줍고 나머지 어린이는 17개씩 주웠으므로 첫째 날 주운 밤의 개수는 17로 나

누어 12 남는 수이다.

또, 둘째 날은 한 어린이만 8개를 줍고 나머지 어린이는 15개씩 주웠으므로 둘째 날 주운 밤의 개수는 15로 나누어 8 남는 수이다.

첫째 날과 둘째 날에 주운 밤의 수가 같으므로 400 이상 500 이하인 수 중에서 17로 나누어 12남고, 15로 나누어 8 남는 수를 구해 보자.

$400 \div 17 = 23 \cdots 9$이므로 17로 나누어 12 남는 수는 403, 420, 437, 454, 471, 488이고 이 중 15로 나누어 8 남는 수는 488이다. 즉, 밤의 개수는 488개이다.

첫째 날 밤을 주운 학생은 $(488-12) \div 17 + 1 = 29$(명),

둘째 날 밤을 주운 학생은 $(488-8) \div 15 + 1 = 33$(명)이다.

원의 둘레와 넓이에 관한 문제 ①

13

유제

1 72cm² **2** 146.24cm² **3** 27.055cm²

4 62.8cm

특강탐구문제

1 8개 **2** 59.04cm² **3** 28.5cm² **4** 100.48cm²

5 16cm² **6** 196.48cm² **7** 1 : 2 : 3 **8** 94.2cm,

535.5cm² **9** 235.5cm² **10** 75.36cm²

유제풀이

1

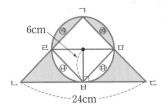

원의 지름의 양끝 ㄹ, ㅁ에서 원과 삼각형의 밑변 ㄴㄷ의 중점 ㅂ까지 선분을 그으면

(㉮의 넓이)＝(㉯의 넓이),

(㉰의 넓이)＝(㉱의 넓이)가 된다.

따라서 색칠한 부분의 넓이는 삼각형 ㄹㄴㅂ과 삼각형 ㅁㅂㄷ의 넓이의 합과 같다.

두 삼각형의 높이는 6cm이고, 밑변의 길이의 합이 24cm이므로 구하는 넓이는 24×6÷2＝72(cm²)이다.

2

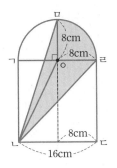

반원의 중심인 ㅇ과 점 ㅁ을 연결하고 ㅇ과 ㄴ을 연결하면 색칠한 부분은 삼각형 ㄴㅇㅁ, 삼각형 ㄴㄹㅇ, 부채꼴 ㅇㄹㅁ로 나누어진다.

(삼각형 ㄴㅇㅁ의 넓이)＝8×8÷2＝32(cm²)

(삼각형 ㄴㄹㅇ의 넓이)＝8×16÷2＝64(cm²)

$$(부채꼴\ ㅇㄹㅁ의\ 넓이)=8×8×3.14×\frac{90}{360}$$
$$=50.24(cm^2)$$

따라서 색칠한 부분의 넓이는

32＋64＋50.24＝146.24(cm²)

3

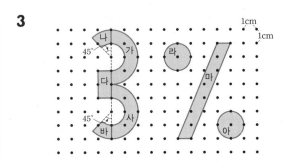

그림과 같이 '3'자의 곡선 부분에 대해 그 부분을 포함하는 원의 중심을 찾고 적당한 보조선을 그으면 가, 나, 다, 라, 마, 바, 사, 아 부분으로 나뉜다.

• 가와 사의 넓이는 반지름이 2cm인 반원의 넓이에서 반지름이 1cm인 반원의 넓이를 빼 주면 된다.

(가의 넓이)＝(사의 넓이)
$$=\left(2×2×3.14×\frac{1}{2}\right)-\left(1×1×3.14×\frac{1}{2}\right)$$
$$=6.28-1.57$$
$$=4.71(cm^2)$$

• 나와 바의 넓이는 반지름이 2cm이고 중심각이 45°인 부채꼴의 넓이에서 반지름이 1cm이고 중심각이 45°인 부채꼴의 넓이를 빼 주면 된다.

(나의 넓이)＝(바의 넓이)＝$\left(2×2×3.14×\frac{45}{360}\right)$
$$-\left(1×1×3.14×\frac{45}{360}\right)$$
$$=1.57-0.3925$$
$$=1.1775(cm^2)$$

• (다의 넓이)＝1×2＝2(cm²)

• (라의 넓이)＝(아의 넓이)＝1×1×3.14＝3.14(cm²)

• (마의 넓이)＝1×7＝7(cm²)

따라서 전체 넓이는

4.71×2＋1.1775×2＋2＋3.14×2＋7
$$=27.055(cm^2)$$

4 작은 원의 지름을 각각 a, b, c라 하면 $a+b+c=20$이 된다.

작은 원들의 둘레의 길이의 합은
$a \times 3.14 + b \times 3.14 + c \times 3.14$
$= 3.14 \times (a+b+c)$
$= 3.14 \times 20 = 62.8 \text{(cm)}$

특강탐구문제풀이

1 다음 그림과 같이 생각해 보자.

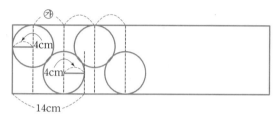

㉮의 길이는 $14-4-4=6\text{(cm)}$이며 각 원의 중심을 지나 직사각형의 세로와 평행한 선 사이의 거리는 모두 6cm 씩이다.
직사각형의 양 끝은 원의 반지름만큼 떨어져 있어야 하므로
$(50-4 \times 2) \div 6 = 7$, ㉮는 7번 들어갈 수 있다.
따라서 원은 최대 $7+1=8\text{(개)}$ 그릴 수 있다.

2

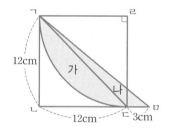

삼각형 ㄱㄴㅁ의 넓이가 90cm²이므로
$12 \times$ (선분 ㄴㅁ의 길이) $\div 2 = 90$,
$6 \times$ (선분 ㄴㅁ의 길이) $= 90$
(선분 ㄴㅁ의 길이) $= 15\text{cm}$
(선분 ㄴㅁ의 길이) $= 15-12 = 3\text{(cm)}$
색칠한 부분을 가와 나 두 부분으로 나누어 생각하면
(가의 넓이) $= \left(12 \times 12 \times 3.14 \times \dfrac{90}{360}\right) - (12 \times 12 \div 2)$
$= 113.04 - 72 = 41.04\text{(cm}^2\text{)}$
(나의 넓이) $= 3 \times 12 \div 2 = 18\text{(cm}^2\text{)}$
따라서 색칠한 부분의 넓이는

$41.04 + 18 = 59.04\text{(cm}^2\text{)}$

참고* 삼각형 ㄱㄷㅁ의 넓이는 다음과 같이 구할 수도 있다.
(삼각형 ㄱㄷㅁ의 넓이)
$=$(삼각형 ㄱㄴㅁ의 넓이)$-$(삼각형 ㄱㄴㄷ의 넓이)
$= 90 - (12 \times 12 \div 2)$
$= 90 - 72 = 18\text{(cm}^2\text{)}$

3

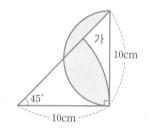

색칠한 부분의 넓이는 지름이 10cm인 반원의 넓이에서 가 부분의 넓이를 뺀 것이다.
(가의 넓이) = (직각이등변삼각형의 넓이) − (부채꼴의 넓이)
$= (10 \times 10 \div 2) - \left(10 \times 10 \times 3.14 \times \dfrac{45}{360}\right)$
$= 50 - 39.25 = 10.75\text{(cm}^2\text{)}$
따라서 색칠한 부분의 넓이는
$(5 \times 5 \times 3.14 \div 2) - 10.75 = 39.25 - 10.75$
$= 28.5\text{(cm}^2\text{)}$

4

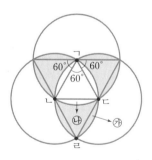

그림과 같이 선분을 연결하면 삼각형 ㄱㄴㄷ은 세 변의 길이가 원의 반지름으로 모두 같으므로 정삼각형이다.
㉮ 부분과 ㉯ 부분의 넓이가 같으므로 색칠한 세 부분 중 하나의 넓이는 반지름 8cm, 중심각 60°인 부채꼴의 넓이와 같다.(중심이 점 ㄷ인 원에서 부채꼴 ㄷㄴㄹ)
즉, 색칠한 부분의 넓이는 크기가 같은 부채꼴 3개의 넓

이와 같음을 알 수 있다.

따라서 색칠한 부분의 넓이는

$$8 \times 8 \times 3.14 \times \frac{60}{360} \times 3 = 100.48(\text{cm}^2)$$

5 가로, 세로의 길이가 각각 8cm, 2cm인 직사각형의 넓이와 지름이 8cm인 반원의 넓이의 합에서 지름이 8cm인 반원의 넓이를 빼 주면 된다.

따라서 색칠한 부분의 넓이는 직사각형의 넓이와 같으므로

$$8 \times 2 = 16(\text{cm}^2)$$

6

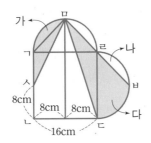

선분 ㄱㅁ을 그으면 색칠한 부분 중 가 부분의 넓이는 나 부분의 넓이와 같다.

따라서 색칠한 부분의 넓이는 삼각형 ㅁㄱㅅ, 삼각형 ㅁㄷㄹ, 반원인 (나+다)의 넓이의 합과 같으므로

$$(8 \times 8 \div 2) + (16 \times 8 \div 2) + (8 \times 8 \times 3.14 \div 2)$$
$$= 32 + 64 + 100.48$$
$$= 196.48(\text{cm}^2)$$

7

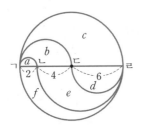

선분 ㄱㄴ, 선분 ㄴㄷ, 선분 ㄷㄹ의 길이의 비가

1 : 2 : 3 = 2 : 4 : 6이므로 선분 ㄱㄴ의 길이를 2, 선분 ㄱㄷ의 길이를 6, 선분 ㄴㄹ의 길이를 10이라고 생각해 보자.

(㉮의 넓이) = (a의 넓이) + (f의 넓이)

$$= \left(1 \times 1 \times 3.14 \times \frac{1}{2}\right) + \left(6 \times 6 \times 3.14 \times \frac{1}{2}\right)$$
$$- \left(5 \times 5 \times 3.14 \times \frac{1}{2}\right)$$
$$= 3.14 \times \frac{1}{2} \times (1 + 36 - 25)$$
$$= 3.14 \times \frac{1}{2} \times 12$$
$$= 3.14 \times 6$$

(㉯의 넓이) = (b의 넓이) + (e의 넓이)

$$= \left(3 \times 3 \times 3.14 \times \frac{1}{2}\right) - \left(1 \times 1 \times 3.14 \times \frac{1}{2}\right)$$
$$+ \left(5 \times 5 \times 3.14 \times \frac{1}{2}\right) - \left(3 \times 3 \times 3.14 \times \frac{1}{2}\right)$$
$$= 3.14 \times \frac{1}{2} \times (9 - 25 - 1 - 9)$$
$$= 3.14 \times \frac{1}{2} \times 24$$
$$= 3.14 \times 12$$

(㉰의 넓이) = (c의 넓이) + (d의 넓이)

$$= \left(6 \times 6 \times 3.14 \times \frac{1}{2}\right) - \left(3 \times 3 \times 3.14 \times \frac{1}{2}\right)$$
$$+ \left(3 \times 3 \times 3.14 \times \frac{1}{2}\right)$$
$$= 3.14 \times \frac{1}{2} \times 36$$
$$= 3.14 \times 18$$

따라서 (㉮의 넓이) : (㉯의 넓이) : (㉰의 넓이)
$$= 6 : 12 : 18$$
$$= 1 : 2 : 3$$

참고* 다음과 같이 생각할 수도 있다.

(d의 넓이) = (b의 넓이) + (a의 넓이)이므로
㉰의 넓이는 반지름이 6인 반원의 넓이와 같다.

(㉰의 넓이) $= 6 \times 6 \times 3.14 \times \frac{1}{2}$
$$= 3.14 \times 18$$

(㉮의 넓이) = (a의 넓이) + (f의 넓이)
$$= 3.14 \times 6$$

(㉯의 넓이) = (반지름이 선분 ㄱㄷ인 원의 넓이)
$$- (㉮의 넓이) - (㉰의 넓이)$$
$$= (6 \times 6 \times 3.14) - (3.14 \times 6) - (3.14 \times 18)$$
$$= 3.14 \times (36 - 6 - 18)$$
$$= 3.14 \times 12$$

8

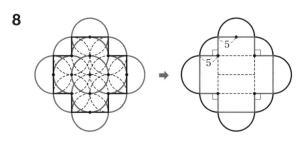

위의 그림과 같이 원의 중심과 교점을 이어 보자.

둘레의 길이는 반지름이 5cm인 원주의 길이의 3배이므로

$10 \times 3.14 \times 3 = 94.2 (\text{cm})$

넓이는 가로의 길이가 10cm이고, 세로의 길이가 5cm인 직사각형 6개와 반지름의 길이가 5cm인 원 3개의 넓이의 합과 같으므로

$(10 \times 5 \times 6) + (5 \times 5 \times 3.14 \times 3) = 300 + 235.5$
$$= 535.5 (\text{cm}^2)$$

9

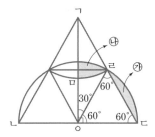

위의 그림과 같이 삼각형 ㅇㄷㄹ은 정삼각형이 되고 각 ㄱㅇㄹ은 30°이다. 따라서 ㉮ 부분의 넓이는 ㉯ 부분의 넓이와 같다.

따라서 문제의 색칠한 부분의 넓이는 반지름이 30cm이고 중심각이 30°인 부채꼴 ㄱㅁㄹ의 넓이와 같으므로

$30 \times 30 \times 3.14 \times \dfrac{30}{360} = 30 \times 30 \times 3.14 \times \dfrac{1}{12}$
$$= 235.5 (\text{cm}^2)$$

10

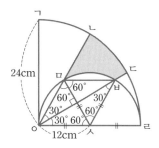

선분 ㅁㅅ, 선분 ㅂㅅ, 선분 ㅁㅂ을 그어 보자.

선분 ㅁㅅ과 선분 ㅇㅅ의 길이는 같고, 각 ㅁㅇㅅ이 60° 이므로 삼각형 ㅁㅇㅅ은 정삼각형이다.

선분 ㅇㅂ은 각 ㅁㅇㅅ을 이등분한 선이므로 정삼각형의 한 변인 선분 ㅁㅅ을 수직이등분하고, 삼각형 ㅅㅂㅇ은 선분 ㅇㅅ과 선분 ㅅㅂ의 길이가 같은 이등변삼각형이므로 각 ㅇㅂㅅ은 30°, 각 ㅁㅅㅂ은 60°이다.

또한 선분 ㅁㅅ과 선분 ㅂㅅ의 길이도 같으므로 삼각형 ㅁㅅㅂ 역시 정삼각형이다.

색칠한 부분의 넓이는 부채꼴 ㅇㄴㄷ의 넓이에서 호 ㅁㅂ을 포함한 도형 ㅇㅂㅁ의 넓이를 뺀 것과 같다.

삼각형 ㅇㅂㅁ과 삼각형 ㅅㅂㅁ의 넓이가 같으므로 호 ㅁㅂ을 포함한 도형 ㅇㅂㅁ의 넓이는 부채꼴 ㅅㅂㅁ의 넓이와 같다.

따라서 색칠한 부분의 넓이는

$\left(24 \times 24 \times 3.14 \times \dfrac{30}{360}\right) - \left(12 \times 12 \times 3.14 \times \dfrac{60}{360}\right)$
$= \left(24 \times 24 \times 3.14 \times \dfrac{1}{12}\right) - \left(12 \times 12 \times 3.14 \times \dfrac{1}{6}\right)$
$= 3.14 \times (48 - 24)$
$= 3.14 \times 24$
$= 75.36 (\text{cm}^2)$

닮음을 이용한 도형 문제 ②

14

유제

1 $24\dfrac{2}{3}$cm² **2** 22.96cm² **3** $16\dfrac{4}{5}$cm²

4 $2\dfrac{2}{3}$cm

특강탐구문제

1 133cm² **2** $24\dfrac{9}{13}$cm² **3** $57\dfrac{24}{55}$cm²

4 $21\dfrac{1}{4}$cm² **5** 20cm² **6** $4\dfrac{23}{28}$cm² **7** 1.25cm

8 12 : 37 : 28 **9** 5 : 2 **10** $101\dfrac{1}{4}$cm²

유제풀이

1

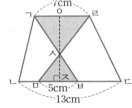

사다리꼴의 넓이가 80cm²이므로

$(7+13)\times$(선분 ㅇㅈ)$\div 2=80$

$20\times$(선분 ㅇㅈ)$=160$, (선분 ㅇㅈ)$=8$(cm)

또한 삼각형 ㄱㄹㅅ과 삼각형 ㅂㅁㅅ은 대응하는 각의 크기가 같으므로 닮음이고 닮음비는 7 : 5이다.

따라서 (선분 ㅇㅅ) : (선분 ㅅㅈ)=7 : 5이므로

(선분 ㅇㅅ의 길이)$=8\times\dfrac{7}{12}=\dfrac{14}{3}$(cm),

(선분 ㅅㅈ의 길이)$=8\times\dfrac{5}{12}=\dfrac{10}{3}$(cm)

따라서 색칠한 부분의 넓이는

$\left(7\times\dfrac{14}{3}\times\dfrac{1}{2}\right)+\left(5\times\dfrac{10}{3}\times\dfrac{1}{2}\right)=\dfrac{49}{3}+\dfrac{25}{3}=24\dfrac{2}{3}$(cm²)

2 삼각형 ㄱㄹㅂ과 삼각형 ㅇㅁㅂ은 대응하는 각의 크기가 같으므로 닮음이다.

선분 ㅁㅇ의 길이는 반원의 반지름이므로 4cm이고, 두 삼각형의 닮음비는 6 : 4=3 : 2이다.

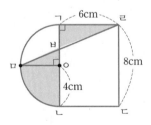

또한 선분 ㄱㅇ도 반원의 반지름으로 4cm이므로

(선분 ㄱㅂ의 길이)$=4\times\dfrac{3}{5}=\dfrac{12}{5}$(cm)

(선분 ㅂㅇ의 길이)$=4\times\dfrac{2}{5}=\dfrac{8}{5}$(cm)

따라서 색칠한 부분의 넓이는

(삼각형 ㄱㄹㅂ의 넓이)+(삼각형 ㅇㅁㅂ의 넓이)

+(부채꼴 ㅇㅁㄴ의 넓이)

$=6\times\dfrac{12}{5}\times\dfrac{1}{2}+4\times\dfrac{8}{5}\times\dfrac{1}{2}+4\times4\times3.14\times\dfrac{1}{4}$

$=\dfrac{36}{5}+\dfrac{16}{5}+12.56$

$=10.4+12.56=22.96$(cm²)

3 ① 삼각형 ㅇㄹㄱ과 삼각형 ㅇㄴㅂ은 대응하는 각의 크기가 같으므로 닮음이고 닮음비는 2 : 1이다.

따라서 선분 ㅇㅊ의 길이는 $12\times\dfrac{1}{3}=4$(cm)이다.

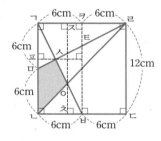

② 삼각형 ㄹㅋㅌ과 삼각형 ㄹㄱㅁ은 대응하는 각의 크기가 같으므로 닮음이고 닮음비가 1 : 2이므로, 선분 ㅋㅌ의 길이는 3cm, 선분 ㅌㅂ의 길이는 9cm이다.

③ 삼각형 ㅅㄱㅁ과 삼각형 ㅅㅂㅌ은 대응하는 각의 크기가 같으므로 닮음이고, 닮음비는 6 : 9=2 : 3이므로

(선분 ㅍㅅ의 길이)$=6\times\dfrac{2}{5}=\dfrac{12}{5}$(cm)

따라서 사각형 ㅁㅅㅇㄴ의 넓이는

(삼각형 ㄱㄴㅂ의 넓이)-(삼각형 ㄱㅁㅅ의 넓이)

-(삼각형 ㅇㄴㅂ의 넓이)

$=6\times12\times\dfrac{1}{2}-6\times\dfrac{12}{5}\times\dfrac{1}{2}-6\times4\times\dfrac{1}{2}$

$=36-\dfrac{36}{5}-12=16\dfrac{4}{5}$(cm²)

4 그림과 같이 변 ㄱㄹ의 연장선에 점 ㄴ과 점 ㄷ에서 각각 수선을 그으면 삼각형 ㄱㄴㅁ과 삼각형 ㄷㄱㅂ은 한 변의 길이가 각각 4cm, 8cm인 정삼각형의 반쪽이므로 선분 ㄱㅁ의 길이는 2cm, 선분 ㄱㅂ의 길이는 4cm이다.

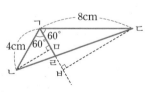

또한 선분 ㄴㅁ과 선분 ㅂㄷ은 서로 평행이므로 삼각형

ㅁㄴㄹ과 삼각형 ㅂㄷㄹ은 대응하는 각의 크기가 같게 되어 닮음이고 닮음비는 1 : 2이다.

(선분 ㅁㅂ의 길이)=(선분 ㄱㅂ의 길이)−(선분 ㄱㅁ의 길이)

$$=4-2=2(cm)$$

(선분 ㅁㄹ의 길이)$=2\times\frac{1}{3}=\frac{2}{3}(cm)$

따라서 (선분 ㄱㄹ의 길이)$=2+\frac{2}{3}=2\frac{2}{3}(cm)$

다른 풀이 그림과 같이 변
ㄱㄹ을 연장하고 점 ㄴ에
서 변 ㄱㄷ에 평행선을 그
어 만나는 점을 ㅁ이라 하

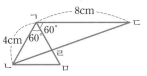

면 삼각형 ㄱㄴㅁ은 정삼각형이 되고 두 삼각형 ㄱㄷㄹ
과 ㅁㄴㄹ은 닮음이다.

변 ㄴㅁ의 길이는 4cm이므로 삼각형 ㄱㄷㄹ과 ㅁㄴㄹ의
닮음비는 2 : 1이 된다.

따라서 변 ㄱㄹ과 변 ㅁㄹ의 길이의 비도 2 : 1이고

(변 ㄱㄹ의 길이)$=4\times\frac{2}{3}=\frac{8}{3}=2\frac{2}{3}(cm)$

특강탐구문제풀이

1 삼각형 ㅂㄹㄱ과 삼각
형 ㅂㅁㄷ은 대응하는 각
의 크기가 같으므로 닮음
이고 닮음비는 12 : 14=
6 : 7이 되므로

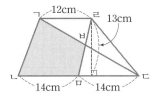

삼각형 ㅂㄹㄱ의 높이는 $13\times\frac{6}{13}=6(cm)$이다.

따라서 색칠한 부분의 넓이는

(사다리꼴 ㄱㄴㅁㄹ의 넓이)−(삼각형 ㅂㄹㄱ의 넓이)

$$=(12+14)\times13\div2-12\times6\div2$$

$$=169-36$$

$$=133(cm^2)$$

2 색칠한 부분의 넓이는 삼각형
ㄷㄹㅁ, 삼각형 ㅇㅁㄹ, 삼각형
ㅇㅂㅅ의 넓이의 합이다.

삼각형 ㄷㄹㅁ과 삼각형 ㄷㄱㄴ
은 한 각의 크기가 같고 두 변의
길이의 비가 각각 1 : 2로 같으
므로

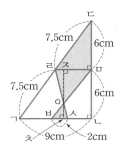

(선분 ㄹㅁ의 길이)$=9\times\frac{1}{2}=\frac{9}{2}(cm)$

또한 삼각형 ㅇㅁㄹ과 삼각형 ㅇㅂㅅ은 대응하는 각의 크
기가 같으므로 닮음이고 닮음비는 $\frac{9}{2}$: 2=9 : 4이므로

(선분 ㅇㅈ의 길이)$=6\times\frac{9}{13}=\frac{54}{13}(cm)$

(선분 ㅇㅊ의 길이)$=6\times\frac{4}{13}=\frac{24}{13}(cm)$

따라서 색칠한 부분의 넓이는

(삼각형 ㄷㄹㅁ의 넓이)+(삼각형 ㅇㅁㄹ의 넓이)

+(삼각형 ㅇㅂㅅ의 넓이)

$$=\frac{9}{2}\times6\times\frac{1}{2}+\frac{9}{2}\times\frac{54}{13}\times\frac{1}{2}+2\times\frac{24}{13}\times\frac{1}{2}$$

$$=\frac{27}{2}+\frac{243}{26}+\frac{24}{13}=\frac{321}{13}=24\frac{9}{13}(cm^2)$$

3

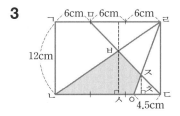

삼각형 ㅂㄹㅁ과 삼각형 ㅂㄴㄷ은 대응하는 각의 크기가
같으므로 닮음이고 닮음비가 12 : 18=2 : 3이므로

(선분 ㅂㅅ의 길이)$=12\times\frac{3}{5}=\frac{36}{5}(cm)$

또한 삼각형 ㅈㄹㅁ과 삼각형 ㅈㅇㄷ은 세 각의 크기가
같으므로 닮음이고 닮음비가 12 : 4.5=24 : 9=8 : 3이
므로

(선분 ㅈㅊ의 길이)$=12\times\frac{3}{11}=\frac{36}{11}(cm)$

따라서, 색칠한 부분의 넓이는

(삼각형 ㅂㄴㄷ의 넓이)−(삼각형 ㅈㅇㄷ의 넓이)

$$=18\times\frac{36}{5}\times\frac{1}{2}-\frac{9}{2}\times\frac{36}{11}\times\frac{1}{2}$$

$$=\frac{324}{5}-\frac{81}{11}=\frac{3159}{55}=57\frac{24}{55}(cm^2)$$

4

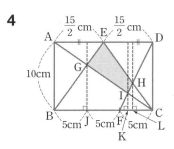

색칠한 부분의 넓이는 삼각형 EBC의 넓이에서 삼각형

GBC와 삼각형 HFC의 넓이를 뺀 다음 삼각형 IFC의
넓이를 더하면 된다.

삼각형 GEA와 삼각형 GBC는 닮음비가

$\frac{15}{2}$: 15=1 : 2인 닮은 도형이므로

(선분 GJ의 길이)=$10 \times \frac{2}{3}=\frac{20}{3}$(cm)

삼각형 IDA와 삼각형 IFC는 닮음비가

15 : 5=3 : 1인 닮은 도형이므로

(선분 IK의 길이)=$10 \times \frac{1}{4}=\frac{5}{2}$(cm)

삼각형 HDE와 삼각형 HFC는 닮음비가

$\frac{15}{2}$: 5=3 : 2인 닮은 도형이므로

(선분 HL의 길이)=$10 \times \frac{2}{5}=4$(cm)

따라서 색칠한 부분의 넓이는

(삼각형 EBC의 넓이)-(삼각형 GBC의 넓이)

-(삼각형 HFC의 넓이)+(삼각형 IFC의 넓이)

$=\left(15 \times 10 \times \frac{1}{2}\right)-\left(15 \times \frac{20}{3} \times \frac{1}{2}\right)-\left(5 \times 4 \times \frac{1}{2}\right)$

$\quad +\left(5 \times \frac{5}{2} \times \frac{1}{2}\right)$

$=75-50-10+\frac{25}{4}=\frac{85}{4}=21\frac{1}{4}$(cm²)

5 삼각형 ADF와 삼각형
IEF는 두 각의 크기가 같고
한 변의 길이의 비가 2 : 1이
므로 닮음비가 2 : 1인 닮은
도형이다.

(선분 IE의 길이)=$12 \times \frac{1}{2}$

$\qquad\qquad =6$(cm)

또한 삼각형 EJF와 삼각형 EGC는 두 각의 크기가 같고
한 변의 길이의 비가 1 : 2이므로 닮음비가 1 : 2인 닮은
도형이다.

(선분 JF의 길이)=$6 \times \frac{1}{2}=3$(cm)

따라서 삼각형 HEI와 삼각형 HJF는 닮음비가

6 : 3=2 : 1인 닮은 도형이므로

(선분 KH의 길이)=$4 \times \frac{2}{3}=\frac{8}{3}$(cm)

따라서 색칠한 부분의 넓이는

(삼각형 AIE의 넓이)+(삼각형 HEI의 넓이)

$=\left(6 \times 4 \times \frac{1}{2}\right)+\left(6 \times \frac{8}{3} \times \frac{1}{2}\right)$

$=12+8=20$(cm²)

6

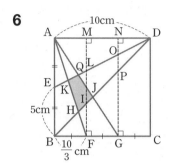

색칠한 부분의 넓이는 삼각형 ABG의 넓이에서 삼각형
JBG, 삼각형 ABH, 삼각형 AKQ의 넓이를 빼서 구한다.

(삼각형 ABG의 넓이)=$\frac{20}{3} \times 10 \times \frac{1}{2}=\frac{100}{3}$(cm²)

삼각형 JDA와 삼각형 JBG는 닮음비가

10 : $\frac{20}{3}$=30 : 20=3 : 2인 닮은 도형이므로

(삼각형 JBG의 높이)=$10 \times \frac{2}{5}=4$(cm)

(삼각형 JBG의 넓이)=$\frac{20}{3} \times 4 \times \frac{1}{2}=\frac{40}{3}$(cm²)

삼각형 IBF는 직각이등변삼각형이므로 선분 IF의 길
이는 $\frac{10}{3}$cm이고,

삼각형 ABH와 삼각형 FIH는 닮음비가

10 : $\frac{10}{3}$=30 : 10=3 : 1인 닮은 도형이므로

(삼각형 ABH의 높이)=$\frac{10}{3} \times \frac{3}{4}=\frac{5}{2}$(cm),

(삼각형 ABH의 넓이)=$10 \times \frac{5}{2} \times \frac{1}{2}=\frac{25}{2}$(cm²)

삼각형 DNO, 삼각형 DML, 삼각형 DAE는 닮음비가
1 : 2 : 3인 닮은 도형이므로

(선분 NO의 길이)=$5 \times \frac{1}{3}=\frac{5}{3}$(cm)

(선분 ML의 길이)=$5 \times \frac{2}{3}=\frac{10}{3}$(cm)

(선분 OG의 길이)=$10 - \frac{5}{3}=\frac{25}{3}$(cm)

(선분 LF의 길이)=$10 - \frac{10}{3}=\frac{20}{3}$(cm)

삼각형 QAE와 삼각형 QGO는 닮음비가

5 : $\frac{25}{3}$=15 : 25=3 : 5인 닮은 도형이므로

(삼각형 QAE의 높이)=$\frac{20}{3} \times \frac{3}{8}=\frac{5}{2}$(cm)

(삼각형 QAE의 넓이)=$5 \times \frac{5}{2} \times \frac{1}{2}=\frac{25}{4}$(cm²)

삼각형 KAE와 삼각형 KFL는 닮음비가

$5 : \dfrac{20}{3} = 15 : 20 = 3 : 4$인 닮은 도형이므로

(삼각형 KAE의 높이)$= \dfrac{10}{3} \times \dfrac{3}{7} = \dfrac{10}{7}$(cm)

(삼각형 KAE의 넓이)$= 5 \times \dfrac{10}{7} \times \dfrac{1}{2} = \dfrac{25}{7}$(cm²)

따라서 색칠한 부분의 넓이는

$\dfrac{100}{3} - \dfrac{40}{3} - \dfrac{25}{2} - \left(\dfrac{25}{4} - \dfrac{25}{7}\right) = \dfrac{135}{28} = 4\dfrac{23}{28}$(cm²)

7 두 삼각형 ㅁㄱㄹ과 ㅁㄴㄷ의 넓이의 비가 2:5이고 밑변 ㄱㄹ과 밑변 ㄴㄷ의 길이의 비가 1:3이므로 높이의 비는 $\dfrac{2}{1} : \dfrac{5}{3} = 6 : 5$이다.

그림에서 변 ㅁㅅ과 변 ㅁㅂ의 길이의 비가 6:5이므로 두 삼각형 ㅁㅅㄹ과 ㅁㅂㄷ은 닮음이고 닮음비가 6:5이다.

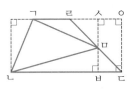

변 ㄹㅇ의 길이는 $6 - (1.25 + 2) = 2.75$(cm)이고

(변 ㅂㄷ의 길이) = (변 ㅅㅇ의 길이)

$$= 2.75 \times \dfrac{5}{11} = 0.25 \times 5 = 1.25 \text{(cm)}$$

8

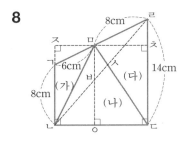

① 삼각형 ㄹㅁㅂ과 삼각형 ㄹㄱㄴ은 닮음비가 $8 : 14 = 4 : 7$인 닮은 도형이므로 선분 ㅁㅂ의 길이는 $8 \times \dfrac{4}{7} = \dfrac{32}{7}$(cm)이다.

② 삼각형 ㄴㅇㅂ과 삼각형 ㄴㄷㄹ은 닮음비가 $6 : 14 = 3 : 7$인 닮은 도형이므로 선분 ㅂㅇ의 길이는 $14 \times \dfrac{3}{7} = 6$(cm), 선분 ㅁㅇ의 길이는 $6 + \dfrac{32}{7} = \dfrac{74}{7}$(cm)

③ 삼각형 ㅁㅈㄱ과 삼각형 ㅁㅊㄹ은 닮음비가 $6 : 8 = 3 : 4$인 닮은 도형이므로 선분 ㅁㅈ과 선분 ㅁㅊ의 길이의 비는 3:4이고, 선분 ㅁㅈ의 길이를 $3 \times$ ●라 하면 선분 ㅁㅊ의 길이는 $4 \times$ ●가 된다.

(개) 부분의 넓이는 $8 \times 3 \times ● \times \dfrac{1}{2} = 12 \times ●$

(내) 부분의 넓이는

$\left(\dfrac{74}{7} \times 3 \times ● \times \dfrac{1}{2}\right) + \left(\dfrac{74}{7} \times 4 \times ● \times \dfrac{1}{2}\right) = 37 \times ●$

(대) 부분의 넓이는 $14 \times 4 \times ● \times \dfrac{1}{2} = 28 \times ●$

따라서 (개), (내), (대)의 넓이의 연비는 12 : 37 : 28이다.

9 그림과 같이 두 점 ㄴ, ㄷ에서 변 ㅁㄹ에 각각 수선을 긋고 수선의 발을 ㅂ, ㅅ이라 하자.

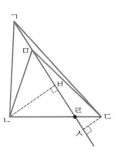

두 삼각형 ㄴㅂㄹ과 ㄷㅅㄹ은 닮음이고 닮음비는 5:2이다. 따라서 변 ㄴㅂ과 변 ㄷㅅ의 길이의 비도 5:2이다. 두 삼각형 ㄱㄴㅁ과 ㄱㄷㅁ은 변 ㄱㅁ을 밑변으로 하는 삼각형이므로 넓이의 비는 높이의 비와 같아 5:2이다.

다른 풀이 두 삼각형 ㄱㄴㄹ과 ㄱㄷㄹ은 높이가 같은 삼각형이므로 넓이의 비는 5:2이다. 또, 두 삼각형 ㅁㄴㄹ과 ㅁㄷㄹ은 높이가 같은 삼각형이므로 넓이의 비는 5:2이다. 따라서 두 삼각형 ㄱㄴㅁ과 ㄱㄷㅁ의 넓이의 비도 5:2이다.

10

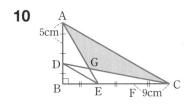

점 D와 점 E는 각각 변 AB와 변 BC의 삼등분점이므로 삼각형 ABC와 삼각형 DBE는 닮음비가 3 : 1인 닮은 도형이고, 선분 AC와 선분 DE는 서로 평행이고 길이의 비는 3 : 1이다.

따라서 삼각형 GCA와 삼각형 GDE는 닮음비가 3 : 1인 닮은 도형이고, 선분 AG와 선분 GE의 길이의 비는 3 : 1이다.

삼각형 AEC의 넓이는 $18 \times 15 \times \dfrac{1}{2} = 135$(cm²)이고, 삼각형 CAG와 삼각형 CEG는 높이가 같고 밑변의 길이의 비가 3 : 1이므로 색칠한 부분의 넓이는

$135 \times \dfrac{3}{4} = \dfrac{405}{4} = 101\dfrac{1}{4}$(cm²)

강물에서 배의 속력 문제 ①

유제

1 시속 12km **2** 24초 **3** 배의 속력 : 시속 28km, 강물의 속력 : 시속 4km **4** 21.6km

특강탐구문제

1 배의 속력 : 시속 13.5km, 강물의 속력 : 시속 1.5km
2 시속 6km   **3** 2시간 30분   **4** 시속 12km
5 18시간   **6** 시속 9km   **7** 1시간 30분   **8** 2.5km
9 7시간 15분   **10** 강물의 속력 : 시속 3.75km, A와 B 사이의 거리 : 70km

유제풀이

1 같은 거리를 갈 때 걸리는 시간의 비는
(강물을 따라 내려갈 때) : (거슬러 올라갈 때)=4 : 7
이므로 속력의 비는 7 : 4이다.
강물의 흐름에 따라 내려갈 때의 속력이 시속 56km이므로 거슬러 올라갈 때의 속력은 $56 \times \frac{4}{7} = 32$(km/시)이다.
따라서 강물의 속력은 $(56-32) \times \frac{1}{2} = 12$(km/시)

2 가방을 떨어뜨린 후 24초 동안 유람선은 강물을 거슬러 올라가고 가방은 강물을 따라 떠내려가므로 24초 후에 유람선과 가방 사이의 거리는
{(배의 속력)−(강물의 속력)}×24+(강물의 속력)×24
=(배의 속력)×24−(강물의 속력)×24+(강물의 속력)×24
=(배의 속력)×24이다.
방향을 바꾸고 난 후에 유람선은 {(배의 속력)+(강물의 속력)}으로 가고 가방은 강물의 속력만으로 간다.
따라서 유람선이 가방보다 빠르므로 단위 시간당 흐르지 않는 물에서의 배의 속력만큼을 따라잡을 수 있다.
그러므로, (배의 속력)×24만큼을 따라잡으려면 24초가 걸린다.

3 48km를 내려갔다가 36km를 올라오는 데 걸리는 시간과 64km를 내려갔다가 24km를 올라오는 데 걸리는

시간이 같다. 따라서 양쪽 모두에서 48km 내려가고 24km를 올라오는 시간만큼을 뺀다면 12km를 올라오는 데 걸린 시간과 16km를 내려가는 데 걸린 시간이 같음을 알 수 있다. 즉, 같은 시간 동안 올라오는 거리는 거리와 내려가는 거리의 비는 3 : 4이다.
48km 내려가는 데 걸리는 시간 동안 올라오는 거리는
$48 \times \frac{3}{4} = 36$(km)
따라서 3시간 동안 올라오는 거리는
$36+36=72$(km)
따라서 올라오는 속력은 $\frac{72}{3} = 24$(km/시)이다.
또, 24km를 올라오는 데 걸리는 시간 동안 내려가는 거리는
$24 \times \frac{4}{3} = 32$(km)
3시간 동안 내려가는 거리는
$64+32=96$(km)
따라서 내려가는 속력은 $\frac{96}{3} = 32$(km/시)이다.
따라서 강물의 속력은 $(32-24) \times \frac{1}{2} = 4$(km/시)이고, 배의 속력은 $32-4=28$(km/시)이다.

4 강물의 속력이 변하기 전의 배의 속력을 구해 보면
(A 지점에서 내려가는 배의 속력)
$=360+40=400$(m/분)
(B 지점에서 올라가는 배의 속력)
$=360-40=320$(m/분)
두 배가 만날 때까지 같은 시간 동안 간 것이므로 두 배가 간 거리의 비는 400 : 320=5 : 4이다. 즉, 만나는 지점은 A 지점으로부터 5, B 지점으로부터 4만큼 떨어진 곳이다.
한편, 강물의 속력이 2배로 빨라지면 내려가는 배와 올라가는 배의 속력의 비는
$(360+80) : (360-80)=440 : 280=11 : 7$이 되고, 두 배가 만나는 지점은 A 지점으로부터 11, B 지점으로부터 7만큼 떨어진 곳이다.
따라서, A에서 B까지의 거리를 18등분 하여 나타내면 다음 그림과 같고, 작은 눈금 한 칸이 1200m이므로
(A, B 사이의 거리)$=1200 \times 18=21600$(m)
$\qquad\qquad\qquad =21.6$(km)

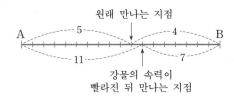

다른 풀이 다음과 같이 생각할 수도 있다.

내려가는 배의 속력은

강물의 속력이 40일 때 360+40=400(m/분)

강물의 속력이 80일 때 360+80=440(m/분)

따라서 강물의 속력이 2배로 빨라지면 1분마다

440−400=40(m)씩 더 내려갈 수 있고, 1200m를 더

내려가는 데 걸리는 시간은 1200÷40=30(분)이다.

즉, 두 배가 만날 때까지 걸린 시간이 30분이고, 강물의

속력이 80일 때 올라가는 배의 속력이

360−80=280(m/분)이므로

A, B 사이의 거리는

$30 \times (440+280) = 30 \times 720 = 21600(m)$

$= 21.6(km)$

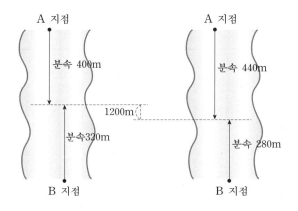

특강탐구문제풀이

1 2시간 24분$=2\frac{24}{60}$시간이므로

(내려갈 때의 속력)

$=36 \div 2\frac{24}{60} = 36 \div 2\frac{2}{5}$

$=36 \times \frac{5}{12} = 15(km/시)$

(올라갈 때의 속력)$=36 \div 3 = 12(km/시)$

(강물의 속력)$=(15-12) \times \frac{1}{2} = 1.5(km/시)$

(배의 속력)$=15-1.5=13.5(km/시)$

2 같은 거리를 내려갈 때와 올라갈 때의 속력의 비가

4 : 3이므로, 걸린 시간의 비는 3 : 4이다.

왕복 3시간 30분=3.5시간이 걸렸으므로

(내려갈 때 걸린 시간)$=3.5 \times \frac{3}{7} = 1.5(시간)$

(올라갈 때 걸린 시간)$=3.5 \times \frac{4}{7} = 2(시간)$

(내려갈 때의 속력)$=72 \div 1.5 = 48(km/시)$

(올라갈 때의 속력)$=72 \div 2 = 36(km/시)$

(강물의 속력)$=(48-36) \times \frac{1}{2} = 6(km/시)$

3 2시간 55분$=2\frac{11}{12}$시간이므로

(올라갈 때의 속력)$=140 \div 2\frac{11}{12} = 140 \times \frac{12}{35}$

$=48(km/시)$

(내려갈 때의 속력)$=48+8=56(km/시)$

(내려갈 때 걸리는 시간)$=140 \div 56 = \frac{140}{56}$

$=\frac{5}{2} = 2\frac{1}{2}(시간)$

$\rightarrow$ 2시간 30분

4 거슬러 올라갈 때는 5시간 동안 210km를 가므로

(올라갈 때의 속력)$=210 \div 5 = 42(km/시)$

1시간에 42km를 가는 속력으로 1시간 50분을 거슬러

올라갔으므로, 두 선착장 ㉮, ㉯ 사이의 거리는

$42 \times 1\frac{5}{6} = 42 \times \frac{11}{6} = 77(km)$

유람선이 강물의 흐름을 따라 내려갈 때는 77km를 내려

가는 데 1시간 10분이 걸렸으므로,

(내려갈 때의 속력)$=77 \div 1\frac{1}{6} = 77 \times \frac{6}{7} = 66(km/시)$

(강물의 속력)$=(66-42) \times \frac{1}{2} = 12(km/시)$

5 A에서 B까지 가는 시간이 더 걸렸으므로 B지점이

상류이고 A지점이 하류임을 알 수 있다.

A에서 B까지의 거리를 1이라 하면,

A에서 B까지, 즉 거슬러 올라갈 때의 속력은 $1 \div 3 = \frac{1}{3}$

B에서 A까지, 즉 강물을 따라 내려갈 때의 속력은

$1 \div 2\frac{1}{4} = 1 \div \frac{9}{4} = \frac{4}{9}$

(강물의 속력)$=\left(\frac{4}{9} - \frac{1}{3}\right) \times \frac{1}{2} = \frac{1}{9} \times \frac{1}{2} = \frac{1}{18}$

따라서 B에서 A까지 통나무를 떠내려 보낸다면 1이라 정해놓은 거리를 $\frac{1}{18}$의 속력으로 가게 되므로, 걸리는 시간은

$$1 \div \frac{1}{18} = 1 \times 18 = 18(시간)$$

6 같은 거리를 올라갈 때와 내려갈 때의 속력의 비가 5 : 7이므로, 올라갈 때와 내려갈 때 걸리는 시간의 비는 7 : 5이다. 시간의 비가 나타내는 7과 5의 차인 2가 실제로는 40분에 해당하므로 1은 20분, 7은 140분(2시간 20분) $= 2\frac{1}{3}$시간, 5는 100분(1시간 40분) $= 1\frac{2}{3}$시간이다.

(올라갈 때의 속력) $= 105 \div 2\frac{1}{3} = 105 \times \frac{3}{7}$
$$= 45(km/시)$$

(내려갈 때의 속력) $= 105 \div 1\frac{2}{3} = 105 \times \frac{3}{5}$
$$= 63(km/시)$$

(강물의 속력) $= (63 - 45) \times \frac{1}{2} = 9(km/시)$

7 54km를 거슬러 올라가는 데 4시간 30분 $= 4\frac{1}{2}$시간이 걸렸으므로, 올라갈때의 속력은

$$54 \div 4\frac{1}{2} = 54 \times \frac{2}{9} = 12(km/시)$$

또한, (올라갈 때의 속력) = (배의 속력) - (강물의 속력)
이므로 12 = 16 - (강물의 속력)에서
(강물의 속력) = 16 - 12 = 4(km/시)

따라서, 배 자체의 속력을 2배로 해서 내려올 때의 속력은 $16 \times 2 + 4 = 36(km/시)$이므로 강을 내려오는 데 걸리는 시간은

$$54 \div 36 = 1.5(시간) \rightarrow 1시간 30분$$

8 먼저 강물의 속력이 3km/시일 때
상류에서 내려가는 배의 속력은 35 + 3 = 38(km/시)
하류에서 올라가는 배의 속력은 35 - 3 = 32(km/시)
따라서 내려가는 배와 올라가는 배의 속력의 비는 38 : 32 = 19 : 16이고, 두 배는 만날 때까지 같은 시간 동안 간 것이므로 움직인 거리의 비도 19 : 16이다.
따라서 강물의 속력이 3km/시일 때 만나는 지점 ㉮는 상류로부터 $87.5 \times \frac{19}{35} = 47.5(km)$ 떨어진 곳이다.

또, 강물의 속력이 5km/시일 때
내려가는 배와 올라가는 배의 속력의 비는
(35 + 5) : (35 - 5) = 40 : 30 = 4 : 3이고,
움직인 거리의 비도 4 : 3이다.
따라서 강물의 속력이 5km/시일 때 만나는 지점 ㉯는 상류로부터 $87.5 \times \frac{4}{7} = 50(km)$ 떨어진 곳이다.
그러므로 두 지점 사이의 거리는
㉯ - ㉮ = 50 - 47.5 = 2.5(km)

다른 풀이 다음과 같이 생각할 수도 있다.

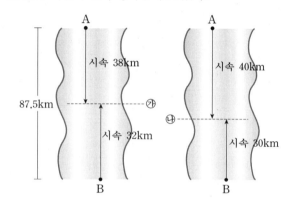

강물의 속력이 5km/시일 때 내려가는 배의 속력은 35 + 5 = 40(km/시)
강물의 속력이 3km/시일 때 내려가는 배의 속력은 35 + 3 = 38(km/시)
따라서 강물의 속력이 5km/시일 때는 3km/시일 때보다 1시간마다 40 - 38 = 2(km) 더 내려갈 수 있다.
한편, 87.5km의 거리를 40 + 30 = 70(km/시) (혹은 38 + 32 = 70(km/시))의 속력으로 운행하는 배가 있다고 생각하면)
(걸린 시간) = 87.5 ÷ 70 = 1.25(시간)
그러므로, ㉯ 지점이 ㉮ 지점에 비해 더 내려간 거리는 1.25 × 2 = 2.5(km)

9 80km를 내려가고 91km를 올라오는 데 6시간이 걸렸다면, 80 × 2 = 160(km)를 내려가고, 91 × 2 = 182(km) 올라가는 데 6 × 2 = 12(시간)이 걸린다.
또, 64km를 내려가고 52km를 올라오는 데 4시간이 걸렸다면, 64 × 3 = 192(km) 내려가고
52 × 3 = 156(km)를 올라오는 데 4 × 3 = 12(시간)이 걸린다.
이제 160km를 내려가고 156km를 올라오는 데 걸린 시

간을 양쪽에서 모두 빼면 32km를 내려간 시간과 26km를 올라온 시간이 같음을 알 수 있다.

즉, 같은 시간에 간 거리의 비는

(내려갈 때) : (올라갈 때)=32 : 26=16 : 13

160km 내려가는 데 걸리는 시간과 같은 시간 동안 올라올 수 있는 거리를 계산해 보면 $160 \times \frac{13}{16} = 130$(km)이므로 $130 + 182 = 312$(km) 올라오는 데 12시간 걸린다.

따라서 올라오는 속력은

$312 \div 12 = 26$(km/시)

또, 156km 올라오는 데 걸린 시간과 같은 시간 동안 내려 갈 수 있는 거리를 계산해 보면 $156 \times \frac{16}{13} = 192$(km)이므로 $192 + 192 = 384$(km)를 내려가는 데 12시간 걸린다. 따라서 내려가는 속력은

$384 \div 12 = 32$(km/시)

따라서 이 배가 104km를 거슬러 올라가는 데 걸리는 시간은 $104 \div 26 = 4$(시간)

내려가는 데 걸리는 시간은

$104 \div 32 = 3\frac{8}{32} = 3\frac{1}{4}$(시간)이므로,

104km를 왕복하는 데 걸리는 시간은

$4 + 3\frac{1}{4} = 7\frac{1}{4}$(시간) → 7시간 15분

다른 풀이 104km를 운행하는 데 필요한 시간은 다음과 같은 방법으로 생각할 수도 있다.

160km를 내려가고 182km를 올라오는 데 걸린 시간은 130km를 올라가고 182km를 올라오는 데 걸린 시간과 같으므로 $130 + 182 = 312$(km)를 올라오는 데 12시간 걸리고, 104km 올라오는 데 걸리는 시간은

$12 \times \frac{104}{312} = 4$(시간)

또, 같은 시간에 간 거리의 비는

(내려갈 때) : (올라갈 때)=16 : 13이므로

4시간 동안 내려갈 거리는

$104 \times \frac{16}{13} = 128$(km)

따라서 104km를 내려가기 위해서는

$4 \times \frac{104}{128} = 3.25 = 3\frac{1}{4}$(시간)이 필요하다.

그러므로 104km를 왕복하는 데 걸리는 시간은

$4 + 3\frac{1}{4} = 7\frac{1}{4}$(시간) → 7시간 15분

10

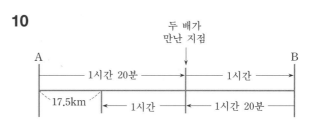

두 배가 만날 때까지 B에서 A로 가는 배가 1시간 20분 동안 간 거리를 A에서 B로 가는 배는 1시간만에 갔으므로, 두 배가 같은 거리를 가는 데 걸리는 시간의 비는

$A : B = 1 : 1\frac{1}{3} = 3 : 4$

A에서 B로 가는 배가 1시간 20분, 즉 $1\frac{1}{3}$시간 동안 가는 거리를 B에서 A로 가는 배가 가는 데 걸리는 시간은

$1\frac{1}{3} \times \frac{4}{3} = \frac{4}{3} \times \frac{4}{3} = \frac{16}{9} = 1\frac{7}{9}$(시간)

이 배가 1시간 더 간 후에도 B지점에서 떠난 배가 A지점에 도착하려면 17.5km가 남았는데, 이것은 $\frac{7}{9}$시간 동안 가게 되는 거리이므로 B에서 A로 가는 배의 속력은

$17.5 \div \frac{7}{9} = 17.5 \times \frac{9}{7} = 22.5$(km/시)

한편, 같은 거리를 가는 데 걸리는 시간의 비가 3 : 4이므로 속력의 비는 4 : 3이다.

따라서 A에서 B로 가는 배의 속력은

$22.5 \times \frac{4}{3} = 30$(km/시)

강물의 속력은 $(30 - 22.5) \times \frac{1}{2} = 3.75$(km/시)이고,

A, B 두 지점 사이의 거리는 A에서 B로 가는 배가 시속 30km로 1시간 20분+1시간=$2\frac{1}{3}$시간 동안 갔으므로, $30 \times 2\frac{1}{3} = 30 \times \frac{7}{3} = 70$(km)이다.

서랍 원리 ①

16

유제

1 13자루   **2** ㉮ : 32, ㉯ : 5   **3** 10개
4 106장

특강탐구문제

1 25장   **2** ㉮ : 3, ㉯ : 10   **3** 46장   **4** 5개, 11개
5 11개, 82개   **6** 9줄   **7** 9명   **8** 29자루   **9** 78개
10 211명

유제풀이

1 12자루를 꺼내면 같은 색의 색연필이 여러 자루 있을 수도 있고, 각 색깔의 색연필이 한 자루씩 꺼내질 수도 있다.
따라서 서랍 원리에 의해 13자루를 꺼낸다면
$13 \div 12 = 1 \cdots 1$이므로
색이 같은 색연필 2자루가 반드시 있게 된다.

2 $125 \div 4 = 31 \cdots 1$, $125 \div 30 = 4 \cdots 5$ 이므로
서랍 원리에 의해 125개의 구슬을 4개의 바구니에 넣을 때 32개 이상의 구슬이 들어 있는 바구니가 반드시 생기고, 125개의 구슬을 30명의 어린이에게 나누어 줄 때 5개 이상의 구슬을 갖는 어린이가 반드시 있다.

3 5가지 색깔이므로 서랍 원리에 의해 6개를 꺼내면 반드시 한 켤레를 맞출 수 있다.
맞춰진 한 켤레를 빼 놓으면 다시 4개가 남는데 여기에 2개를 더 꺼내 놓으면 6개가 되고, 또 반드시 한 켤레를 맞출 수 있다.
마찬가지로 한번 더 반복하면 3켤레를 맞출 수 있는데 이때 꺼낸 양말은 모두 $6+2+2=10$(개)이다.
참고* 9개를 꺼내면 3개, 3개, 1개, 1개, 1개가 되어 2켤레만 맞추게 되는 경우가 생길 수 있으므로 반드시 3켤레를 맞추려면 10개가 필요하다.

4 6장 이하로 있는 카드는 모두 뽑고 7이 적힌 카드부터 20이 적힌 카드까지 각각 6장씩 뽑았다고 생각해 보자.
$1+2+3+4+5+6+6 \times (20-6) = 105$
105장을 뽑은 후에는 어떤 숫자 카드를 뽑아도 반드시 같은 번호의 카드가 7장 있게 된다.
따라서 106장을 뽑으면 반드시 같은 숫자가 적힌 카드가 7장 있다.

특강탐구문제풀이

1 8장의 색종이를 꺼낸다면 같은 색의 색종이가 여러 장 있을 수도 있고 각각의 색의 색종이가 한 장씩일 수도 있다.
$8 \times 3 + 1 = 25$이므로 서랍 원리에 의해 25장을 꺼낸다면 같은 색의 색종이 4장이 반드시 있게 된다.

2 $365 \div 7 = 52 \cdots 1$이므로 1년은 53주이다.
$110 \div 53 = 2 \cdots 4$이므로 서랍 원리에 의해 같은 주에 생일을 맞는 어린이는 3명이 반드시 있다.
또한 1년은 12달이고, $110 \div 12 = 9 \cdots 2$이므로
서랍 원리에 의해 같은 달에 생일을 맞는 어린이는 10명이 반드시 있다.
따라서, ㉮의 최댓값은 3이고, ㉯의 최댓값은 10이다.

3 같은 수 6개를 반드시 뽑는 경우와 같은 문제이다.
숫자 카드 6장을 꺼내면 같은 수일 수도 있고, 서로 다른 수일 수도 있다.
$9 \times 5 + 1 = 46$이므로 서랍 원리에 의해 46장을 꺼낸다면, 반드시 각 면에 같은 수를 붙일 수 있다.

4 4가지 색의 구슬이 들어 있으므로 서랍 원리에 의해 5개를 꺼내면 같은 색 구슬 2개가 반드시 있게 된다.
또, 구슬 5개를 꺼냈을 때 같은 색의 구슬 2개가 반드시 흰 색이라고 장담할 수는 없으므로 흰 색을 제외한 나머

지 색을 3개씩 다 꺼내고 나머지 2개를 꺼내면 반드시 흰 구슬 2개가 꺼내지게 된다.

즉, 적어도 $3 \times 3 + 2 = 11$(개)의 구슬을 꺼내야 반드시 흰 구슬 2개를 얻을 수 있다.

5 8가지 색깔의 장갑이 들어 있으므로, 좌우 구별이 없는 장갑인 경우는 서랍 원리에 의해 9개를 꺼내면 반드시 한 켤레의 짝은 맞추게 된다. 맞춰진 한 켤레를 빼 놓으면 다시 7개가 남는데 여기에 2개를 더 꺼내 놓으면 9개가 되고 또 반드시 한 켤레를 맞출 수 있다.

꺼낸 장갑은 모두 $9 + 2 = 11$(개)이다.

또한 좌우 구별이 있는 장갑인 경우 8가지 색깔 모두에서 한 짝만을 10개씩 꺼낼 경우 한 켤레도 짝을 맞출 수 없다. 그 후 꺼내는 2개는 반드시 짝이 있으므로 2켤레를 맞출 수 있다. 즉 $10 \times 8 + 2 = 82$(개)를 꺼내야 한다.

참고* 좌우 구별이 없는 장갑의 경우 10개를 꺼내면 1개, 1개, 1개, 1개, 1개, 1개, 1개, 3개가 되어 반드시 2켤레를 맞출 수 없는 경우가 생길 수도 있다.

6 동전 3개를 늘어놓았을 때 생길 수 있는 배열은
(그림, 그림, 그림), (그림, 그림, 숫자),
(그림, 숫자, 그림), (그림, 숫자, 숫자),
(숫자, 그림, 그림), (숫자, 그림, 숫자),
(숫자, 숫자, 그림), (숫자, 숫자, 숫자)
의 8가지이다.

따라서 서랍 원리에 의해 3개씩 9줄을 놓으면 동전의 앞뒤 배열이 똑같은 두 줄이 반드시 생긴다.

7 4, 6, 8이 적힌 숫자 카드로 만들 수 있는 세 자리 수는 468, 486, 648, 684, 846, 864의 6가지이다.

따라서 서랍 원리에 의해 $50 \div 6 = 8 \cdots 2$이므로 같은 세 자리 수를 만든 학생 9명이 반드시 있게 된다.

따라서, ☐의 최댓값은 9이다.

8 노란색 4자루와 파란색, 초록색, 검은색, 빨간색을 각각 6자루씩 꺼낸 뒤에 한 자루를 더 꺼내게 되면 같은 색 색연필 7자루가 반드시 나오게 된다.

따라서 $4 + 6 \times 4 + 1 = 29$(자루)를 꺼내야 한다.

9 검은색, 흰색, 파란색 공을 모두 꺼내고, 빨간색, 노란색, 초록색 공을 각각 19개씩 꺼내 놓았다고 생각하면 그 다음 번에는 어떤 공을 꺼내도 같은 색 공이 20개가 된다.

따라서 $20 + 19 \times 3 + 1 = 78$(개)를 꺼내면 같은 색 공 20개를 반드시 꺼낼 수 있다.

10 6명의 선생님 중에서 2명을 적어내는 방법은
$6 \times 5 \div 2 = 15$(가지)이다.

좋아하는 선생님 두 분이 똑같은 학생이 15명 있으려면 같은 선생님을 택한 학생들이 15가지 경우마다 각각 14명씩 있어야 하고, 한 명이 더 있게 되면 좋아하는 선생님 두 분이 똑같은 학생이 반드시 15명이 되게 된다.

따라서 디딤돌 수학교실의 학생은 $15 \times 14 + 1 = 211$(명) 이상이 있어야 한다.

경우의 수의 계산 ①

17

유제

1 52가지　**2** 78번　**3** 24　**4** 16, 6

특강탐구문제

1 210가지　**2** 8명　**3** 180장　**4** 20가지, 8가지
5 (1) 144가지 (2) 144가지 (3) 72가지　**6** 36가지
7 271개　**8** 630가지　**9** 192가지　**10** 16가지

유제풀이

1 짝수는 일의 자리의 숫자가 0 또는 2 또는 4이어야 한다. 일의 자리의 숫자가 정해졌을 때 나머지 십의 자리 숫자와 백의 자리의 숫자를 뽑는 경우의 수는 5개에서 2개를 뽑아 일렬로 늘어놓는 경우와 같으므로
$5 \times 4 = 20$(가지)이고, 일의 자리의 숫자는 0 또는 2 또는 4이므로 세 자리 수는 $20 \times 3 = 60$(가지)가 생긴다.
그 중 백의 자리의 숫자가 '0'이 되는 경우는 세 자리 수가 될 수 없으므로 다음의 8가지 경우를 빼야 한다.

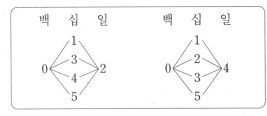

따라서 세 자리 짝수는 모두 $60 - 8 = 52$(가지)이다.

2 13명의 선수 중 두 선수를 고르면 한 번의 시합이 열린다.
따라서 총 시합 수는 13개 중에서 2개를 고르는 경우의 수와 같으므로
$13 \times 12 \times \dfrac{1}{2 \times 1} = 78$(번)의 시합이 열린다.

3 B 다음에 바로 A가 달려야하므로 A를 제외한 나머지 4명을 일렬로 늘어놓는 방법의 수를 구하여 각 경우의 B 다음에 A가 온다고 생각하면 된다.
따라서 $4 \times 3 \times 2 \times 1 = 24$이다.

4 윷은 모두 4개이고 윷 하나마다 앞·뒤의 2가지의 경우가 나올 수 있으므로 모든 경우의 수는
$2 \times 2 \times 2 \times 2 = 16$

또한 '개'가 나오는 경우는 2개의 윷만이 뒤집혀 있으면 되므로 4개 중에서 2개를 뽑는 경우의 수와 같다.
$4 \times 3 \times \dfrac{1}{2 \times 1} = 6$

특강탐구문제풀이

1 10명의 학생 중 4명을 뽑는 경우와 같다.
$10 \times 9 \times 8 \times 7 \times \dfrac{1}{4 \times 3 \times 2 \times 1} = 210$(가지)

2 12명 중 2명을 대표로 뽑는 경우에서 2명 모두 남자가 뽑히는 경우를 빼면 38가지이다.
$12 \times 11 \times \dfrac{1}{2 \times 1} -$ (2명 모두 남자인 경우의 수) $= 38$
(2명 모두 남자인 경우의 수) $= 66 - 38 = 28$
대표 2명이 모두 남자인 경우의 수를 구하는 것은 x명의 남자 중에서 2명을 뽑는 경우의 수와 같으므로
$x \times (x-1) \times \dfrac{1}{2 \times 1} = 28$
$x \times (x-1) = 56 = 8 \times 7$, $x = 8$
따라서 12명 중 남자는 모두 8명이다.

3 10개국에서 2명씩 왔으므로 참석한 인원은 모두 $10 \times 2 = 20$(명)이다. 이 중 두 명씩 뽑아서 사진을 찍는 경우의 수를 구한 후 자기 나라 대표끼리 사진을 찍는 10가지 경우를 빼면 된다. 따라서 찍어야 하는 사진은
$20 \times 19 \times \dfrac{1}{2 \times 1} - 10 = 190 - 10 = 180$(장)이다.

4 6개의 점 중에서 3개의 점을 뽑아 삼각형을 만드는 방법은
$6 \times 5 \times 4 \times \dfrac{1}{3 \times 2 \times 1} = 20$(가지)이다.
이등변삼각형을 만드는 경우는
한 점을 중심으로 좌·우로 이웃한 두 점과 연결하여 삼각형을 만드는 6가지 경우와 한 점을 중심으로 좌·우로 한 점씩 건너에 있는 두 점과 연결하여 삼각형을 만드는 2가지 경우가 있으므로 모두 8가지 방법이 있다.

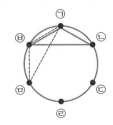 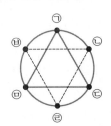

5 (1) 여학생 3명을 묶어서 한 명으로 생각하여 남학생 3명을 포함해서 4명을 일렬로 세우는 경우를 구하면 $4\times3\times2\times1=24$(가지)이다.

그 각각에 대하여 묶음 속의 여자 3명을 세우는 경우의 수는 $3\times2\times1=6$(가지)이므로, 여학생 3명이 모두 이웃하여 서는 경우는 $24\times6=144$(가지)이다.

(2) 남학생 3명을 먼저 일렬로 세운 후에

□남□남□남□

여학생은 4개의 자리(□) 중 3자리를 뽑아 세우면 되므로 $(3\times2\times1)\times(4\times3\times2)=144$(가지)경우가 있다.

(3) 남학생과 여학생이 교대로 서는 방법은

여남여남여남

남여남여남여

위의 2가지 경우이다.

따라서 남학생 3명을 먼저 일렬로 세운 후에 여학생을 □에 세우면 되므로 $(3\times2\times1)\times(3\times2\times1)\times2=72$(가지)이다.

6 다음과 같이 짝수를 먼저 늘어놓은 후에 홀수를 사이에 넣는 경우를 생각한다.

□짝□짝□짝

짝수를 늘어놓는 방법은 $3\times2\times1$, 홀수를 늘어놓는 방법도 $3\times2\times1$이므로

짝수가 짝수 번째에 오게 하는 방법은 $6\times6=36$(가지)이다.

7 1에서 999까지의 999개의 자연수에서 3을 하나도 포함하지 않는 수의 개수를 빼면 된다.

각 자리에는 0부터 9까지의 수가 올 수 있는데 3을 하나도 포함하지 않으려면 3을 제외한 9개의 수가 올 수 있다. 따라서 $9\times9\times9=729$(개)가 된다.

이 중에서 '000'이 되는 경우를 제외하면 3을 하나도 포함하지 않는 수는 $729-1=728$(개)이다.

따라서 적어도 하나의 3을 포함하는 수는 $999-728=271$(개)이다.

8 서로 다른 7권의 책을 1권, 2권, 4권으로 나누는 방법은 먼저 7권 중 4권을 뽑고, 다시 남은 3권 중 2권을 뽑는 방법이 있다. 즉,

$$\left(7\times6\times5\times4\times\frac{1}{4\times3\times2\times1}\right)\times\left(3\times2\times\frac{1}{2\times1}\right)$$
$$=35\times3=105\text{(가지)}$$

또한 나누어진 책을 3명에게 나누어 주는 방법은 3명을 일렬로 세우는 경우와 같으므로 $3\times2\times1=6$(가지)이다.

따라서 구하는 방법은 $105\times6=630$(가지)이다.

9 가, 다와 사이에 낀 한 장의 카드까지를 하나로 묶어 전체 카드를 4장이라고 생각하면 4장의 카드를 일렬로 배열하는 경우의 수는 $4\times3\times2\times1=24$인데 가와 다의 위치가 서로 바뀌는 경우를 생각하면 $24\times2=48$이고, 가, 다 사이에 들어갈 수 있는 카드의 수는 4가지이므로 $48\times4=192$(가지)이다.

10 • 한 섬에서 다른 세 섬으로 각각 다리를 놓는 경우

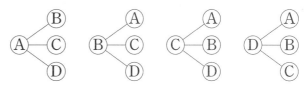

→ 4가지

• 두 섬은 다리를 두 개 놓고, 나머지 두 섬은 다리를 한 개만 놓는 경우

4개 중 2개를 고르는 방법은 $4\times3\times\dfrac{1}{2\times1}=6$(가지),

6가지마다 나머지 두 섬을 연결하는 방법은 2가지씩이다.

→ $6\times2=12$가지

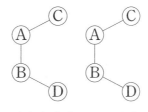

따라서 다리를 놓는 방법은 $4+12=16$(가지)이다.

비율 응용 문제 ②

유제

1 225쪽   **2** 3:2   **3** 240cm²   **4** 21명

특강탐구문제

1 1715cm²   **2** 10500원   **3** $10\frac{5}{7}$kg   **4** 672명

5 28cm   **6** 40명, 36명, 70명   **7** 312명

8 112:99   **9** 1440개   **10** 3:10, 4:9

유제풀이

1

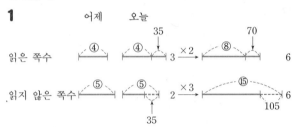

어제 읽은 쪽수와 읽지 않은 쪽수의 비는 ④ : ⑤이고, 오늘 35쪽을 더 읽었으므로 그 비는 (④+35) : (⑤−35)가 된다. 이것이 3 : 2이므로 읽은 쪽수에 2를 곱하고 읽지 않은 쪽수에 3을 곱하면 양쪽이 같아진다.

위의 그림에서와 같이 70+105=175(쪽)이 ⑮−⑧=⑦에 해당하므로 ①은 175÷7=25이다.

따라서 이 책의 전체 쪽수는 ④+⑤=⑨이므로
9×25=225(쪽)

2 920−800=120, 1100−920=180이므로 그림으로 나타내면 다음과 같다.

120 : 180=2 : 3이므로
A, B 두 종류의 사탕을 3 : 2의 무게로 섞었다.

참고* A 사탕을 $a$kg, B 사탕을 $b$kg 섞었다고 하자.
$a×800+b×1100=(a+b)×920$
$a×800+b×1100=a×920+b×920$
$b×(1100−920)=a×(920−800)$
$a : b=(1100−920) : (920−800)$
      $=180 : 120$
      $=3 : 2$

3 직사각형 ㄱㄴㄷㄹ의 가로의 길이에서 2cm를 빼면 직사각형 ㅁㅂㅅㅇ의 가로의 길이가 되고, 직사각형 ㄱㄴㄷㄹ의 세로의 길이에서 6cm를 빼면 직사각형 ㅁㅂㅅㅇ의 세로의 길이가 된다.

직사각형 ㄱㄴㄷㄹ의 가로와 세로의 길이의 비가 5 : 3이고, 직사각형 ㅁㅂㅅㅇ의 가로와 세로의 길이의 비가 3 : 1이므로 다음 그림과 같이 나타낼 수 있다.

위의 오른쪽 그림에서 30−6=24는 ⑨−⑤=④에 해당되므로 ①은 6이다.

따라서, 큰 직사각형의 가로의 길이는
6×3+2=20(cm)
세로의 길이는
6+6=12(cm)
직사각형의 넓이는
20×12=240(cm²)

참고* 직사각형 ㅁㅂㅅㅇ의 세로의 길이를 a라 하면 가로의 길이는 3×a가 된다.
또, 직사각형 ㄱㄴㄷㄹ의 가로의 길이는 (3×a+2), 세로의 길이는 (a+6)이 된다.
직사각형 ㄱㄴㄷㄹ의 가로와 세로의 길이의 비는
$(3×a+2) : (a+6)=5 : 3$
$(3×a+2)×3=(a+6)×5$
    $9×a+6=5×a+30$
  $(9−5)×a=30−6$
      $4×a=24$
      $a=6$

따라서, 직사각형 ㄱㄴㄷㄹ의 가로의 길이는 20cm, 세로의 길이는 12cm이다.

4

	남	여	남+여
1반	⑤	②	⑦
2반	③	④	⑦

	남	여	남+여
1반	⑤	②	⑦
2반	③×2=⑥	④×2=⑧	⑦×2=⑭

1반의 남학생과 여학생을 합하면 ⑤ : ②에서
⑤+②=⑦

2반의 남학생과 여학생을 합하면 ③ : ④에서
③+④=⑦이 되어 비교할 수 없다.

그런데 2반의 전체 학생 수는 1반의 2배이므로, 2반의 남학생, 여학생을 각각 2배로 고치면 ③×2=⑥, ④×2=⑧이고, 둘을 더해서 ⑥+⑧=⑭가 되어 1반과 2반의 남학생 수와 여학생 수를 직접 비교할 수 있다.

1, 2반을 합하면 남학생과 여학생의 비는
(⑤+⑥) : (②+⑧)=⑪ : ⑩이 된다.

남학생이 여학생보다 3명 많으므로 ⑪-⑩=3에서 ①에 해당하는 것이 3명이다.

따라서 1반의 학생 수는 ⑤+②=⑦이므로
$3 \times 7 = 21$(명)

특강탐구문제풀이
1

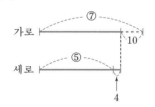

가로와 세로의 비가 7 : 5인데 가로를 줄이고 세로를 늘린 후에는 정사각형이 되었으므로 가로, 세로의 길이가 같아진다. 가로를 10cm 줄이고, 세로를 4cm 늘렸으므로 ⑦-⑤=14, ②=14, ①=7이다.

처음 직사각형의 가로의 길이는
$7 \times 7 = 49$(cm)

세로의 길이는
$7 \times 5 = 35$(cm)

따라서, 처음 직사각형의 넓이는
$49 \times 35 = 1715 (\text{cm}^2)$

2 그림으로 나타내면 다음과 같다.

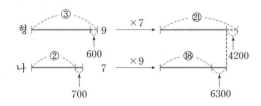

⑳-⑱=③은 $4200 + 6300 = 10500$(원)

따라서, 지난 주에 형이 가지고 있던 용돈은 ③이므로 10500원이다.

3 40kg과 35kg이 수평이 되었으므로, 시소에 두 사람이 앉은 자리는 무게의 비가 8 : 7이 되었을 때 수평을 이루는 자리이다.

$320 - 245 = 75$(kg)이 강아지 무게의 7배이다.

따라서, 강아지의 무게는
$75 \div 7 = \dfrac{75}{7} = 10\dfrac{5}{7}$(kg)

4 합격한 학생 420명 중 남녀 학생 수의 비가 8 : 7이므로

남학생은 $420 \div 15 \times 8 = 224$(명)

여학생은 $420 \div 15 \times 7 = 196$(명)

위의 그림에서 ③은 $1372 - 1120 = 252$(명)에 해당하므로, ①은 $252 \div 3 = 84$(명)이다.

따라서, 이 학교의 입학 시험에 응시한 학생은
$(224 + 84 \times 2) + (196 + 84) = 672$(명)

5 (3년 전 지윤이의 키)×1.12
  =(3년 전 성원이의 키)×1.2이므로

(3년 전 지윤이의 키) : (3년 전 성원이의 키)
=1.2 : 1.12
=120 : 112
=15 : 14

15-14=1이 10cm에 해당되므로, 3년 전 성원이의 키는 $10 \times 14 = 140$(cm)였다.

따라서, 성원이가 3년 동안 자란 키는
$140 \times 0.2 = 28$(cm)

6 부품이 남지 않도록 하려면 A, B, C 부품이 한 시간

에 2 : 3 : 7의 비율로 만들어지도록 해야 한다.

한 사람이 한 시간 동안 A 부품은 3개씩, B 부품은 5개씩, C 부품은 6개씩 만들 수 있기 때문에 3, 5, 6의 최소공배수인 30을 비 2 : 3 : 7의 각 항에 곱해 주면 A 부품은 60개, B 부품은 90개, C 부품은 210개를 만들어야 한다. 따라서 A, B, C 부품을 만드는 데 각각
$60 \div 3 = 20$(명), $90 \div 5 = 18$(명), $210 \div 6 = 35$(명)씩
필요하다.

즉, 필요한 사람 수의 비는 20 : 18 : 35이다.
$20 + 18 + 35 = 73$이고, 이 공장에는 모두 146명이 일을 하고 있으므로 $146 \div 73 = 2$를 각각 곱하면
부품 A는 $20 \times 2 = 40$(명),
부품 B는 $18 \times 2 = 36$(명),
부품 C는 $35 \times 2 = 70$(명)
씩 만들어야 한다.

7 5학년 학생 중 8%가 자전거타기를, 13%가 인라인스케이트타기를 좋아하므로 자전거타기와 인라인스케이트타기를 좋아하는 학생 수의 비는 8 : 13이다.

6학년 학생 중 11%가 자전거 타기를, 5%가 인라인스케이트타기를 좋아하므로 자전거타기와 인라인스케이트타기를 좋아하는 학생 수의 비는 11 : 5이다.

이것을 표로 나타내 보면, 다음과 같다.

	자전거타기	인라인스케이트타기
5학년	⑧	⑬
6학년	⑪	⑤

5학년에서는 자전거타기를 좋아하는 학생보다 인라인스케이트타기를 좋아하는 학생이 ⑤ 많은 대신 6학년에서는 자전거타기를 좋아하는 학생보다 인라인스케이트타기를 좋아하는 학생이 ⑥ 적다.

5, 6학년 학생을 모두 합하면 자전거타기를 좋아하는 학생 수와 인라인스케이트타기를 좋아하는 학생 수가 같아지므로 ⑤와 ⑥은 같다.

따라서 다음 표와 같이 다시 나타낼 수 있다.

	자전거타기	인라인스케이트타기
5학년	$⑧ \times 6 = 48$	$⑬ \times 6 = 78$
6학년	$⑪ \times 5 = 55$	$⑤ \times 5 = 25$
합	103	103

5학년 학생의 8%가 48이므로 1%는 6, 100%는 600이고,
6학년 학생의 11%가 55이므로 1%는 5, 100%는 500이다.

따라서, 5학년과 6학년 학생 수의 비는 6 : 5이므로,
5학년 학생 수는 $572 \div 11 \times 6 = 312$(명)

8 둘레의 길이가 같으므로, 직사각형 ㉠, ㉡의 가로와 세로의 길이의 합은 같다.

직사각형 ㉠의 가로와 세로의 길이의 합을 $7 + 5 = 12$로 나타내고, 직사각형 ㉡의 가로와 세로의 길이의 합을 $11 + 5 = 16$으로 나타내고, ㉠, ㉡의 가로와 세로의 길이의 합을 12와 16의 최소공배수 48이 되도록 한다.

직사각형 ㉠ → 7 : 5 = (7×4) : (5×4) = 28 : 20
직사각형 ㉡ → 11 : 5 = (11×3) : (5×3) = 33 : 15

따라서, 두 직사각형 ㉠, ㉡의 넓이의 비는
(28×20) : (33×15) = 560 : 495
$(560 \div 5)$: $(495 \div 5)$ = 112 : 99

9

	판매한 과일	저장해 둔 과일
사과	⑤	⑦
배	④	⑤
합	⑨	⑫

↓

	판매한 과일	저장해 둔 과일
사과	$⑤ \times 2 = ⑩$	⑦
배	$④ \times 2 = ⑧$	⑤
합	$⑨ \times 2 = ⑱$	⑫

판매한 사과와 배의 비는 ⑤ : ④이므로 합은
$⑤ + ④ = ⑨$이다.
저장한 사과와 배의 비는 ⑦ : ⑤이므로 합은
$⑦ + ⑤ = ⑫$이다.
판매한 과일과 저장해 둔 과일의 개수의 비가 3 : 2이고, 저장해 둔 과일이 ⑫이므로 비는 ⑱ : ⑫가 되어야 한다.
판매한 과일의 합은 ⑨이므로, 2배 해 주면 $⑨ \times 2 = ⑱$이 된다. 따라서, 판매한 사과는 $⑤ \times 2 = ⑩$이고,
판매한 배는 $④ \times 2 = ⑧$이 된다.
(전체 사과의 개수) : (전체 배의 개수)

$=(\boxed{10}+\boxed{7}) : (\boxed{8}+\boxed{5})$

$=\boxed{17} : \boxed{13}$

사과가 320개 많으므로 $\boxed{17}-\boxed{13}=\boxed{4}=320$에서 $\boxed{1}=80$이다. 따라서, 판매한 과일은 모두

$80 \times 18 = 1440$(개)

10

	남	여
30세 이상	⑨	⑧
30세 미만	$\boxed{5}$	$\boxed{3}$

↓

	남	여
30세 이상	⑱	㉔
30세 미만	$\boxed{10}$	$\boxed{9}$

남자의 수와 여자의 수의 비가 3 : 2이므로 남자의 수에

2배 하고 여자의 수에 3배 하면 남녀의 수가 같아진다. 30세 이상에서 남자보다 여자가 ⑥ 많아진 대신 30세 미만에서 남자보다 여자가 $\boxed{1}$ 적어졌다. 남녀의 수가 같으므로 ⑥은 $\boxed{1}$과 같다.

따라서, 다음 표와 같이 다시 나타낼 수 있다.

	남	여
30세 이상	⑨	⑧
30세 미만	$\boxed{5}\times6=㉚$	$\boxed{3}\times6=⑱$
	㊴	㉖

따라서, 30세 이상인 남자와 30세 미만인 남자의 수의 비는 $9 : 30 = (9 \div 3) : (30 \div 3) = 3 : 10$

30세 이상인 여자와 30세 미만인 여자의 수의 비는

$8 : 18 = (8 \div 2) : (18 \div 2) = 4 : 9$

농도에 관한 문제 **19**

유제

1 80g   **2** 4%의 소금물 : 500g, 5%의 소금물 : 300g
3 40g   **4** 87.11%

특강탐구문제

1 100g   **2** 12.5g   **3** 200g   **4** 21%
5 240g   **6** 240g   **7** 7.1%   **8** 5째 번
9 9.375%   **10** A 그릇 : 11.1%, B 그릇 : 7.5%

유제풀이

1 15%의 소금물에 들어 있는 소금 $200 \times \dfrac{15}{100} = 30(\text{g})$

과 6.25%의 소금물에 들어 있는 소금 $80 \times \dfrac{6.25}{100} = 5(\text{g})$

을 합한 $30+5=35(\text{g})$은 나중 소금물의 17.5%이다.

따라서 전체의 1%는 $35 \div 17.5 = 2(\text{g})$이고 전체는

$2 \times 100 = 200(\text{g})$이므로 $200 - (\text{증발한 물}) + 80 = 200(\text{g})$,

증발한 물은 80g이다.

2 $850 \times \dfrac{10}{100} = 85(\text{g})$, $85 - 50 = 35(\text{g})$, 즉 4%의 소금

물과 5%의 소금물을 섞은 소금물에 들어 있는 소금의 양

의 합은 35g이고, 소금물의 양의 합은 $850 - 50 = 800(\text{g})$

이다.

800g이 모두 5%의 소금물이라면 소금의 양은 $800 \times$

$\dfrac{5}{100} = 40(\text{g})$이고, 5%의 소금물 1g이 4%의 소금물로 바

뀔 때마다 $\left(1 \times \dfrac{5}{100}\right) - \left(1 \times \dfrac{4}{100}\right) = \dfrac{1}{100}(\text{g}) = 0.01(\text{g})$

씩 소금의 양이 줄어든다.

따라서 소금의 양이 35g이 되기 위해서는

$(40-35) \div 0.01 = 500(\text{g})$이 4%의 소금물로 바뀌어야

하고 300g이 5%의 소금물이 된다.

3 설탕물을 퍼낸 양만큼 물을 부은 다음, 6%의 설탕물

을 넣어서 8%의 설탕물 400g이 되었으므로 6%의 설탕

물은 $400 - 300 = 100(\text{g})$을 넣은 것이다. 8%의 설탕물

400g 안에는 $400 \times \dfrac{8}{100} = 32(\text{g})$의 설탕이 들어 있고,

이것은 6%의 설탕물 100g 속의 $100 \times \dfrac{6}{100} = 6(\text{g})$의

설탕이 더해져서 생긴 것이므로 6%의 설탕물을 섞기 전

까지는 $32 - 6 = 26(\text{g})$의 설탕이 있었다. 처음 10%의

설탕물 300g 안에는 $300 \times \dfrac{10}{100} = 30(\text{g})$의 설탕이 있었

으므로 한 컵을 퍼내면서 $30 - 26 = 4(\text{g})$의 설탕을 버린

것이다. 따라서 설탕을 $\dfrac{4}{30}$만큼 버렸으므로 설탕물도

$\dfrac{4}{30}$만큼인 $300 \times \dfrac{4}{30} = 40(\text{g})$을 버렸다.

4 1.5L에서 0.1L를 따라내고 물 0.1L를 넣으면 포도액

과 물의 비율이 14 : 1이 되고, 포도 주스는 1.5L가 된다.

다시 포도 주스 0.1L를 따라내면 그 속에 들어 있던 포도

액은 $\left(0.1 \times \dfrac{14}{15}\right)$L가 줄어든다.

따라서 마지막에 남은 포도 주스 1.5L 속에는 포도액이

$1.5 - \left(0.1 + 0.1 \times \dfrac{14}{15}\right) = 1.5 - 0.1 \times \dfrac{29}{15} = \dfrac{22.5 - 2.9}{15}$

$$= \dfrac{19.6}{15}(\text{L}) \text{ 들어 있다.}$$

$(\text{농도}) = \dfrac{\dfrac{19.6}{15}}{1.5} \times 100 = \dfrac{19.6}{15} \div 1.5 \times 100$

$$= \dfrac{19.6}{15} \times \dfrac{2}{3} \times 100 = \dfrac{3920}{45} = \dfrac{784}{9} = 87.111 \cdots$$

$$\rightarrow 87.11(\%)$$

특강탐구문제풀이

1 4%의 소금물 500g에는 $500 \times \dfrac{4}{100} = 20(\text{g})$의 소금과

$500 - 20 = 480(\text{g})$의 물이 들어 있다.

소금을 더 넣고 나면 물 480g이 전체의 80%가 되므로

전체의 1%는 $480 \div 80 = 6(\text{g})$, 전체는 $6 \times 100 = 600(\text{g})$

이다.

따라서 더 넣어야 할 소금은 $600 - 500 = 100(\text{g})$이다.

2 15g이 전체의 8%이면 1%는 $\dfrac{15}{8}\text{g}$이고, 전체는

$\dfrac{15}{8} \times 100 = 187.5(\text{g})$이므로 증발시켜야 할 물의 양은

$200 - 187.5 = 12.5(\text{g})$이다.

3 10%의 소금물 300g에는 $300 \times 0.1 = 30(\text{g})$의 소금

이 들어 있다. 30g의 소금이 전체의 6%가 되려면 1%는

5g, 전체는 500g이 있어야 한다.

따라서 더 넣어야 할 물은 $500 - 300 = 200(\text{g})$이다.

4 소금물을 20g 퍼낸 뒤에도 소금의 농도는 변하지 않

는다. 11%의 소금물 20g을 넣으면 소금물의 양은

200g, 소금의 양은 $200 \times \dfrac{20}{100} = 40(\text{g})$이 된다. 이 40g

의 소금은 11%의 소금물 20g에 들어 있는 소금

$20 \times \frac{11}{100} = 2.2(g)$이 더해져서 생긴 것이므로 20g을 퍼

낸 뒤 180g의 소금물 속에 있던 소금의 양은

$40 - 2.2 = 37.8(g)$이다.

따라서 처음 소금물의 농도는 $\frac{37.8}{180} \times 100 = 21(\%)$이다.

5 7%의 소금물 400g 속에는 $400 \times 0.07 = 28(g)$의 소금이 녹아 있다. 400g의 소금물이 모두 10%라면 소금의 양은 $400 \times 0.1 = 40(g)$이다. 10%에서 5%로 1g이 바뀔 때마다 $(1 \times 0.1) - (1 \times 0.05) = 0.05(g)$씩 소금의 양이 줄어든다.

따라서 소금 $40 - 28 = 12(g)$이 줄기 위해서는

$12 \div 0.05 = 240(g)$이 5%의 소금물로 바뀌어야 한다.

6 ㉮ 그릇에는 $600 \times 0.12 = 72(g)$의 소금이 들어 있고, ㉯ 그릇에는 $400 \times 0.08 = 32(g)$의 소금이 들어 있다.

즉, 두 그릇에 들어 있는 소금의 양의 합은 104g이고, 두 그릇에 있는 소금물의 양의 비가

$600 : 400 = 6 : 4 = 3 : 2$이므로 소금물의 농도가 같아지기 위해서는 ㉮ 그릇에 $104 \times \frac{3}{5} = 62.4(g)$, ㉯ 그릇에 $104 \times \frac{2}{5} = 41.6(g)$의 소금이 들어 있어야 한다.

1g의 소금물을 서로 바꾸어 넣을 때마다

$(1 \times 0.12) - (1 \times 0.08) = 0.04(g)$만큼의 소금이 ㉮는 줄어들고 ㉯는 늘어난다.

소금의 양이 $72 - 62.4 = 41.6 - 32 = 9.6(g)$ 변하려면

$9.6 \div 0.04 = 240(g)$을 서로 바꾸어 넣어야 한다.

7 A 그릇의 농도는

$\frac{24}{(96+24)} \times 100 = \frac{24}{120} \times 100 = 20(\%)$

A 그릇의 소금물 50g을 B 그릇에 넣으면 B 그릇의 소금물 농도는 $\frac{50 \times 0.2 + 10}{200} \times 100 = 10(\%)$이다.

B 그릇의 소금물 50g과 소금 10g을 C 그릇에 넣으면 C 그릇의 소금물의 농도는

$\frac{50 \times 0.1 + 10}{(150 + 50 + 10)} \times 100 = \frac{15}{210} \times 100 = 7.14 \cdots \to 7.1(\%)$

8 ㉮ 그릇에는 $500 \times 0.12 = 60(g)$의 소금이 들어 있고, ㉯ 그릇에는 $500 \times 0.07 = 35(g)$의 소금이 들어 있다.

㉮, ㉯ 그릇에 한 번에 들어가는 소금물의 양은 20g으로 같으므로 양쪽 그릇에 들어 있는 소금의 양이 같아지면

두 그릇의 농도가 같아진다.

㉮ 그릇에 한 번에 더해지는 소금의 양은 $20 \times 0.05 = 1(g)$이고, ㉯ 그릇에 한 번에 더해지는 소금의 양은

$20 \times 0.3 = 6(g)$이다.

따라서 소금물을 넣을 때마다 ㉯ 그릇에

$6 - 1 = 5(g)$씩의 소금이 더 들어가므로, 두 그릇에 들어 있는 소금의 양의 차인 $60 - 35 = 25(g)$이 ㉯ 그릇에 더 들어가기 위해서는 소금물을 $25 \div 5 = 5(번)$ 넣어야 한다. 따라서 소금물을 넣기 시작한지 5째 번이다.

9 15%의 소금물 200g에는 $200 \times 0.15 = 30(g)$의 소금이 들어 있고, 9%의 소금물 300g에는 $300 \times 0.09 = 27(g)$의 소금이 들어 있으므로 두 소금물을 합하면 농도는

$\frac{(30 + 27)}{(200 + 300)} \times 100 = \frac{57}{500} \times 100 = 11.4(\%)$가 된다.

소금물을 100g 퍼낸 뒤에도 소금물의 농도는 변하지 않으므로 11.4%의 소금물과 6%의 소금물을 5 : 3의 비로 섞으면 전체 소금물의 양이 8만큼, 11.4%의 소금물이 5만큼, 6%의 소금물이 3만큼이므로 그 농도는

$\frac{5 \times 0.114 + 3 \times 0.06}{8} \times 100 = \frac{75}{8} = 9.375(\%)$

10

A 그릇	B 그릇
12% 소금물 600g	6% 소금물 600g
소금 $600 \times 0.12 = 72(g)$	소금 $600 \times 0.6 = 36(g)$

↓ A 그릇의 소금물 200g을 B 그릇으로 옮김

A 그릇	B 그릇
12% 소금물 400g	소금물 600g, 소금 36g
소금 $72 \times \frac{2}{3} = 48(g)$	+) 소금물 200g, 소금 $72 \times \frac{1}{3} = 24(g)$
	소금물 800g, 소금 60g

↓ B 그릇의 소금물 100g을 A 그릇으로 옮김

A 그릇	B 그릇
소금물 400g, 소금 48g	소금물 700g
+) 소금물 100g, 소금 $60 \times \frac{1}{8} = 7.5(g)$	소금 $60 \times \frac{7}{8}$
소금물 500g, 소금 55.5g	$= 52.5(g)$

따라서 A 그릇의 농도는 $\frac{55.5}{500} \times 100 = 11.1(\%)$,

B 그릇의 농도는 $\frac{52.5}{700} \times 100 = 7.5(\%)$

방정식을 세워 풀기

유제

1 5인용 의자 : 38개, 2인용 의자 : 37개　**2** 40cm

3 4시 $5\frac{5}{11}$분, 4시 $38\frac{2}{11}$분　**4** 35분

특강탐구문제

1 30장　**2** 5번　**3** 1시간 10분 후　**4** $22\frac{1}{2}$km

5 6000원　**6** 12일　**7** 6시 40분　**8** 80개

9 형 : 18살, 동생 : 15살　**10** 500g, 300g

유제풀이

1 5인용 의자를 x개라 하면 2인용 의자는 $(75-x)$개이다.

마지막 5인용 의자에는 1명만 앉았으므로 4자리가 비게 된다. 그러므로 5인용 의자에 앉은 사람은 $(5\times x-4)$명이 된다. 또 2인용 의자에 앉은 사람은 $\{2\times(75-x)\}$명이 된다.

전체는 260명이므로 $5\times x-4+2\times(75-x)=260$

75보다 x만큼 작은 수를 2배 해 주려면 75의 2배에서 x의 2배를 빼 주어야 한다.

즉 $2\times(75-x)=150-2\times x$

그러므로 주어진 식은 다음과 같이 풀 수 있다.

$5\times x-4+2\times(75-x)=260$

$5\times x-4+150-2\times x=260$

$3\times x+146=260$

양변에서 146을 빼면 $3\times x=114$

다시 양변을 3으로 나누면 $x=38$

따라서 5인용 의자는 38개이고,

2인용 의자는 $75-38=37$(개)이다.

2 짧은 막대의 길이를 $x$cm라 하자. 두 막대의 길이의 차는 20cm이므로 긴 막대는 $(x+20)$cm이다.

묘목이 짧은 막대의 $\frac{2}{5}$만큼이므로 묘목의 길이는 $\frac{2}{5}\times x$이다. 또 묘목은 긴 막대의 $\frac{1}{3}$만큼이므로 묘목의 길이는 $\frac{1}{3}\times(x+20)$이다.

그러므로 $\frac{2}{5}\times x=\frac{1}{3}\times(x+20)$

양변에 15를 곱하면

$6\times x=5\times(x+20)$

$6\times x=5\times x+100$

양변에서 $5\times x$를 빼면 $x=100$

따라서 짧은 막대의 길이는 100cm이고,

묘목의 길이는 $100\times\frac{2}{5}=40$(cm)이다.

3

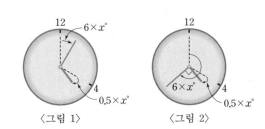

〈그림 1〉　　〈그림 2〉

두 바늘이 $90°$를 이루는 것이 4시와 5시 사이이므로 이때를 4시 x분이라 하자.

시침은 한 시간에 $360°\div12=30°$만큼 가므로 1분에 $30°\div60=0.5°$만큼 움직이고, 분침은 1시간에 $360°$ 가므로 1분에 $360°\div60=6°$만큼 움직인다.

시침과 분침이 $90°$를 이루는 것은 〈그림 1〉과 같이 시침이 분침보다 앞서 있는 경우와 〈그림 2〉와 같이 분침이 시침보다 앞서 있는 경우 2가지이다.

시계의 눈금 '12'를 기준으로 하면 4시 정각일 때 시침의 위치는 $120°$이므로 4시 x분의 시침의 위치는 $(120+0.5\times x)°$이다. 또 분침은 '12'부터 출발하므로 4시 x분에는 $(6\times x)°$의 위치에 있다.

〈그림 1〉의 경우 $6\times x+90=120+0.5\times x$

양변에서 90과 $0.5\times x$를 빼면 $5.5\times x=30$

$x=\dfrac{30}{5.5}=\dfrac{300}{55}=\dfrac{60}{11}=5\dfrac{5}{11}$(분)

〈그림 2〉의 경우 $120+0.5\times x+90=6\times x$

양변에서 $0.5\times x$를 빼면 $210=5.5\times x$

$x=\dfrac{210}{5.5}=\dfrac{2100}{55}=\dfrac{420}{11}=38\dfrac{2}{11}$(분)

따라서 4시와 5시 사이에 긴 바늘과 짧은 바늘이 이루는 각이 $90°$인 시각은 4시 $5\dfrac{5}{11}$분, 4시 $38\dfrac{2}{11}$분이다.

4 처음 걸은 시간을 x분이라 하자.

전체 걸린 시간은 1시간 30분=90분이므로 달린 시간은 $(90-x)$분이다.

분속 60m로 걸었으므로 걸어서 간 거리는 $(60 \times x)$m,

분속 100m로 달렸으므로 달려서 간 거리는

$\{100 \times (90-x)\}$m

$100 \times (90-x) = 9000 - 100 \times x$이므로

$60 \times x + 9000 - 100 \times x = 7600$

$9000 - 40 \times x = 7600$

$40 \times x$를 빼서 9000이 7600이 된 것이므로

$40 \times x = 9000 - 7600$

$40 \times x = 1400$

양변을 40으로 나누면

$x = 1400 \div 40 = 35$

따라서 걸은 시간은 35분이다.

특강탐구문제풀이

1 내가 가지고 온 색종이를 x장이라 하자. 나는 내 짝의 2배를 가져왔으므로 내 짝이 가져 온 색종이는 $\left(\frac{1}{2} \times x\right)$장 이다. 또 앞에 앉은 친구는 나의 3배보다 21장 적게 가져 왔으므로 $(3 \times x - 21)$장 가져 왔다.

세 사람이 가져온 색종이가 모두 114장이므로

$x + \frac{1}{2} \times x + 3 \times x - 21 = 114$

$4\frac{1}{2} \times x - 21 = 114$

양변에 21을 더하면

$4\frac{1}{2} \times x = 135$

양변을 $4\frac{1}{2}$로 나누면

$x = 135 \div 4\frac{1}{2} = 135 \times \frac{2}{9} = 30$

따라서 내가 가져 온 색종이는 30장이다.

2 오늘 줄넘기 연습을 x번 했다고 하면, 평균이 37회가 될 때까지는 $(x-1)$번 연습했다. 태훈이는 오늘 평균이 37회가 될 때까지 연습하고 다시 57회를 넘었으므로 오늘 넘은 전체 횟수는 $37 \times (x-1) + 57$이다.

또, 오늘 넘은 전체 평균은 41회이므로 오늘 넘은 전체 횟수는 $41 \times x$이기도 하다.

$37 \times (x-1) = 37 \times x - 37$이므로

$37 \times x - 37 + 57 = 41 \times x$

$37 \times x + 20 = 41 \times x$

양변에서 $37 \times x$를 빼면

$20 = 4 \times x$

$x = 20 \div 4 = 5$

따라서 태훈이는 오늘 줄넘기 연습을 모두 5번 했다.

3 동생이 출발한지 x분 후에 만났다고 하자. 동생은 x분 동안 갔고, 형은 동생이 출발한지 30분 후에 따라 갔으므로 $(x-30)$분 동안 갔다.

동생은 1분에 60m씩 갔으므로 x분 동안 $(60 \times x)$m 갔고, 형은 1분에 105m씩 갔으므로 $(x-30)$분 동안 $\{105 \times (x-30)\}$m 갔다.

만날 때까지 형이 간 거리와 동생이 간 거리는 같으므로

$105 \times (x-30) = 60 \times x$

양변을 15로 나누면

$7 \times (x-30) = 4 \times x$

$7 \times x - 210 = 4 \times x$

$3 \times x = 210, \ x = 70(분)$

형이 동생을 만나는 것은 동생이 집을 출발한지

70분 = 1시간 10분 후이다.

4 영화관까지의 거리를 $x$km라 하자.

$(시간) = \dfrac{(거리)}{(속력)}$이므로 시속 15km로 갔을 때 걸린 시간은 $\dfrac{x}{15}$시간이다. 또 속력을 2배로 하여 시속 30km로 갔을 때 걸린 시간은 $\dfrac{x}{30}$시간이다.

한편 영화관에 시속 15km로 갈 때는 20분 늦고, 시속 30km로 갈 때는 10분 일찍 도착하게 되므로 시속 15km로 갈 때 30분 = $\dfrac{1}{2}$시간 더 걸린다.

이것을 식으로 나타내면 다음과 같다.

$\dfrac{x}{15} = \dfrac{x}{30} + \dfrac{1}{2}$

양변에 30을 곱하면

$\dfrac{x}{15} \times 30 = \left(\dfrac{x}{30} + \dfrac{1}{2}\right) \times 30$

$2 \times x = x + 15, \ x = 15(km)$

영화관까지의 거리가 15km이므로 시속 15km로 갔다면 1시간이 걸렸을 것이다. 이 경우는 20분 늦게 되므로 40분 동안 달려서 영화관에 도착해야만 하는데 15km를

$40분 = \dfrac{2}{3}$시간에 가려면 시속

$15 \div \dfrac{2}{3} = 15 \times \dfrac{3}{2} = \dfrac{45}{2} = 22\dfrac{1}{2}$ (km)로 달려야 한다.

5 지난 해 어린이와 어른의 입장료의 비가 3 : 7이므로 지난 해 어린이의 입장료를 $(3 \times x)$원, 어른의 입장료를 $(7 \times x)$원이라 하자.

올해 400원씩 올랐으므로

어린이의 입장료는 $(3 \times x + 400)$원,

어른의 입장료는 $(7 \times x + 400)$원이 되었다.

올해 입장료의 비가 4 : 9이므로

$(3 \times x + 400) : (7 \times x + 400) = 4 : 9$

비례식의 성질에 따라

$9 \times (3 \times x + 400) = 4 \times (7 \times x + 400)$

$27 \times x + 3600 = 28 \times x + 1600$

양변에서 $27 \times x$와 1600을 빼면

$x = 2000$(원)

따라서 지난 해 어린이의 입장료는

$3 \times x = 3 \times 2000 = 6000$(원)

6 전체 일의 양을 1이라 하면 명혜가 하루에 하는 일의 양은 $\dfrac{1}{15}$, 소민이가 하루에 하는 일의 양은 $\dfrac{1}{20}$이다. 명혜가 일한 날을 x일이라고 하면, 전체 일이 16일 만에 끝났으므로 소민이가 일한 날은 $(16-x)$일이다.

명혜가 x일 동안 한 일의 양은 $\dfrac{1}{15} \times x$,

소민이가 $(16-x)$일 동안 한 일의 양은 $\dfrac{1}{20} \times (16-x)$

전체 일의 양을 1이라고 했으므로

$\dfrac{1}{15} \times x + \dfrac{1}{20} \times (16-x) = 1$

15와 20의 최소공배수 60을 양변에 곱하면

$\left\{\dfrac{1}{15} \times x + \dfrac{1}{20} \times (16-x)\right\} \times 60 = 1 \times 60$

$\dfrac{1}{15} \times x \times 60 + \dfrac{1}{20} \times (16-x) \times 60 = 60$

$4 \times x + 3 \times (16-x) = 60$

$4 \times x + 48 - 3 \times x = 60$

$x + 48 = 60$

양변에서 48을 빼면 $x = 12$

따라서 명혜가 일한 날은 12일이다.

7 시침과 분침이 일치하는 시각을 6시 x분이라 하자. 시침이 시계를 한 바퀴 도는 데 10시간이 걸리므로 시침

은 1시간에 $360° \div 10 = 36°$만큼 가고 1분에는 $36° \div 60 = 0.6°$만큼 간다. 또 분침은 1분에 $360° \div 60 = 6°$만큼 간다.

눈금 '10'을 기준으로 하면 6시 정각일 때 시침의 위치는 $36° \times 6 = 216°$이므로

6시 x분에 시침은 $(216 + 0.6 \times x)°$만큼 가 있다. 또 분침은 $(6 \times x)°$만큼 가 있다. 시침과 분침이 일치하므로

$216 + 0.6 \times x = 6 \times x$

$5.4 \times x = 216$

$x = 216 \div 5.4 = \dfrac{2160}{54} = 40$

따라서 이 시계로 6시와 7시 사이에 시침과 분침이 일치하는 시각은 6시 40분이다.

8 지금 상자 안에 들어 있는 바둑돌의 개수를 x개라고 하자. 검은 바둑돌 5개를 넣기 전의 바둑돌의 개수는 $(x-5)$개이다.

검은 바둑돌 5개를 넣기 전의 검은 바둑돌의 개수는 전체의 $\dfrac{2}{5}$이므로 $\dfrac{2}{5} \times (x-5)$이다. 또 넣은 다음은 전체의 $\dfrac{7}{16}$이므로 $\dfrac{7}{16} \times x$이다. 넣은 후에는 넣기 전보다 검은 바둑돌의 개수가 5개 늘었으므로

$\dfrac{2}{5} \times (x-5) + 5 = \dfrac{7}{16} \times x$

5와 16의 최소공배수 80을 양변에 곱하면

$\left\{\dfrac{2}{5} \times (x-5) + 5\right\} \times 80 = \dfrac{7}{16} \times x \times 80$

$\dfrac{2}{5} \times (x-5) \times 80 + 5 \times 80 = 35 \times x$

$32 \times (x-5) + 400 = 35 \times x$

$32 \times x - 160 + 400 = 35 \times x$

$32 \times x + 240 = 35 \times x$

$32 \times x$를 양변에서 빼면

$240 = 3 \times x$

양변을 3으로 나누면

$x = 240 \div 3 = 80$(개)

따라서 지금 상자 안의 바둑돌의 개수는 80개이다.

9 올해 형의 나이를 x살이라 하면, 동생은 $(33-x)$살이다.

몇 해 전에는 형은 $(33-x)$살, 동생은 $\left(\dfrac{2}{3} \times x\right)$살이었다.

형과 동생의 나이 차는 항상 같으므로

$$x - (33 - x) = 33 - x - \frac{2}{3} \times x$$

x에서 33보다 x만큼 작은 수를 빼는 데 33을 뺐다면 x는 더해 줘야 한다.

또, x도 빼고 $\frac{2}{3} \times x$도 뺀다면 $\frac{5}{3} \times x$를 빼 주면 된다.

즉, $x - 33 + x = 33 - \frac{5}{3} \times x$

$$2 \times x - 33 = 33 - \frac{5}{3} \times x$$

양변에 $\frac{5}{3} \times x$와 33을 더하면

$$2 \times x + \frac{5}{3} \times x = 66$$

$$\frac{11}{3} \times x = 66$$

$$x = 66 \times \frac{3}{11} = 18 (살)$$

따라서 형은 올해 18살, 동생은 $33 - 18 = 15$(살)이다.

10 섞은 4%의 소금물을 xg이라 하자, 전체 소금물이 850g이 되었고 이 중에는 50g의 소금이 있으므로 5%의 소금물은 $850 - 50 - x = (800 - x)$g이다.

4%의 소금물 xg에 들어 있는 소금의 양은 $\left(\frac{4}{100} \times x \right)$g,

5%의 소금물 $(800 - x)$g에 들어 있는 소금의 양은 $\left\{ \frac{5}{100} \times (800 - x) \right\}$g이다. 또 10%의 소금물 850g에

들어 있는 소금의 양은 $\frac{10}{100} \times 850 = 85$(g)이다.

두 종류의 소금물에 들어 있는 소금과 50g을 더하면 10% 소금물에 들어 있는 소금과 같으므로

$$\frac{4}{100} \times x + \frac{5}{100} \times (800 - x) + 50 = 85$$

양변에 100을 곱해 주면

$$4 \times x + 5 \times (800 - x) + 5000 = 8500$$

$$4 \times x + 4000 - 5 \times x + 5000 = 8500$$

$$9000 - x = 8500$$

$$x = 500 (g)$$

따라서 4%의 소금물은 500g, 5%의 소금물은 $800 - 500 = 300$(g)씩 섞어야 한다.

21 입체도형에서 부피·겉넓이 구하기 ①

유제

1 5.1m **2** 306cm²
3 2952cm³ **4** 312.5cm³

특강탐구문제

1 141cm³ **2** 1053cm³
3 겉넓이 : 504cm², 부피 : 540cm³ **4** 36cm³
5 1532cm³ **6** 272cm³ **7** $520\frac{5}{6}$cm³
8 $3\frac{3}{4}$cm **9** 4cm **10** 200cm²

유제풀이

1 〈그림 1〉의 토지 모양을 화살표 방향에서 보면 〈그림 2〉와 같다.

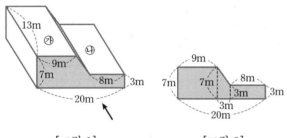

[그림 1]   [그림 2]

㉮ 부분을 깎아 ㉯ 부분을 덮어 새로운 모양의 토지가 만들어져도 전체 부피는 변하지 않는다. 또한 각 부분의 앞·뒤 거리가 13m로 일정하므로 전체 부피가 같기 위해서는 [그림 2]의 넓이가 [그림 3]의 넓이와 같아야 한다.

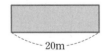

[그림 3]

[그림 2]의 넓이는

$9 \times 7 + (3+7) \times 3 \times \frac{1}{2} + 8 \times 3 = 63 + 15 + 24$
$= 102(\text{m}^2)$

㉮ 부분을 깎아 ㉯ 부분에 채우고 난 후에는 〈그림 3〉으로 변하므로
(새로 만든 토지의 높이) = $102 \div 20 = 5.1(\text{m})$

2

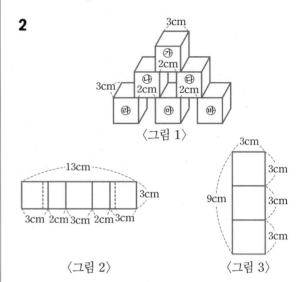

〈그림 1〉

〈그림 2〉   〈그림 3〉

[그림 1]을 위 또는 아래에서 보았을 때는 [그림 2]와 같고, 왼쪽이나 오른쪽에서 보았을 때는 [그림 3]과 같다.
안쪽 면 중에서 [그림 2, 3]에 포함되지 않은 부분은 ㉮의 아랫면과 ㉱의 윗면, ㉯, ㉰, ㉲, ㉳의 한쪽 옆면들과 ㉱의 양쪽 옆면이므로 넓이의 합은
$(2 \times 3) \times 2 + (3 \times 3) \times 6 = 66(\text{cm}^2)$이다.
또한, 앞, 뒤에서 보면 정사각형 6개의 넓이와 같으므로
$(3 \times 3 \times 6) \times 2 = 108(\text{cm}^2)$
따라서 전체 겉넓이는
$108 + (13 \times 3 \times 2) + (9 \times 3 \times 2) + 66 = 306(\text{cm}^2)$

3

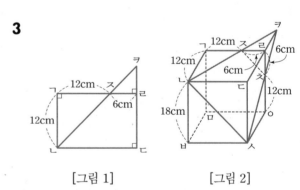

[그림 1]   [그림 2]

선분 ㄴㅈ, 선분 ㄷㄹ의 연장선이 만나는 점을 점 ㅋ이라 하자. [그림 1]과 같이 삼각형 ㄱㄴㅈ과 삼각형 ㄹㅋㅈ은 닮은 도형이므로 선분 ㄹㅋ의 길이는 6cm, 선분 ㄷㅋ의 길이는 12+6=18(cm)이다. 마찬가지로 선분 ㄹㅊ은 6cm, 선분 ㄷㅅ은 18cm, 선분 ㄷㄹ은 12cm이므로 선분 ㅅㅊ의 연장선도 점 ㅋ을 지난다. 이것을 그림으로 나타내면 [그림 2]와 같다.

점 ㄴ, ㅅ, ㅊ, ㅈ을 지나는 평면으로 잘린 두 개의 입체
도형 중 점 ㅁ이 포함되지 않은 부분의 부피는
삼각뿔 ㅋ—ㄴㅅㄷ의 부피에서 삼각뿔 ㅋ—ㅈㅊㄹ의 부
피를 뺀 것과 같으므로

$$\left(18 \times 18 \times \frac{1}{2}\right) \times 18 \times \frac{1}{3} - \left(6 \times 6 \times \frac{1}{2}\right) \times 6 \times \frac{1}{3}$$
$$= 972 - 36 = 936 (\text{cm}^3)$$

따라서 점 ㅁ이 포함된 부분의 부피는
$(18 \times 12 \times 18) - 936 = 2952 (\text{cm}^3)$

4

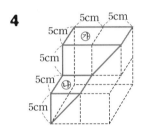

각 방향에서 본 모양을 참고하여 입체도형을 그려 보면
그림과 같다. 전체 부피는 정육면체인 ㉮의 부피와 정육
면체의 절반인 ㉯와 같은 입체도형 3개의 부피의 합이다.

(㉮의 부피) $= 5 \times 5 \times 5 = 125 (\text{cm}^3)$

(㉯의 부피) $= 5 \times 5 \times 5 \times \frac{1}{2} = \frac{125}{2} (\text{cm}^3) = 62.5 (\text{cm}^3)$

따라서 입체도형의 부피는
$125 + 62.5 \times 3 = 312.5 (\text{cm}^3)$

특강탐구문제풀이

1 작은 직육면체의 밑면의 가로를 $x$cm라 하면

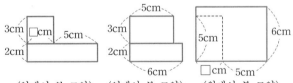

〈앞에서 본 모양〉　〈옆에서 본 모양〉　〈위에서 본 모양〉

$(3+2) \times x + 2 \times 5$　$3 \times 5 + 2 \times 6$　$(5+x) \times 6$

입체도형을 앞·뒤에서 봤을 때의 앞면의 넓이, 뒷면의
넓이가 같고, 양 옆에서 봤을 때와 위·아래에서 봤을 때
의 넓이도 각각 같다.

전체 겉넓이는 200cm²이므로

$(3+2) \times x + 2 \times 5 + 3 \times 5 + 2 \times 6 + (5+x) \times 6$

$= 200 \div 2 = 100$

$5 \times x + 6 \times x + 67 = 100$

$11 \times x = 33$

$x = 3$

따라서 입체도형의 부피는

$3 \times 3 \times 5 + (3+5) \times 6 \times 2 = 45 + 96 = 141 (\text{cm}^3)$

2

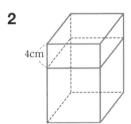

윗부분을 잘라 내어 정육면체를 만들 수 있으므로 밑면
은 정사각형이어야 한다.

직육면체 모양을 잘라 낸 후 줄어든 겉넓이는 잘라 낸 직
육면체의 옆면의 넓이와 같다.

$144 \div 4 = 36$, $36 \div 4 = 9$

즉, 밑면은 한 변의 길이가 9cm인 정사각형이다.

따라서 잘라 낸 후 만들어지는 정육면체의 한 변의 길이
는 9cm이므로 처음 직육면체의 부피는

$9 \times 9 \times (9+4) = 1053 (\text{cm}^3)$

3

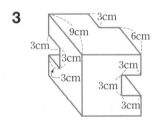

이 입체도형을 위, 아래에서 본 모양과 앞, 뒤에서 본 모
양, 양 옆에서 본 모양은 각각 같다.

이 입체도형을 위, 앞, 옆 세 방향에서 본 겉넓이는,
한 변의 길이가 9cm인 정사각형의 넓이에서 한 변
의 길이가 3cm인 정사각형의 넓이를 뺀 것과 같다.

또 위, 아래에서 볼 때 나타나지 않는 면의 넓이는

$3 \times 6 \times 4 = 72 (\text{cm}^2)$

따라서 이 입체도형의 겉넓이는

$(9 \times 9 - 3 \times 3) \times 6 + 72 = 72 \times 6 + 72$
$$= 504 (\text{cm}^2)$$

또한, 이 입체도형의 부피는 한 모서리의 길이가 9cm인
정육면체의 부피에서 세 모서리의 길이가 3cm, 3cm,

9cm인 직육면체 1개와 3cm, 3cm, 6cm인 직육면체 2개의 부피를 뺀 것과 같다.

따라서, 이 입체도형의 부피는

$9 \times 9 \times 9 - (3 \times 3 \times 9) - (3 \times 3 \times 6) \times 2$
$= 729 - 81 - 108 = 540 (\text{cm}^3)$

4

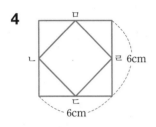

각 면의 대각선의 교점을 연결한 입체도형을 위에서 보면 그림과 같고 사각형 ㄴㄷㄹㅁ의 넓이는

$6 \times 6 \div 2 = 18 (\text{cm}^2)$이다.

입체도형 ㄱㄴㄷㄹㅁㅂ은 크기가 같은 사각뿔인 ㄱ-ㄴㄷㄹㅁ과 ㅂ-ㄴㄷㄹㅁ이 붙어 있는 모양이고 사각뿔 ㄱ-ㄴㄷㄹㅁ의 높이는 한 변의 길이가 6cm인 정육각형 높이의 반이므로 3cm이다.

따라서 입체도형 ㄱㄴㄷㄹㅁㅂ의 부피는

$\left(18 \times 3 \times \dfrac{1}{3}\right) \times 2 = 36 (\text{cm}^3)$

5 이 입체도형의 겉넓이는 직육면체를 잘라 내도 변함이 없다.

$14 \times 10 \times 2 + (14 + 10 + 14 + 10) \times (높이) = 856$이므로

$280 + 48 \times (높이) = 856$

$48 \times (높이) = 576$

$(높이) = 12$

따라서 이 입체도형의 부피는

$14 \times 10 \times 12 - 148 = 1680 - 148 = 1532 (\text{cm}^3)$

6

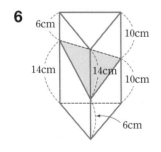

문제의 입체도형 두 개를 뒤집고 돌려서 붙이면 그림과 같이 높이가 20cm인 정삼각기둥을 만들 수 있다.

따라서 주어진 정삼각기둥의 일부는 새로운 정삼각기둥의 절반이므로 그 부피는

$27.2 \times 20 \times \dfrac{1}{2} = 272 (\text{cm}^3)$

7

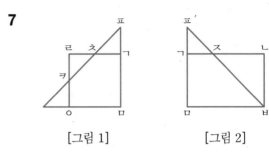

[그림 1]　　　　　[그림 2]

[그림 1]에서 삼각형 ㄹㅊㅋ이 이등변삼각형이므로 삼각형 ㅊㄱㅍ도 이등변삼각형이고 선분 ㅍㄱ의 길이는 5cm이다.

[그림 2]에서 삼각형 ㅍ′ㄱㅈ과 삼각형 ㅍ′ㅁㅂ은 닮음비 1 : 3인 닮음삼각형이므로 선분 ㄱㅍ′의 길이는

$15 \times \dfrac{1}{3} = 5 (\text{cm})$이다.

따라서 ㅍ과 ㅍ′는 같은 점이다. 같은 방법으로 선분 ㅊㅋ의 연장선과 선분 ㅂㅌ의 연장선이 만나는 점도 찾을 수 있다. 연장선이 만나는 점을 모두 그리면 [그림 3]과 같다.

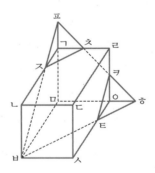

[그림 3]

선분 ㅂㅈ, 선분 ㅊㅋ, 선분 ㄱㅁ의 연장선이 만나는 점을 ㅍ, 선분 ㅂㅌ, 선분 ㅊㅋ, 선분 ㅁㅇ의 연장선이 만나는 점을 ㅎ이라 하자.

(선분 ㄴㅈ) = 2 × (선분 ㄱㅈ)인데

(선분 ㄱㄴ) = 15cm이므로

(선분 ㄱㅈ) = $15 \times \dfrac{1}{3} = 5 (\text{cm})$

(선분 ㄱㅊ) = (선분 ㅊㄹ)인데 (선분 ㄱㄹ) = 10cm이므로

(선분 ㄱㅊ)＝(선분 ㅊㄹ)＝(선분 ㄹㅋ)＝(선분 ㅋㅇ)

　　＝(선분 ㅇㅌ)＝5(cm)

(선분 ㄴㅈ)＝(선분 ㄴㅂ)＝(선분 ㅂㅅ)＝(선분 ㅅㅌ)

　　＝10(cm)

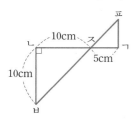 삼각형 ㅍㅈㄱ과 삼각형 ㅂㅈㄴ은 닮은 도형이고

(선분 ㄱㅈ)＝$\frac{1}{2}$×(선분 ㄴㅈ)

이므로

(선분 ㅍㄱ)

　　＝$10×\frac{1}{2}＝5(cm)$,

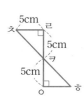 삼각형 ㅊㅋㄹ과 삼각형 ㅎㅋㅇ은 닮은 도형이고 (선분 ㄹㅋ)＝(선분 ㅋㅇ)이므로

(선분 ㅇㅎ)＝(선분 ㅊㄹ)＝5(cm)

이다.

따라서 구하고자 하는 입체도형의 부피는 삼각뿔 ㅍ－ㅁㅂㅎ의 부피에서 크기가 같은 삼각뿔인 ㅍ－ㄱㅈㅊ과 ㅋ－ㅇㅌㅎ의 부피를 뺀 것이다.

$15×15×\frac{1}{2}×15×\frac{1}{3}－\left(5×5×\frac{1}{2}×5×\frac{1}{3}\right)×2$

$＝\frac{3375}{6}－\frac{125}{6}×2＝\frac{3375}{6}－\frac{250}{6}$

$＝\frac{3125}{6}＝520\frac{5}{6}(cm^3)$

8 삼각기둥 전체의 부피는 ㉮＋㉯인데, ㉮＝3×㉯이므로

㉮＋㉯＝3×㉯＋㉯＝4×㉯＝$4×4×\frac{1}{2}×5＝40$,

㉯＝10cm³

입체도형 ㉯는 삼각형 ㄹㅁㅂ을 밑면으로 하고 변 ㅁㅅ을 높이로 하는 삼각뿔이다.

$4×4×\frac{1}{2}×(변\ ㅁㅅ)×\frac{1}{3}＝10$

$\frac{8}{3}×(변\ ㅁㅅ)＝10$

$(변\ ㅁㅅ)＝10×\frac{3}{8}＝\frac{15}{4}＝3\frac{3}{4}(cm)$

9 잘려진 삼각뿔은 밑면이 삼각형 ㄷㅈㄹ이고 높이가 변 ㄷㅈ인 삼각뿔이다. 삼각뿔 ㅈ－ㄷㅊㄹ의 부피는 처음

정육면체 부피의 $\frac{1}{18}$이므로

$6×6×6×\frac{1}{18}＝12(cm^3)$

그러므로 삼각뿔 ㅈ－ㄷㅊㄹ의 부피에서

$3×6×\frac{1}{2}×(변\ ㄷㅈ)×\frac{1}{3}＝12$

$3×(변\ ㄷㅈ)＝12$

$(변\ ㄷㅈ)＝4(cm)$

10

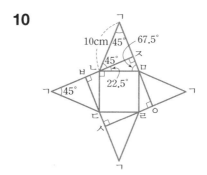

사각뿔의 전개도에서 밑면의 꼭짓점에서 각 옆면에 수선을 그으면 $67.5°＋90°＋22.5°＝180°$이므로 이웃하는 옆면의 등변과 일직선을 이룬다.

그러므로 사각뿔의 전개도는 정사각형 ㅂㅅㅇㅈ과 직각이등변삼각형인 삼각형 ㄱ₁ㄴㅈ과 넓이가 같은 4개의 삼각형으로 나누어진다.

삼각형 ㄱ₁ㄴㅈ, 삼각형 ㄱ₂ㄷㅂ, 삼각형 ㄱ₃ㄹㅅ, 삼각형 ㄱ₄ㅁㅇ은 모두 직각이등변삼각형이고 합동이므로

(선분 ㅂㅈ의 길이)

＝(선분 ㅂㄴ의 길이)＋(선분 ㄴㅈ의 길이)

＝(선분 ㅂㄴ의 길이)＋(선분 ㄱ₂ㅂ의 길이)

＝(선분 ㄱ₂ㄴ의 길이)＝10cm

그러므로 정사각형 ㅂㅅㅇㅈ의 넓이는

$10×10＝100(cm^2)$이다.

또한 삼각형 ㄱ₁ㄴㅈ의 넓이는 변 ㄱ₁ㄴ의 길이 10cm를 한 변으로 하는 정사각형 넓이의 $\frac{1}{4}$이고, 똑같은 크기의 삼각형 4개의 넓이를 구해야 하므로

겉넓이 중 정사각형 ㅂㅅㅇㅈ를 제외한 넓이는

$10×10×\frac{1}{4}×4＝100(cm^2)$이다.

따라서 사각뿔의 겉넓이는 $100＋100＝200(cm^2)$

사각 배열의 수열

22

유제

1 165　**2** ㉠=12, ㉡=13
3 23행 22열　**4** (우9, 상2)

특강탐구문제

1 5　**2** 871　**3** 336　**4** 182　**5** 389
6 위에서부터 13째 번 줄, 왼쪽에서부터 17째 번 줄
7 위에서부터 15째 번 줄, 왼쪽에서부터 8째 번 줄
8 (4, 15)　**9** 가로 25칸, 세로 25칸　**10** 395

유제풀이

1 주어진 수열에서 12째 번 줄 7째 번 수는 위로 11줄 올라가고 오른쪽으로 11칸 간 곳의 수, 즉 12−11=1째 번 줄 7+11=18째 번 수에서 11만큼 커진 수이다.
주어진 수열의 첫째 번 줄에 놓인 수들을 살펴보면
1, 2, 4, 7, 11, …
　1 2 3 4
즉, 차가 늘어나는 수열이므로 18째 번 수는

$$1+(1+2+3+4+\cdots+17)=1+\frac{17\times(17+1)}{2}$$
$$=154$$

따라서 12째 번 줄 7째 번 수는
154+11=165

2 먼저 8행 15열의 수를 찾는다.
1행 15열의 수는 15×15=225이고 8행 15열의 수는 여기서 7 뺀 수, 즉 225−7=218이다.
(8, 15)+(㉠, ㉡)=376
218+(㉠, ㉡)=376
(㉠, ㉡)=158
158에 가장 가까운 제곱수는 13×13=169이므로 158은 13열의 수이고, 169−158=11 작아졌으므로 12행의 수이다.
따라서 158은 12행 13열의 수이다.
158=(㉠, ㉡)=(12, 13)

참고*1 수열이 표와 같이 주어졌을 때 1행 n열의 수

는 n행 n열로 이루어진 표의 칸 수와 같으므로 $n\times n$가 된다.

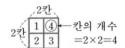
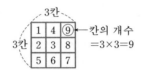
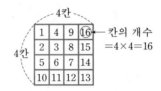

참고*2 만약 구하는 수에 가장 가까운 제곱수가 구하는 수보다 작은 경우에는 $n\times n+1$이 $(n+1)$째 번 행의 첫째 번 열의 수인 것을 이용하여 $n\times n+1$에서 적당히 더하여 열을 찾는다.
예를 들어 13×13=169인데 175의 위치를 찾아야 한다면, 14행 1열의 수가 170이고 175는 170보다 5 크므로 14행 6열이 된다.

3

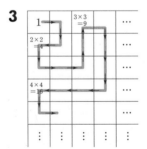

그림에서 알 수 있듯이 짝수의 제곱수는 1열의 짝수째 행에 나타나고, 홀수의 제곱수는 1행의 홀수째 열에 나타난다.
한편 500에 가장 가까운 제곱수는 22×22=484이고 22는 짝수이므로 484는 22째 번 행의 첫째 칸에 들어가는 수이다.
그러므로 가로 22칸, 세로 22칸을 만들어 1부터 484까지 쓰고, 한 행을 더 만들어 485부터 500까지 16개의 수를 적어 넣으면 된다.
따라서 행은 23행, 열은 22열까지 있으면 된다.

4

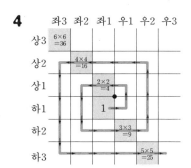

그림에서 알 수 있듯이 짝수의 제곱수는 (좌1, 상1)에서 시작하여 왼쪽으로 1칸, 위로 1칸씩 올라가며 연속하여 나타난다.

$4=$(좌1, 상1), $16=$(좌2, 상2), $36=$(좌3, 상3), $\cdots$

또 홀수의 제곱수는 (좌1, 하1)에서 시작하여 오른쪽으로 1칸, 아래로 1칸씩 내려가며 연속하여 나타난다.

$1=$(좌1, 하1), $3=$(우1, 하2), $5=$(우2, 하3), $\cdots$

한편 300에 가장 가까운 제곱수는 $17 \times 17 = 289$이다.

$17 = 2 \times 9 - 1$이므로 17은 9째 번 홀수이다.

그러므로 289는 (우8, 하9)이고 290은 (우9, 하9), (우9, 하1)은 $290 + 8 = 298$이다.

따라서 299는 (우9, 상1)이고, 300은 (우9, 상2)가 된다.

특강탐구문제풀이

1 표는 대각선 방향으로 같은 수들을 규칙적으로 적어 넣은 것이다.

이 중 3열을 관찰하면 $5 \to 4 \to 5 \to 6 \to 7 \to 6 \to 5 \to 4 \to 5 \to \cdots$와 같이 5, 4, 5, 6, 7, 6의 6개의 숫자가 규칙적으로 반복하여 나타난다.

13행에는 6개의 숫자가 2번 반복하여 $6 \times 2 = 12$행까지를 채우고 다시 5가 쓰인다.

따라서 13행 3열에 쓰인 숫자는 5이다.

2 첫째 번 줄의 오른쪽 끝 칸에는 규칙에 따라 마지막으로 숫자를 써 넣게 된다. 각 칸에 빠짐없이 1부터 차례로 수를 적어 넣고 칸의 개수는 $30 \times 30 = 900$(개)이므로 첫째 번 줄 오른쪽 끝 칸에 들어갈 수는 900이다. 이것은 ㉮로부터 29칸 올라간 곳에 쓰인 수이므로 ㉮는

$900 - 29 = 871$

참고 대각선에 놓은 수를 관찰해도 답을 구할 수 있다.

$1, \underset{2}{\,} 3, \underset{4}{\,} 7, \underset{6}{\,} 13, \cdots, ㉮$

차가 늘어나는 수열이므로 $㉮ = 1 + (\overbrace{2 + 4 + 6 + \cdots + 58}^{29개})$

이다. 짝수 29개의 합은 $29 \times 30 = 870$이므로

$㉮ = 1 + 870 = 871$

3 대각선에 놓인 수들은 $1, \underset{2}{\,} 3, \underset{4}{\,} 7, \underset{6}{\,} 13, \underset{8}{\,} 21, \cdots$로 차가 늘어나는 수열이다.

따라서 16행 16열의 수는

$1 + (\underset{15개}{\underbrace{2 + 4 + 6 + \cdots + 30}}) = 1 + 15 \times 16 = 241$

7행 16열의 수는 $16 - 7 = 9$, 즉 16행 16열에서 9행 줄었으므로 $241 - 9 = 232$이다.

또 11행 11열의 수는

$1 + (\underset{10개}{\underbrace{2 + 4 + 6 + \cdots + 20}}) = 1 + 10 \times 11 = 111$이다.

11행 4열의 수는 $11 - 4 = 7$, 즉 11행 11열에서 7열 줄었으므로 $111 - 7 = 104$이다. 따라서,

(7행 16열의 수) + (11행 4열의 수) $= 232 + 104 = 336$

참고 다음과 같이 생각해도 된다.

〈7행 16열의 수 구하기〉
   1행 15열의 수는 $15 \times 15 = 225$
   1행 16열의 수는 226
   7행 16열의 수는 $226 + 6 = 232$
〈11행 4열의 수 구하기〉
   10행 1열의 수는 $10 \times 10 = 100$
   11행 1열의 수는 101
   11행 4열의 수는 $101 + 3 = 104$

4 $(11, 6), (2, 9), (7, 8)$과 각각 같은 대각선에 있는 가장 위의 수를 찾아보자.

$(11 - 10, 6 + 10) \to (1, 16)$

$(2 - 1, 9 + 1) \to (1, 10)$

$(7 - 6, 8 + 6) \to (1, 14)$가 되어

각각 첫째 번 줄의 16째 번 수, 10째 번 수, 14째 번 수가 되며 이것은 모두 짝수째 번 수이다.

짝수째 번 수들의 규칙을 찾아보면 $2, \underset{5}{\,} 7, \underset{9}{\,} 16, \underset{13}{\,} 29, \cdots$이

되어 차가 늘어나는 수열임을 알 수 있다.

첫째 번 줄의 16째 번, 10째 번, 14째 번 수는 각각 짝수째 번 수들 중 8째 번, 5째 번, 7째 번 수이다.

- $(1, 16)=2+(\underbrace{5+9+\cdots+\square}_{7개})$, $\square=5+4\times6=29$

  그러므로 $(1, 16)=2+\dfrac{(5+29)\times7}{2}=121$

- $(1, 10)=2+(5+9+13+17)=2+\dfrac{(5+17)\times4}{2}=46$

- $(1, 14)=2+(\underbrace{5+9+\cdots+\square}_{6개})$, $\square=5+4\times5=25$

  그러므로 $(1, 14)=2+\dfrac{(5+25)\times6}{2}=92$

한편 짝수째 번 대각선의 수들은 아래로 내려가면서 1씩 커진다.

따라서 $(11, 6)=(1, 16)+10=121+10=131$

$(2, 9)=(1, 10)+1=46+1=47$

$(7, 8)=(1, 14)+6=92+6=98$

그러므로 구하는 값은

$(11, 6)-(2, 9)+(7, 8)=131-47+98=182$

5 16행과 5열의 교차점의 수는 $(16+4, 5-4)=(20, 1)$ 즉 20행 1열의 수로부터 찾을 수 있다.

1열의 수를 관찰하면 $1, 3, 7, 13, 21, 31, \cdots$이 되어 차가 늘어나는 수열임을 알 수 있다.

20행과 1열의 교차점의 수는

$1+(\underbrace{2+4+6+8+\cdots+38}_{19개})=1+19\times20=381$

16행과 5열의 교차점의 수는 381로부터 4째 번의 홀수이므로 $381+4\times2=389$

6 268에 가장 가까운 제곱수는 $16\times16=256$이다.

위에서부터 첫째 번 줄에 있는 제곱수를 관찰해 보자.

$2\times2=4 \rightarrow 3$째 번

$4\times4=16 \rightarrow 5$째 번

$6\times6=36 \rightarrow 7$째 번

$\vdots$

$16\times16=256 \rightarrow 17$째 번

그러므로 256은 위에서부터 첫째 번, 왼쪽에서부터 17째 번 수이다.

또, 왼쪽에서 홀수째 번 줄의 수들은 아래로 내려가면서 1씩 커진다. $268-256=12$이므로 268은 위에서부터 13

째 번 줄, 왼쪽에서부터 17째 번 줄에 있는 수이다.

7 0부터 시작하여 연속되는 짝수를, 대각선으로 올라가며 적은 것이다.

왼쪽에서부터 첫째 번 줄의 수는 $0, 2, 6, 12, 20, \cdots$으로 차가 늘어나는 수열이 되어, 왼쪽에서부터 첫째 번 줄의 각 수는 $0+(2+4+6+\cdots)$으로 구할 수 있다. 2부터 연속되는 짝수의 합이므로 $21\times22=462$,

즉 462가 위에서부터 22째 번 줄의 수임을 알 수 있다.

$476-462=14$, 그런데 나열되는 각 수는 2씩 늘어나는 수이므로 $14\div2=7$

따라서 476은 위에서부터 $22-7=15$(째 번), 왼쪽에서부터 $1+7=8$(째 번)에 있는 수이다.

8 주어진 표에서 짝수의 제곱수는 아래에서부터 1째 번 줄의 왼쪽에서부터 짝수째 번 칸에 나타나고, 홀수의 제곱수는 왼쪽에서부터 1째 번 줄의 아래에서부터 홀수째 번 칸에 나타난다.

240에 가장 가까운 제곱수는 $15\times15=225$이다.

15는 홀수이므로 225는 왼쪽에서부터 1째 번 줄의 아래에서부터 15째 번 칸에 나타난다. 226은 왼쪽에서부터 1째 번 줄의 아래에서부터 16째 번 칸에 나타나고

$240-226=14$이므로 240은 왼쪽에서부터 15째 번, 아래에서부터 16째 번 수이다.

한편 361은 19×19이므로 주어진 표는 가로, 세로 각각 19 칸씩이다.

아래에서부터 16째 번 수는 위에서부터 4째 번 수이므로 240은 $(4, 15)$로 나타낼 수 있다.

9 주어진 표는 3부터 615까지의 수를 빠짐없이 규칙적으로 채워나간 것이다. 그러므로 1부터 613까지의 수를 채워나가는데 필요한 칸 수를 알아보면 된다. 주어진 표를 각 수에서 2를 뺀 수로 바꾸면 다음과 같다.

1	2	5	10	17	⋯
4	3	6	11	18	⋯
9	8	7	12	19	⋯
16	15	14	13	20	⋯
25	24	23	22	21	⋯
⋮	⋮	⋮	⋮	⋮	

613보다 큰 제곱수 중 가장 작은 수는 25×25＝625이다.
613은 625보다 625－613＝12가 작으므로 맨 아래 가로
줄의 25칸 중 일부를 사용해야 한다.

따라서 가로 25칸, 세로 25칸인 표를 그리면 된다.

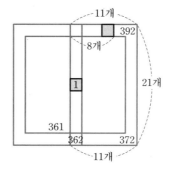

위와 같이 생각하면 오른쪽으로 7째 번 위쪽으로 10째
번 수는 392＋3＝395임을 알 수 있다.

10 1부터 위쪽으로 10째 번에 있는 수는 11째 번 사각
형의 안쪽에 있는 수이다.

관찰에 의하면 다음 표와 같음을 알 수 있다.

	한 변에 놓인 수의 개수	가장 큰 수	1로부터 위쪽으로
첫째 번 사각형	1	$1 \times 1 = 1$	
둘째 번 사각형	3	$3 \times 3 = 9$	첫째 번
셋째 번 사각형	5	$5 \times 5 = 25$	둘째 번
넷째 번 사각형	7	$7 \times 7 = 49$	셋째 번
⋮	⋮	⋮	⋮
열째 번 사각형	$10 \times 2 - 1 = 19$	$19 \times 19 = 361$	9째 번
11째 번 사각형	$11 \times 2 - 1 = 21$	$21 \times 21 = 441$	10째 번

이익 계산

유제

1 25% **2** A 은행, 600원 **3** 2할
4 A:1560원, B:1000원

특강탐구문제

1 5할 **2** 485만 원 **3** 을, 97140원 **4** 27개
5 224개 **6** 9할 **7** A:800원, B:1200원
8 50개 **9** 48360원 **10** 280개

유제풀이

1 (지불한 가격)=(한 권의 가격)×(공책의 수)
0.8만큼의 공책을 x만큼의 가격으로 샀을 때, 전체 가격
은 처음의 기준량인 1이 되어야 하므로
$0.8 \times x = 1$, $x = 1.25$이다.
따라서 정가는 25% 인상되었다.

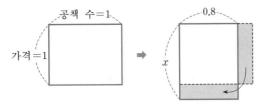

2 A 은행에 10만 원을 2년 6개월간 예금하였을 때의
이자가 $116000 - 100000 = 16000$(원)이므로, 1년간 예
금하였을 때의 이자는
$16000 \div 2.5 = 16000 \times \dfrac{2}{5} = 6400$(원)
따라서 이율은 $\dfrac{6400}{100000} = 0.064$,
A 은행의 연이율은 6.4%이다.
두 은행에 120만 원을 1년 3개월간 예금한 후의 원리합
계를 각각 구해 보자.
A 은행 : $1200000 \times \left(1 + 0.064 \times 1\dfrac{3}{12}\right)$
$\qquad = 1200000 \times \left(1 + 0.064 \times \dfrac{5}{4}\right)$
$\qquad = 1200000 \times 1.08$
$\qquad = 1296000$(원)
B 은행 : $1200000 \times \left(1 + 0.06 \times \dfrac{6}{12} + 0.066 \times \dfrac{9}{12}\right)$
$\qquad = 1200000 \times (1 + 0.03 + 0.0495)$
$\qquad = 1200000 \times 1.0795$

$\qquad = 1295400$(원)
따라서 A 은행에 예금하는 것이
$1296000 - 1295400 = 600$(원) 더 이익이다.

3 할인하여 팔 때의 이익을 원가의 x라 놓고 이익률을
계산하면
$0.4 \times \dfrac{4}{7} + x \times \dfrac{3}{7} = 0.4 \times 1 \times 0.7$
$\dfrac{4}{10} \times \dfrac{4}{7} + x \times \dfrac{3}{7} = \dfrac{4}{10} \times 1 \times \dfrac{7}{10}$
$\dfrac{8}{35} + x \times \dfrac{3}{7} = \dfrac{7}{25}$
$x \times \dfrac{3}{7} = \dfrac{7}{25} - \dfrac{8}{35} = \dfrac{49-40}{175} = \dfrac{9}{175}$
$x = \dfrac{9}{175} \times \dfrac{7}{3} = \dfrac{3}{25} = 0.12$
즉, 원가를 1이라 하면 정가는 1.4, 할인가는 1.12이므로
$\dfrac{1.12}{1.4} = \dfrac{112}{140} = \dfrac{4}{5} = 0.8$
따라서 $1 - 0.8 = 0.2$이므로 정가에서 2할을 할인하여 판
것이다.

4 A의 정가가 B의 정가의 1.5배이므로 B의 정가를 x
라 하면 A의 정가는 $x \times 1.5$이다.
따라서, A의 할인가는 $x \times 1.5 \times 0.9 = x \times 1.35$,
B의 할인가는 $x \times 0.85$이고,
A의 원가는 $x \times 1.5 \div 1.25 = x \times 1.2$, B의 원가는
$x \div 1.3 = x \times \dfrac{10}{13}$이 된다.
주어진 조건에 맞게 판매 금액을 구해 보면
$(x \times 1.5 \times 30) + (x \times 40) + (x \times 1.35 \times 10)$
$+ (x \times 0.85 \times 10) = 139100$
$(45 \times x) + (40 \times x) + (13.5 \times x) + (8.5 \times x)$
$= 139100$
$107 \times x = 139100$
$x = 1300$(원)
따라서 A의 원가는 $1300 \times 1.2 = 1560$(원),
B의 원가는 $1300 \times \dfrac{10}{13} = 1000$(원)

특강탐구문제풀이

1 원가를 1이라 하고, 이익을 x라고 하면
정가는 $1 + x$, 할인가는 $0.7 \times (1 + x)$이다.

(이익금)=(할인가)-(원가)이므로

$1 \times 0.05 = 0.7 \times (1+x) - 1$

$1.05 = 0.7 \times (1+x)$

$1 + x = \dfrac{1.05}{0.7}$

$1 + x = \dfrac{105}{70} = 1.5$

$x = 1.5 - 1 = 0.5$

따라서 원가의 5할의 이익을 붙여 정가를 정해야 한다.

2 A 은행은 이자의 지급을 반드시 1년 단위로만 한다. 즉, 2년 6개월간 예금하였을 때 2년치의 이자는 받을 수 있지만, 나머지 6개월간의 예금 기간에 대해서는 1년이 되지 않았으므로 이자를 받지 못한다. 그러므로 2년 6개월간 예금해 두었을 때 A 은행에서 받을 수 있는 이자는 $6.24 \times 2 = 12.48(\%)$이다.

B 은행은 예금한 기간에 따라 이자를 지급하므로 B은행에서 받을 수 있는 이자는 $6 \times 2\dfrac{6}{12} = 15(\%)$이다.

1000만 원을 모두 B 은행에 예금해 두었다고 가정하면, (우기기) 받을 수 있는 이자는

$10000000 \times 0.15 = 1500000(원)$이고, 실제 받은 이자와의 차이는

$1500000 - 1377780 = 122220(원)$

그런데 A 은행에 2년 6개월간 만 원을 예금해 두었을 때 생기는 이자는 $10000 \times 0.1248 = 1248(원)$,

B 은행에 2년 6개월간 만 원을 예금해 두었을 때 생기는 이자는

$10000 \times 0.15 = 1500(원)$

이므로 1000만 원 중에서 1만 원씩 A 은행으로 바꿀 때마다 $1500 - 1248 = 252(원)$이 줄어들고, 이 차이가 모여서 122220원이 된다.

따라서 A 은행에 예금한 돈은

$122220 \div 252 = 485만 (원)$

3 갑과 을의 5년 후의 원리합계를 구해 보면
- 갑의 경우

  $5000000 \times (1 + 0.057 \times 2) = 5570000(원)$

  $5570000 \times (1 + 0.066 \times 3) = 6672860(원)$
- 을의 경우

$5000000 \times (1 + 0.0708 \times 5) = 6770000(원)$

따라서 을의 이익이 $6770000 - 6672860 = 97140(원)$ 더 많다.

4 가격을 300원 올렸을 때 팔린 개수가 1할이 줄었으므로 1개를 $(1200 + 300) \times (1 - 0.1) = 1500 \times 0.9 = 1350$ (원)에 팔게 된 셈이다.

$1350 - 1200 = 150(원)$의 차이가 모여 늘어난 금액 4500원이 되었으므로

어제는 $4500 \div 150 = 30(개)$를 판 것이 된다.

따라서 오늘 판 물건의 개수는

$30 \times 0.9 = 27(개)$

5 원가를 1이라 하면

정가는 $1 + 0.25 = 1.25$,

할인가는 $1.25 \times (1 - 0.1) = 1.125$이고,

정가의 이익율은 0.25, 할인가의 이익율은 0.125이다.

400개의 물건을 모두 처음 정가로 팔았다고 가정하면

(순이익)$= 0.25 \times 400 = 100$

할인하여 팔아서 순이익의 28%가 줄었으므로

$100 \times 0.28 = 28$만큼 순이익이 줄었다.

즉, $0.25 - 0.125 = 0.125$가 모여서 28을 이루므로

$28 \div 0.125 = 224(개)$를 할인하여 판 것이다.

6 원가를 1이라 하면 정가는 $1 + 0.2 = 1.2$이다.

할인가를 x라고 하면,

(판매 금액)$= 1.2 \times \dfrac{3}{4} + x \times \dfrac{1}{4} = (1 + 0.17)$

$0.9 + x \times \dfrac{1}{4} = 1.17$

$x \times \dfrac{1}{4} = 0.27$

$x = 1.08$

따라서 할인가는 1.08이고,

$\dfrac{1.08}{1.2} = \dfrac{108}{120} = \dfrac{9}{10}$

할인가는 정가의 9할이다.

다른 풀이

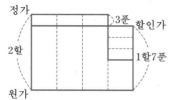

원가에 2할의 이익을 붙였더니 $\frac{3}{4}$이 팔렸고, $\frac{1}{4}$은 낮은 이익을 얻었으므로 위의 그림과 같이 나타내 보자.

전체적으로 이익이 1할 7푼이므로 $\frac{1}{4}$은 원가의

1할 7푼 $-$ 3푼 $\times$ 3 $=$ 8푼

의 이익으로 팔았음을 알 수 있다.

따라서 원가를 1이라 하면 정가는 1.2, 할인가는 1.08이다.

$$\frac{1.08}{1.2}=\frac{108}{120}=\frac{9}{10}$$

이므로 할인가는 정가의 9할이다.

7 오전의 경우에서 B 상품을 300원 깎아 주지 않았으면

$1.3 \times$ (A의 가격) $+$ (B의 가격) $=$ 2240(원)

오후의 경우에서 A 상품을 300원 깎아 주지 않았으면

(A의 가격) $+$ $1.3 \times$ (B의 가격) $=$ 2360(원)

첫째 번의 식에 1.3배를 하여 B의 가격 쪽을 같게 해 주면,

$1.69 \times$ (A의 가격) $+$ $1.3 \times$ (B의 가격) $=$ 2912(원)

　　　(A의 가격) $+$ $1.3 \times$ (B의 가격) $=$ 2360(원)

두 식을 빼면 $0.69 \times$ (A의 가격) $=$ 552(원)

(A의 가격) $=$ $552 \div 0.69$ $=$ 800(원)

(B의 가격) $=$ $2240 - (800 \times 1.3)$ $=$ 1200(원)

8 원가를 1이라고 하면, 정가는 $1+0.5=1.5$

정가의 2할 할인된 가격은 $1.5 \times (1-0.2)=1.2$

정가의 6할 할인된 가격은 $1.5 \times (1-0.6)=0.6$

전체 이익이 원가의 30%이므로 판 금액은

$1.3 \times 600=780$이다.

정가로 절반을 팔았으므로

정가로 판 금액은 $1.5 \times 300=450$

따라서 $780-450=330$만큼은 할인된 가격으로 판 금액이다.

나머지 300개를 모두 2할 할인된 가격으로 팔았다고 가정하면(우기기)

$300 \times 1.5 \times (1-0.2)=360$이고, 실제 값과의 차이가

$360-330=30$이다.

2할 할인된 상품 1개를 6할 할인된 상품으로 바꾸면

$1.5 \times (1-0.2) - 1.5 \times (1-0.6)=0.6$만큼 이익이 줄어들기 때문에 6할 할인하여 판 상품은 $30 \div 0.6=50$(개)이다.

9 A는 정가의 $1-0.22=0.78$에 샀고,

B는 정가의 $1-0.1=0.9$에 샀다.

합계로는 정가의 $1-0.175=0.825$에 산 것이므로 두 상품의 정가의 합계는 $81840 \div 0.825=99200$(원)이다.

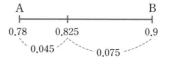

$0.825-0.78=0.045$, $0.9-0.825=0.075$이므로

$0.045 : 0.075 = 45 : 75 = 3 : 5$

즉, (A의 정가) : (B의 정가) $= 5 : 3$이므로

(A의 정가) $= 99200 \times \frac{5}{8} = 62000$(원)

(B의 정가) $= 99200 \times \frac{3}{8} = 37200$(원)

따라서 상품 A는 정가 62000원을 2할 2푼 할인하여

$62000 \times 0.78 = 48360$(원)에 산 것이다.

10 문제의 뜻에 맞게 그림으로 나타내 보자.

정가를 1이라 하면 일요일에 판 가격은 0.7이다.

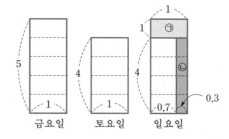

금요일과 일요일의 총 판매 금액이 같으므로 넓이도 같아야 한다.

색칠한 부분 ㉠+㉡의 넓이가 $0.7 \times 220 = 154$가 되어야 하는데 ㉠부분은 $1 \times 1 = 1$, ㉡부분은 $0.3 \times 4 = 1.2$에 해당하므로

㉠ $= 154 \times \frac{1}{(1+1.2)} = 154 \times \frac{1}{2.2} = 70$

판매한 물건의 개수는 1이 70개인 셈이다.

따라서 토요일에는 $70 \times 4 = 280$(개)를 팔았다.

다른 풀이 정가를 1이라고 하고 금요일에 판 개수를

$(5 \times x)$개, 토요일에 판 개수를 $(4 \times x)$개라고 하자.

일요일은 $1-0.3=0.7$의 가격으로 토요일에 판 $(4 \times x)$개보다 220개를 더 팔았고 그 판매 금액은 금요일과 같은 $(5 \times x) \times 1 = 5 \times x$이다.

따라서 $(4 \times x) \times 0.7 + 220 \times 0.7 = 5 \times x$

$2.8 \times x + 154 = 5 \times x$

$2.2 \times x = 154$

$x = 70$(개)

따라서 토요일에 판 물건의 개수는

$4 \times 70 = 280$(개)

참고* 그림을 자세히 살펴보면 다음과 같다.

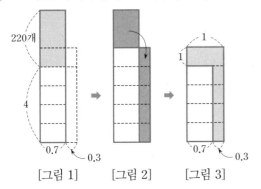

[그림 1]에서 색칠한 부분의 넓이는 $0.7 \times 220 = 154$이고, [그림 3]에서 색칠한 부분의 넓이는 $1 \times 1 + 0.3 \times 4 = 2.2$이다.

이 두 부분의 넓이는 같은 양을 나타내므로 2.2는 154에 해당한다.

따라서 1만큼은 $154 \div 2.2 = 70$에 해당하므로 토요일에 판매한 개수인 4에 해당하는 수를 찾으면

$70 \times 4 = 280$(개)

바퀴 문제

24

유제

1 1000번 **2** ㉯ : 28바퀴, ㉰ : 12바퀴

3 20회전 **4** Ⓐ의 눈금 : 5, Ⓒ의 눈금 : 2

특강탐구문제

1 4 : 10 : 15 : 8 **2** 32개 **3** $\frac{3}{20}$회전, 300m

4 7바퀴 **5** 140번

6 5 : 3 : 4, (ⓛ×ⓔ) : (㉠×ⓔ) : (㉠×ⓛ)

7 반시계 방향, 15회전 **8** ㉤의 톱니 수 : 24개, ㉇의 회

전 수 : 3회전 **9** $\frac{2}{7}$ **10** $45\frac{1}{2}$cm

유제풀이

1 톱니 수의 비가 40 : 16＝5 : 2이므로 회전 수의 비는 2 : 5이다. 즉, 뒷바퀴가 5번 회전하려면 페달은 2번 회전해야 한다. 한편 바퀴의 반지름이 40cm이므로 바퀴의 둘레는 (40×2×3.14)cm이다. 이 바퀴로 6.28km＝(6.28×1000×100)cm를 갔으므로 바퀴는

$$\frac{6.28 \times 1000 \times 100}{40 \times 2 \times 3.14} = 2500(바퀴) 회전했다.$$

따라서 6.28km를 갔을 때 페달은

2500÷5×2＝1000(번) 회전했다.

2 먼저 ㉮, ㉯ 두 바퀴를 보면 반지름의 비가 4 : 3이므로 회전 수의 비는 3 : 4이다.

따라서 ㉯ 바퀴의 회전 수는 21÷3×4＝28(바퀴)이다.

또 ㉯, ㉰ 두 바퀴를 보면 반지름의 비가 3 : 7이므로 회전 수의 비는 7 : 3이다.

따라서 ㉰ 바퀴의 회전 수는 28÷7×3＝12(바퀴)이다.

3 맞물려 도는 두 톱니바퀴 A, B의 반지름이 각각 $a$cm, $b$cm라면 두 바퀴의 반지름의 비는 $a : b$이고, 회전 수의 비는 $b : a$가 된다. 즉 A가 b바퀴 돌 때 B는 a바퀴 돈다. 따라서 A의 반지름 a와 회전 수 b의 곱이 $a×b$가 되고, B의 반지름 b와 회전 수 a의 곱도 $a×b$가 되어 두 바퀴 각각의 반지름과 회전 수를 곱한 값은 항상 서로 같다.

문제에서 (㉮의 반지름)×(㉮의 회전 수)

＝(㉯의 반지름)×(㉯의 회전 수)

＝(㉰의 반지름)×(㉰의 회전 수)

＝(㉱의 반지름)×(㉱의 회전 수)

＝(㉲의 반지름)×(㉲의 회전 수)가 되어

㉮ 바퀴가 24회전하면 10×24＝12×(㉲의 회전 수)가 되어 ㉲ 바퀴는 20회전 한다.

4 눈금의 간격이 모두 같으므로 눈금 하나의 길이를 1이라고 하면 Ⓐ 원판의 둘레는 8, Ⓑ 원판의 둘레는 5, Ⓒ 원판의 둘레는 7이 된다.

둘레와 회전 수의 곱은 모두 같으므로

(Ⓐ의 회전 수)×8＝20×5, (Ⓐ의 회전 수)＝$12\frac{1}{2}$(바퀴)

Ⓐ 원판은 12바퀴 돌아서 '1'이 처음의 위치에 온 후 다시 $\frac{1}{2}$바퀴, 즉 8눈금×$\frac{1}{2}$＝4눈금만큼 더 가므로 Ⓑ에 맞닿은 눈금은 '5'가 된다.

(Ⓒ의 회전 수)×7＝20×5, (Ⓒ의 회전 수)＝$14\frac{2}{7}$(바퀴)

Ⓒ 원판은 14바퀴 돌아서 '4'가 처음의 위치에 온 후 다시 $\frac{2}{7}$바퀴, 즉 7눈금×$\frac{2}{7}$＝2눈금만큼 더 가므로 Ⓑ에 맞닿은 눈금은 '2'가 된다.

특강탐구문제풀이

1 톱니바퀴 각각의 톱니 수와 회전 수의 곱은 모두 같다. 회전 수의 비를 가장 간단한 자연수의 연비로 나타내면

㉮ : ㉯ : ㉰ : ㉱＝15 : 6 : 4 : 7.5＝30 : 12 : 8 : 15

따라서 톱니 수의 비는 $\frac{1}{30} : \frac{1}{12} : \frac{1}{8} : \frac{1}{15}$

비의 각 항에 120을 곱하면 4 : 10 : 15 : 8이다.

2 ㉮가 16번 회전 할 때 ㉯는 38번 회전 하므로 ㉮와 ㉯의 톱니 수의 비는 38 : 16＝19 : 8이다. ㉮와 ㉯의 톱니 수의 합은 54이므로

(㉯의 톱니 수)＝54×$\frac{8}{(19+8)}$＝16(개)

한편 ㉯가 38번 회전 할 때 ㉰는 19번 회전하므로 ㉯와 ㉰의 톱니 수의 비는 19 : 38＝1 : 2이다. ㉯의 톱니 수는 16개이므로 (㉰의 톱니 수)＝16×2＝32(개)이다.

3 ㉮와 ㉯의 큰 바퀴의 회전 수의 비는 10 : 6＝5 : 3이므로 ㉮가 1회전 하면 ㉯는 1÷5×3＝$\frac{3}{5}$(회전)한다.

또 ㉯의 작은 바퀴와 ㉰의 회전 수의 비는 4 : 1이므로 ㉯

가 $\frac{3}{5}$회전 하면 ㉰는 $\frac{3}{5} \times \frac{1}{4} = \frac{3}{20}$(회전)한다.

한편 ㉮의 반지름은 ㉰의 반지름의 $6 \div 4 = \frac{3}{2}$(배)이고,

㉮와 ㉰의 회전 수의 비가 $1 : \frac{3}{20} = 20 : 3$이므로 ㉰가

1회전 할 때 ㉮는 $\frac{20}{3}$회전 한다.

즉 ㉰의 둘레를 1이라고 하면 ㉰가 1회전 할 때 ㉮는

$\frac{20}{3}$회전 하므로 ㉰의 둘레의 $\frac{3}{2} \times \frac{20}{3} = 10$(배)만큼 돈다.

따라서 ㉰에 감긴 벨트가 30m 이동한다면 ㉮에 감긴 벨트는 $30 \times 10 = 300$(m) 이동한다.

4 두 톱니바퀴의 톱니 수의 비는 지름의 비와 같은 $72 : 63 = 8 : 7$이므로 회전 수의 비는 7 : 8이다.

처음 상태와 같게 되려면 큰 톱니바퀴가 7의 배수 바퀴만큼, 작은 톱니바퀴가 8의 배수 바퀴 돌아 원위치로 되었을 때이다. 따라서 큰 톱니바퀴가 최소 7바퀴 돌아야 한다.

참고* 직선을 그은 상태에서 좌우 구분이 되지 않을 때는 $\frac{1}{2}$바퀴 돌았을 경우도 생각해야 하지만, 이 문제의 경우에는 좌우가 구분되어 1바퀴씩 돈 경우만 생각하면 된다.

5 앞바퀴는 100m를 가는 데 32번 회전하므로 350m를 가려면 $32 \div 100 \times 350 = 112$(번) 회전해야 한다. 한편 앞바퀴와 뒷바퀴의 회전 수의 비는 4 : 5이므로 앞바퀴가 112번 회전할 때 뒷바퀴는 $112 \div 4 \times 5 = 140$(번) 회전한다.

6 톱니 수의 비는 12 : 20 : 15이므로 회전 수의 비는

$\frac{1}{12} : \frac{1}{20} : \frac{1}{15}$이다. 12, 20, 15의 최소공배수 60을 각

항에 곱하면, $\frac{1}{12} : \frac{1}{20} : \frac{1}{15} = 5 : 3 : 4$가 된다.

또 톱니 수의 비가 ㉠ : ㉡ : ㉢이면 일정한 시간 동안의

회전 수의 비는 $\frac{1}{㉠} : \frac{1}{㉡} : \frac{1}{㉢}$이 된다.

각 항에 ㉠×㉡×㉢를 곱하면 회전 속도의 비는

$(㉡ \times ㉢) : (㉠ \times ㉢) : (㉠ \times ㉡)$

7 맞물려 돌아가는 톱니바퀴는 서로 반대 방향으로 회전한다.

따라서 ㉮(시계 방향) → ㉯(반시계 방향) → ㉰(시계 방향) → ㉱(반시계 방향)이 된다.

한편, ㉮는 톱니가 9개이고 40회전하므로

(톱니 수)×(회전 수)=360이고, ㉱는 톱니가 24개이므

로 $360 \div 24 = 15$(회전)한다.

8 ㉠과 ㉣은 ㉢을 사이에 두고 맞물려 돌아가는 톱니바퀴이므로 각각의 톱니 수와 회전 수 곱은 같다.

㉠의 톱니 수는 15개, ㉣의 톱니 수는 12개이므로 회전 수

의 비는 $㉠ : ㉣ = \frac{1}{15} : \frac{1}{12} = 4 : 5$이다.

㉠과 ㉡은 붙어 있고 ㉣과 ㉤도 붙어 있으므로 ㉡과 ㉤의

회전 수의 비도 4 : 5이다.

㉡과 ㉤은 ㉥을 사이에 두고 맞물려 돌아가는 톱니바퀴이므로 각각의 톱니 수와 회전 수의 곱은 같다.

따라서 $30 \times 4 = (㉤$의 톱니 수$) \times 5$

$(㉤$의 톱니 수$) = 30 \times 4 \div 5 = 24$(개)

한편 ㉠과 ㉣의 회전 수의 비가 4 : 5이고 ㉠과 ㉤의 회전

수의 비도 4 : 5가 되어 ㉠이 1회전할 때 ㉤은 $\frac{5}{4}$회전한다.

㉤과 ㉦ 각각의 톱니 수와 회전 수의 곱은 같으므로

$\frac{5}{4} \times 24 = 10 \times (㉦$의 회전 수$)$

$(㉦$의 회전 수$) = \frac{5}{4} \times 24 \div 10 = 3$(회전)

9 기어의 톱니 수는 매번 15개씩 줄어들므로 5단 기어의 톱니 수는 $84 - 15 \times 4 = 24$(개)이다. 1단 기어로 갈 때나 5단 기어로 갈 때나 420m를 가려면 뒷바퀴의 회전 수는 마찬가지이다. 1단 기어에서는 84개의 톱니가 지나가면 뒷바퀴가 1회전 하고 5단 기어에서는 24개의 톱니가 지나가면 뒷바퀴가 1회전 한다. 따라서 1단 기어에서 페달을 1번 돌려 뒷바퀴가 1회전했다면, 5단 기어에서는

페달을 $\frac{24}{84} = \frac{2}{7}$(번)만 돌리면 된다.

10 바퀴의 지름이 커지면 같은 수만큼 회전해도 더 멀리 갈 수 있다.

주행 거리를 나타내는 계기판이 96km만 간 것으로 안 것은, 갈아 끼운 바퀴의 지름을 알지 못한 상태에서 작은 바퀴로 96km 간 만큼 회전한 것으로 안 것이다.

따라서 큰 바퀴로 갈아 끼우고서 회전한 수는 작은 바퀴로 96km 갔을 때의 회전 수와 같다.

똑같이 112km를 가는 동안 큰 바퀴와 작은 바퀴의 회전 수의 비는 (큰 바퀴) : (작은 바퀴)=96 : 112=6 : 7

따라서 지름의 비는 (큰 바퀴) : (작은 바퀴)=7 : 6

작은 바퀴의 지름이 39cm이므로 큰 바퀴의 지름은

$39 \div 6 \times 7 = 45\frac{1}{2}$(cm)

쌓기나무 ②

25

유제

1 256cm²   **2** 116개   **3** 44개, 12개

4 32cm³

특강탐구문제

1 62cm²   **2** 38개   **3** 396개   **4** 504cm²

5 48cm²   **6** 30개   **7** 부피 : 7560cm³, 겉넓이

: 3096cm²   **8** $154\frac{4}{7}$cm³   **9** 6개, 2개

10 45개

유제풀이

1

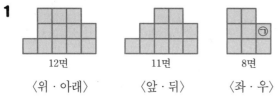

12면   11면   8면

〈위·아래〉 〈앞·뒤〉 〈좌·우〉

$(12 \times 2) + (11 \times 2) + (8 \times 2) = 24 + 22 + 16 = 62$(개)
의 면과 좌·우에서 봤을 때의 그림의 ㉠ 위치에 2개의
겉면이 더 존재하므로 총 64개의 면이 있다.

따라서 겉넓이는

$(2 \times 2) \times 64 = 256$(cm²)

2

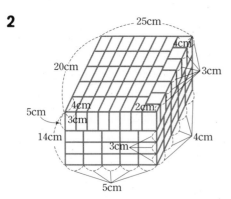

가로, 세로, 높이가 각각 5cm, 4cm, 3cm가 되도록 세
층을 넣으면 $5 \times 5 \times 3 = 75$(개)가 들어간다.

다시 가로, 세로, 높이가 각각 3cm, 4cm, 5cm가 되도
록 7줄, 5줄로 한 층을 넣으면 $7 \times 5 = 35$(개)가 들어간다.

그리고 빈 공간에 가로, 세로, 높이가 각각 4cm, 3cm,

5cm가 되도록 넣으면 6개가 들어간다.

따라서, 쌓기나무를 최대 $75 + 35 + 16 = 116$(개)까지 넣
을 수 있다.

3

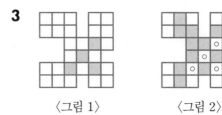

〈그림 1〉   〈그림 2〉

쌓기나무로 이루어진 입체도형을 아래부터 차례로 1층,
2층, …이라 하자.

1층과 5층엔 〈그림 1〉과 같이 한 면도 페인트가 칠해지지
않는 쌓기나무는 없고 어두운 부분은 페인트가 한 면만
칠해진 쌓기나무이다.

또한 2, 3, 4층엔 〈그림 2〉와 같이 어두운 부분은 페인트
가 한 면만 칠해진 쌓기나무이고, '○' 표시가 있는 부분
은 한 면도 페인트가 칠해지지 않은 부분이다.

따라서 한 면만 페인트가 칠해진 쌓기나무의 개수는

$(4 \times 2) + (12 \times 3) = 8 + 36 = 44$(개)

한 면도 페인트가 칠해지지 않은 쌓기나무의 개수는

$4 \times 3 = 12$(개)

4 앞에서부터 차례로 1번, 2번, 3번, 4번 줄이라고 생각
해 보자.

1번 줄에는 쌓기나무가 2도막이 있으므로 부피는

$(1 \times 1 \times 2) \times 2 = 4$(cm³)

2번 줄에는 쌓기나무가 3도막 반이 있으므로 부피는

$(1 \times 1 \times 2) \times 3\frac{1}{2} = 2 \times \frac{7}{2} = 7$(cm³)

3번 줄에는 쌓기나무가 6도막 반이 있으므로 부피는

$(1 \times 1 \times 2) \times 6\frac{1}{2} = 2 \times \frac{13}{2} = 13$(cm³)

4번 줄에는 쌓기나무가 4도막이 있으므로 부피는

$(1 \times 1 \times 2) \times 4 = 8$(cm³)

따라서 입체의 부피는

$4 + 7 + 13 + 8 = 32$(cm³)

특강탐구문제풀이

1

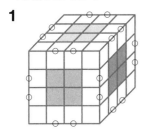

1면만 겉으로 보이는 작은 정육면체는 각 면에 4개씩
$4 \times 6 = 24$(개)

2면만 겉으로 보이는 작은 정육면체는 각 모서리에 2개
씩 $2 \times 12 = 24$(개)

3면만 겉으로 보이는 작은 정육면체는 각 꼭짓점에 1개
씩 $1 \times 8 = 8$(개)이다.

겉면에 검은색이 최대로 들어나게 하기 위해서는 모든
면이 칠해진 작은 정육면체를 3면이 보이는 곳에 8개, 2
면이 보이는 곳에 4개를 놓고, 한 면이 칠해진 작은 정육
면체 30개를 나머지 한 면이라도 보이는 곳에 놓으면 된다.

작은 정육면체의 한 면의 넓이가 $1 \times 1 = 1(\text{cm}^2)$이므로
겉면에 나타난 검은색 면의 최대 넓이는

$$(3 \times 8) + (2 \times 4) + 30 = 24 + 8 + 30$$
$$= 62(\text{cm}^2)$$

2 큰 정육면체를 아래 쪽부터 1, 2, 3, 4층이라고 하면
각 층마다 구멍이 뚫리는 부분은 다음 그림의 어두운 부
분이다.

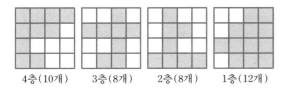

따라서 구멍이 뚫리는 작은 정육면체의 수는
$10 + 8 + 8 + 12 = 38$(개)

3 직육면체의 겉면에 모두 색을 칠했을 때 색이 칠해지
지 않은 부분은 겉으로 들어난 부분을 제외, 안쪽에 있
는 정육면체이다.

$42 = 2 \times 3 \times 7$이므로 42개의 쌓기나무로 이러한 안쪽에
있는 직육면체를 만들 수 있는 방법은 가로, 세로, 높이
로 놓일 수 있는 쌓기나무의 개수가

$(1, 1, 42)$, $(1, 2, 21)$, $(2, 3, 7)$, $(1, 3, 14)$, $(1, 6, 7)$
일 때의 5가지 방법이 있다.

이러한 직육면체를 색이 칠해지는 쌓기나무로 둘러싸려
면 앞·뒤, 좌·우, 위·아래에 각각 1개씩의 쌓기나무가
더 들어가게 되므로 5가지 경우에 대해 총 사용되는 쌓기
나무의 개수는 다음과 같다.

$(1, 1, 42) \to 3 \times 3 \times 44 = 396$(개)

$(1, 2, 21) \to 3 \times 4 \times 23 = 276$(개)

$(2, 3, 7) \to 4 \times 5 \times 9 = 180$(개)

$(1, 3, 14) \to 3 \times 5 \times 16 = 240$(개)

$(1, 6, 7) \to 3 \times 8 \times 9 = 216$(개)

따라서 쌓기나무는 최대 396개가 필요하다.

4

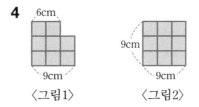

〈그림1〉 〈그림2〉

입체도형을 겉에서 보았을 때 두 방향에서는 〈그림 1〉 모
양으로 보이고, 나머지 네 방향에서는 〈그림 2〉 모양으
로 보인다.

또한 앞 도형에 가려서 보이지 않는 쌓기나무의 면이 4개
가 있다.

따라서 입체도형의 겉넓이는

$$(9 \times 9 - 3 \times 3) \times 2 + (9 \times 9) \times 4 + (3 \times 3) \times 4$$
$$= 144 + 324 + 36$$
$$= 504(\text{cm}^2)$$

5 위에서 본 그림에 그 위치에 쌓을 수 있는 최소한의
쌓기나무 수를 적어 보자.

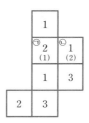

부피가 최소가 되도록 하려면 쌓기나무를 ㉠ 위치에 1개,
㉡ 위치에 2개 쌓거나 ㉠ 위치에 2개, ㉡ 위치에 1개 쌓

으면 되는데, 겉넓이를 가장 작게 하려면 쌓기나무를 ㉠ 위치에 1개, ㉡ 위치에 2개를 쌓아야 가려지는 부분이 생기지 않는다.

따라서 그 때의 겉넓이는 각 방향에서 본 주어진 그림의 넓이의 2배이므로

$$(7 \times 2) + (9 \times 2) + (8 \times 2) = 14 + 18 + 16$$
$$= 48 (\text{cm}^2)$$

6 쌓기나무는 아래 쪽부터 최소 5층까지 쌓여있으므로 쌓기나무가 최소일 때 위에서 본 모양을 그리고 각 위치마다 쌓여있는 쌓기나무의 수를 적으면 다음과 같다.

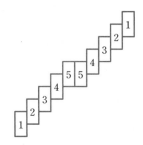

따라서 쌓기나무의 최소 개수는

$$2 \times (1+2+3+4+5) = 2 \times 15$$
$$= 30 (\text{개})$$

참고* 모양을 다르게 쌓는다면 아래와 같이 생각할 수 있다.

색칠한 쌓기나무는 세워서 쌓은 것이고 색칠 안 된 쌓기나무는 눕혀 쌓은 것이다.

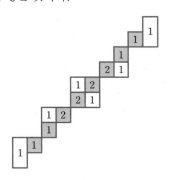

따라서 최소 18개가 필요하다.

7 입체도형을 위·아래, 좌·우, 앞·뒤에서 본 모양은 다음과 같고,

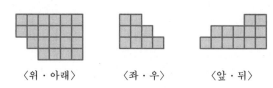

〈위·아래〉   〈좌·우〉   〈앞·뒤〉

사용된 쌓기나무는 모두 35개이다.

아래 쪽부터 차례로 1층, 2층, 3층이라 하고 각 층에 있는 쌓기나무에 칠해진 면의 개수를 적어 보면 다음과 같다.

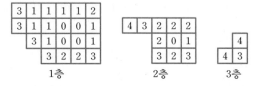

1층   2층   3층

총 35개의 쌓기나무 중에서 두 면만 색칠된 쌓기나무의 개수는 $3+5=8$(개)이므로 색칠된 면은 $8 \times 2 = 16$(면)이고, 한 면의 넓이는 $576 \div 16 = 36 (\text{cm}^2)$이다.

쌓기나무의 한 모서리의 길이는 $36 = 6 \times 6$에서 $6 (\text{cm})$

쌓기나무 1개의 부피는 $6 \times 6 \times 6 = 216 (\text{cm}^3)$이고, 한 면의 넓이는 36cm^2이므로

입체도형의 부피는

$$216 \times 35 = 7560 (\text{cm}^3)$$

겉넓이는

$$(36 \times 21 \times 2) + (36 \times 9 \times 2) + (36 \times 13 \times 2)$$
$$= 1512 + 648 + 936 = 3096 (\text{cm}^2)$$

8

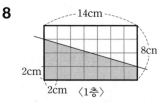

〈1층〉

각 층의 단면을 그리고 '선 가나'에 의해 잘려진 부분을 생각해 보자.

1층에서는 절반이 잘리므로 부피는

$$(14 \times 8 \times 2) \times \frac{1}{2} = 112 (\text{cm}^3)$$

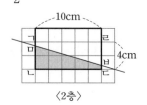

〈2층〉

2층에서는 잘린 두 부분 중 작은 쪽은 직사각형 ㄱㄴㄷㄹ의 절반인 사다리꼴 ㅁㄴㄷㅂ이므로 부피는

$(10 \times 4 \times 2) \times \dfrac{1}{2} = 40 (cm^3)$

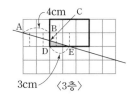

〈3층〉

3층에서는 삼각형 ABC와 삼각형 EDC는 닮은 도형이고, 변 AB의 길이가 변 DE의 길이의 $4 \div 3 = \dfrac{4}{3}$(배)이므로 변 CD의 길이는 변 BD의 길이를 7로 나눈 것 중 3만큼이다.

(변 CD의 길이) $= 2 \div 7 \times 3 = \dfrac{6}{7}$(cm)

즉 3층에서 잘린 부분 중 작은 쪽의 부피는

$\left(3 \times \dfrac{6}{7} \times \dfrac{1}{2}\right) \times 2 = \dfrac{18}{7}$(cm^3)

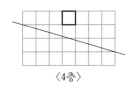

〈4층〉

4층은 '선 가나'에 의해 잘려지지 않는다.

따라서 입체도형이 선 가나를 따라 밑면에 수직인 평면에 의해 잘린 부분 중 작은 쪽의 부피는

$112 + 40 + \dfrac{18}{7} = 154\dfrac{4}{7}$(cm^3)

9

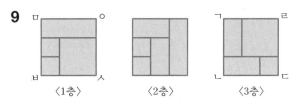

〈1층〉   〈2층〉   〈3층〉

맨 아래부터 1층, 2층, 3층이라 하면 그림과 같은 단면을 생각할 수 있다.

이 때 가로, 세로, 높이가 각각 1cm, 1cm, 2cm인 직육면체는 6개, 2cm, 2cm, 1cm인 직육면체는 2개가 사용되었다.

10

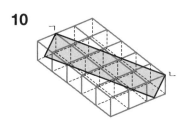

가장 위 층의 잘린 모양을 생각해 보면 9개의 작은 정육면체가 잘린 것을 알 수 있다.

각 층을 이와 같이 생각해 보면 이 평면에 의해 잘린 작은 정육면체의 수는

$9 \times 5 = 45$(개)

맞지 않는 시계

26

유제

1 3분   **2** 6시간 $6\dfrac{6}{59}$분

3 목요일 오전 3시 24분   **4** 28800원

특강탐구문제

1 오전 8시   **2** 오전 7시 $36\dfrac{6}{19}$분   **3** 65분

4 7일 후 오후 9시   **5** 9월 2일 오후 2시   **6** 20분

7 $\dfrac{9}{25}$초씩 느리게 간다.   **8** 43200원

9 오후 2시 30분   **10** 오전 3시 50분

유제풀이

1 12월 6일 오후 5시−12월 1일 오전 9시=5일 8시간
이므로 이 시계는 5일 8시간 동안 16분 빨라진 것이다.

5일 8시간=$5\dfrac{1}{3}$일 동안 16분 빨라졌으므로

이 시계는 하루에

$16\div 5\dfrac{1}{3}=16\times\dfrac{3}{16}=3$(분)씩 빨라진다.

2 표준 시계가 1시간=60분 가는 동안 승용차의 시계는
1분씩 늦어지므로 $60-1=59$(분) 간다.

승용차의 시계로 6시간 걸렸으므로

(실제로 걸린 시간) : (승용차 시계의 시간)

$=60:59=x:6$

$59\times x=60\times 6$

$x=\dfrac{360}{59}=6\dfrac{6}{59}$(시간)

따라서 실제로 걸린 시간은

6시간$+\dfrac{6}{59}\times 60$분$=6$시간$+\dfrac{360}{59}$분

$\qquad\qquad\qquad\quad=6$시간 $6\dfrac{6}{59}$분

3 월요일 오후 1시에 4분 30초 늦게 가고 있었고, 금요
일 오후 9시에는 3분 빨라져 있었으므로

금요일 오후 9시−월요일 오후 1시

$=4$일 8시간$=104$시간

4분 30초+3분=7분 30초

따라서 104시간 동안 7분 30초 빨라졌다.

정확한 시각을 나타내는 때는 월요일 오후 1시부터 이 시
계가 4분 30초 만큼 빨라진 후이고, 손목 시계는 일정한
비율로 빨라지므로

$104:7\dfrac{1}{2}=x:4\dfrac{1}{2}$

$7\dfrac{1}{2}\times x=104\times 4\dfrac{1}{2}$

$x=104\times\dfrac{9}{2}\times\dfrac{2}{15}$

$x=\dfrac{312}{5}=62\dfrac{2}{5}$(시간) → 2일 $14\dfrac{2}{5}$시간

따라서 손목 시계가 정확한 시각을 나타내는 때는 월요
일 오후 1시부터 2일 $14\dfrac{2}{5}$시간 후이므로

월요일 오후 1시+2일 $14\dfrac{2}{5}$시간

$=$목요일 오전 $3\dfrac{2}{5}$시

$=$목요일 오전 3시 24분

4 표준 시계로 60분 가는 동안 편의점 시계는 $5\dfrac{5}{11}$분씩
늦게 가므로 $60-5\dfrac{5}{11}=54\dfrac{6}{11}$(분) 간다.

선영이가 4시간씩 30일간 일했으므로 전체 일한 시간은
편의점 시계로 $4\times 30=120$(시간)이다.

표준 시계로 선영이가 일한 시간은

$60:54\dfrac{6}{11}=x:120$

$54\dfrac{6}{11}\times x=60\times 120$

$x=60\times 120\times\dfrac{11}{600}$

$x=132$(시간)

선영이가 표준 시계로 일한 시간은 편의점 시계로 일한
시간보다 $132-120=12$(시간) 더 많으므로, 받아야 하
는 돈은 편의점 시계의 시간으로 계산하여 실제 받은 돈
보다 $12\times 2400=28800$(원) 더 많다.

특강탐구문제풀이

1 이 시계는 한 시간에 24초$=\dfrac{2}{5}$분씩 빨라지므로 표준

시계로 60분 가는 동안 $60\dfrac{2}{5}$분씩 간다.

어느 날 오전 7시부터 다음 날 오전 8시 10분까지 이 시

계는 $24+1\dfrac{1}{6}=25\dfrac{1}{6}$(시간)을 간다.

따라서 정확한 시계가 간 시간은

$60 : 60\frac{2}{5} = x : 25\frac{1}{6}$

$60\frac{2}{5} \times x = 60 \times 25\frac{1}{6}$

$x = 60 \times \frac{151}{6} \times \frac{5}{302}$

$x = 25(시간)$

오전 7시+25시간=다음 날 오전 8시

따라서 정확한 시계는 다음 날 오전 8시를 가리킨다.

2 표준 시계로 60분 가는 동안 승훈이의 시계로는 57분 간다.

승훈이의 시계가

오후 3시 30분−오전 8시=7시간 30분

흐르는 동안 표준 시계가 흐른 시간을 구하면

$60 : 57 = x : 7\frac{1}{2}$

$20 : 19 = x : 7\frac{1}{2}$

$19 \times x = 7\frac{1}{2} \times 20$

$x = \frac{15}{2} \times 20 \times \frac{1}{19}$

$x = \frac{150}{19} = 7\frac{17}{19}(시간)$

$7\frac{17}{19}$시간$=7$시간$+\frac{17}{19} \times 60$분

$\qquad\qquad = 7$시간$+\frac{1020}{19}$분

$\qquad\qquad = 7$시간 $53\frac{13}{19}$분

따라서 승훈이가 학교에 도착한 후 표준 시계로는 7시간 $53\frac{13}{19}$분이 흘렀다.

승훈이가 학교에 도착한 시각은 실제로

오후 3시 30분-7시간 $53\frac{13}{19}$분

$=$오전 7시 $36\frac{6}{19}$분

3 16시간마다 4분 20초 차이가 난다.

10일은 $10 \times 24 = 240$(시간)이므로 10일 후의 시간 차는

$16 : 4\frac{1}{3} = 240 : x$

$16 \times x = 4\frac{1}{3} \times 240$

$x = \frac{13}{3} \times 240 \times \frac{1}{16}$

$x = 65(분)$

따라서 두 시계가 가리키는 시각은 65분 차이가 난다.

4 두 시계는 하루에 $40+24=64$(초)씩 차이가 난다.

8분은 $8 \times 60 = 480$(초)이므로 오늘 오전 9시 이후에 8분 차이가 날 때까지 걸린 시간은

$480 \div 64 = 480 \times \frac{1}{64} = \frac{15}{2} = 7\frac{1}{2}$(일) $\rightarrow$ 7일 12시간

따라서 시각의 차가 8분이 될 때는 7일 후 오후 9시이다.

5 TV 프로그램은 표준 시계로

4월 12일 오후 8시−4월 5일 오후 2시=7일 6시간

후에 시작한다. 그런데 어떤 시계로는 7일 6시간 1분 27초 후에 시작했으므로 이 시계는 7일 6시간 동안 1분 27초 빨라진 것이다.

7일 6시간=174시간이고, 1분 27초$=1\frac{9}{20}$분이므로

이 시계가 표준 시각보다 30분 빨라지려면

$174 : 1\frac{9}{20} = x : 30$

$1\frac{9}{20} \times x = 174 \times 30$

$x = 174 \times 30 \times \frac{20}{29}$

$x = 3600$(시간)이 지나야 한다.

3600시간은 150일이므로 4월의 25일과 5월의 31일, 6월의 30일, 7월의 31일, 8월의 31일을 지나고, 9월 2일 오후 2시가 되어야 30분 빨라진다.

6
```
   2004년  1월  4일 오전 9시 20분
 − 2003년 12월 27일 오후 6시 20분
─────────────────────────────────
              7일    15시간
```

1시간 21분 20초+1시간 41분 40초=3시간 3분

표준 시계가 7일 15시간 가는 동안 어떤 시계는 7일 18시간 3분을 간다.

이 시계가 2003년 12월 27일 오후 6시 20분보다 1시간 21분 20초 늦은 시각에서 2003년 12월 31일 자정까지 가는 동안 표준 시계가 얼마만큼 가는지 구해 보자.

1시간 21분 20초＋4일 5시간 40분
＝4일 7시간 1분 20초

7일 18시간 3분 : 7일 15시간＝4일 7시간 1분 20초 : x

$\left(7\times24+18+3+\dfrac{1}{60}\right):(7\times24+15)$

$=\left(4\times24+7+1\dfrac{1}{3}\times\dfrac{1}{60}\right):x$

$186\dfrac{1}{20}:183=103\dfrac{1}{45}:x$

$\dfrac{3721}{20}:183=\dfrac{4636}{45}:x$

$\dfrac{3721}{20}\times x=183\times\dfrac{4636}{45}$

$\qquad x=183\times\dfrac{4636}{45}\times\dfrac{20}{3721}$

$\qquad x=101\dfrac{1}{3}$(시간)＝101시간 20분

$\qquad\qquad =4$일 5시간 20분

표준 시계는 4일 5시간 20분 가므로

$\begin{array}{r} 2003년\quad 12월\quad 27일\ 오후\ 6시\quad 20분 \\ +\qquad\qquad\qquad 4일\qquad 5시간\ 20분 \\ \hline 2003년\quad 12월\quad 31일\ 오후\ 11시\quad 40분 \end{array}$

따라서 2003년이 20분 남아 있다.

참고* $3721=61\times61$, $4636=61\times76$이다.

7
표준 시계	1시간	
거실 시계	1시간 36초	1시간
방 시계	x분	59분 24초

표준 시계가 1시간 갈 때 거실 시계는 1시간 36초 가고 거실 시계가 1시간 갈 때 방 시계는 59분 24초 간다. 표준 시계가 1시간 갈 때 방 시계가 얼마나 가는지 구하려면 거실 시계가 1시간 36초 가는 동안 방 시계가 얼마나 가는지 구해야 한다.

$60\dfrac{36}{60}:x=60:59\dfrac{24}{60}$

$60\dfrac{3}{5}:x=60:59\dfrac{2}{5}$

$60\times x=60\dfrac{3}{5}\times59\dfrac{2}{5}$

$\qquad x=\dfrac{303}{5}\times\dfrac{297}{5}\times\dfrac{1}{60}$

$\qquad x=59\dfrac{497}{500}$(분)

따라서 표준 시계가 1시간 갈 때 방 시계는 $\dfrac{3}{500}$분씩 느리게 간다.

$\dfrac{3}{500}\times60=\dfrac{9}{25}$(초)

방 시계는 표준 시계보다 1시간에 $\dfrac{9}{25}$초씩 느리게 간다.

8 표준 시계로 60분 가는 동안 이 기계에 부착된 시계는 $54\dfrac{6}{11}$분만 가므로 이 기계로 8시간 지났을 때 표준 시계로 흐른 시간을 구하면

$60:54\dfrac{6}{11}=x:8$

$54\dfrac{6}{11}\times x=60\times8$

$x=60\times8\times\dfrac{11}{600}$

$x=\dfrac{44}{5}=8\dfrac{4}{5}$(시간)

따라서 실제로 하루에 받아야 하는 임금은

$4800\times8+6000\times\dfrac{4}{5}=38400+4800=43200$(원)

9 벽시계가

오전 8시－전날 밤 11시＝9시간

가는 동안, 손목 시계는

오전 7시 24분－전날 밤 11시＝8시간 24분＝$8\dfrac{2}{5}$시간

간다.

즉 두 시계의 시간의 비는 $9:8\dfrac{2}{5}$이다.

손목 시계가 오후 1시 28분을 가리키는 것은 시계를 정확히 맞춰 놓은 후

오후 1시 28분－전날 밤 11시＝14시간 28분＝$14\dfrac{7}{15}$시간

흐른 것이므로 그 동안 벽시계가 간 시간을 구하면

$9:8\dfrac{2}{5}=x:14\dfrac{7}{15}$

$8\dfrac{2}{5}\times x=9\times14\dfrac{7}{15}$

$\qquad x=9\times\dfrac{217}{15}\times\dfrac{5}{42}$

$\qquad x=15\dfrac{1}{2}$(시간)

손목 시계가 오후 1시 28분을 가리키고 있을 때 벽시계는

전날 밤 11시＋$15\dfrac{1}{2}$시간＝오후 $2\dfrac{1}{2}$시

$\qquad\qquad\qquad\qquad =$오후 2시 30분

을 가리킨다.

10 정확한 시계는 분침이 시침을 1분에 $5\frac{1}{2}°$씩 따라 잡으므로 시침과 분침이 만난 후 분침이 시침을 360° 따라 잡아 다시 만날 때까지 $360 \div 5\frac{1}{2} = 65\frac{5}{11}$분 걸린다.

(참고 : 시침과 분침의 각도 문제)

따라서 표준 시계가 69분 갈 때 선규의 자명종 시계는 $65\frac{5}{11}$분 가는 것이다.

내일 아침 6시−어제 오전 11시 50분=42시간 10분이므로 내일 아침 6시는 표준 시계로 $42\frac{1}{6}$시간이 지난 때이다.

표준 시계로 $42\frac{1}{6}$시간 지나는 동안 자명종 시계가 지나는 시간을 구하면

$$65\frac{5}{11} : 69 = x : 42\frac{1}{6}$$

$$69 \times x = 65\frac{5}{11} \times 42\frac{1}{6}$$

$$x = \frac{720}{11} \times \frac{253}{6} \times \frac{1}{69} = 40(\text{시간})$$

따라서 표준 시계로 내일 오전 6시가 될 때 자명종 시계는
42시간 10분−40시간=2시간 10분

덜 갔으므로 정확한 시계로 오전 6시와 같게 되는 시각은
오전 6시−2시간 10분=오전 3시 50분

원의 둘레와 넓이에 관한 문제 ② 27

유제

1 294.72cm²   **2** 101.25°   **3** 100.48cm²
4 46.26cm²

특강탐구문제

1 15.7cm   **2** 30°   **3** 15.7cm   **4** 216cm²
5 143cm²   **6** 602cm²   **7** 152.4cm²
8 32.0625cm²   **9** 4.56cm²   **10** 7.85cm²

유제풀이

1

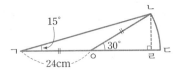

삼각형 ㅇㄱㄴ은 선분 ㅇㄱ과 선분 ㅇㄴ의 길이가 같은 이등변삼각형이므로 한 외각인 각 ㄴㅇㄷ은 30°이다.
점 ㄴ에서 선분 ㄱㄷ에 수직인 선을 긋고 만나는 점을 ㄹ이라 하면 삼각형 ㅇㄴㄹ에서 각 ㅇㄴㄹ이 60°가 되어 삼각형 ㅇㄴㄹ은 정삼각형의 반쪽이고, 선분 ㄴㄹ의 길이는 선분 ㅇㄴ의 길이의 반인 12cm가 된다.
도형 ㄱㄱㄴㄷ의 넓이는 삼각형 ㅇㄱㄴ과 부채꼴 ㅇㄴㄷ의 넓이의 합이므로

$$(24 \times 12 \div 2) + \left(24 \times 24 \times 3.14 \times \frac{30°}{360°}\right)$$
$$=144+150.72$$
$$=294.72(\text{cm}^2)$$

2 ㉠ 부분과 ㉡ 부분의 넓이가 같으므로 지름이 6cm인 반원의 넓이와 반지름이 4cm인 부채꼴 ㄴㅇㄷ의 넓이는 같다.
부채꼴 ㄴㅇㄷ의 중심각의 크기를 x° 라 하면

$$3 \times 3 \times 3.14 \div 2 = 4 \times 4 \times 3.14 \times \frac{x}{360},$$

$$\frac{9}{2} = 16 \times \frac{x}{360}$$

$$\frac{9}{2} = \frac{2}{45} \times x$$

$$x = \frac{9}{2} \times \frac{45}{2}$$

$$x = \frac{405}{4} = 101.25(°)$$

3 (정사각형의 넓이)
$$= (\text{대각선의 길이}) \times (\text{대각선의 길이}) \times \frac{1}{2}$$
$$= (\text{한 변의 길이}) \times (\text{한 변의 길이})$$
주어진 정사각형의 대각선의 길이가 8cm이므로
$$8 \times 8 \times \frac{1}{2} = (\text{한 변의 길이}) \times (\text{한 변의 길이})$$
따라서 (한 변의 길이) × (한 변의 길이) = 32(cm²)
또한, 원의 반지름의 길이는 정사각형의 한 변의 길이와 같으므로
(원의 넓이) = (반지름 길이) × (반지름 길이) × 3.14
  = (정사각형의 한 변의 길이) × (정사각형의 한 변의 길이) × 3.14
  = 32 × 3.14
  = 100.48(cm²)

4

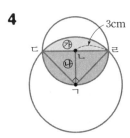

겹쳐진 부분 중 원 B의 절반인 ㉯ 부분과 ㉯를 제외한 ㉮ 부분의 넓이의 합을 두 원의 넓이의 합에서 두 번 빼면 색칠한 부분의 넓이를 구할 수 있다.
선분 ㄴㄹ, 선분 ㄴㄷ, 선분 ㄴㄱ의 길이는 모두 원 B의 반지름으로 같으므로
(삼각형 ㄷㄱㄹ의 넓이) = 6 × 3 ÷ 2 = 9(cm²)
또한, (삼각형 ㄷㄱㄹ의 넓이) = (선분 ㄱㄷ) × (선분 ㄱㄹ) ÷ 2
선분 ㄱㄷ과 선분 ㄱㄹ은 원 A의 반지름이므로
(원 A의 반지름) × (원 A의 반지름) = 18(cm²)이다.
따라서 ㉮의 넓이는
$$(\text{원 A의 반지름}) \times (\text{원 A의 반지름}) \times 3.14 \times \frac{90}{360} - 9$$
$$= 18 \times 3.14 \times \frac{1}{4} - 9 = 5.13(\text{cm}^2),$$
㉯의 넓이는
3 × 3 × 3.14 ÷ 2 = 14.13(cm²)이므로
(색칠한 부분의 넓이)
$$= 3 \times 3 \times 3.14 + 18 \times 3.14 - 2 \times (5.13 + 14.13)$$
$$= 46.26(\text{cm}^2)$$

특강탐구문제풀이

1
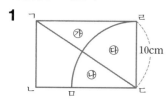

삼각형 ㄱㄹㄷ의 넓이에서 ㉯ 부분을 뺀 ㉮의 넓이와 부채꼴 ㄹㅁㄷ의 넓이에서 ㉯ 부분을 뺀 ㉰의 넓이가 같으므로 삼각형 ㄱㄹㄷ의 넓이와 부채꼴 ㄹㅁㄷ의 넓이는 같다.

$10 \times 10 \times 3.14 \times \frac{1}{4} = 10 \times$ (가로의 길이) $\times \frac{1}{2}$

$78.5 = 5 \times$ (가로의 길이)

(가로의 길이) $= 78.5 \div 5 = 15.7 \text{(cm)}$

2 ㉮, ㉯, ㉰의 넓이의 비가 $5:4:1$이므로 ㉮+㉯의 넓이, 즉 반원의 넓이를 9, ㉮+㉰의 넓이, 즉 부채꼴의 넓이를 6으로 생각해 보자.

반원의 반지름을 a라고 하면 ㉮+㉯의 넓이에서

$3.14 \times a \times a \div 2 = 9$

$3.14 \times a \times a = 18$

부채꼴 ㄱㄴㄷ의 중심각의 크기를 x°라고 하면 ㉮+㉰의 넓이에서

$3.14 \times (2 \times a) \times (2 \times a) \times \frac{x}{360} = 6$

$(3.14 \times a \times a) \times 4 \times \frac{x}{360} = 6$

위의 식에서 $3.14 \times a \times a = 18$이므로

$18 \times 4 \times \frac{x}{360} = 6$

$x = 6 \times \frac{360}{72} = 30(^\circ)$

3
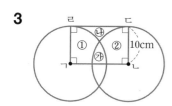

①+㉮ 부분은 원의 $\frac{1}{4}$이고, ㉮와 ㉯의 넓이가 같으므로 ②+㉯의 넓이는 ②+㉮의 넓이와 같게 되어 역시 원의 $\frac{1}{4}$과 같다.

따라서 사각형 ㄱㄴㄷㄹ의 넓이는 '①+②+㉮+㉯'와

같고, 원의 $\frac{1}{4}$인 넓이 두 개와 같으므로 반원이 된다.

$10 \times$ (선분 ㄱㄴ의 길이) $= 10 \times 10 \times 3.14 \times \frac{1}{2}$

(선분 ㄱㄴ의 길이) $= 10 \times 3.14 \times \frac{1}{2} = 15.7 \text{(cm)}$

4
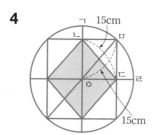

사각형 ㄴㅇㄷㅁ에서 선분 ㅁㅇ을 그어 보면 선분 ㄴㄷ과 길이가 같으므로 원의 반지름은 15cm이다.

따라서 삼각형 ㄴㅇㄷ의 넓이는

$(15-3) \times (15-6) \div 2 = 54 \text{(cm}^2)$

색칠한 부분의 넓이는 삼각형 ㄴㅇㄷ과 넓이가 같은 삼각형 4개의 넓이와 같으므로

$54 \times 4 = 216 \text{(cm}^2)$

5
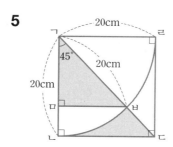

삼각형 ㄱㅁㅂ에서 선분 ㄱㅂ의 길이는 부채꼴 ㄱㄹㄴ의 반지름의 길이와 같으므로 20cm이다.

오른쪽 그림과 같이 생각하면 삼각형 ㄱㅁㅂ의 넓이는 한 변의 길이가 20cm인 정사각형 넓이의 $\frac{1}{4}$이므로

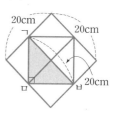

$20 \times 20 \times \frac{1}{4} = 100 \text{(cm}^2)$

또한, ㅂㄴㄷ의 넓이는 직각삼각형 ㄱㄴㄷ의 넓이에서 부채꼴 ㄱㄴㅂ의 넓이를 빼면 된다.

따라서 색칠한 부분의 넓이는

$100 + \left(20 \times 20 \div 2 - 20 \times 20 \times 3.14 \times \frac{45^\circ}{360^\circ}\right)$

$= 100 + (200 - 157) = 143 \text{(cm}^2)$

6

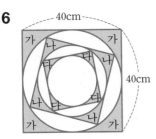

'가' 부분의 넓이이 합은 한 변이 40cm인 정사각형에서 반지름이 20cm인 원을 뺀 넓이다.

('가' 부분의 넓이의 합)$=(40 \times 40)-(20 \times 20 \times 3.14)$
$\qquad\qquad\qquad\quad=1600-1256=344(\text{cm}^2)$

오른쪽 그림에서 정사각형에 내접하는 원의 반지름의 제곱은 정사각형 넓이의 $\frac{1}{4}$이다.

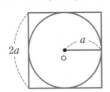

또한 '나' 부분이 포함되어 있는 정사각형의 넓이는 처음 큰 정사각형 넓이의 $\frac{1}{2}$이므로(특강탐구문제 5번 해설 참조)

('나' 부분의 넓이의 합)
$=\left(40 \times 40 \times \frac{1}{2}\right)-\left(40 \times 40 \times \frac{1}{2} \times \frac{1}{4} \times 3.14\right)$
$=800-628=172(\text{cm}^2)$

마찬가지 방법에 의해

('다' 부분의 넓이의 합)
$=\left(40 \times 40 \times \frac{1}{2} \times \frac{1}{2}\right)-\left(40 \times 40 \times \frac{1}{2} \times \frac{1}{2} \times \frac{1}{4} \times 3.14\right)$
$=400-314=86(\text{cm}^2)$

따라서 색칠한 부분의 넓이는
$344+172+86=602(\text{cm}^2)$

7

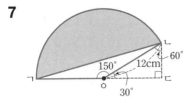

위의 그림에서 삼각형 ㅇㄴㄷ은 정삼각형 반쪽이므로 선분 ㄴㄷ의 길이는 선분 ㅇㄴ 길이의 절반인 6cm이고, 이는 삼각형 ㄴㄱㅇ의 높이이다. 색칠한 부분의 넓이는 중심각이 150°인 부채꼴의 넓이에서 삼각형 ㄴㄱㅇ의 넓이를 뺀 것과 같으므로

(색칠한 부분의 넓이)

$=\left(12 \times 12 \times 3.14 \times \frac{150°}{360°}\right)-\left(12 \times 6 \times \frac{1}{2}\right)$
$=188.4-36$
$=152.4(\text{cm}^2)$

8

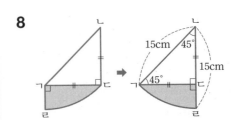

주어진 그림과 같이 바꾸어 그리면 선분 ㄴㄹ의 길이는 15cm이고, 색칠한 부분의 넓이는 반지름이 15cm이고 중심각이 45°인 부채꼴에서 삼각형 ㄱㄴㄷ의 넓이를 뺀 것과 같다.

또한, 삼각형 ㄱㄴㄷ의 넓이는 대각선의 길이가 15cm인 정사각형 넓이의 $\frac{1}{2}$이므로 한 변의 길이가 15cm인 정사각형 넓이의 $\frac{1}{4}$이다.

따라서 색칠한 부분의 넓이는

$\left(15 \times 15 \times 3.14 \times \frac{1}{8}\right)-\left(15 \times 15 \times \frac{1}{4}\right)$
$=88.3125-56.25$
$=32.0625(\text{cm}^2)$

9

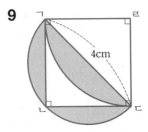

정사각형 ㄱㄴㄷㄹ의 넓이는 한 변의 길이가 4cm인 정사각형의 넓이의 절반이므로

(정사각형 ㄱㄴㄷㄹ의 넓이)$=4 \times 4 \times \frac{1}{2}=8(\text{cm}^2)$

따라서 (선분 ㄱㄴ)$\times$(선분 ㄱㄴ)$=8\text{cm}^2$

색칠한 부분의 넓이는

(반원 ㄱㄴㄷ의 넓이)$+$(부채꼴 ㄱㄷㄹ의 넓이)
$\qquad-$(삼각형 ㄱㄴㄷ의 넓이)$\times 2$
$=(2 \times 2 \times 3.14 \div 2)+(8 \times 3.14 \div 4)-(8 \div 2 \times 2)$

$$=6.28+6.28-8$$
$$=4.56(cm^2)$$

10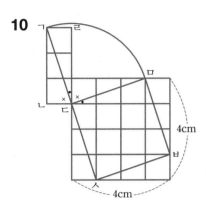

위의 그림에서 (선분 ㄱㄷ)×(선분 ㄷㅁ)은 정사각형
ㄷㅅㅂㅁ의 넓이와 같다.

정사각형 ㄷㅅㅂㅁ의 넓이는

$1cm×1cm=1cm^2$짜리 정사각형 $4×4=16$(개)에서
6개만큼 빼낸 넓이와 같으므로 $16-6=10(cm^2)$이다.

또한, 각 ㄱㄷㅁ은 그림과 같이 직각이므로

부채꼴의 넓이는

$$10×3.14×\frac{90°}{360°}=7.85(cm^2)$$

부정방정식 **28**

1 $(14, 2), (11, 4), (8, 6), (5, 8), (2, 10)$ **2** 4쌍

3 43   **4** (10권, 3권, 3권), (8권, 6권, 2권), (6권, 9권, 1권)

특강탐구문제

1 (승합차 25대, 버스 27대), (승합차 50대, 버스 18대), (승합차 75대, 버스 9대)   **2** 4가지

3 1072, 1182, 1292   **4** 20개   **5** 9문제   **6** 6개 또는 16개   **7** 105, 193, 281, 369, 457, 545

8 가 : 360개, 나 : 5개   **9** 7쌍   **10** 사과 : 7개, 감 : 18개, 귤 : 26개

유제풀이

1 6학년 학생을 a명, 5학년 학생을 b명이라 하면

$2 \times a + 3 \times b = 34$

이 때, $2 \times a$와 34는 모두 짝수이다.

(짝수)+(짝수)=(짝수)이므로 $3 \times b$도 짝수가 되어야 한다.

3은 홀수이므로 b가 짝수이면 된다. b가 될 수 있는 수는 2, 4, 6, 8, 10이고 a, b의 짝은 다음 표와 같다.

a	14	11	8	5	2
b	2	4	6	8	10

따라서 (6학년 학생 수, 5학년 학생 수)로 가능한 경우는 (14명, 2명), (11명, 4명), (8명, 6명), (5명, 8명), (2명, 10명)의 5가지이다.

2 $5 \times A$는 5의 배수이고 256은 5로 나누어 1 남는 수이므로, $5 \times A + 13 \times B$가 256이 되려면 $13 \times B$는 5로 나누어 1 남는 수가 되어야 한다.

13은 $5 \times 2 + 3$으로 5로 나누어 3 남는 수이므로 여기에 2를 곱하면 $(5 \times 2 + 3) \times 2 = 5 \times 2 \times 2 + 3 \times 2$가 되어 5로 나누어 1 남는 수를 만들 수 있다. 2에서 계속 5씩 커져가도 계속해서 5로 나누어 1 남는 수를 얻을 수 있으므로 B는 5로 나누어 2 남는 수가 되어야 한다.

따라서 B는 2, 7, 12, 17, …이 된다.

A가 될 수 있는 최소의 자연수는 1이므로 $13 \times B$는 $256 - 5 \times 1 = 251$을 넘지 못한다.

$251 \div 13 = 19 \cdots 4$이므로 B는 2, 7, 12, 17의 4가지이고 A, B의 쌍도 4가지이다.

3 두 개의 두 자리 자연수 가, 나에서

가 $\times 40 +$ 나 $\times 7 = 1832$

나의 십의 자리의 숫자가 1이므로 나는 10에서 19까지의 자연수이다.

가 $\times 40$의 일의 자리의 숫자는 0이므로 나 $\times 7$의 일의 자리의 숫자는 1832의 일의 자리와 같은 2가 되어야 한다. 나 $\times 7$의 일의 자리의 숫자가 2가 되려면 나의 일의 자리는 $6 \times 7 = 42$에서 6이 되어야 한다. 따라서 나는 16이다.

가 $\times 40 + 16 \times 7 = 1832$

가 $\times 40 + 112 = 1832$

가 $\times 40 = 1720$

가 $= 43$

4 300원짜리 공책의 수를 a, 400원짜리 공책의 수를 b, 600원짜리 공책의 수를 c라고 하면

$a + b + c = 16$ … ①

$300 \times a + 400 \times b + 600 \times c = 6000$ … ②

② 식을 100으로 나누면

$3 \times a + 4 \times b + 6 \times c = 60$ … ③

① 식을 3배 하면

$3 \times a + 3 \times b + 3 \times c = 48$ … ④

④ 식을 ③ 식과 비교하면 $b + 3 \times c = 12$

$3 \times c$와 12는 모두 3의 배수이므로

$b = 3, 6, 9, \cdots$이고 $b + 3 \times c = 12$를 만족하는 (b, c)의 쌍은 $(3, 3), (6, 2), (9, 1)$뿐이다.

① 식을 이용하면 (a, b, c)의 쌍은 $(10, 3, 3), (8, 6, 2), (6, 9, 1)$

특강탐구문제풀이

1 9인승 승합차를 a대, 25인승 버스를 b대라고 하자. 900명의 학생이 소풍을 갔으므로

$9 \times a + 25 \times b = 900$

$25 \times b$와 900은 모두 25의 배수이므로 $9 \times a + 25 \times b$가 900이 되려면 $9 \times a$도 25의 배수이어야 한다.

$9 = 3 \times 3$이므로 $9 \times a$가 25의 배수이려면 a가 25의 배수이어야 한다.

즉, a가 될 수 있는 수는 25, 50, 75뿐이다.

$9 \times 25 + 25 \times b = 900$, $b = 27$(대)

$9 \times 50 + 25 \times b = 900$, $b = 18$(대)

$9 \times 75 + 25 \times b = 900$, $b = 9$(대)

따라서 가능한 경우는

(승합차 25대, 버스 27대) 또는 (승합차 50대, 버스 18대) 또는 (승합차 75대, 버스 9대)

2 12개씩 넣은 망을 a개, 5개씩 넣은 망을 b개라고 하자.

197개의 귤을 담아야 하므로

$12 \times a + 5 \times b = 197$

$12 \times a$는 짝수이고 197은 홀수이므로 $5 \times b$는 홀수이어야 한다. 두 수의 곱이 홀수이려면 두 수 모두 홀수이어야 하므로 $b = 1, 3, 5, 7, \cdots$이 되고, 이 때 $5 \times b$의 일의 자리의 숫자는 반드시 5가 된다.

197의 일의 자리의 숫자는 7이고 $5 \times b$의 일의 자리의 숫자는 항상 5이므로 $12 \times a$의 일의 자리의 숫자는 항상 2가 되어야 한다.

$12 \times a$의 일의 자리의 숫자가 2가 되는 것은 $12 \times 1 = 12$, $12 \times 6 = 72$, $12 \times 11 = 132$, $12 \times 16 = 192$이므로 a가 될 수 있는 수는 1, 6, 11, 16의 4가지이다.

따라서 귤을 망에 넣는 방법도 4가지이다.

3 $1AB2 + 630 = 1BA2$

(A, B는 0, 1, 2, $\cdots$, 9이고, A<B)

$1000 + A \times 100 + B \times 10 + 2 + 630$
$= 1000 + B \times 100 + A \times 10 + 2$

$A \times 90 + 630 = B \times 90$

$A + 7 = B$

A=0이면 B=7

A=1이면 B=8

A=2이면 B=9

따라서 구하는 네 자리 수 1AB2는

1072, 1182, 1292

4 껌을 a개, 음료수를 b개, 빵을 c개 샀다고 하자.

8000원을 내고 거스름돈이 생기지 않아야 하므로

$300 \times a + 500 \times b + 1000 \times c = 8000$

100으로 나누면 $3 \times a + 5 \times b + 10 \times c = 80$

개수가 가능한 한 많으려면 가장 가격이 싼 껌이 될 수 있는대로 많아야 한다. $5 \times b$, $10 \times c$, 80은 모두 5의 배수이므로 $3 \times a$도 5의 배수가 되어야 한다.

따라서 $a = 5, 10, 15, \cdots$이다.

한편 음료수와 빵을 각각 1개 이상은 사야 하므로 껌 전체의 가격인 $300 \times a$는 $8000 - (500 + 1000) = 6500$(원)을 넘지 못한다.

따라서 a가 될 수 있는 가장 큰 수는 20이다.

즉, 개수를 가능한 한 많게 사려면 껌은 20개를 사야 한다.

5 정답을 쓴 문제 수를 a개, 답을 안 쓴 문제 수를 b개, 답이 틀린 문제 수를 c개라고 하자.

15문제가 출제 되었으므로

$a + b + c = 15$ $\cdots$ ①

또 정답을 쓰면 10점을 주고 답을 안 쓰거나 틀린 답을 쓰면 각각 5점, 7점씩 감점했는데 50점이 됐으므로

$10 \times a - 5 \times b - 7 \times c = 50$ $\cdots$ ②

① 식을 5배 하면

$5 \times a + 5 \times b + 5 \times c = 75$이고, 이것을 ② 식과 비교하면

$15 \times a - 2 \times c = 125$ $\cdots$ ③

$15 \times a$, 125는 모두 5의 배수이므로 $2 \times c$도 5의 배수이거나 0이어야 한다. 모두 15문제가 출제되었으므로 c가 될 수 있는 수는 0, 5, 10, 15이다.

③ 식에서 (a, c)가 될 수 있는 수는 $(9, 5)$뿐이다.

따라서 정답을 쓴 문제는 9문제이다.

6 100의 개수를 a개, 10의 개수를 b개, 1의 개수를 c개라고 하자. 모두 합해 36개가 있으므로

$a + b + c = 36$ $\cdots$ ①

또 1과 10과 100이 모여 1746이 되었으므로

$100 \times a + 10 \times b + c = 1746$ $\cdots$ ②

① 식과 ② 식을 비교하면

$99 \times a + 9 \times b = 1710$

9로 나누면 $11 \times a + b = 190$

알맞은 (a, b)는 $(1, 179)$, $(2, 168)$, $(3, 157)$, …, $(16, 14)$, $(17, 3)$이다.

그러나 ① 식에서 가능한 (a, b)는 $(17, 3)$, $(16, 14)$뿐임을 알 수 있다.

따라서, (a, b, c)는 $(17, 3, 16)$, $(16, 14, 6)$이므로 1은 6개 또는 16개 있다.

7 $15 \times y$와 9는 모두 3의 배수이므로 $88 \times x$도 3의 배수이어야 한다. 88은 3의 배수가 아니므로 x는 3의 배수이다. $88 \times x$는 짝수이고, 9는 홀수이므로 $15 \times y$는 홀수이다.

$15 \times y$는 홀수이므로 $15 \times y$의 일의 자리의 숫자는 항상 5이다.

$88 \times x - 15 \times y = 9$이므로 $88 \times x$의 일의 자리의 숫자는 항상 4가 되어야 한다.

따라서 x의 일의 자리의 숫자는 3 또는 8이다.

일의 자리의 숫자가 3인 두 자리 자연수 중 3의 배수는 33, 63, 93뿐이다. 또 일의 자리의 숫자가 8인 두 자리 자연수 중 3의 배수는 18, 48, 78뿐이다.

각 경우를 이용해 y에 알맞은 자연수를 구하면

$88 \times 33 - 15 \times y = 9$, $2904 - 15 \times y = 9$, $y = 193$

$88 \times 63 - 15 \times y = 9$, $5544 - 15 \times y = 9$, $y = 369$

$88 \times 93 - 15 \times y = 9$, $8184 - 15 \times y = 9$, $y = 545$

$88 \times 18 - 15 \times y = 9$, $1584 - 15 \times y = 9$, $y = 105$

$88 \times 48 - 15 \times y = 9$, $4224 - 15 \times y = 9$, $y = 281$

$88 \times 78 - 15 \times y = 9$, $6864 - 15 \times y = 9$, $y = 457$

따라서 y에 알맞은 자연수는

105, 193, 281, 369, 457, 545

8 가 구슬은 100개에 430원이므로 1개에

$430 \div 100 = 4.3$(원)이다.

나 구슬은 100개에 300원이므로 1개에

$300 \div 100 = 3$(원)이다.

한편 구슬의 전체 가격이 자연수이므로 가 구슬은 10개에 43원 하는 묶음으로만 산 것이 된다.

가 구슬을 10개씩 a묶음 샀다고 하고, 나 구슬을 b개 샀다고 하자.

전체 가격이 1563원이므로

$43 \times a + 3 \times b = 1563$

$3 \times b$, 1563은 모두 3의 배수이므로 $43 \times a$도 3의 배수이다. 43은 소수이므로 a는 3의 배수이다.

$1563 \div 43 = 36 \cdots 15$이고, 가 구슬을 가능한 한 많이 샀으므로 a에 알맞은 가장 큰 3의 배수는 36이다.

a는 10개짜리 묶음의 수이므로 가 구슬을

$36 \times 10 = 360$(개) 샀고, 나 구슬은

$1563 - 43 \times 36 = 15$(원)어치 샀으므로

$15 \div 3 = 5$(개) 샀다.

9 분모인 3, 14, 42의 최소공배수는 42이므로 주어진 식의 양변에 42를 곱하면

$$\left(\frac{A}{3} + \frac{B}{14} \right) \times 42 = 7\frac{19}{42} \times 42$$

$14 \times A + 3 \times B = 313 \quad \cdots$ ①

$14 \times A$는 짝수, 313은 홀수이므로 $3 \times B$는 홀수, B는 홀수이다.

① 식의 양변에서 $3 \times B$를 빼면

$14 \times A = 313 - 3 \times B$

따라서 $313 - 3 \times B$는 14의 배수가 되어야 한다.

$313 - 3 = 310$, $313 - 9 = 304$, $313 - 15 = 298$,

$313 - 21 = 292$, $313 - 27 = 286$, $313 - 33 = 280$, …

에서 280이 최초의 14의 배수이므로

$280 + 33 = 313$에서 $14 \times A = 280$, $A = 20$이고,

$3 \times B = 33$, $B = 11$이다.

이제 $14 \times A = 280$에서 줄어든 만큼 $3 \times B = 33$에서 늘어나야 하는데 $14 \times A$에서는 14의 배수로 줄고 $3 \times B$에서는 3의 배수만큼 늘어나므로 14와 3의 최소공배수인 42만큼씩 $14 \times A$에서는 줄고 $3 \times B$에서는 늘어야 한다.

$280 \div 42 = 6 \cdots 28$이므로 280에서 42를 6번 더 뺄 수 있다.

따라서 A, B의 쌍은 $(20, 11)$과 다른 6쌍을 합쳐 7쌍이다.

10 사과가 x개, 감이 y개, 귤이 z개 들어 있다고 하자. 사과의 6배와 감의 2배를 합한 것이 귤의 3배와 같다고 했으므로 식으로 나타내면

$6 \times x + 2 \times y = 3 \times z$

양변에서 $3 \times z$를 빼면

$6 \times x + 2 \times y - 3 \times z = 0$ ⋯ ①

또 모두 합해 51개 들어 있으므로

$x + y + z = 51$ ⋯ ②

② 식을 3배 하면

$3 \times x + 3 \times y + 3 \times z = 153$이고,

이것을 ① 식과 비교하면

$9 \times x + 5 \times y = 153$ ⋯ ③

$9 \times x$와 153은 모두 9의 배수이므로 $5 \times y$도 9의 배수이다.

따라서 y가 9의 배수가 된다.

③ 식을 이용해 알맞은 (x, y)를 찾으면

$(12, 9)$, $(7, 18)$, $(2, 27)$

이 때 사과의 개수가 가장 적다고 했으므로 $(12, 9)$는 맞지 않다.

$(x, y) = (7, 18)$, $(2, 27)$에서 ② 식을 이용해

(x, y, z)를 찾으면 $(7, 18, 26)$, $(2, 27, 22)$인데, 귤의 개수가 가장 많다고 했으므로 $(2, 27, 22)$는 맞지 않다.

따라서 사과 7개, 감 18개, 귤 26개가 들어 있다.

평면도형에 색칠하기

29

유제

1 24가지, 48가지   **2** 30가지   **3** 62가지

4 24가지

특강탐구문제

1 540가지   **2** 360가지   **3** 120가지   **4** 8가지

5 8가지   **6** 180가지   **7** 192가지   **8** 42가지

9 25가지   **10** 50가지

유제풀이

1 2가지 색만으로는 이웃한 부분에 반드시 다른 색을 칠할 수 없으므로, 4가지 색 중 사용하지 않는 색이 있어도 되는 경우는 3가지 색만 사용하는 경우이다.

(i) 4가지 색을 모두 사용하는 경우 :

$4 \times 3 \times 2 \times 1 = 24$(가지)

(ii) 3가지 색만을 사용하는 경우

- 3가지 색을 고르는 방법 : 4가지
- 3가지 색으로 칠하는 방법 :

$3 \times 2 \times 1 \times 1 = 6$(가지)

따라서 3가지 색만을 사용하는 경우는

$4 \times 6 = 24$(가지)

4가지 색을 모두 사용하는 방법의 수는 24가지이고, 4가지 색 중 사용하지 않는 색이 있어도 되는 방법의 수는 $24 + 24 = 48$(가지)이다.

참고* 4가지 색을 모두 사용하는 방법의 수는

$4 \times 3 \times 2 \times 1 = 24$(가지)이고,

4가지 색 중 사용하지 않는 색이 있어도 되는 방법의 수는 $4 \times 3 \times 2 \times 2 = 48$(가지)이다.

2 먼저 빨간색을 칠할 3부분을 돌려 놓아도 같지 않도록 고르면 다음과 같다.

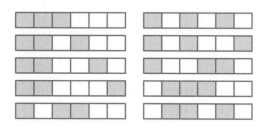

각각의 경우에 대하여 나머지 빈 부분에 초록색 2칸, 노란색 1칸을 칠하는 방법은 빈 칸의 앞에서부터 차례로 (초록, 초록, 노랑), (초록, 노랑, 초록), (노랑, 초록, 초록)의 3가지이다.

따라서 칠하는 방법은 모두 $10 \times 3 = 30$(가지)

3 한 번만 사용할 수 있는 색이 A, B이고, 여러 번 사용할 수 있는 색이 C, D이므로

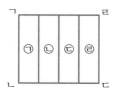

① A, B가 모두 사용되는 경우

- A, B가 각각 ㉠, ㉡에 칠해지면 ㉢, ㉣에 C, D가 칠해져야 하므로 2가지
- A, B가 각각 ㉠, ㉢에 칠해지면 ㉡, ㉣에 C만 두 번, D만 두 번, C, D가 한 번씩 칠해질 수 있으므로 4가지
- A, B가 각각 ㉠, ㉣에 칠해지면 2가지
- A, B가 각각 ㉡, ㉢에 칠해지면 4가지
- A, B가 각각 ㉡, ㉣에 칠해지면 4가지
- A, B가 각각 ㉢, ㉣에 칠해지면 2가지

따라서 $2 + 4 + 2 + 4 + 4 + 2 = 18$(가지)

또 B, A 순서로 칠해질 수도 있으므로

$18 \times 2 = 36$(가지)

② A, B 중 한 가지 색만 사용되는 경우

A만 사용될 때,

- A가 ㉠에 칠해지면 ㉡, ㉢, ㉣에 C, D가 칠해지는 방법 2가지
- A가 ㉡에 칠해지면 ㉠, ㉢, ㉣에 C, D가 칠해지는 방법 $2 \times 2 \times 1 = 4$(가지)
- A가 ㉢에 칠해지면 4(가지)
- A가 ㉣에 칠해지면 2(가지)

따라서 $2 + 4 + 4 + 2 = 12$(가지)

B만 사용될 때도 마찬가지로 12가지이므로

$12 \times 2 = 24$(가지)

③ A, B가 모두 사용되지 않을 경우

C, D만 사용해야 하므로 $2 \times 1 \times 1 \times 1 = 2$(가지)

①, ②, ③에 의해 36＋24＋2＝62(가지)이다.

참고* C와 D가 한 번씩 쓰이는 경우와 C, D 중 한 가지 색만 두 번 쓰이는 경우, C와 D가 모두 두 번씩 쓰이는 경우로 나누어 생각해도 된다.

4 네 가지 색 중 세 가지 색을 고르는 방법은 4가지이다.
세 가지 색 중에서 가운데 정삼각형에 들어갈 색을 고르는 방법은 3가지이다.
가운데 정삼각형의 색을 결정하고 나면 남은 두 가지 색을 세 개의 정삼각형에 색칠하는 방법은 다음의 2가지이다.

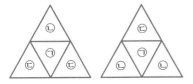

따라서 $4 \times 3 \times 2 = 24$(가지)이다.

특강탐구문제풀이

1

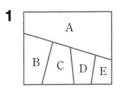

A에 칠할 수 있는 색의 종류는 5가지, B에 칠할 수 있는 색의 종류는 A에서 사용한 색을 제외한 4가지, C에 칠할 수 있는 색의 종류는 A와 B에서 사용한 색을 제외한 3가지, D와 E에 칠할 수 있는 색의 종류는 각각 A와 C, A와 D에서 사용한 두 가지 색을 제외한 3가지씩이므로 모든 방법의 수는

$5 \times 4 \times 3 \times 3 \times 3 = 540$(가지)

2

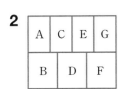

빨강, 파랑, 노랑, 하양의 4가지 색을 ㉠, ㉡, ㉢, ㉣이라고 하자.

A에 ㉠, B에 ㉡을 칠한다면 C에는 ㉢ 또는 ㉣을 칠할 수 있다. 만약 C에 ㉢을 칠한다면 오른쪽과 같이 15가지 방법이 있다. C에 ㉣을 칠해도 마찬가지로 15가지 방법이 있으므로, A에 ㉠, B에 ㉡을 칠한 후 C, D, E, F, G에 색칠하는 방법은 30가지가 있다. A에 ㉠을 칠하고 B에 ㉢, ㉣을 칠하는 방법도 각각 30가지씩이므로 A에 ㉠을 칠하는 방법은 90가지이다.

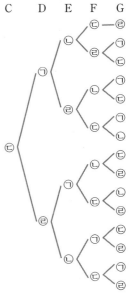

A에 ㉡, ㉢, ㉣을 칠할 때도 각각 90가지씩이므로 칠하는 방법은 모두
$4 \times 90 = 360$(가지)

3

적, 청, 황, 녹의 4가지 색 중에 A에 적색, B에 청색을 칠했을 때 C, D, E, F에 칠하는 방법은 다음과 같다.

B	청							
C	황				녹			
D	청		녹		청		황	
E	황	녹	청	황	황	녹	청	녹
F	녹	황	황 녹	녹	녹	황	황 녹	황

B에 청, 황, 녹이 칠해질 수 있으므로 A에 적색을 칠했을 때 B, C, D, E, F를 칠하는 방법은 $3 \times 10 = 30$(가지)이다.

또 A에 청, 황, 녹을 칠할 때도 각각 30가지씩이므로 칠하는 방법은 모두 $4 \times 30 = 120$(가지)이다.

4 윗줄에 있는 4칸 중에서 빨강을 칠할 두 칸을 고르는 방법은 다음과 같다.

이 중 ③번은 아랫줄에서 빨강이 이웃하게 되므로 제외한다.

윗줄에 빨강이 칠해질 두 칸이 결정되면 아랫줄에 빨강이 칠해질 자리는 저절로 결정이 된다.

나머지 빈 칸에 초록과 노랑을 칠하는 방법은 윗줄에 (초, 노), (노, 초)의 2가지가 있고, 아랫줄에도 (초, 노), (노, 초)의 2가지이므로 2×2=4(가지)이다.

따라서 칠하는 방법은 모두 2×4=8(가지)이다.

5

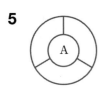

A에 한 가지 색이 정해졌을 때 나머지 색을 사용하여 서로 구분되게 칠하는 방법은 다음의 2가지이다.

A에 올 수 있는 색은 4가지이므로 모든 방법의 수는
4×2=8(가지)

6

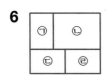

㉠, ㉡, ㉢, ㉣의 순서로 색칠한다면

㉠에 칠할 수 있는 색의 종류는 5가지,

㉡에 칠할 수 있는 색의 종류는 ㉠에 쓰인 색을 제외한 4가지,

㉢에 칠할 수 있는 색의 종류는 ㉠, ㉡에 쓰인 색을 제외한 3가지,

㉣에 칠할 수 있는 색의 종류는 ㉡, ㉢에 쓰인 색을 제외한 3가지이다.

따라서 색칠하는 방법의 수는 모두
5×4×3×3=180(가지)

7

빨강을 칠할 곳 2군데를 먼저 결정한 후 나머지 색들을 빈 자리에 채워 넣으면 된다.

빨강을 이웃하지 않는 두 자리에 칠할 수 있는 방법은 (1, 3), (1, 5), (1, 6), (2, 4), (2, 6), (3, 4), (3, 5), (4, 6)의 8가지이다.

각각의 경우마다 남은 네 곳에 4가지 서로 다른 색을 칠할 수 있는 방법은 4×3×2×1=24(가지)이므로 조건에 맞게 색칠하는 방법은 모두
8×24=192(가지)

8 이웃한 부분에 서로 다른 색을 칠하면서 3가지 색을 임의로 사용하여 칠할 수 있는 방법의 수는
3×2×2×2×2=48(가지)

이 중 두 가지 색만 사용하여 색칠하는 방법을 구해 보자.

세 가지 색 중에서 두 가지 색을 고르는 방법은 3가지이고, 각각에 대해 색이 엇갈린 순서로 칠해지는 2가지 방법이 있다. (예를 들면 (적, 청, 적, 청, 적) 또는 (청, 적, 청, 적, 청)의 2가지)

따라서 3가지 색을 모두 써서 칠하는 방법은
48-(3×2)=42(가지)

참고* 나뭇가지 모양의 그림을 그려서 풀어도 된다.

㉠에 적색, ㉡에 청색을 칠하면 다음과 같이 7가지 방법이 된다.

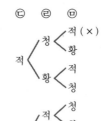

㉡에 황색을 칠해도 7가지이므로 ㉠에 적색을 칠했을 때 나머지에 칠하는 방법은 2×7=14(가지)이다.

따라서 ㉠에 청색, 황색을 칠해도 각각 14가지씩이므로 칠하는 방법은 모두
14×3=42(가지)

9 (i)

[그림 1]

[그림 1]과 같이 12장의 카드를 일렬로 늘어놓을 때, 같은 색끼리 모아서 4가지의 색을 붙이는 것은 4명을 한 줄로 세우는 경우와 같고, 돌려 놓았을 때 똑같은 경우가 생기므로 [그림 1]과 같이 늘어놓는 방법은

$$4 \times 3 \times 2 \times 1 \times \frac{1}{2} = 12(가지)$$

(ii)

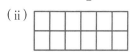

[그림 2]

[그림 2]와 같이 늘어놓았을 때는 돌리거나 뒤집어서 같아지는 것을 고려하여 초록색의 위치를 결정하면 다음과 같다.

①   ②   ③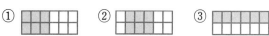

①번의 경우는 나머지 색을 늘어놓는 방법이 2가지이고,
②번의 경우는 3장이 있는 노랑을 직사각형 모양으로 붙일 수 없다.
③번의 경우는 나머지 색을 늘어놓는 방법이

$$3 \times 2 \times 1 \times \frac{1}{2} = 3(가지)$$

따라서 [그림 2]와 같이 늘어놓는 방법은

$$2 + 3 = 5(가지)$$

(iii)

[그림 3]

[그림 3]과 같이 놓았을 때는 돌리거나 뒤집기 또는 뒤집

어 돌리는 방법을 고려하여 초록색의 자리를 결정하는 방법은 다음과 같다.

①   ②   ③

①번의 경우는 나머지 색을 늘어놓는 방법이 2가지이고
②번의 경우 1가지,
③번의 경우 5가지이므로
[그림 3]과 같이 늘어놓는 방법은

$$2 + 1 + 5 = 8(가지)$$

따라서 색지를 늘어놓는 전체 방법의 수는

$$12 + 5 + 8 = 25(가지)$$

10 깃발을 칠하는 방법은 3가지 색으로 칠하는 방법과 2가지 색으로 칠하는 방법이 있다.
2가지 색으로 칠하는 방법은 양쪽 바깥쪽에 같은 색을 칠하고 가운데를 다른 색으로 칠하는 방법으로, 바깥쪽 색을 고르는 5가지 방법과 그 때마다 안쪽 색을 칠하는 4가지 방법이 있으므로 $5 \times 4 = 20(가지)$가 있다.
3가지 색으로 칠하는 방법에서, 먼저 5개의 색 중 3개를 골라 일렬로 나열하는 방법은 $5 \times 4 \times 3 = 60(가지)$인데, 뒤집었을 때 같은 색이 되는 것은 같은 깃발이므로

$$60 \times \frac{1}{2} = 30(가지)이다.$$

따라서 생길 수 있는 모든 깃발의 수는

$$20 + 30 = 50(가지)$$

약수 관찰

유제

1 12개   **2** 3개   **3** 13, 21, 37, 39, 91
4 5장 또는 24장

특강탐구문제

1 29   **2** 240   **3** a:20, b:5   **4** 7가지   **5** 60
6 20개   **7** 1, 2, 5, 10   **8** 31개, 3개   **9** 777
10 98539853

유제풀이

1 $810=2\times3^4\times5$이므로 약수의 개수는
$2\times5\times2=20$(개)이다.
이 중 6의 배수인 약수는 2×3, 2×3^2, 2×3^3, 2×3^4,
$2\times3\times5$, $2\times3^2\times5$, $2\times3^3\times5$, $2\times3^4\times5$의 8개이므로
810의 약수 중 6의 배수가 아닌 것의 개수는
$20-8=12$(개)

참고* $810=6\times3^3\times5$로 나타낼 수도 있다.
이 때 6을 포함하는 약수의 개수는 $810\div6=3^3\times5$의 약
수의 개수와 같다.
따라서 810의 약수 중에 6의 배수는 $4\times2=8$(개)이다.

2 5는 소수이므로 약수가 5개인 수는 A^4의 꼴로 표현되
는 수이다.
1부터 1000까지의 수 중 이에 해당하는 수는
$2^4=16$, $3^4=81$, $5^4=625$의 3개뿐이다.

3 $ABABAB=AB\times10101$이다.
ABABAB에는 A, B가 어떤 수든지 10101이 항상 곱
해진다.
즉, ABABAB는 항상 10101의 약수로 나누어떨어진
다.
$10101=3\times7\times13\times37$이므로 두 자리 수인 약수는 13,
37, 3×7, 3×13, 7×13이다.
따라서 C는 13, 37, 21, 39, 91이다.

4 $184=1\times184=2\times92=4\times46=8\times23$이므로
걸어 낸 뒤에 색종이의 개수를 (가로, 세로)로 나타내면

$(1, 184)$, $(2, 92)$, $(4, 46)$, $(8, 23)$, $(23, 8)$,
$(46, 4)$, $(92, 2)$, $(184, 1)$의 8가지 경우가 있다.
이것은 세로로 한 줄, 가로로 두 줄을 걸어 낸 것이므로
$(세로+1)\times(가로+2)=240$이 되는 경우를 찾으면
$(4, 46)$, $(23, 8)$의 두 가지 경우이다.
따라서 처음 가로로 늘어놓은 색종이는
$4+1=5$(장) 또는 $23+1=24$(장)

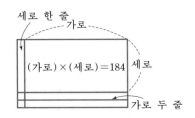

특강탐구문제풀이

1 모든 자연수는 1과 자기 자신을 약수로 가지고 있다.
문제의 어떤 자연수를 A라고 하면 이 자연수의 2개의 약
수는 1과 A이므로 A는 소수이다.
A의 3배인 수는 $A\times3$이고, A가 3이 아니라면 이 수의
약수는 1, 3, A, $A\times3$의 4개뿐이다.
만약 A=3이면 $A\times3=9$가 되어 약수는 1, 3, 9의 3개
이고, 약수의 합은 $1+3+9=13$이므로 조건에 맞지 않
는다.
모든 약수의 합이 120이므로
$1+3+A+A\times3=120$
$4+A\times4=120$
$A\times4=116$
$A=29$
따라서 구하는 자연수는 29이다.

2 $48=2^4\times3$이므로 48의 약수는 $5\times2=10$(개)
$15=3\times5$이므로 15의 약수는 $2\times2=4$(개)
3의 약수는 1과 3, 2개이므로
$<48>\times<15>\div<x>=<3>$
$10\times4\div<x>=2$
$40\div<x>=2$
$<x>=20$
즉, x의 약수는 20개이다.

$20=1\times20=2\times10=4\times5=2\times2\times5$이므로

x는 A^{19}, $A\times B^9$, $A^3\times B^4$, $A\times B\times C^4$의 꼴이 된다.

A, B, C는 서로 다른 소수이므로 가장 작은 값을 구하려면 될 수 있는대로 작은 소수를 거듭제곱이 많은 쪽에 넣어 본다.

2^{19}은 상당히 큰 값이 된다.

$3\times2^9=1536$

$3^3\times2^4=432$

$3\times5\times2^4=240$

따라서 가장 작은 x는 240이다.

3 $48=2^4\times3$이므로 모든 약수는

1, 2, 2^2, 2^3, 2^4, 3, 2×3, $2^2\times3$, $2^3\times3$, $2^4\times3$의 10개이다.

이 약수들을 모두 곱하면

$1\times2\times2^2\times2^3\times2^4\times3\times2\times3\times2^2\times3\times2^3\times3\times2^4\times3$

$=2^{20}\times3^5$

따라서 $a=20$, $b=5$이다.

참고* $48=2^4\times3$이므로 48의 약수를 표로 나타내면 다음과 같다.

×	1	3
1	1	3
2	2	2×3
2^2	2^2	$2^2\times3$
2^3	2^3	$2^3\times3$
2^4	2^4	$2^4\times3$

5개

2개

따라서 약수의 개수는 $2\times5=10$(개)

4 $18=1\times18=2\times9=3\times6=2\times3\times3$이므로

약수가 18개인 수는

A^{17}, $A\times B^8$, $A^2\times B^5$, $A\times B^2\times C^2$의 꼴이 된다.

(단, A, B, C는 서로 다른 소수)

① 가장 작은 소수인 2를 이용해도 $2^9=512$이므로 A^{17}은 조건에 맞지 않는다.

② $3\times2^8=768$이므로 $A\times B^8$도 조건에 맞지 않는다.

③ $A^2\times B^5$에서 500 이하가 되는 경우는 $3^2\times2^5=288$의 한 가지뿐이다.

④ $A\times B^2\times C^2$에서

• B와 C에 각각 2와 3을 넣으면

$A\times2^2\times3^2=A\times36$

$500\div36=13\cdots32$이므로

A는 13 이하의 소수 2, 3, 5, 7, 11, 13 중에서 2와 3을 제외한 5, 7, 11, 13의 4가지이다.

• B와 C에 각각 2와 5를 넣으면

$A\times2^2\times5^2=A\times100$

$500\div100=5$이므로

A는 5 이하의 소수 2, 3, 5 중에서 2와 5를 제외한 3만 해당하므로 1가지이다.

• B와 C에 각각 2와 7을 넣으면

$A\times2^2\times7^2=A\times196$

$500\div196=2\cdots108$이므로

A는 2 한 가지뿐인데 이것은 A 값이 될 수 없으므로 조건에 맞지 않는다.

• B와 C에 각각 3과 5를 넣으면

$A\times3^2\times5^2=A\times225$가 된다.

$500\div225=2\cdots50$이므로

A는 2 한 가지뿐이고 조건에도 맞는다.

• B와 C에 각각 3과 7을 넣으면

$A\times3^2\times7^2=A\times441$이 된다.

$500\div441=1\cdots59$이므로

A에 알맞은 소수는 없다.

그 이상의 소수들은 모두 조건에 맞지 않는다.

따라서 500 이하의 자연수 중에서 약수가 18개인 수는

$1+4+1+1=7$(가지)

5 약수의 개수가 많으려면 가능한 한 작은 소수의 거듭제곱으로 나타내어야 한다.

두 자리의 자연수 중에서 약수의 개수가 가장 많은 수는

• 1개의 소수의 거듭제곱으로 나타낼 때

가장 작은 소수인 2를 이용한 $2^6=64$이고, 약수는 7개이다.

• 2개의 소수의 거듭제곱으로 나타낼 때

2, 3을 이용한

$2^5\times3=96$ 또는 $2^3\times3^2=72$이고,

약수는 $6\times2=4\times3=12$(개)이다.

• 3개의 소수의 거듭제곱으로 나타낼 때

2, 3, 5를 이용한

$2^2 \times 3 \times 5 = 60$ 또는 $2 \times 3^2 \times 5 = 90$이고,

약수는 $3 \times 2 \times 2 = 2 \times 3 \times 2 = 12$(개)이다.

- 4개 이상의 소수는 가장 작은 2, 3, 5, 7을 이용해도 $2 \times 3 \times 5 \times 7 = 210$이므로 조건에 맞지 않는다.

따라서 구하는 수는 약수가 12개인 수 중 가장 작은 60이다.

6 50등분하기 위해서는 모두 49개의 선분을 그어야 한다. 이 49개의 선분 중에는 50의 약수로 등분했을 때 그었던 선분과 겹치는 것이 생기게 된다.

한편, 50의 약수는 1, 2, 5, 10, 25, 50인데 이 중 1과 50은 생각하지 않는다. 또, 2와 5는 각각 10과 25의 약수이므로 생각하지 않아도 된다.

10등분했을 때와 25등분했을 때에는 10과 25의 공약수인 5등분했을 때 그은 선분과 겹친다.

10등분했을 때 9개의 선분, 25등분했을 때 24개의 선분, 5등분했을 때 4개의 선분을 긋게 되므로 50등분할 때 그어야하는 49개의 선분 중 이미 그어져 있는 선분은 $9 + 24 - 4 = 29$(개)

따라서 50등분할 때 새로 그어야 하는 선은

$49 - 29 = 20$(개)이다.

다른 풀이 눈금이 50개인 종이 테이프를 생각해 보자.

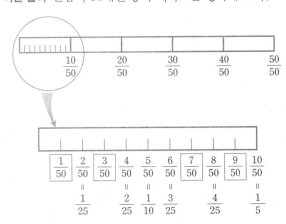

종이 테이프를 50등분하는 선을 그을 때

$50 = 2 \times 5^2$으로 소인수분해되므로

분자가 2의 배수나 5의 배수에 해당하는 등분은 분모인 50과 약분이 가능하므로 이미 선이 그어져 있는 상태이다.

2나 5의 배수가 아닌 수들은

$(1, 3, 7, 9), (11, 13, 17, 19), \cdots, (41, 43, 47, 49)$

$4 \times 5 = 20$(개)

따라서 새로 그어야 하는 선은 20개이다.

7 긴 막대의 길이가 짧은 막대의 길이의 3배이므로 긴 막대 1개와 짧은 막대 1개를 짝지으면 그 길이는 짧은 막대의 길이의 4배가 된다. 두 막대의 길이는 자연수이므로 이것은 4의 배수이다.

같은 개수의 짧은 막대와 긴 막대로 직사각형을 만들었으므로 직사각형의 둘레의 길이의 합은 4의 배수가 된다. 또 직사각형의 가로와 세로의 길이의 합도 4의 배수가 된다.

한편 $700 = 2^2 \times 5^2 \times 7$이므로 이 직사각형의 가로, 세로는 $(1, 2, 2, 5, 5, 7)$을 두 묶음으로 나누어 각 묶음만의 수끼리 곱한 값이다.

두 묶음으로 나누는 경우와 각 경우의 가로와 세로의 합은 다음과 같다.

$(1, 2^2 \times 5^2 \times 7)$	$(2, 2 \times 5^2 \times 7)$	$(5, 2^2 \times 5 \times 7)$
$1 + 2^2 \times 5^2 \times 7$ $= 701$	$2 + 2 \times 5^2 \times 7$ $= 352$	$5 + 2^2 \times 5 \times 7$ $= 145$
$(7, 2^2 \times 5^2)$	$(2^2, 5^2 \times 7)$	$(5^2, 2^2 \times 7)$
$7 + 2^2 \times 5^2$ $= 107$	$2^2 + 5^2 \times 7$ $= 179$	$5^2 + 2^2 \times 7$ $= 53$
$(2 \times 5, 2 \times 5 \times 7)$	$(2 \times 7, 2 \times 5^2)$	$(5 \times 7, 2^2 \times 5)$
$2 \times 5 + 2 \times 5 \times 7$ $= 80$	$2 \times 7 + 2 \times 5^2$ $= 64$	$5 \times 7 + 2^2 \times 5$ $= 55$

이 중 가로와 세로의 합이 4의 배수인 경우는

$(2, 2 \times 5^2 \times 7), (2 \times 5, 2 \times 5 \times 7), (2 \times 7, 2 \times 5^2)$

의 3가지이다.

- $(2, 2 \times 5^2 \times 7)$의 경우 : 넓이가 700cm^2인 직사각형의 두 변 중에서 길이가 짧은 변이 2cm이므로 짧은 막대의 길이가 1cm 또는 2cm일 때 짧은 변을 만들 수 있다.
- $(2 \times 5, 2 \times 5 \times 7)$의 경우 : 짧은 변이 10cm이므로 짧은 막대의 길이가 1cm 또는 2cm 또는 5cm 또는 10cm일 때 짧은 변을 만들 수 있다.
- $(2 \times 7, 2 \times 5^2)$의 경우 : 짧은 변이 14cm이므로 짧은 막대의 길이가 1cm 또는 2cm 또는 7cm 또는 14cm일 때 짧은 변을 만들 수 있다.

그런데 짧은 막대의 길이가 7cm인 경우에는 긴 막대의 길이가 21cm이므로 가로와 세로의 합인

$2\times7+2\times5^2=14+50=64(\text{cm})$를 만들 수 없다.

짧은 막대의 길이가 14cm인 경우에도 긴 막대의 길이가 42cm이므로 가로와 세로의 합인 64cm를 만들 수 없다.

따라서 짧은 막대가 될 수 있는 길이는 1cm, 2cm, 5cm, 10cm이므로 짧은 막대의 길이로 알맞은 수는 1, 2, 5, 10이다.

8 각 수는 자신의 약수의 배수이므로 약수에 해당하는 줄에서 한 번씩 꼭 적히게 된다. 따라서 자신의 약수의 개수만큼 적히게 된다. 그러므로 홀수 번 적혀 있는 수는 약수의 개수가 홀수 개인 수이다.

한편, 약수의 개수가 홀수 개인 수들은 모두 완전제곱수이다.

따라서 홀수 번 적힌 수들은 1000 이하의 완전제곱수이므로 이러한 수들은 $1^2=1$, $2^2=4$, $3^2=9$, $\cdots$, $31^2=961$의 31개이다.

또, 5번 적혀 있는 수는 1000 이하의 수 중 약수가 5개인 수이다.

5는 소수이므로 약수가 5개인 수는 어떤 소수를 4번 거듭제곱한 수이다.

따라서 5번 적힌 수들은 $2^4=16$, $3^4=81$, $5^4=625$의 3개이다.

참고* 어떤 수 X가 완전제곱수라면

$X=x^2$와 같이 나타낼 수 있다.

$x=4\times B$로 소인수분해된다면

$X=A^2\times B^2$이므로 약수의 개수는 3×3으로 홀수 개이다.

$X=A^a\times B^b\times C^c\times\cdots$이라면 a, b, c, $\cdots$는 항상 짝수들이고 약수의 개수는 $a+1$, $b+1$, $c+1$, $\cdots$들의 곱이므로 홀수들의 곱이 된다.

홀수들의 곱은 항상 홀수이므로 완전제곱수 X의 약수는 항상 홀수 개이다.

반대로 약수의 개수가 홀수 개이면 그 수는 항상 완전제곱수인 것도 성립한다.

9 처음 두 자리 자연수를 AB라고 하면 만들어진 여섯 자리 수는 ABABAB가 된다.

$\text{AB}\times13\times\text{가}=\text{ABABAB}$
$=\text{AB}\times10101$

따라서 $13\times\text{가}=10101$이므로

$\text{가}=10101\div13$
$\text{가}=777$

즉 AB에 13을 곱한 후 777을 곱하면 ABABAB와 같은 여섯 자리 수가 된다.

10 처음 네 자리 수를 ABCD라고 하면 만들어진 여덟 자리 수는 ABCDABCD가 된다. 이것은 $\text{ABCD}\times10001$과 같다.

$10001=73\times137$이고 $22879=137\times167$이므로

$\text{ABCD}\times10001$이 22879의 배수가 되려면 ABCD가 167의 배수이어야 한다.

ABCDABCD 중에서 가장 큰 수를 구해야 하므로 ABCD는 167의 배수 중 가장 큰 네 자리 수이면 된다.

$10000\div167=59\cdots147$이므로 조건에 맞는 ABCD는 $167\times59=9853$이다.

따라서 조건에 맞는 여덟 자리 수는 98539853이다.

참고* 식으로 나타내면 다음과 같다.

$\text{ABCDABCD}=\text{ABCD}\times10001$
$=\text{ABCD}\times73\times137 \cdots\cdots \text{①}$

한편, $\text{ABCDABCD}=22879\times x$
$=137\times167\times x\cdots\cdots \text{②}$

①=②이므로

$\text{ABCD}\times73=167\times x$

73과 167은 서로소이므로 ABCD는 167의 배수이다.

그러므로 가장 큰 네 자리 수 ABCD는

$167\times59=9853$이고, x는 73×59이다.

속력에 관한 문제 ② 31

1 52km **2** 3.36km **3** 36km **4** 10km

특강탐구문제

1 1044m **2** 을 버스 : 시속 60km, 트럭 : 시속 30km

3 오후 2시 20분 **4** $\frac{1}{9}$배 **5** 775m **6** 1시간

7 42km **8** A, B 사이의 거리 : 122km, 현기의 속력 :
시속 73.6km **9** 4.62km **10** 7배

유제풀이

1 12km 거리를 시속 8km로 걸어가면
$\frac{12}{8}$시간=$\frac{3}{2}$시간=1시간 30분이 걸린다.

4시간 40분−1시간 30분=3시간 10분

즉, $3\frac{10}{60}$시간=$\frac{19}{6}$시간은 B에서 C까지의 거리를 시속
8km로 갔을 때와 시속 30km로 갔을 때 걸리는 시간의
합과 같다.

또한 같은 거리를 시속 8km와 시속 30km로 갔을 때 걸
리는 시간의 비는 $\frac{1}{8}:\frac{1}{30}$=30 : 8=15 : 4이다.

따라서 B에서 C까지 시속 30km로 갈 때 걸리는 시간은
$\frac{19}{6}\times\frac{4}{(15+4)}=\frac{2}{3}$(시간)이고,

B에서 C까지의 거리는 $30\times\frac{2}{3}$=20(km)이므로

A에서 C까지의 거리는
(20+12)+20=52(km)

다른 풀이 다음과 같이 방정식을 세워 풀 수도 있다.

B에서 C까지의 거리를 $x$km라 하면,

A에서 B까지의 거리는 $(x+12)$km이다.

$\frac{(거리)}{(속력)}$=(시간)이므로

$\frac{x+12}{8}+\frac{x}{30}=4\frac{2}{3}$에서 x=20(km)

따라서 A에서 C까지의 거리는
(20+12)+20=52(km)

2

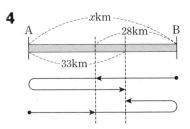

㉮부터 ㉯까지의 거리를 130+150=280으로 생각하면,

준혜와 준연이가 A에서 만날 때

준경이는 A에서 ㉮ 쪽으로 40만큼 가 있다.

준연이와 준경이의 속력의 비가 150 : 90=5 : 3이므로
같은 시간 동안 간 거리의 비도 5 : 3이고, 준혜와 준연
이가 만난 후 2분 후에 준연이와 준경이가 만나므로

2분 동안 준경이가 간 거리는 $40\times\frac{3}{8}$=15이다.

따라서 15만큼의 거리는 2분 동안 준경이가 간 거리인
90×2=180(m)이고, 1만큼의 거리는 180÷15=12(m)
이므로 ㉮, ㉯ 사이의 거리는

280×12=3360(m) → 3.36km

다른 풀이 ㉮, ㉯ 사이의 거리를 xm라 하면

$$\frac{x}{130+150}+2=\frac{x}{90+150}$$

$$x=3360(m)$$

3 벌은 두 자전거가 마주칠 때까지 방향을 바꿔 가며
계속 날아다녔으므로 두 자전거가 움직인 거리의 합이
42km가 될 때까지의 시간 동안 날아다닌 셈이다.

두 자전거는 1시간에 각각 11km, 17km씩 달리므로
마주칠 때까지 걸린 시간은 42÷(11+17)=1.5(시간)
이다.

따라서 벌이 날아다닌 거리는
24×1.5=36(km)

4

둘째 번으로 마주칠 때까지 두 비둘기가 날아간 거리의
합은 A, B 사이의 거리의 3배이다.

두 비둘기가 날아간 거리의 합이 A, B 사이의 거리가
될 때마다 B에서 출발한 비둘기는 28km씩 날아간 셈
이다.

A, B 사이의 거리를 $x$km라 하면

28km의 3배는 B에서 출발한 비둘기가 날아간 거리와
같으므로

$28\times3=x+33$, x=51(km)

따라서 첫째 번 마주친 곳과 둘째 번 마주친 곳 사이의 거리는

$$(33+28)-51=10(km)$$

특강탐구문제풀이

1

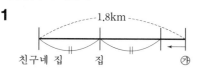

1.8km=1800m이므로 주영이가 ㉮ 지점에서 친구네 집까지 가는 데 걸리는 시간은

$$\frac{1800}{500}=3.6(분)$$

봉규가 그 시간 동안 걸어 간 거리는

$$80\times3.6=288(m)$$

주영이와 봉규가 집에 동시에 도착하기 위해서는 친구네 집과 집 사이의 거리와, 주영이가 친구네 집에 도착했을 때 봉규가 있는 위치와 집 사이의 거리가 서로 같아야 한다.

따라서 봉규가 걸은 거리는

$$288+(1800-288)\div2=288+756$$
$$=1044(m)$$

다른 풀이 봉규가 걸은 거리를 x m라 하면

$$\frac{x}{80}=\frac{1800}{500}+\frac{1800-x}{80}$$
$$x=1044(m)$$

2

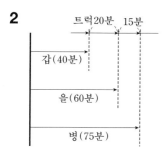

갑 버스가 40분=$\frac{2}{3}$시간 동안 간 거리는

$$75\times\frac{2}{3}=50(km)$$

병 버스가 75분=$\frac{5}{4}$시간 동안 간 거리는

$$54\times\frac{5}{4}=67.5(km)$$

따라서 트럭은 35분=$\frac{7}{12}$시간 동안

$$67.5-50=17.5(km)$$

를 간 것이므로 트럭의 속력은

$$17.5\div\frac{7}{12}=30(km/시)$$

또 트럭이 20분=$\frac{1}{3}$시간 동안 간 거리는

$$30\times\frac{1}{3}=10(km)$$

따라서 을 버스는 60분=1시간 동안 50+10=60(km)를 간 것이므로 을 버스의 속력은 시속 60km이다.

3

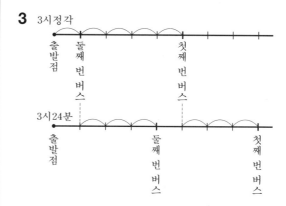

위의 그림과 같이 되어 24분 동안 3칸을 간 것이다.

1칸 가는 데는 8분이 걸리므로 5칸은 8×5=40(분) 걸린다.

따라서 첫째 번 버스가 출발한 시각은

오후 3시 40분 전, 즉 오후 2시 20분이다.

4

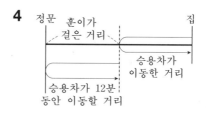

훈이가 놀이 공원 정문에서 어머니를 만날 때까지 걸은 거리는 승용차로 왕복 12분 걸리는 거리와 같다.

즉, 승용차는 6분 동안 더 가면 4시 정각이 되어 놀이 공원에서 훈이를 태울 예정이었으므로 3시 54분에 훈이를 만난 것이고, 훈이는 승용차가 6분 동안 달릴 거리를 54분 동안 걸어 온 것이다.

같은 거리를 갈 때 걸린 시간의 비가 54 : 6=9 : 1이면

속력의 비는 $\frac{1}{9}$: 1이므로

훈이의 걷는 속력은 승용차 속력의 $\frac{1}{9}$배이다.

5

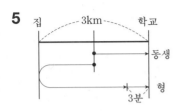

형이 3분 동안 갈 수 있는 거리는

$$27 \times \frac{3}{60} = \frac{27}{20} \text{(km)}$$

즉, 동생이 자전거에서 내려 학교에 도착할 때까지 걸린 시간 동안 형과 동생이 이동한 거리의 합은

$$3 \times 2 - \frac{27}{20} = \frac{93}{20} \text{(km)}$$

동생의 속력과 형의 속력의 비는 5.4 : 27 = 1 : 5이므로 같은 시간 동안 간 거리의 비도 1 : 5이다.

따라서 동생이 걸어간 거리는

$$\frac{93}{20} \times \frac{1}{6} = \frac{31}{40} \text{(km)} \rightarrow 775\text{m}$$

다른 풀이

동생이 걸어간 거리를 x km라 하면

$$\frac{x}{5.4} + \frac{3}{60} = \frac{(3-x)+3}{27}$$

$$x = \frac{31}{40} \text{(km)} \rightarrow 775\text{m}$$

6

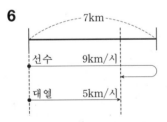

대열을 떠났다가 다시 대열로 되돌아 온 선수가 이동한 거리와 그 시간 동안 대열이 움직인 거리의 합은

$$7 \times 2 = 14 \text{(km)}$$

대열과 선수의 속력의 비는 5 : 9이므로 같은 시간 동안 간 거리의 비도 5 : 9이다.

따라서 대열은 $14 \times \frac{5}{14} = 5 \text{(km)}$를 간 것이고, 시속 5km의 속력으로 5km를 갔으므로 1시간이 걸렸다.

즉, 이 선수가 대열을 떠나 다시 대열로 돌아오는 데 걸린 시간은 1시간이다.

7

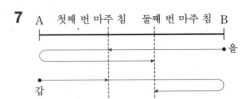

2시간 20분 동안 갑과 을이 달린 거리의 합은 A, B 사이의 거리의 3배이다.

2시간 20분 $= 2\frac{20}{60}$시간 $= \frac{7}{3}$시간 동안 A, B 사이의 거리의 3배를 갔으므로 두 사람이 처음 마주치는 데 걸린 시간은

$$\frac{7}{3} \times \frac{1}{3} = \frac{7}{9} \text{(시간)}$$

갑은 한 시간에 23km씩, 을은 한 시간에 31km씩 달리므로 $\frac{7}{9}$시간 동안 달린 거리는

$$\frac{7}{9} \times (23+31) = \frac{7}{9} \times 54 = 42 \text{(km)}$$

따라서 A, B 두 지점 사이의 거리도 42km이다.

8

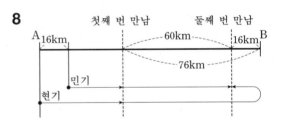

현기가 민기를 추월한 때부터 다시 둘이 만날 때까지의 시간 동안 현기와 민기의 이동 거리의 비는

$$(76+16) : (76-16) = 92 : 60 = 23 : 15$$

이므로 속력의 비도 23 : 15이다.

민기의 속력이 시속 48km이므로 현기의 속력은

$$48 \times \frac{23}{15} = 73.6 \text{(km/시)}$$

처음 출발하여 민기가 20분 동안 $48 \times \frac{20}{60} = 16 \text{(km)}$를 앞선 후에 현기가 출발하였다. 현기는 1시간에 $73.6 - 48 = 25.6 \text{(km)}$씩 민기를 따라잡고, 16km를 따라잡는데 $16 \div 25.6 = \frac{5}{8} \text{(시간)}$이 걸린다.

즉, $\frac{5}{8}$시간 동안 현기는 $\frac{5}{8} \times 73.6 = 46 \text{(km)}$를 갔다.

따라서 A, B 두 지점 사이의 거리는

$$46 + 76 = 122 \text{(km)}$$

9 자전거로 집에서 학교까지의 거리의 $\dfrac{5}{7}$만큼 갔을 때 걸린 시간은

$21 \times \dfrac{5}{7} = 15$(분)이다.

자전거로 가면 $21 - 15 = 6$(분)이 걸렸을 나머지 거리를 걸어서 $45 - 8 - 15 = 22$(분)만에 갔으므로, 자전거를 탈 때와 걸어갈 때의 걸린 시간의 비는 $6 : 22 = 3 : 11$이고, 속력의 비는 $\dfrac{1}{3} : \dfrac{1}{11} = 11 : 3$이다.

자전거를 탈 때와 걸어갈 때의 속력의 차는 $9.6km$인데 비의 차는 $11 - 3 = 8$이므로, 비의 1은 $1.2km$에 해당한다.

따라서 자전거의 속력은 시속 $1.2 \times 11 = 13.2$(km)이므로 현재네 집에서 학교까지의 거리는

$13.2 \times \dfrac{21}{60} = 4.62$(km)

10

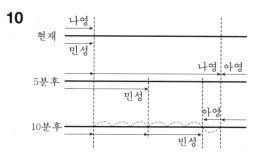

민성이가 10분 동안 이동한 거리와 아영이가 5분 동안 이동한 거리의 합은 나영이가 5분 동안 이동한 거리와 같다.

민성이의 속력은 아영이의 속력의 3배이므로 그림으로 표시해 보면 위와 같다.

즉 나영이의 속력을 7칸으로 나누면 민성이가 6칸, 아영이가 1칸 차지하게 된다.

따라서 나영이가 자전거를 타고 가는 속력은 아영이가 걷는 속력의 7배이다.

전개도 관찰 ①

32

1 ㉯, ㉰, ㉱, ㉳ **2** 풀이 참조 **3** 9가지
4 4cm³

1 선분 ㄷㄹ **2** 3의 면 **3** 풀이 참조 **4** (A)와 (D)
와 (E), (B)와 (C) **5** E 면 **6** 180cm³ **7** 108cm²,
216cm² **8** 풀이 참조 **9** 72cm³ **10** 69687.5cm³

유제풀이

1

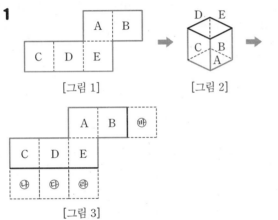

[그림 1]   [그림 2]

[그림 3]

전개도에 [그림 1]과 같이 A부터 E까지를 적고 [그림 2]
와 같이 만들면 A를 밑면으로 하고 윗면이 뚫려 있는 상
자와 같은 모양이 됨을 알 수 있다. 뚫려 있는 면에 나머
지 한 면이 붙을 수 있으므로 그 테두리에 색을 표시하고
[그림 3]과 같이 원래의 모양으로 돌려 놓으면 색이 표시
되어 있는 부분의 옆에 나머지 한 면이 올 수 있다.
따라서 나머지 한 면을 붙일 수 있는 곳으로 알맞은 곳은
㉯, ㉰, ㉱, ㉳이다.

참고* 정육면체의 전개도에서 5개의 면이 그려져 있을
때 나머지 1개의 면이 붙을 수 있는 변은 정사각형의 변
의 수와 같은 4개이다.

2

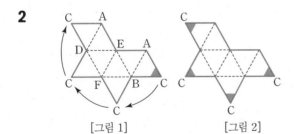

[그림 1]   [그림 2]

문제의 검게 칠해진 부분은 꼭짓점 C와 만나고 있는 4개
의 면 위에 있다. 먼저 [그림 1]과 같이 꼭짓점 C가 되는
4개의 점을 전개도 위에서 차례로 찾아 나간다. 찾아 낸
4개의 꼭짓점을 이용하여 검게 칠해진 부분을 나타내면
[그림 2]와 같다.

3 옆면을 이루는 정사각형 3개가 나란히 붙어 있는 경
우, 2개만 나란히 붙어 있는 경우, 3개 모두 서로 떨어져
있는 경우로 나누어 생각해 보자. 이 때 뒤집거나 돌려
놓아 같은 모양이 되는 것은 하나의 전개도로 생각하는
것에 유의한다.

〈정사각형 3개가 붙어 있는 경우〉

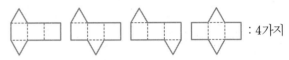 : 4가지

〈정사각형 2개가 붙어 있는 경우〉

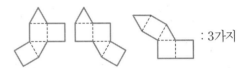 : 3가지

〈정사각형이 모두 떨어져 있는 경우〉

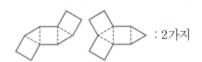 : 2가지

따라서 모두 4+3+2=9(가지)이다.

4

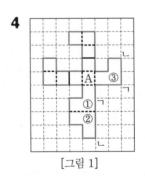

[그림 1]

A를 윗면으로 하여 ①, ②, ③ 3개의 면만을 먼저 선을
따라 접어 입체도형을 만들어 보자.
만들어진 도형은 [그림 2]와 같이 된다.

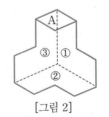

[그림 2]

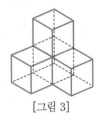

[그림 3]

[그림 2]의 도형에서 나머지 부분을 선을 따라 접으면서 도형을 완성하면 [그림 3]과 같은 입체도형이 된다.

완성된 입체도형은 한 변의 길이가 1cm인 정육면체 4개가 모여 있는 것과 같으므로 부피는

$$1 \times 1 \times 1 \times 4 = 4(cm^3)$$

특강탐구문제풀이

1

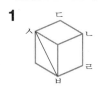

전개도를 이용하여 만든 입체도형에 선분 ㅅㅂ을 그리면 위의 그림과 같다.

선분 ㅅㅂ과 평행한 선분은 꼭짓점 ㄷ과 꼭짓점 ㄹ을 이은 선분이므로 선분 ㄷㄹ이다.

2

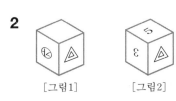

[그림1]　　　　[그림2]

△표시가 정면에 오도록 고정한 채 A의 전개도를 이용해서 만든 정육면체는 [그림 1]과 같고, B의 전개도를 이용해서 만든 정육면체는 [그림 2]와 같다.

따라서 A의 ㉮ 위치에 놓이는 면은 B의 3에 해당하는 면이다.

3

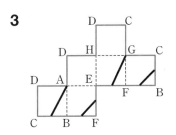

먼저 전개도에 각 꼭짓점의 위치를 표시한다.

각 면으로 나누어 생각하자.

꼭짓점 A와 선분 BC의 중점, 선분 BC의 중점과 선분 BF의 중점, 선분 BF의 중점과 선분 EF의 중점, 선분 EF의 중점과 꼭짓점 G를 각각 이으면 위의 그림과 같다.

4 각 전개도로 정팔면체를 만드는 것을 생각해 보면 다음과 같다. ①과 ②, ③과 ④를 붙이고 굵은 선으로 꺾어 접으면 다음 그림과 같은 정팔면체가 된다.

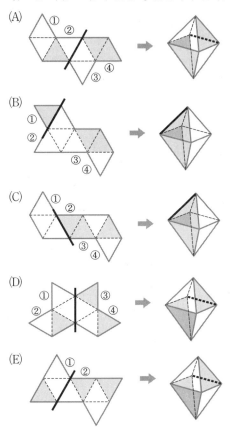

따라서 (A)와 (D)와 (E)가 같은 전개도이고, (B)와 (C)가 같은 전개도이다.

5

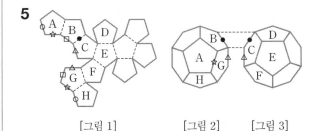

[그림 1]　　　　[그림 2]　　　　[그림 3]

[그림 1]과 같이 전개도에서 만나는 변에 같은 모양을 그려 넣어 표시하고 A를 중심으로 [그림 2]와 같이 위에서 바라 본 완성된 입체도형에 A, B, G, H를 적어 나간다.

또 B와 C가 연결된 것을 이용하여 같은 방법으로 [그림 3]과 같이 아래에서 바라 본 입체도형에 C, D, E, F를 적어 나간다.

A와 평행한 면은 밑면이 되는 면 E이다.

6

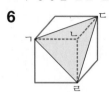

전개도를 이용하여 만든 입체도형은 그림과 같다.
구하는 부피는 한 변의 길이가 6cm인 정육면체의 부피
에서 삼각형 ㄱㄴㄷ을 밑면으로 하고, 선분 ㄴㄹ을 높이
로 하는 삼각뿔의 부피를 뺀 것과 같다.
따라서 이 입체도형의 부피는

$$6 \times 6 \times 6 - 6 \times 6 \times \frac{1}{2} \times 6 \times \frac{1}{3} = 216 - 36$$
$$= 180 (cm^3)$$

7

(i) 필요한 도화지의 넓이가 가장 작을 때를 생각해 보자.

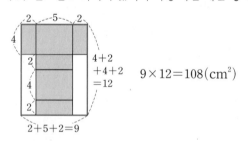

$9 \times 12 = 108 (cm^2)$

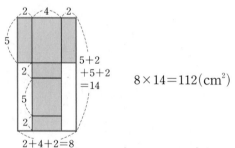

$8 \times 14 = 112 (cm^2)$

따라서 최소는 108cm²임을 알 수 있다.

(ii) 필요한 도화지의 넓이가 가장 클 때를 생각해 보자.

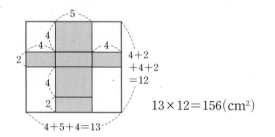

$13 \times 12 = 156 (cm^2)$

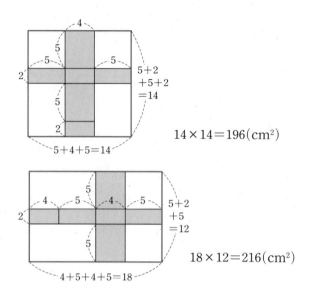

$14 \times 14 = 196 (cm^2)$

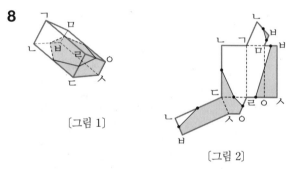

$18 \times 12 = 216 (cm^2)$

따라서 최대는 216cm²임을 알 수 있다.

8

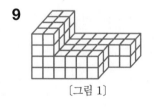

〔그림 1〕

〔그림 2〕

먼저 〔그림 1〕과 같이 입체도형의 나머지 네 꼭짓점에 ㅁ
부터 ㅇ까지 기호를 정한다.
이제 입체도형을 참고하여 선분 ㄴㄷ 위의 점과 선분 ㄷㄹ
위의 점, 선분 ㄷㄹ 위의 점과 선분 ㄹㅇ 위의 점, 선분
ㄹㅇ 위의 점과 선분 ㅁㅇ 위의 점, 선분 ㅁㅇ 위의 점과
선분 ㅁㅂ 위의 점, 선분 ㅁㅂ 위의 점과 선분 ㄴㅂ 위의
점, 선분 ㄴㅂ 위의 점과 선분 ㄴㄷ 위의 점을 차례로 이
어 나간다.
위에서 그은 선분에 의해 전개도의 6개의 사각형은 각각
두 부분으로 나뉜다.
두 부분 중 물에 잠겨 있던 점 ㄷ, 점 ㅂ, 점 ㅅ, 점 ㅇ이
속해 있는 쪽에 색칠을 하면 된다.

9

〔그림 1〕

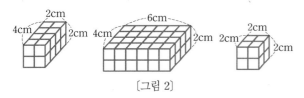

〔그림 2〕

전개도를 완성하면 [그림 1]과 같은 입체도형이 된다.
[그림 2]와 같이 세 부분으로 나누어 부피를 구하면, 이 입체도형의 부피는

$$4 \times 2 \times 2 + 4 \times 6 \times 2 + 2 \times 2 \times 2 = 16 + 48 + 8$$
$$= 72(cm^3)$$

10

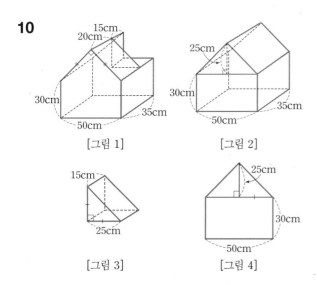

[그림 1]   [그림 2]

[그림 3]   [그림 4]

주어진 전개도를 이용하여 만든 입체도형은 [그림 1]과 같다.

이 입체도형의 부피는 [그림 2]의 입체도형의 부피에서 [그림 3]의 입체도형의 부피를 뺀 것과 같다.

한편 [그림 2]의 입체도형은 [그림 4]의 오각형을 밑면으로 하는 오각기둥이고, [그림 3]의 입체도형은 한 변이 25cm인 직각이등변삼각형을 밑면으로 하는 삼각기둥이다.

[그림 4]의 넓이는

$$50 \times 30 + 50 \times 25 \times \frac{1}{2} = 1500 + 625 = 2125(cm^2)$$

[그림 3]의 부피는

$$25 \times 25 \times \frac{1}{2} \times 15 = 4687.5(cm^3)$$

따라서 구하는 부피는

$$2125 \times 35 - 4687.5 = 74375 - 4687.5$$
$$= 69687.5(cm^3)$$

물 부피에 관한 문제 ① 33

유제

1 10cm **2** 4752cm³ **3** $\dfrac{47}{96}$

4 $14\dfrac{2}{3}$ cm, 13cm

특강탐구문제

1 ㉠:15cm, ㉡:9cm **2** 12cm **3** 2.1L
4 1.65L **5** 8.25cm **6** 10500cm³
7 ㉠:6, ㉡:$\dfrac{2}{5}$ **8** 44.8cm **9** 16cm **10** 840cm³

유제풀이

1 ㉯ 그릇에 들어 있는 물은 ㉮ 그릇의 빈 부분을 차지하고 있던 물이므로, ㉯ 그릇에 들어 있는 물의 부피는 ㉮ 그릇의 빈 부분의 부피와 같다.

㉮ 그릇의 빈 부분은 삼각기둥이고, ㉯ 그릇에 물이 들어 있는 부분은 사각기둥이므로 8cm를 높이로 생각하면 밑면의 넓이가 같아야 한다.

$12 \times x \times \dfrac{1}{2} = 20 \times 3$

$6 \times x = 60$

$x = 10 \text{(cm)}$

2 물 속에 잠긴 나무 도막의 부피는 넘쳐 흐른 물의 부피와 같다.

물 속에 잠긴 나무 도막의 부피는

$12 \times 12 \times 12 \times \dfrac{3}{4} = 1296 \text{(cm}^3)$

이것은 처음 수조에 들어 있던 물의 양의 $\dfrac{3}{11}$만큼이므로 처음 수조에 들어 있던 물의 양은

$1296 \times \dfrac{11}{3} = 4752 \text{(cm}^3)$

3 (가), (나), (다) 그릇의 물의 높이가 같으므로 물의 부피의 비는 밑면의 넓이의 비와 같다.

따라서 (가), (나), (다) 그릇에 들어 있는 물의 부피의 비는

$(8 \times 6) : (4 \times 4) : (6 \times 5) = 48 : 16 : 30$

$= 24 : 8 : 15$

24만큼이 (가) 그릇의 $\dfrac{1}{4}$을 차지하므로 (가) 그릇 전체를 $24 \times 4 = 96$으로 생각하면 (나), (다) 그릇의 물을 모두 (가) 그릇에 넣었을 때 $\dfrac{24+8+15}{96} = \dfrac{47}{96}$만큼 물이 차게 된다.

즉, 물의 높이는 (가) 그릇 높이의 $\dfrac{47}{96}$이 된다.

4 용기의 앞·뒤 사이의 두께가 항상 6cm이므로 물이 들어 있는 부분을 정면에서 봤을 때의 넓이가 같으면 부피도 같다.

용기를 바로 세워 두었을 때의 앞면의 넓이는

$10 \times 18 - 6 \times (10-6) = 180 - 24 = 156 \text{(cm}^2)$

㉮면을 아래로 했을 때 [그림 1]에서

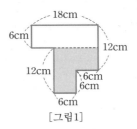

[그림1]

색칠된 부분의 넓이는 $12 \times 12 - 6 \times 6 = 108 \text{(cm}^2)$이고, 나머지 $156 - 108 = 48 \text{(cm}^2)$를 채우려면

$48 \div 18 = \dfrac{48}{18} = \dfrac{8}{3} \text{(cm)}$가 더 높아져야 하므로 물의 깊이는

$12 + \dfrac{8}{3} = 14\dfrac{2}{3} \text{(cm)}$

㉯면을 아래로 했을 때 [그림 2]에서

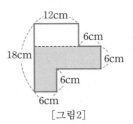

[그림2]

색칠된 부분의 넓이는

$18 \times 12 - 12 \times 6 = 144 \text{(cm}^2)$이고,

나머지 $156 - 144 = 12 \text{(cm}^2)$를 채우려면

$12 \div 12 = 1 \text{(cm)}$가 더 높아져야 하므로 물의 깊이는

$12 + 1 = 13 \text{(cm)}$

특강탐구문제풀이

1 정면에서 보는 직사각형의 넓이와 사다리꼴의 넓이

가 같아야 물의 부피도 같다.

$12 \times (밑면의 가로) = (㉠ + ㉡) \times (밑면의 가로) \times \frac{1}{2}$

따라서 ㉠ + ㉡ = 24(cm)가 된다.

㉠ : ㉡ = 5 : 3이므로

$㉠ = 24 \times \frac{5}{8} = 15(cm)$

$㉡ = 24 \times \frac{3}{8} = 9(cm)$

2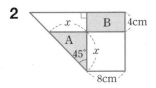

나뉜 두 부분의 앞·뒤 사이의 두께가 10cm로 같기 때문에 앞에서 본 단면만 생각해 보면

B 부분에 있던 물이 A로 온 셈이므로 A와 B의 넓이는 서로 같다.

$x \times x \div 2 = 8 \times 4$

$x \times x = 32 \times 2 = 64$

$x = 8(cm)$

따라서 그릇의 높이는 8 + 4 = 12(cm)이다.

3 ㉮, ㉯ 두 그릇에 들어 있는 물의 높이가 같으면 부피의 비는 밑면의 넓이의 비와 같다.

㉮, ㉯ 두 그릇에 들어 있는 전체 물의 양은

$15500 + \left(24 \times 32 \times \frac{1}{2}\right) \times 5 = 15500 + 1920$
$= 17420(cm^3)$

밑면의 넓이의 비는

$(40 \times 32) : \left(24 \times 32 \times \frac{1}{2}\right) = 1280 : 384 = 10 : 3$이므로

㉮ 그릇에는 $17420 \times \frac{10}{13} = 13400(cm^3) = 13.4(L)$의 물이 남아 있어야 한다.

따라서 15.5 − 13.4 = 2.1(L)의 물을 옮겨 부어야 한다.

4 물이 쏟아진 후 비어 있는 부분의 부피에서 원래 비어 있던 부분인 물통 높이의 $\frac{1}{6}$만큼의 부피를 빼면 쏟아진 물의 양을 구할 수 있다.

두께가 같으므로 단면만 생각하면

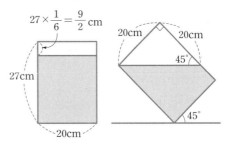

원래 비어 있던 부분의 넓이는

$\frac{9}{2} \times 20 = 90(cm^2)$

물이 쏟아진 후 비어 있는 부분의 넓이는

$20 \times 20 \times \frac{1}{2} = 200(cm^2)$

따라서 쏟아진 물의 양은

$(200 - 90) \times 15 = 1650(cm^3) \rightarrow 1.65L$

5 나무 도막은 20cm 만큼만 물에 잠기게 되고, 나무 도막이 잠긴 만큼의 부피는 처음 그릇에 비어 있던 부분의 부피와 넘친 물의 부피 90cm³의 합과 같다.

따라서 조건에 알맞은 식을 세워 보면

$15 \times 24 \times 8 + 90 = 18 \times 20 \times$ (나무 도막의 밑면의 세로의 길이)

$2970 = 360 \times$ (나무 도막의 밑면의 세로의 길이)

(세로의 길이) = 2970 ÷ 360 = 8.25(cm)

6 돌의 부피는 ㉮ 부분에 32cm까지 물을 넣은 후 남은 부분의 부피와 돌을 넣은 후 ㉯ 부분으로 넘쳐 흐른 물의 부피의 합과 같다.

따라서 돌의 부피는

$40 \times 50 \times 3 + 30 \times 50 \times 3 = 6000 + 4500$
$= 10500(cm^3)$

7 A 그릇의 $\frac{4}{5}$만큼을 B 그릇에 부었을 때 3cm만큼 물이 찼으므로 물의 부피는 $10 \times 16 \times 3 = 480(cm^3)$이고, A 그릇의 부피는

$480 \times \frac{5}{4} = 600(cm^3)$

A 그릇의 높이는

$600 \div (3 \times 5) = 40(cm)$

또한 480cm³에 0.8L = 800cm³를 더 부은 물의 부피

480 + 800 = 1280(cm³)가 B 그릇의 $\frac{1}{4}$만큼이므로

B 그릇의 부피는

$1280 \times 4 = 5120(\text{cm}^3)$

B 그릇의 높이는

$5120 \div (10 \times 16) = 32(\text{cm})$

B 그릇에 물이 차지 않고 남은 부분의 부피는

$5120 - 1280 = 3840(\text{cm}^3)$이므로

$3840 \div 600 = 6 \cdots 240$

즉, A 그릇에 물을 가득 담아 B 그릇에 6번을 옮겨 붓고 240cm^3을 더 채워야 B 그릇이 가득 차게 된다.

따라서 A 그릇으로 B 그릇에 6번 옮겨 붓고, A 그릇의 $\frac{240}{600} = \frac{2}{5}$만큼 물을 담아 B 그릇에 한 번 더 부어야 한다.

따라서 ㉠은 6, ㉡은 $\frac{2}{5}$가 된다.

8 [그림 1]에서 물통의 부피는

$(50 \times 40 \div 2) \times 70 = 70000(\text{cm}^3)$

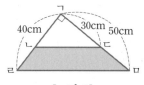

[그림 2]

[그림 2]에서 물통의 단면을 보면 삼각형 ㄱㄴㄷ과 삼각형 ㄱㄹㅁ은 닮은 도형이고,

변 ㄱㄷ의 길이는 변 ㄱㅁ의 길이의 $\frac{30}{50} = \frac{3}{5}$이므로

변 ㄱㄴ의 길이는 변 ㄱㄹ의 길이의 $\frac{3}{5}$인

$40 \times \frac{3}{5} = 24(\text{cm})$이다.

따라서 [그림 2]에서 채워진 물의 부피는

$70000 - (30 \times 24 \div 2) \times 70 = 70000 - 25200$
$\qquad\qquad\qquad\qquad\qquad\qquad = 44800(\text{cm}^3)$

이 때 [그림 3]에서 물의 높이 x는

$44800 \div (40 \times 50 \div 2) = 44.8(\text{cm})$

9 정삼각기둥 모양의 물통은 두께가 일정하므로 같은 부피의 물이 들어 있는 [그림 1]과 [그림 2]의 물통을 앞에서 본 단면의 넓이는 같다.

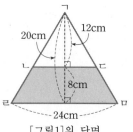

[그림1]의 단면

[그림 1]의 단면에서 삼각형 ㄱㄴㄷ과 삼각형 ㄱㄹㅁ은 닮은 도형이고, 삼각형 ㄱㄴㄷ의 높이는 삼각형 ㄱㄹㅁ의 높이의 $\frac{12}{20} = \frac{3}{5}$이므로 변 ㄴㄷ의 길이는 변 ㄹㅁ의 길이의 $\frac{3}{5}$인 $24 \times \frac{3}{5} = \frac{72}{5}(\text{cm})$이다.

즉, 물이 들어 있는 단면의 넓이는

$\left(24 + \frac{72}{5}\right) \times 8 \div 2 = \frac{768}{5}(\text{cm}^2)$

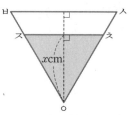

[그림2]의 단면

[그림 2]의 단면에서 삼각형 ㅈㅊㅇ은 정삼각형이고, 정삼각형의 한 변의 길이는 높이의 $24 \div 20 = \frac{6}{5}(\text{배})$이므로 물의 깊이를 $x\,\text{cm}$라 하면 변 ㅈㅊ의 길이는 $\left(\frac{6}{5} \times x\right)\text{cm}$이다.

$\frac{6}{5} \times x \times x \times \frac{1}{2} = \frac{768}{5}$

$x \times x = \frac{768}{5} \times \frac{5}{3} = 256$

$x = 16$

따라서 [그림 2]에서의 물의 깊이는 16cm이다.

10 나무 도막을 면 ㄴㄷㅂㅁ이 바닥에 닿게 넣었을 때 그릇에 물이 가득 찼으므로

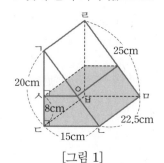

[그림 1]

그릇에 나무 도막을 넣기 전의 빈 부분의 부피와 나무 도막의 면 ㄴㄷㅂㅁ으로부터 8cm 되는 높이의 삼각기 둥의 부피는 서로 같다.

[그림 1]에서 삼각형 ㄱㅅㅇ과 삼각형 ㄱㄷㄴ은 닮은 도형이고, 변 ㄱㅅ의 길이는 변 ㄱㄷ의 길이의 $\frac{12}{20}=\frac{3}{5}$이 므로 변 ㅅㅇ의 길이는

$15 \times \frac{3}{5} = 9 \text{(cm)}$

그릇에 담겨진 삼각기둥 모양의 나무 도막의 부피는

$(15+9) \times 8 \div 2 \times 22.5 = 2160 \text{(cm}^3)$

즉, 그릇의 빈 부분만의 부피는 2160cm³이다.

나무 도막의 면 ㄱㄴㅁㄹ이 바닥에 닿도록 넣은 [그림 2] 를 생각해 보자.

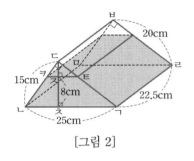

[그림 2]

(삼각형 ㄱㄴㄷ의 넓이)

$=(\text{변 ㄴㄷ}) \times (\text{변 ㄱㄷ}) \div 2$

$=(\text{변 ㄱㄴ}) \times (\text{변 ㄷㅊ}) \div 2$이므로

$15 \times 20 \div 2 = 25 \times (\text{변 ㄷㅊ}) \div 2$

$(\text{변 ㄷㅊ}) = 12 \text{(cm)}$

따라서 $(\text{변 ㄷㅈ}) = 12 - 8 = 4 \text{(cm)}$

삼각형 ㄷㅋㅌ과 삼각형 ㄷㄴㄱ은 닮은 도형이고, 삼각형 ㄷㅋㅌ의 높이가 삼각형 ㄷㄴㄱ의 높이의 $\frac{1}{3}$이므로 변 ㅋㅌ의 길이는 변 ㄴㄱ의 길이의 $\frac{1}{3}$인

$25 \times \frac{1}{3} = \frac{25}{3} \text{(cm)}$

나무 도막이 잠기는 부분의 부피는

$\left(25 + \frac{25}{3}\right) \times 8 \div 2 \times 22.5 = 3000 \text{(cm}^3)$

따라서 그릇의 빈 부분의 부피는 2160cm³이고 그릇에 들어가야 할 나무 도막의 부피는 3000cm³이므로, 넘치 게 되는 물의 양은

$3000 - 2160 = 840 \text{(cm}^3)$

일에 관한 문제 ②

34

1 오전 11시 31분　　**2** 20시간, $\dfrac{2}{5}$　　**3** 2시간 20분
4 33분

1 9시간 36분　　**2** A : 50분, B : 40분　　**3** 55분

4 13일　　**5** $\dfrac{5}{12}$　　**6** 17시간 10분　　**7** 2시간

8 오후 12시36분　　**9** 6일　　**10** $\dfrac{7}{5}$ 배

유제풀이

1 법재 혼자서 1시간에 끝마칠 수 있는 일인데 3분 일찍 끝났으므로 57분만에 끝난 것이다.

또 57분 중 10분 동안은 법재, 태호 모두 일을 하지 않았으므로 일 하는데 걸린 시간은 47분이다.

법재는 이 일을 1분에 $\dfrac{1}{60}$ 만큼 하고, 태호는 1분에 $\dfrac{1}{40}$ 만큼 한다.

법재 혼자 47분간 일했다면 전체의 $47 \times \dfrac{1}{60} = \dfrac{47}{60}$ 만큼 했을 것이다. 하지만 47분 만에 모두 일을 끝마쳤으므로 $1 - \dfrac{47}{60} = \dfrac{13}{60}$ 만큼 차이가 난다. 이것은 태호가 법재보다 1분에 $\dfrac{1}{40} - \dfrac{1}{60} = \dfrac{3-2}{120} = \dfrac{1}{120}$ 만큼 더 일해서 생긴 차이다. 따라서 태호가 일한 시간은 $\dfrac{13}{60} \div \dfrac{1}{120} = 26$(분)이다.

12시 정각보다 3분 일찍 끝났으므로 태호가 일을 끝낸 시각은 11시 57분이고 일을 시작한 시각은
오전 11시 57분－26분＝오전 11시 31분이다.

참고* 다음과 같이 방정식으로 풀 수도 있다.
법재가 일한 시간을 x분이라 하면
$\dfrac{1}{60} \times x + \dfrac{1}{40} \times (47-x) = 1$, $x = 21$(분)

2 A, B, C 세 기계가 같은 시간 동안 생산한 생산량의 비는 1 : 2 : 3이다. 한편 세 기계가 같이 일해서 5시간 동안 전체의 $\dfrac{1}{3}$ 만큼 만들었으므로 1시간에는 전체의 $\dfrac{1}{15}$ 을 만들었다.

따라서 1시간 동안 A는 전체의 $\dfrac{1}{15} \times \dfrac{1}{6} = \dfrac{1}{90}$,
B는 $\dfrac{1}{15} \times \dfrac{2}{6} = \dfrac{2}{90}$, C는 $\dfrac{1}{15} \times \dfrac{3}{6} = \dfrac{3}{90}$ 씩 생산한다.

처음 5시간 동안 세 기계가 함께 전체의 $\dfrac{1}{3}$ 을 생산했고,
B 기계가 멈춰 있는 3시간 동안 A 기계와 C 기계만 일했으므로 전체의
$\left(\dfrac{1}{90} + \dfrac{3}{90}\right) \times 3 = \dfrac{2}{15}$ 만큼 생산했다.

또 C 기계가 멈춰 있는 8시간 동안 A 기계와 B 기계만 일했으므로 전체의
$\left(\dfrac{1}{90} + \dfrac{2}{90}\right) \times 8 = \dfrac{4}{15}$ 만큼 생산했다.

따라서 5＋3＋8＝16(시간) 동안 전체의
$\dfrac{1}{3} + \dfrac{2}{15} + \dfrac{4}{15} = \dfrac{11}{15}$ 만큼 생산한 것이다.

나머지 $\dfrac{4}{15}$ 는 세 기계가 같이 생산했으므로
이 중 C 기계가 일한 양은 $\dfrac{4}{15} \times \dfrac{3}{6} = \dfrac{2}{15}$ 이고, 걸린 시간은
$\dfrac{2}{15} \div \dfrac{3}{90} = \dfrac{2}{15} \times 30 = 4$(시간)이다.

따라서 제품을 모두 생산하는 데 처음부터
16＋4＝20(시간)이 걸렸고,
그 중 C는 20－8＝12(시간) 일했으므로 전체의
$12 \times \dfrac{3}{90} = \dfrac{2}{5}$ 만큼 생산하였다.

3 선주는 1분에 전체의 $\dfrac{1}{240}$ 만큼 입력할 수 있다.

또 선주와 선재가 같이 하면 1분에 전체의 $\dfrac{1}{150}$ 만큼 할 수 있으므로 선재 혼자서는 1분에 전체의
$\dfrac{1}{150} - \dfrac{1}{240} = \dfrac{3}{1200} = \dfrac{1}{400}$ 만큼 할 수 있다.

선주가 전체의 $\dfrac{1}{12}$ 을 하는 데 걸리는 시간은
$\dfrac{1}{12} \div \dfrac{1}{240} = \dfrac{240}{12} = 20$(분)이므로
4시간 5분－20분＝245분－20분＝225분
동안 둘이 함께 일하거나 선재 혼자 일한 것이다.

225분 동안 둘이 함께 일했다면
$225 \times \dfrac{1}{150} = \dfrac{3}{2}$ 만큼 했을 것이다. 하지만 선주가 혼자 일한 $\dfrac{1}{12}$ 을 제외한 $\dfrac{11}{12}$ 만큼 했으므로 $\dfrac{3}{2} - \dfrac{11}{12} = \dfrac{7}{12}$ 만큼 차이가 난다.

이것은 선재 혼자 일할 때, 선주가 1분 동안 일하는 $\dfrac{1}{240}$ 만큼씩이 없어서 생긴 차이다.

따라서 선재 혼자 일한 시간은

$$\frac{7}{12} \div \frac{1}{240} = 140(분) \rightarrow 2시간 20분$$

참고 선재 혼자 일한 시간을 x분이라고 하면
선주와 선재가 함께 일한 시간은 $(225-x)$분이 된다.

$$\frac{1}{12} + \frac{1}{150} \times (225-x) + \frac{1}{400} \times x = 1 에서$$

$x=140(분)$을 구할 수 있다.

4 비가 오는 날에 평소보다 버스를 10분 더 기다렸으므로 $10 \div 2 = 5$(문제)를 더 풀었다. 걸어가는 동안은 문제를 풀지 못했어도 평소보다 1문제 더 풀었다고 했으므로 평소에는 걸어가는 동안 $5-1=4$(문제)를 푼 것이다. 따라서, 걸어가는 시간은 $4 \times 4 = 16$(분)이다.
집에서 학교까지 가는 데는 55분이 걸리므로 버스를 기다리는 시간과 버스를 타고 간 시간은 합하여 $55-16=39$(분)이고 그 동안 $18-4=14$(문제)를 푼다. 계속 버스를 기다렸다고 하면 14문제를 푸는 데 $2 \times 14 = 28$(분)이 걸렸을 것이다. 하지만 39분 걸렸으므로 $39-28=11$(분) 차가 생긴다. 이것은 버스를 타고 가는 동안에는 문제 푸는 데 1분씩 더 걸려서 생긴 차이다. 따라서 버스를 타고 가는 동안 $11 \div 1 = 11$(문제)를 풀었고 평소에 버스를 타고 가는 시간은 $11 \times 3 = 33$(분)이다.

특강탐구문제풀이

1 희성이가 도중에 40분간 못한 일을 둘이 함께 25분간 더 일한 것이다. 따라서
(희성이가 25분 동안 한 일)＋(상만이가 25분 동안 한 일)
＝(희성이가 40분 동안 한 일)
(상만이가 25분 동안 한 일)＝(희성이가 15분 동안 한 일)
(상만이가 5분 동안 한 일)＝(희성이가 3분 동안 한 일)
따라서 상만이와 희성이가 같은 일을 하는 데 걸리는 시간의 비는 5 : 3이다. 상만이가 6시간 동안 한 일을 희성이는 6시간 $\times \frac{3}{5} = \frac{18}{5}$시간＝3시간 36분만에 할 수 있다.
그러므로 희성이 혼자 한다면
6시간＋3시간 36분＝9시간 36분이 걸린다.

2 물 탱크 전체의 물의 양을 1이라 하고 A와 B가 1분에 채울 수 있는 물의 양을 각각 a, b라고 하자.
$20 \times a + 24 \times b = 1$ … ①
또 A, B 두 개 모두 16분간 틀어놓은 뒤 A만 10분 더 틀어 놓았더니 92%가 찼으므로
$$26 \times a + 16 \times b = 1 \times \frac{92}{100} = \frac{23}{25} \text{ … ②}$$
① 식을 2배, ② 식을 3배 하면 각각
$$40 \times a + 48 \times b = 2, \quad 78 \times a + 48 \times b = \frac{69}{25} = 2\frac{19}{25}$$
두 식을 비교하면 $38 \times a = \frac{19}{25}$, $a = \frac{19}{25} \div 38 = \frac{1}{50}$
A 수도관만 사용하면 50분 걸린다.
또 ① 식에서 $20 \times \frac{1}{50} + 24 \times b = 1$,
$24 \times b = 1 - \frac{20}{50} = \frac{3}{5}$, $b = \frac{3}{5} \div 24 = \frac{1}{40}$
B 수도관만 사용하면 40분 걸린다.

3 갑, 을 기계를 같이 사용하여 4분 동안
$\frac{11}{18} - \frac{7}{15} = \frac{13}{90}$만큼 만들 수 있으므로 1분에는
$\frac{13}{90} \div 4 = \frac{13}{360}$만큼 만드는 것이다.
갑 기계를 가동하고 10분 후부터 16분까지 6분 동안 두 기계는 목표량의 $\frac{13}{360} \times 6 = \frac{13}{60}$만큼 만들었다.
따라서 갑 기계가 10분 동안 혼자 생산한 양은
$\frac{7}{15} - \frac{13}{60} = \frac{15}{60} = \frac{1}{4}$이다.
갑 기계는 1분에 목표량의 $\frac{1}{4} \div 10 = \frac{1}{40}$씩을 만들고,
을 기계는 1분에 목표량의 $\frac{13}{360} - \frac{1}{40} = \frac{4}{360} = \frac{1}{90}$씩을 만든다.
처음부터 $16+4=20$(분) 동안 $\frac{11}{18}$이 만들어졌으므로 나머지 $\frac{7}{18}$을 을 기계 혼자 만드는 데 걸리는 시간은
$\frac{7}{18} \div \frac{1}{90} = 35$(분)이고, 목표량을 만드는 데 처음부터 걸리는 시간은 $20+35=55$(분)이다.

4 갑 조의 2사람이 하는 일의 양과 을 조의 3사람이 하는 일의 양이 같으므로, 갑 조의 4사람이 하는 일의 양과 을 조의 6사람이 하는 일의 양이 같다. 따라서 갑 조의 4명과 을 조의 7명이 6일만에 완성하는 일은 을 조의 $6+7=13$(명)이 6일만에 완성할 수 있다.

을 조의 13명이 6일간 일하는 양은 을 조의

$13 \times 6 = 78$(명)이 하루에 일하는 양과 같다.

또한, 을 조의 2사람이 하는 일의 양과 병 조의 3사람이 하는 일의 양이 같으므로 을 조의 78명이 하는 일의 양은

병 조의 $78 \times \dfrac{3}{2} = 117$(명)이 하는 일의 양과 같다.

이것은 병 조의 9명이 $117 \div 9 = 13$(일)간 일하는 양이다.

5 A, B, C가 1시간에 할 수 있는 일의 양을 각각 a, b, c라고 하면

$a+b+c = \dfrac{1}{2}$이고, $a+c = \dfrac{1}{3}$, $b+c = \dfrac{1}{4}$이다.

$a+c+b+c = \dfrac{1}{3} + \dfrac{1}{4} = \dfrac{7}{12}$이므로

$c = \dfrac{7}{12} - \dfrac{1}{2} = \dfrac{7-6}{12} = \dfrac{1}{12}$

$a+b = \dfrac{1}{2} - \dfrac{1}{12} = \dfrac{6-1}{12} = \dfrac{5}{12}$

따라서 A와 B가 함께 한다면 1시간에 전체의 $\dfrac{5}{12}$만큼 할 수 있다.

6 일의 양을 1이라고 하면 갑, 을, 병이 같은 시간 동안 하는 일의 양의 비는 $\dfrac{1}{2} : \dfrac{1}{3} : \dfrac{1}{6} = 3 : 2 : 1$이다.

세 사람이 전체 일을 하는 데 15시간이 걸리므로 1시간에 전체의 $\dfrac{1}{15}$을 한다. 또 1시간 동안 갑, 을, 병은 각각 전체의 $\dfrac{1}{15} \times \dfrac{3}{6} = \dfrac{1}{30}$, $\dfrac{1}{15} \times \dfrac{2}{6} = \dfrac{1}{45}$, $\dfrac{1}{15} \times \dfrac{1}{6} = \dfrac{1}{90}$씩 한다.

셋이서 전체의 $\dfrac{1}{3}$을 했으므로 처음 $15 \times \dfrac{1}{3} = 5$(시간) 동안 전체의 $\dfrac{1}{3}$을 한 것이다.

그 후 3시간 동안 을과 병만 일했으므로 전체의

$\left(\dfrac{1}{45} + \dfrac{1}{90}\right) \times 3 = \dfrac{3}{90} \times 3 = \dfrac{1}{10}$만큼 일했다.

또 2시간 동안 갑과 병만 일했으므로 전체의

$\left(\dfrac{1}{30} + \dfrac{1}{90}\right) \times 2 = \dfrac{4}{90} \times 2 = \dfrac{4}{45}$만큼 일했다.

따라서 $5+3+2 = 10$(시간) 동안

$\dfrac{1}{3} + \dfrac{1}{10} + \dfrac{4}{45} = \dfrac{30+9+8}{90} = \dfrac{47}{90}$만큼 일했다.

$1 - \dfrac{47}{90} = \dfrac{43}{90}$은 셋이 함께 일했으므로 일을 마치는 데

$\dfrac{43}{90} \div \dfrac{1}{15} = \dfrac{43}{6} = 7\dfrac{1}{6}$(시간)이 더 걸린다.

따라서 일을 끝마치는 데는 처음부터

10시간 $+ 7\dfrac{1}{6}$시간 $= 17\dfrac{1}{6}$시간 $=$ 17시간 10분 걸렸다.

7 물 탱크에 가득 찬 물의 양을 1이라 하고 갑, 을, 병 수도로 1분간 넣을 수 있는 물의 양을 각각 a, b, c라고 하자.

$a = \dfrac{1}{144}$, $b+c = \dfrac{1}{72}$, $a+c = \dfrac{1}{80}$이다.

병이 1분에 넣을 수 있는 물의 양은

$c = \dfrac{1}{80} - \dfrac{1}{144} = \dfrac{4}{720} = \dfrac{1}{180}$

또, 을이 1분에 넣을 수 있는 물의 양은

$b = \dfrac{1}{72} - \dfrac{1}{180} = \dfrac{3}{360} = \dfrac{1}{120}$

따라서 을 수도만 사용하면 물 탱크를 가득 채우는 데 120분 = 2시간이 걸린다.

8 창고에 있는 물건 전체를 1이라고 하고, 오후 3시부터 x시간 전에 일을 시작했다고 하자.

A 창고에서는 1시간에 전체의 $\dfrac{1}{3}$씩 꺼낼 수 있으므로 x시간 동안 꺼낸 후 남아 있는 물건은 $1 - \dfrac{1}{3} \times x$ $\cdots$ ①

B 창고에서는 1시간에 전체의 $\dfrac{1}{4}$씩 꺼낼 수 있으므로 x시간 동안 꺼낸 후 남아 있는 물건은 $1 - \dfrac{1}{4} \times x$ $\cdots$ ②

②가 ①의 두 배이므로

$1 - \dfrac{1}{4} \times x = \left(1 - \dfrac{1}{3} \times x\right) \times 2$

$1 - \dfrac{1}{4} \times x = 2 - \dfrac{2}{3} \times x$

양변에 $\dfrac{2}{3} \times x$를 더해 주면

$1 + \dfrac{5}{12} \times x = 2$, $\dfrac{5}{12} \times x = 1$

$x = 1 \div \dfrac{5}{12} = 2\dfrac{2}{5}$(시간) → 2시간 24분

따라서 오후 3시부터 2시간 24분 전에 물건을 꺼내기 시작한 것이다. 그러므로 물건을 꺼내기 시작한 시각은 오후 3시 $-$ 2시간 24분 $=$ 오후 12시 36분

9 전체 일의 양을 1이라고 하자.

A, B, C 세 사람이 함께 일하면 15일이 걸리므로 하루에 하는 일의 양은 $A+B+C = \dfrac{1}{15}$ $\cdots$ ①

A, C, E 세 사람이 함께 일하면 10일이 걸리므로 하루에 하는 일의 양은 $A+C+E=\dfrac{1}{10}$ ··· ②

A, C, D 세 사람이 함께 일하면 12일이 걸리므로 하루에 하는 일의 양은 $A+C+D=\dfrac{1}{12}$ ··· ③

B, D, E 세 사람이 함께 일하면 8일이 걸리므로 하루에 하는 일의 양은 $B+D+E=\dfrac{1}{8}$ ··· ④

$$
\begin{array}{llll}
\boxed{A}+\boxed{B}+\boxed{C} & & =\dfrac{1}{15} & \cdots ① \\
\boxed{A}+ & \boxed{C}+ & \boxed{E} =\dfrac{1}{10} & \cdots ② \\
\boxed{A}+ & \boxed{C}+\boxed{D} & =\dfrac{1}{12} & \cdots ③ \\
& \boxed{B}+ & \boxed{D}+\boxed{E} =\dfrac{1}{8} & \cdots ④
\end{array}
$$

그림에서와 같이 ①, ②, ③ 식을 더하면
$3 \times A + 3 \times C + B + D + E$이고 여기에서 ④ 식을 빼면
$3 \times A + 3 \times C$가 남는다.

$$①+②+③-④=\dfrac{1}{15}+\dfrac{1}{10}+\dfrac{1}{12}-\dfrac{1}{8}$$
$$=\dfrac{8+12+10-15}{120}=\dfrac{15}{120}=\dfrac{1}{8}$$

$3 \times (A+C) = \dfrac{1}{8}$, $A+C=\dfrac{1}{24}$

즉 A와 C가 함께 일하면 하루에 $\dfrac{1}{24}$씩 할 수 있다.

그런데 ④ 식에서 $B+D+E=\dfrac{1}{8}$이므로

$A+B+C+D+E=\dfrac{1}{24}+\dfrac{1}{8}=\dfrac{1+3}{24}=\dfrac{4}{24}=\dfrac{1}{6}$

즉, 다섯 사람이 함께 일하면 하루에 $\dfrac{1}{6}$씩, 6일만에 끝난다.

10 갑, 을, 병이 어떤 일을 하는 데 걸리는 시간을 각각 a, b, c시간이라 하자.

전체 일을 1이라 하면 1시간 동안 갑, 을, 병은 각각 전체의 $\dfrac{1}{a}$, $\dfrac{1}{b}$, $\dfrac{1}{c}$ 만큼의 일을 한다.

갑이 혼자 일을 하는 데 걸리는 시간은 을, 병이 함께 일을 하는 데 걸리는 시간의 3배이므로 갑이 세 시간 동안 하는 일의 양은 을, 병이 함께 한 시간 동안 하는 일의 양과 같다.

마찬가지로 을이 혼자 일을 하는 데 걸리는 시간은 갑, 병이 함께 일을 하는 데 걸리는 시간의 2배이므로 을이 두 시간 동안 하는 일의 양은 갑, 병이 함께 한 시간 동안 하는 일의 양과 같다.

따라서 $\dfrac{1}{a} \times 3 = \dfrac{1}{b}+\dfrac{1}{c}$, $\dfrac{1}{b} \times 2 = \dfrac{1}{a}+\dfrac{1}{c}$

$\dfrac{1}{c} = \dfrac{3}{a}-\dfrac{1}{b}$ ··· ①, $\dfrac{1}{c}=\dfrac{2}{b}-\dfrac{1}{a}$ ··· ②

$\dfrac{3}{a}-\dfrac{1}{b}=\dfrac{2}{b}-\dfrac{1}{a}$

양변에 $\dfrac{1}{a}+\dfrac{1}{b}$ 을 더하면

$$\dfrac{4}{a}=\dfrac{3}{b}$$

$\dfrac{1}{b}=\dfrac{4}{a \times 3}$이므로 ① 식에 의해

$\dfrac{1}{c}=\dfrac{3}{a}-\dfrac{4}{a \times 3}=\dfrac{9-4}{3 \times a}=\dfrac{5}{3 \times a}$,

$c=\dfrac{3 \times a}{5}$, $a=\dfrac{5}{3} \times c$, $\dfrac{1}{a}=\dfrac{3}{5 \times c}$이다.

또, $\dfrac{1}{a}=\dfrac{3}{b \times 4}$이므로 ② 식에 의해

$\dfrac{1}{c}=\dfrac{2}{b}-\dfrac{3}{b \times 4}=\dfrac{8-3}{4 \times b}=\dfrac{5}{4 \times b}$,

$c=\dfrac{4 \times b}{5}$, $b=\dfrac{5}{4} \times c$, $\dfrac{1}{b}=\dfrac{4}{5 \times c}$이다.

따라서 $\dfrac{1}{a}+\dfrac{1}{b}=\dfrac{3}{5 \times c}+\dfrac{4}{5 \times c}=\dfrac{7}{5 \times c}$

$\dfrac{1}{a}+\dfrac{1}{b}=\dfrac{7}{5} \times \dfrac{1}{c}$

즉, 병이 $\dfrac{7}{5}$시간 동안 하는 일은 갑, 을이 함께 1시간 동안 하는 일의 양과 같으므로, 병이 혼자 그 일을 하는 데 걸리는 시간은 갑, 을이 함께 그 일을 하는 데 걸리는 시간의 $\dfrac{7}{5}$배이다.

빛의 성질을 이용한 문제

35

유제

1 2.7m **2** 30cm **3** 45°, 74cm **4** 점 ㄷ

특강탐구문제

1 2m **2** 15m **3** 6.4m, 1.28m **4** 78.4cm²

5 $10\frac{35}{64}$ m² **6** 3m **7** 13000cm³ **8** 19번

9 점 ㄹ **10** 2m

유제풀이

1

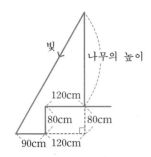

2m 높이인 나무의 그림자의 길이가 1.2m이므로 높이 1m당 그림자의 길이는 1.2÷2=0.6(m) → 60cm이다. 주어진 그림을 간단히 그리면 위와 같고, 나무의 높이에 80cm를 더한 높이의 그림자의 길이가 90+120=210(cm)이다.

210÷60=3.5이므로 나무의 높이에 80cm를 더한 높이는 3.5m=350cm이고, 나무만의 높이는 350−80=270(cm) → 2.7m

2 변 AB를 정면으로 바라 보는 그림을 그리면 다음과 같다.

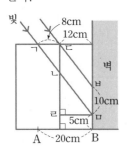

변 ㄴㄷ은 변 ㅁㅂ과 길이가 같으므로 10cm이고, 삼각형 ㄱㄴㄷ과 삼각형 ㅁㄹㅁ은 닮은 도형인데 변 ㄹㅁ의 길이는 변 ㄱㄷ 길이의 $\frac{12}{8}=\frac{3}{2}$(배)이므로 변 ㄴㄹ의

길이도 변 ㄴㄷ 길이의 $\frac{3}{2}$배인 $10 \times \frac{3}{2}=15$(cm)이다. 따라서 원기둥의 높이는 변 ㄴㄷ의 길이와 변 ㄴㄹ의 길이의 합에 5cm를 더한 것이므로 10+15+5=30(cm)

3

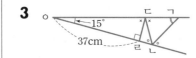

공의 이동 경로는 ㄱ→ㄴ→ㄷ→ㄹ→ㄷ→ㄴ→ㄱ 인데, 각 ㄷㄹㅇ과 각 ㄷㄹㄴ의 크기가 같아야 하므로 각 ㄷㄹㅇ은 90°이다.

(각 ㅇㄷㄹ의 크기)=(각 ㄱㄷㄴ의 크기)
$\qquad\qquad=180°-90°-15°=75°$

(각 ㄴㄷㄹ의 크기)=180°−75°×2=30°

(각 ㄷㄴㄹ의 크기)=180°−90°−30°=60°

(각 ㄱㄴㄷ의 크기)=180°−60°×2=60°

(각 ㄷㄱㄴ의 크기)=180°−75°−60°=45°

또, 공이 이동한 거리를 구하기 위해 다음과 같이 그려 보면

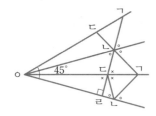

네 점 ㄱ, ㄴ, ㄷ, ㄹ이 일직선이 됨을 알 수 있다. (맞꼭지각의 크기는 서로 같으므로)

따라서 삼각형 ㄱㅇㄹ은 직각이등변삼각형이 되므로 (선분 ㄱㄹ의 길이)=(선분 ㅇㄹ의 길이)=37cm

(공이 이동한 거리)=37×2=74(cm)

4

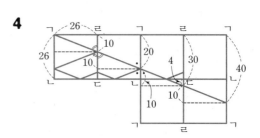

위 그림처럼 정사각형 ㄱㄴㄷㄹ을 계속 선대칭시켜 빛이 나아가는 길이가 일직선이 되도록 그려 보면 빛이 10cm마 다 벽에 닿는 것을 알 수 있다.

꼭짓점은 26cm마다 한 번씩 있고 빛은 10cm마다 벽에 닿으므로 빛과 꼭짓점이 만나려면 26과 10의 최소공배수인 130cm를 위로부터 내려와야 한다.

130cm를 내려오기 위해서는 10cm씩 13번, 정사각형의 한 변의 길이인 26cm는 130÷26=5(번)이므로 정사각형은 세로로 5개가 필요하고, 가로로는 13개가 필요하다.

따라서 가로로 대칭인 정사각형의 오른쪽 끝은 점 ㄹ에 대응하고, 세로로 대칭인 정사각형의 아래쪽 끝은 점 ㄷ에 대응한다.

즉 빛이 처음 감지되는 꼭짓점은 점 ㄷ이다.

특강탐구문제풀이

1

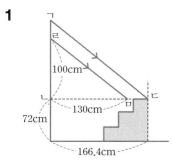

그림과 같이 빛이 비치는 모습을 옆에서 보고, 높이가 1m인 막대의 그림자의 길이를 표시해 보자.

삼각형 ㄱㄴㄷ과 삼각형 ㄹㄴㅁ은 닮은 도형이고 변 ㄴㄷ의 길이는 변 ㄴㅁ의 길이의 166.4÷130=1.28(배)이므로 변 ㄱㄴ의 길이도 변 ㄹㄴ의 길이의 1.28배이다.

따라서 막대의 길이는

$72+(100×1.28)=72+128=200(cm) → 2m$

2

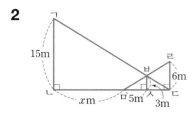

삼각형 ㅂㅁㅅ과 삼각형 ㄹㅁㄷ은 닮은 도형이고, 변 ㄹㄷ의 길이는 변 ㅂㅅ의 길이의 6÷3=2(배)이므로 변 ㅁㄷ의 길이는 변 ㅁㅅ 길이의 2배인 5×2=10(m), 변 ㅅㄷ의 길이는 10-5=5(m)이다.

또한 삼각형 ㅂㅅㄷ과 삼각형 ㄱㄴㄷ도 닮은 도형이고 변 ㄱㄴ의 길이는 변 ㅂㅅ의 길이의 15÷3=5(배)이므로 변 ㄴㄷ의 길이는 5×5=25(m)이다.

따라서 $x=25-10=15(m)$이다.

3

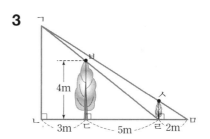

삼각형 ㅂㄷㄹ과 삼각형 ㄱㄴㄹ은 닮은 도형이고 변 ㄴㄹ의 길이는 변 ㄷㄹ의 길이의 8÷5=1.6(배)이므로 가로등의 높이인 변 ㄱㄴ의 길이는 변 ㅂㄷ 길이의 1.6배인

$4×1.6=6.4(m)$

또한 삼각형 ㅅㄹㅁ과 삼각형 ㄱㄴㅁ은 닮은 도형이고 변 ㄴㅁ의 길이는 변 ㄹㅁ의 길이의 10÷2=5(배)이므로, 키 작은 나무의 높이인 변 ㅅㄹ의 길이는 가로등의 높이인 선분 ㄱㄴ의 길이의 $\frac{1}{5}$이다. 따라서 키 작은 나무의 높이는

$6.4÷5=1.28(m)$

4

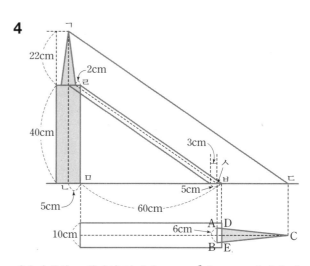

직육면체의 그림자의 넓이가 600cm²이므로 그림자의 길이는 600÷10=60(cm)이다. 그림에서 삼각형 ㄹㅁㅂ과 삼각형 ㄱㄴㄷ은 닮은 도형이고, 변 ㄱㄴ의 길이가 변 ㄹㅁ의 길이의 (22+40)÷40=1.55(배)이므로 변 ㄴㄷ의 길이는 60×1.55=93(cm),

변 ㅂㄷ의 길이는 $93-5-60=28(\text{cm})$,

변 ㅅㄷ의 길이는 $28+2=30(\text{cm})$

그림과 같이 정사각뿔의 그림자의 일부는 직육면체의 그림자에 가려지게 된다. 즉, 바닥에 생긴 정사각뿔 부분의 그림자의 넓이는 색칠된 부분의 넓이이다. 삼각형 CAB와 삼각형 CDE는 닮은 도형이고, 삼각형 CDE의 높이인 변 ㅂㄷ의 길이는 삼각형 CAB의 높이인 변 ㅅㄷ의 길이의 $28\div30=\dfrac{28}{30}=\dfrac{14}{15}$이므로

변 DE의 길이는 $6\times\dfrac{14}{15}=\dfrac{28}{5}(\text{cm})$이다.

따라서 정사각뿔 부분의 그림자의 넓이는

$$\dfrac{28}{5}\times28\times\dfrac{1}{2}=\dfrac{784}{10}=78.4(\text{cm}^2)$$

5

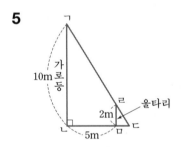

가로등부터 울타리까지의 거리는 모두 5m로 일정하므로 그림자의 길이는 그림과 같이 생길 수 있다.

삼각형 ㄹㅁㄷ과 삼각형 ㄱㄴㄷ은 닮은 도형이다.

변 ㄱㄴ의 길이는 변 ㄹㅁ의 길이의 5배이므로 변 ㄴㄷ의 길이는 변 ㅁㄷ의 길이의 5배이다. 즉, 울타리의 그림자 길이인 변 ㅁㄷ의 길이는 변 ㄴㅁ의 길이의 $\dfrac{1}{4}$인

$5\times\dfrac{1}{4}=\dfrac{5}{4}(\text{m})$이다.

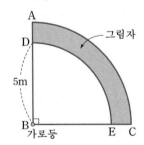

그림자의 넓이는 반지름의 길이가 $\dfrac{25}{4}$m인 부채꼴 BAC의 넓이에서 반지름의 길이가 5m인 부채꼴 BDE의 넓이를 빼면 된다.

따라서 그림자의 넓이는

$$\dfrac{25}{4}\times\dfrac{25}{4}\times3\times\dfrac{90}{360}-5\times5\times3\times\dfrac{90}{360}$$
$$=\dfrac{1875}{64}-\dfrac{75}{4}=\dfrac{675}{64}=10\dfrac{35}{64}(\text{m}^2)$$

6

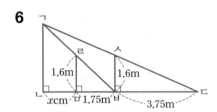

삼각형 ㄷㅅㅂ과 삼각형 ㄷㄱㄴ은 닮은 도형이고, 삼각형 ㅂㄹㅁ과 삼각형 ㅂㄱㄴ도 닮은 도형이다.

변 ㄴㅁ의 길이를 xm라 하면 변 ㄱㄴ의 길이는

$1.6\div1\dfrac{3}{4}\times\left(1\dfrac{3}{4}+x\right)$로 나타낼 수도 있고

$1.6\div3\dfrac{3}{4}\times\left(3\dfrac{3}{4}+1\dfrac{3}{4}+x\right)$로 나타낼 수도 있다.

따라서 $1.6\times\dfrac{4}{7}\times\left(\dfrac{7}{4}+x\right)=1.6\times\dfrac{4}{15}\times\left(\dfrac{11}{2}+x\right)$

$\dfrac{1}{7}\times\left(\dfrac{7}{4}+x\right)=\dfrac{1}{15}\times\left(\dfrac{11}{2}+x\right)$

양변에 105를 곱하면

$15\times\left(\dfrac{7}{4}+x\right)=7\times\left(\dfrac{11}{2}+x\right)$

$\dfrac{105}{4}+15\times x=\dfrac{77}{2}+7\times x$

양변에서 $7\times x$를 빼 주면

$\dfrac{105}{4}+8\times x=\dfrac{77}{2}$

$8\times x=\dfrac{77}{2}-\dfrac{105}{4}=\dfrac{49}{4}$

$x=\dfrac{49}{32}$

따라서 변 ㄱㄴ의 길이는

$1.6\times\dfrac{4}{7}\times\left(\dfrac{7}{4}+\dfrac{49}{32}\right)=1.6\times\dfrac{4}{7}\times\dfrac{105}{32}=3(\text{m})$

7

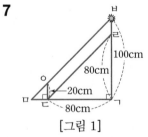

[그림 1]

옆에서 본 면을 그린 [그림 1]에서 점 ㄷ에서 변 ㅁㅂ에 평행한 선분 ㄷㄹ을 그으면 삼각형 ㅂㅁㄱ과 삼각형 ㄹㄷㄱ은 닮은 도형이고

(변 ㄹㄱ의 길이)=(변 ㄷㄱ의 길이)$=80(\text{cm})$이므로 변 ㅁㄱ의 길이는 100cm, 변 ㅁㄷ의 길이는 20cm이다.

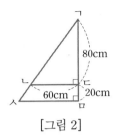

[그림 2]

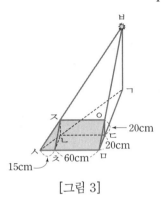

[그림 3]

바닥면을 그린 [그림 2]에서 삼각형 ㄱㄴㄷ과 삼각형 ㄱㅅㅁ은 닮은 도형이고, 변 ㄱㅁ의 길이는 변 ㄱㄷ의 길이의 $100 \div 80 = \frac{5}{4}$(배) 이므로 변 ㅅㅁ의 길이는 $60 \times \frac{5}{4} = 75$(cm)이다.

[그림 3]에서 바닥면의 점 ㄴ에서 변 ㅅㅁ에 수직이 되도록 선분을 긋고 변 ㅅㅁ과 만나는 점을 ㅊ이라 하고, 점 ㅊ과 점 ㅈ을 연결하는 선분을 그으면, 빛이 지나지 않는 부분으로 이루어진 입체도형은 삼각형 ㅇㅁㄷ을 밑면으로 하고 변 ㅊㅁ을 높이로 하는 삼각기둥과 삼각형 ㅈㅊㄴ을 밑면으로 하고 변 ㅅㅊ을 높이로 하는 삼각뿔로 나누어진다.

따라서 빛이 지나지 않는 부분으로 이루어진 입체도형의 부피는
$$\left(20 \times 20 \times \frac{1}{2} \times 60\right) + \left(20 \times 20 \times \frac{1}{2} \times 15 \times \frac{1}{3}\right)$$
$$= 12000 + 1000 = 13000 \,(\text{cm}^3)$$

8

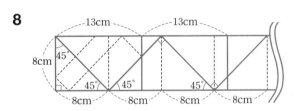

그림과 같이 직사각형을 가로로 선대칭시켜 붙여 나가면 상자 안에서 반사되어 진행되는 빛을 큰 직사각형으로 표현할 수 있다.

큰 직사각형 안에서 빛은 가로로 8cm마다 한 번씩 반사되고 꼭짓점은 13cm마다 나타나므로 처음 꼭짓점과 빛이 만날 때까지는 8과 13의 최소공배수인 104cm만큼을 가로로 가야 한다. 처음 시작점과 마지막으로 만나는 꼭짓점을 제외하고 8cm마다 한 번씩 반사되므로

가로에서 반사되는 횟수는 $104 \div 8 = 13$, $13 - 1 = 12$(번),
세로에서 반사되는 횟수는 $104 \div 13 = 8$, $8 - 1 = 7$(번)

이므로 반사된 횟수는 모두 $12 + 7 = 19$(번)이다.

9

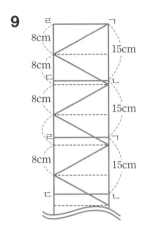

그림과 같이 정사각형 모양의 방을 아래로 계속 선대칭시켜 붙여 나가면 방 안에서 반사되어 나가는 빛을 큰 직사각형 모양 안에 나타낼 수 있다. 큰 직사각형 안에서 빛은 8cm마다 한 번씩 반사되고 꼭짓점은 15cm마다 나타나므로, 처음으로 꼭짓점과 빛이 만날 때까지는 8과 15의 최소공배수인 120cm만큼 세로로 내려 와야 한다.

따라서 작은 정사각형 $120 \div 15 = 8$(개)를 선대칭시켜 붙여야 하는데 위로부터 짝수째에 놓인 정사각형의 밑변에 왼쪽에는 점 ㄹ, 오른쪽에는 점 ㄱ이 있다.

또한 ㄱ에서 발사된 빛은 큰 직사각형의 좌 · 우 벽에 14번 반사되고 15째 번에 꼭짓점에 닿게 되는데, 홀수째에는 큰 직사각형의 왼쪽 벽에 가 닿으므로 점 ㄹ과 점 ㄱ 중 점 ㄹ에 가 닿는다.

참고* 유제 4와 같이 빛이 나아가는 길이 일직선이 되도록 그려 놓고 생각해도 된다.

10

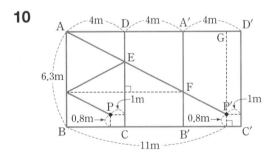

그림과 같이 직사각형을 가로 방향으로 선대칭시켜 보면 점 A에서 점 P까지의 거리를 일직선으로 나타낼 수 있다.

삼각형 AGP′와 삼각형 ADE는 닮은 도형이고, 변 AD의 길이는 변 AG의 길이의 $\frac{4}{11}$이므로 변 DE의 길이도 변 GP′의 길이의 $\frac{4}{11}$가 되어 $5.5 \times \frac{4}{11} = 2$(m)이다.

따라서 점 E는 점 D로부터 2m 떨어진 곳에 정해야 한다.

유제

1 $209\frac{1}{3}$cm² **2** 98.125cm² **3** 62.8cm²

4 111.84cm²

특강탐구문제

1 150.72cm² **2** 395.64cm² **3** $52\frac{1}{3}$cm²

4 37.68cm² **5** $9\frac{16}{225}$cm² **6** $111\frac{5}{24}$cm²

7 56cm² **8** $10\frac{5}{24}$cm² **9** 114.24cm²

10 146.25cm²

유제풀이

1

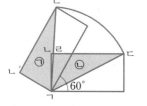

[그림 1]   [그림 2]

[그림 1]에서 삼각형 ㄱㄴㄷ과 삼각형 ㄱㄴ'ㄷ'은 합동이고, 삼각형 ㄱㄴㄹ은 두 도형의 공통 부분이므로 도형 ㉠과 도형 ㉡의 넓이는 같다. 따라서 ㉠을 ㉡으로 옮기면 구하는 색칠한 부분의 넓이는 [그림 2]의 부채꼴의 넓이와 같다.

따라서 색칠한 부분의 넓이는

$$20 \times 20 \times 3.14 \times \frac{60}{360} = 209\frac{1}{3}(\text{cm}^2)$$

2

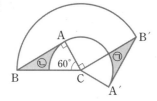

그림에서 ㉠과 ㉡의 넓이는 같으므로 ㉠을 ㉡으로 옮기면 구하는 넓이는 변 BC를 반지름으로 하고 각 BCB'를 중심각으로 하는 부채꼴의 넓이에서 변 AC를 반지름으로 하고 각 BCB'를 중심각으로 하는 부채꼴의 넓이를 뺀 것과 같다.

변 AB와 변 B'C가 평행하고 선분 AC가 선분 AB와 만나는 각이 90°이므로 각 ACB'도 90°이다. 따라서 각 BCB'는 60° + 90° = 150°이다.

한편 각 BAC가 90°이고 각 ACB는 60°이므로 삼각형 ABC는 정삼각형의 반쪽이고 변 AC의 길이는 변 BC의 절반이므로 5cm이다.

따라서 구하는 넓이는

$$10 \times 10 \times 3.14 \times \frac{150}{360} - 5 \times 5 \times 3.14 \times \frac{150}{360}$$
$$= (100 - 25) \times 3.14 \times \frac{5}{12}$$
$$= 98.125(\text{cm}^2)$$

3

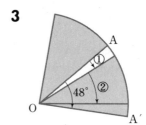

두 부채꼴은 같은 방향으로 ㉠은 1초에 4°씩, ㉡은 1초에 16°씩 회전하므로 ㉠을 중심으로 생각하면 ㉠은 그대로 있고 ㉡은 16° - 4° = 12°씩 회전하는 것과 같다.

1분 4초=64초 후에는 ㉠이 고정된 상태에서 ㉡은 12° × 64 = 768° 회전했다.

이것은 360° × 2 = 720°, 즉 2바퀴 회전하여 원 위치로 온 후 768° - 720° = 48° 더 회전한 것이다.

㉠, ㉡의 중심각은 모두 40°이고 선분 OA가 선분 OA'까지 48° 이동했으므로 ① = 48° - 40° = 8°이고, 겹쳐진 부분의 중심각 ② = 40° - 8° = 32°이다.

따라서 겹쳐진 부분의 넓이는 반지름 15cm, 중심각 32°인 부채꼴의 넓이이다.

$$15 \times 15 \times 3.14 \times \frac{32}{360} = 62.8(\text{cm}^2)$$

4

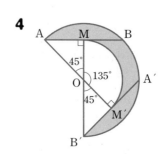

선분 AB가 지나간 부분은 그림에서 색칠한 부분이다. 그림에서 선분 AO와 선분 OB'를 그으면 직각이등변삼각형 AMO와 OM'B'가 생긴다. 색칠한 부분의 넓이는 선분 AO를 반지름으로 하고 중심각이 $45°+135°+45°=225°$인 부채꼴의 넓이에서 직각이등변삼각형 AMO와 OM′B′와 부채꼴 MOM′의 넓이를 모두 뺀 것과 같다.

(선분 AO)×(선분 AO)는 선분 AM을 한 변으로 하는 정사각형의 넓이의 2배이므로 $8×8×2=128(cm^2)$이다.

따라서 선분 AB가 지나간 부분의 넓이는

$128×3.14×\dfrac{225}{360}-\left(8×8×\dfrac{1}{2}+8×8×\dfrac{1}{2}\right.$

$\left.+8×8×3.14×\dfrac{135}{360}\right)$

$=251.2-(32+32+75.36)$

$=251.2-139.36$

$=111.84(cm^2)$

특강탐구문제풀이

1

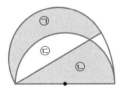 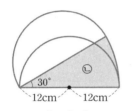

[그림 1]　　　　　　　[그림 2]

[그림 1]에서 두 반원은 합동이고 ㉢이 공통 부분이므로 ㉠과 ㉡의 넓이는 같다.

㉠을 ㉡으로 옮기면 색칠한 부분의 넓이는 [그림 2]와 같이 반지름의 길이가 $12×2=24(cm)$이고, 중심각의 크기가 $30°$인 부채꼴의 넓이와 같다.

따라서 색칠한 부분의 넓이는

$24×24×3.14×\dfrac{30}{360}=150.72(cm^2)$

2

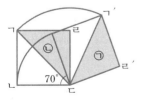

호 ㄴㄴ′의 길이가 21.98cm이고, 각 ㄴㄷㄴ′가 $70°$이므로 정사각형의 한 변인 선분 ㄴㄷ을 반지름으로 하는 원

의 둘레는 $21.98×\dfrac{360}{70}=113.04(cm)$이다.

(선분 ㄴㄷ)×2×3.14=113.04(cm)

(선분 ㄴㄷ)=113.04÷6.28=18(cm)이므로 정사각형의 한 변은 18cm이다.

또, 삼각형 ㉠과 삼각형 ㉡의 넓이가 같으므로 색칠한 부분의 넓이는 부채꼴 ㄱㄷㄱ′의 넓이와 같다.

따라서 색칠한 부분의 넓이는 선분 ㄱㄷ을 반지름으로 하고 중심각이 $70°$인 부채꼴의 넓이이므로

(선분 ㄱㄷ)×(선분 ㄱㄷ)×3.14×$\dfrac{70}{360}$이다.

한편 (선분 ㄱㄷ)×(선분 ㄱㄷ)은

(정사각형 ㄱㄴㄷㄹ의 넓이)×2=18×18×2=648(cm²)

이므로 구하는 넓이는

$648×3.14×\dfrac{70}{360}=395.64(cm^2)$

3

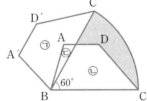

사다리꼴 ABCD와 사다리꼴 A′BC′D′는 합동이고, ㉢은 공통 부분이므로 ㉠과 ㉡의 넓이는 같다. 따라서 ㉠을 ㉡으로 옮기면 구하는 넓이는 반지름이 10cm이고 중심각이 $60°$인 부채꼴의 넓이와 같다.

따라서 색칠한 부분의 넓이는

$10×10×3.14×\dfrac{60}{360}=\dfrac{314}{6}=52\dfrac{1}{3}(cm^2)$

4

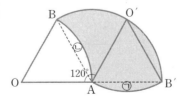

점 A를 중심으로 부채꼴 BOA를 $120°$ 회전시켰을 때 호 AB가 지나는 부분은 그림의 색칠한 부분과 같다.

㉠의 넓이는 ㉡의 넓이와 같고 선분 AB가 선분 AB′로 $120°$만큼 이동했으므로 ㉠을 ㉡으로 옮기면 구하는 넓이는 선분 AB를 반지름으로 하고 중심각이 $120°$인 부채꼴의 넓이와 같다.

한편 (선분 OB)=(선분 OA)이고 각 AOB는 60°이므로 삼각형 AOB는 정삼각형이다. 따라서 선분 AB는 6cm이다.

따라서 구하는 넓이는

$$6 \times 6 \times 3.14 \times \frac{120}{360} = 37.68(\text{cm}^2)$$

5

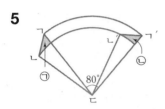

㉠의 넓이는 ㉡의 넓이와 같으므로 ㉠을 ㉡으로 옮기면 구하는 넓이는 변 ㄱㄷ을 반지름으로 하고 중심각이 80°인 부채꼴의 넓이에서 변 ㄴㄷ을 반지름으로 하고 중심각이 80°인 부채꼴의 넓이를 뺀 것과 같다.

따라서 색칠한 부분의 넓이는

$$7 \times 7 \times 3.14 \times \frac{80}{360} - 6 \times 6 \times 3.14 \times \frac{80}{360}$$
$$= (7 \times 7 - 6 \times 6) \times 3.14 \times \frac{2}{9}$$
$$= \frac{8164}{900} = 9\frac{16}{225}(\text{cm}^2)$$

6

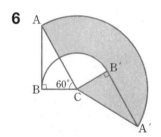

삼각형 ABC와 삼각형 A′B′C가 합동이므로 삼각형 ABC를 삼각형 A′B′C로 옮기면 구하는 넓이는 그림의 색칠한 부분의 넓이와 같다.

색칠한 부분의 넓이는 변 AC를 반지름으로 하고 각 ACA′를 중심각으로 하는 부채꼴의 넓이에서, 변 CB′를 반지름으로 하고 각 ACB′를 중심각으로 하는 부채꼴의 넓이를 뺀 것과 같다.

삼각형 ABC는 한 각이 60°인 직각삼각형이므로
(변 AC의 길이)=(변 BC의 길이)×2=10(cm)이다.
또 변 AC가 변 B′A′와 평행이므로 각 ACB′는 각 CB′A′와 엇각으로 90°이고, 각 ACA′는 90°+60°

=150°이다.

따라서 구하는 넓이는

$$10 \times 10 \times 3.14 \times \frac{150}{360} - 5 \times 5 \times 3.14 \times \frac{90}{360}$$
$$= \left(10 \times 10 \times \frac{5}{12} - 5 \times 5 \times \frac{1}{4}\right) \times 3.14$$
$$= \frac{500 - 75}{12} \times 3.14$$
$$= \frac{2669}{24} = 111\frac{5}{24}(\text{cm}^2)$$

7

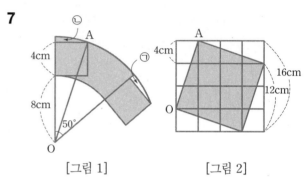

[그림 1]　　　　　　[그림 2]

[그림 1]에서 ㉠의 넓이는 ㉡의 넓이와 같으므로 ㉠을 ㉡으로 옮기면 구하는 넓이는 선분 AO를 반지름으로 하고 중심각이 50°인 부채꼴의 넓이에서 반지름이 8cm, 중심각이 50°인 부채꼴의 넓이를 뺀 것에 한 변의 길이가 4cm인 정사각형의 넓이를 더한 것과 같다.

따라서 구하는 넓이는

(선분 AO)×(선분 AO)×$3 \times \frac{50}{360} - 8 \times 8 \times 3 \times \frac{50}{360}$
$+4 \times 4$

한편 (선분 AO)×(선분 AO)는 [그림 2]에서 색칠한 정사각형의 넓이이므로

(선분 AO)×(선분 AO)$= 16 \times 16 - 12 \times 4 \times \frac{1}{2} \times 4$
$= 256 - 96 = 160(\text{cm}^2)$

따라서 정사각형이 지나간 부분의 넓이는

$$160 \times 3 \times \frac{50}{360} - 8 \times 8 \times 3 \times \frac{50}{360} + 4 \times 4$$
$$= (160 - 64) \times 3 \times \frac{5}{36} + 16$$
$$= 40 + 16 = 56(\text{cm}^2)$$

8

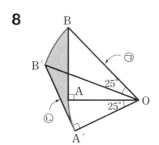

두 삼각형 ㉠, ㉡은 마주 보며 1초에 각각 3°, 5°씩 회전하므로 ㉠을 고정시키고 ㉡이 1초에 3°+5°=8°씩 가고 있는 것으로 생각할 수 있다.

따라서 20초 동안 ㉡은 8°×20=160°만큼 회전한다. 또 겹칠 때까지 90°+45°=135°만큼 회전하므로 그림과 같이 변 AB가 160°−135°=25°만큼 회전하며 지나간 부분의 넓이를 구하면 된다.

색칠한 부분의 넓이는 삼각형 ㉡의 넓이와 변 BO를 반지름으로 하고 중심각이 25°인 부채꼴의 넓이를 더한 것에서, 삼각형 ㉠의 넓이와 변 AO를 반지름으로 하고 중심각이 25°인 부채꼴의 넓이를 빼 준 것과 같다.

$$(삼각형 ㉡)+\left\{(변\ BO)\times(변\ BO)\times3\times\frac{25}{360}\right\}-$$
$$(삼각형 ㉠)-\left\{(변\ AO)\times(변\ AO)\times3\times\frac{25}{360}\right\}$$

위 식에서 삼각형 ㉠과 ㉡은 합동이므로 넓이가 같다. 또 (변 BO)×(변 BO)는 (변 AO)의 길이를 한 변으로 하는 정사각형의 넓이의 2배이므로 7×7×2=98(cm²)이다.

따라서 구하는 넓이는

$$98\times3\times\frac{25}{360}-49\times3\times\frac{25}{360}$$
$$=(98-49)\times3\times\frac{5}{72}$$
$$=\frac{245}{24}=10\frac{5}{24}(\text{cm}^2)$$

9

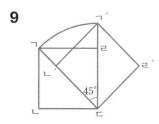

정사각형 ㄱㄴㄷㄹ이 지나간 부분의 넓이는 삼각형 ㄱㄴㄷ, 삼각형 ㄱ′ㄷㄹ′, 부채꼴 ㄱㄷㄱ′의 넓이를 합한 것임을 알 수 있다.

삼각형 ㄱㄴㄷ과 삼각형 ㄱ′ㄷㄹ′의 넓이의 합은 정사각형 ㄱㄴㄷㄹ의 넓이와 같다. 또 부채꼴 ㄱㄷㄱ′의 중심각은 45°이다.

따라서 구하는 넓이는

$$8\times8+(선분\ ㄱㄷ)\times(선분\ ㄱㄷ)\times3.14\times\frac{45}{360}$$

한편 (선분 ㄱㄷ)×(선분 ㄱㄷ)은 정사각형 ㄱㄴㄷㄹ의 넓이의 2배이므로 8×8×2=128(cm²)이다.

따라서 정사각형 ㄱㄴㄷㄹ이 지나간 부분의 넓이는

$$8\times8+128\times3.14\times\frac{45}{360}$$
$$=64+50.24=114.24(\text{cm}^2)$$

10

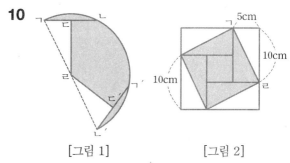

[그림 1]　　　　　[그림 2]

선분 ㄱㄴ과 선분 ㄷㄹ이 지나간 부분의 넓이는 [그림 1]에서 색칠한 부분의 넓이이다.

색칠한 부분의 넓이는 선분 ㄱㄹ을 반지름으로 하는 반원의 넓이에서 삼각형 ㄱㄷㄹ과 삼각형 ㄹㄴ′ㄷ′의 넓이를 뺀 것과 같다.

따라서 구하는 넓이는

$$(선분\ ㄱㄹ)\times(선분\ ㄱㄹ)\times3.14\times\frac{1}{2}-(삼각형\ ㄱㄷㄹ$$
$$+삼각형\ ㄹㄴ′ㄷ′)$$

한편 (선분 ㄱㄹ)×(선분 ㄱㄹ)은 [그림 2]에서 색칠한 정사각형의 넓이와 같으므로

$$(선분\ ㄱㄹ)\times(선분\ ㄱㄹ)=15\times15-5\times10\times\frac{1}{2}\times4$$
$$=225-100=125(\text{cm}^2)$$

따라서 구하는 넓이는

$$125\times3.14\times\frac{1}{2}-5\times10\times\frac{1}{2}\times2=196.25-50$$
$$=146.25(\text{cm}^2)$$

3 과정 정답과 풀이

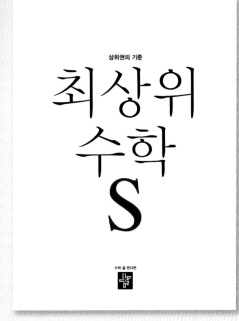

중학국어 독해를 제대로 시작하려면

생각 읽기가 독해다!

생각 읽기가 독해다!

생각독해 I

디딤돌

| 중학 국어 | 시작편 (I) | 기본편 (II , III) | 심화편 (IV , V) |